Koude rivier

Michael Koryta bij Boekerij:

Begraven
Erfenis
Het stille uur
Koude rivier

www.boekerij.nl

Michael Koryta

Koude rivier

ISBN 978-90-225-5815-7
NUR 305

Oorspronkelijke titel: *So Cold the River* (Hodder & Stoughton)
Vertaling: Fanneke Cnossen
Omslagontwerp: HildenDesign, München
Zetwerk: Mat-Zet bv, Soest

Voor Christine, die me er deze keer niet mee weg liet komen

Deel 1

Genezer van ziekten

1

Je zocht naar de artefacten van hun ambitie. Dat had een professor in de sociologie eens tijdens een werkcollege voor eerstejaars gezegd. Eric Shaw vond dat wel een mooie zin; hij had enkel en alleen dat stukje op een blocnote opgeschreven die algauw vergeten en daarna weggegooid zou worden. Artefacten van hun ambitie. Alleen wanneer je zulke dingen bestudeerde, kon je mensen die lang geleden gestorven waren begrijpen. Gewone artefacten konden kapot geanalyseerd worden en er werd te veel belang aan gehecht. Het was cruciaal om iets te vinden waaruit ambities en aspiraties spraken, dat vermoeiende stukje over hoop en dromen. Het wezen van een mens ligt in hetgeen waarnaar hij verlangde. Of hij datgene ook daadwerkelijk bereikt is minder belangrijk dan verlangens zelf.

Die zin schoot Eric bijna twintig jaar later weer te binnen, toen hij een videomontage voorbereidde voor een rouwdienst voor een overleden vrouw. Levensportretten op video, zo noemde hij ze, een poging om een in wezen veredelde diapresentatie nog enigszins geloofwaardig over te laten komen. Er was een tijd geweest waarin Eric, noch iemand die hem kende, kon geloven dat zo'n carrière voor hem in het verschiet lag. Sterker nog, hij vond het nog steeds moeilijk te geloven. Je kon een leven leiden en nooit helemaal bevatten hoe je daar zelf precies in stond. Knap lastig.

Als hij pas van de filmacademie af was geweest, dan had hij zichzelf er misschien nog van kunnen overtuigen dat dit een onderdeel was van de worsteling van de kunstenaar, een manier om de kost te verdienen voordat de grote doorbraak kwam. Maar hij was twaalf jaar geleden aan de filmacademie afgestudeerd, twááĺf jaar. En twee jaar sinds hij naar Chicago was verhuisd om aan de puinhoop uit zijn periode in Los Angeles te ontsnappen.

In zijn toptijd, hij was toen dertig en werd steeds vaker voor grotere klussen gevraagd, werden zijn films geprezen door een van de succesvolste filmregisseurs ter wereld. Nu maakte Eric video's voor diploma-uitreikingen en huwelijken, verjaardagen en jubilea. En begrafenissen. Heel veel begrafenissen. Die waren op de een of andere manier zijn niche geworden. Een zaak zoals de zijne moest het van mond-tot-mondreclame hebben en die leek zich bij Eric vooral op begrafenissen toe te spitsen. Zijn klanten waren over het algemeen tevreden over zijn video's, maar de begrafenisgangers waren opgetogen. Misschien was hij op onbewust niveau gemotiveerder wanneer zijn werk met de dood te maken had. Daar lag een grotere verantwoordelijkheid. Eerlijk gezegd ging hij bij de voorbereiding van een herdenkingsvideo meer op zijn instinct af dan wanneer hij aan iets anders werkte. Dan leek het alsof hij meer inspiratie had, alsof hij werd geleid door een natuurlijk gevoel dat bijna altijd klopte.

Op deze dag stond hij vlak bij een begraafplaats in een buitenwijk, waar straks een dienst zou beginnen waarvan hij ongebruikelijk hooggespannen verwachtingen had. Hij had er de hele vorige dag – vijftien uur aan één stuk – aan gewerkt, een haastklus voor de familie van een vierenveertigjarige vrouw die bij een auto-ongeluk op de Dan Ryan-snelweg om het leven was gekomen. Ze hadden hem een fotoalbum, plakboeken en een aantal aandenkens aan haar gegeven, en hij was aan de slag gegaan met het rangschikken van de beelden en het maken van een soundtrack. Hij nam foto's van foto's en mixte die met homevideoclips, draaide die toen samen af en zette er wat muziek onder om er een levendig geheel van te maken. Meestal huilden de mensen en zo nu en dan lachten ze, en ze zouden altijd mee murmelen en bij vergeten momenten en dierbare herinneringen hun hoofd schudden. Dan zouden ze Erics hand pakken en hem bedanken, en zich verwonderen dat hij het zo raak had getypeerd.

Eric woonde de rouwdiensten niet altijd bij, maar Eve Harrelsons familie had hem gevraagd dat vandaag wel te doen en hij had wat graag toegestemd. Hij wilde zien hoe het publiek op deze presentatie zou reageren.

Het was de dag ervoor in zijn appartement in Dearborn begonnen, terwijl hij op de grond zat met zijn rug tegen de bank en om zich heen de verzameling van Eve Harrelsons persoonlijke spulletjes, die hij bestudeerde en selecteerde. Tijdens dat proces was op een bepaald moment die oude zin weer in hem opgekomen, de artefacten van hun ambitie, en hij vond het opnieuw mooi gezegd. Daarna, half en half aangemoedigd door die zin, was hij nogmaals door een stapel foto's gegaan die hij al eerder had bekeken en hij bedacht dat hij iets moest zien te vinden over Eve Harrelsons dromen.

De foto's waren veel van het hetzelfde; iedereen stond er geposeerd en met een te brede glimlach op of deed te hard zijn best zorgeloos en onaangedaan over te komen. Eigenlijk zei de hele fotoverzameling van de Harrelsons hem niets. Ze waren een familie van foto's geweest, niet van video-opnamen, en dat was al lastig. Videocamera's laten beweging, stemmen en geestkracht zien. Uit stilstaande beelden kon je wel iets van betekenis afleiden, maar het was zonder meer moeilijker, en de fotoalbums van de Harrelsons waren niet veelbelovend.

Hij was van plan geweest om de presentatie rondom Eves kinderen te concentreren; dat druiste tegen zijn intuïtie in, maar hij dacht dat hij er een goede beurt mee zou maken. De kinderen waren tenslotte haar nalatenschap, met wie hij bij familie en vrienden gegarandeerd een gevoelige snaar zou raken. Maar toen hij de stapel foto's doorwerkte, stond hij abrupt stil bij een afbeelding van een rood huis. Er stond verder niemand op de foto, alleen een A-vormig huis dat donker bordeauxrood was geschilderd. De ramen gingen schuil in de schaduw, binnen was niets te zien. Aan weerskanten stonden naaldbomen, maar de uitsnede was zo krap dat niet duidelijk was wat zich in de naaste omgeving bevond. Eric staarde naar de foto en raakte er gaandeweg van overtuigd dat het huis aan een meer moest staan. Daar was geen enkele aanwijzing voor, maar hij was er zeker van. Het stond aan een meer en als je de uitsnede zou vergroten, zou je in kleuren uitbarstende herfstbladeren zien, achter de naaldbomen waarvan de schaduwen op het oppervlak van het door de wind golvende water reflecteerden.

Deze plek had iets voor Eve Harrelson betekend. Heel veel betekend. Hoe langer hij de foto vasthield, hoe sterker hij daarvan overtuigd raakte. Er ging een prikkeling langs zijn armen en nek en hij dacht: daar heeft ze de liefde bedreven. En niet met haar man.

Het was een krankzinnige gedachte. Hij schoof de foto terug in de stapel en later, nadat hij zo'n paar honderd foto's had bekeken, werd duidelijk dat deze de enige foto van het huis was. Klaarblijkelijk was de plek toch niet zo speciaal geweest, je maakte niet slechts één foto van een plek die je dierbaar was.

Negen frustrerende uren later, toen het project op geen enkele manier de vorm kreeg die hij wilde, pakte Eric de foto opnieuw vast, met diezelfde rotsvaste overtuiging in zijn hoofd. Het huis was iets speciaals. Het huis was heilig. En dus deed hij de foto erbij, dit enkele kiekje van een leeg gebouw, hij verwerkte het in de compilatie en kreeg het gevoel dat daardoor de hele presentatie één geheel werd en de foto de spil ervan was.

Nu zou de videopresentatie worden getoond, de eerste keer dat iemand van de familie die zou zien, en hoewel Eric zichzelf wijsmaakte dat hij gewoon nieuwsgierig was – je wilde altijd weten wat je klanten van je werk vonden – draaide de presentatie in zijn achterhoofd om die ene foto.

Tien minuten voor aanvang van de dienst ging hij de ruimte binnen en nam achterin zijn plaats naast de dvd-speler en projector in. Dankzij een Xanax en een Inderal voelde hij zich prettig en afstandelijk. Hij had zijn nieuwe arts ervan verzekerd dat hij de medicijnen alleen nodig had omdat hij sinds Claires vertrek last had van een algemeen stressgevoel, maar in werkelijkheid nam hij de pillen altijd in wanneer hij zijn werk moest presenteren. Professionele koelbloedigheid, maakte hij zichzelf wijs. Jammer dat hij die koelbloedigheid niet had gehad toen hij echte films maakte. Door het alomtegenwoordige gevoel van falen, de kille aanraking van schaamte, had hij die pillen nodig.

De echtgenoot van Eve Harrelson, Blake, een man met een hard gezicht, dik donker haar en een dubbelfocusbril, liep als eerste naar het podium. De twee kinderen zaten op de voorste rij. Eric deed zijn best zich niet op hen te richten. Hij voelde zich bij zo'n project nooit op zijn gemak wanneer er ook kinderen bij waren.

Blake Harrelson sprak een paar dankwoorden uit voor de aanwezigen en kondigde aan dat ze zouden beginnen met een korte film als huldeblijk. Hij noemde Eric niet, verwees zelfs niet naar hem, knikte slechts naar een man bij de lichtknop en deed een stap opzij.

Showtime, dacht Eric toen de lichten uitgingen en hij op de play-toets drukte. De projector was al scherpgesteld en op de juiste hoogte gezet, en het scherm vulde zich met een close-up van Eve en haar kinderen. De videopresentatie begon met een paar luchthartige shots – zo moest je bij zulke treurige gelegenheden altijd te werk gaan – en de begeleidende muziek ontlokte onmiddellijk een paar onderdrukte, waarderende lachjes.

Naast de handvol lievelings-cd's die de familie hem had aangeleverd, had Eric een geluidsopname gevonden waarop Eve tijdens een recital piano-speelde terwijl haar dochter zong. De timing was vanaf het begin al ver-keerd en ging van kwaad tot erger, en ergens halverwege kon je horen dat ze beiden hun lachen nauwelijks konden inhouden.

Zo ging het een paar minuten door, hier en daar werd gelachen en er werden wat tranen weggepinkt, een paar kneepjes in de schouders met een paar gefluisterde, troostrijke woorden. Eric stond ernaar te kijken en be-dankte in stilte de chemicus die de kalmerende middelen had ontdekt die nu in zijn bloedbaan zaten. Als er al een intensere druk bestond dan wan-neer je zo'n groep rouwende mensen gadesloeg die naar jouw film zat te kijken, dan kon hij zich die niet voorstellen. O, wacht, ja, toch wel: een echte film maken. Toen had hij ook onder druk gestaan. En daar was hij onder bezweken.

De foto van het huis kwam na zes minuten en tien seconden in de negen minuten durende compilatie. Hij had de meeste foto's niet langer dan vijf seconden getoond, maar het huis bleef twee keer zo lang in beeld. Zo nieuwsgierig was hij naar de reactie.

De muziek veranderde een paar seconden voordat het huis verscheen, een uitgelaten nummer van Queen – Eve Harrelsons lievelingsband – ging abrupt over in Ryan Adams' vertolking van 'Wonderwall' van Oasis. Eric had die cd van de familie gekregen, nog een van Eves favorieten, maar tij-dens zijn laatste editronde had hij de versie van Oasis vervangen door de uit-voering van Adams. Die was langzamer, verdrietiger, gekwelder. Ze paste er-bij.

In de eerste paar seconden bespeurde hij geen reactie. Hij keek over de menigte uit en zag geen echte interesse op de gezichten, slechts geduld of, in een paar gevallen, verwarring. Toen, vlak voordat het beeld weer wissel-de, viel zijn oog op een blonde vrouw in een zwarte jurk aan het einde van de derde rij. Zij had zich volledig omgedraaid en staarde in het felle licht van de projector, op zoek naar hem. Door iets in haar blik schoof hij opzij, achter het licht. Het beeld veranderde en daarmee ook de muziek, maar ze bleef zijn kant uit staren. Toen zei de man naast haar iets, hij raakte haar arm aan en ze draaide zich schoorvoetend weer naar het scherm terug. Eric ademde uit en voelde die spanning weer in zijn nek. Hij was dus niet gek. Er was iets met die foto.

De rest van de film maakte hij nauwelijks bewust mee. Toen die was afgelopen, demonteerde hij de apparatuur en pakte alles in om te vertrekken. Dat had hij nog nooit eerder gedaan – hij wachtte altijd respectvol tot het einde van de bijeenkomst en praatte dan nog wat met de familie – maar vandaag wilde hij alleen maar weg, terug naar het zonlicht en de frisse lucht, weg van die vrouw in de zwarte jurk en die indringende blik.

Hij glipte met de projector in zijn armen door de dubbele deuren en was door de hal op weg naar de uitgang toen een stem achter hem zei: 'Waarom heb je die foto gebruikt?'

Zij was het. De blonde vrouw in het zwart. Hij draaide zijn gezicht naar haar toe, ving die blik weer op en kon nu zien dat ze doordringende blauwe ogen had.

'Het huis?'

'Ja. Waarom heb je dat gebruikt?'

Hij bevochtigde zijn lippen, verschoof het gewicht van de projector. 'Dat weet ik eigenlijk niet.'

'Lieg alsjeblieft niet tegen me. Wie heeft tegen je gezegd dat je hem moest gebruiken?'

'Niemand.'

'Ik wil weten wie tegen je heeft gezegd dat je hem moest gebruiken!' Het kwam er sissend uit.

'Niemand heeft een woord over die foto tegen me gezegd. Ik veronderstelde dat ik voor gek versleten zou worden door hem ertussen te stoppen. Het is gewoon een huis.'

'Als het maar gewoon een huis was,' zei ze, 'waarom heb je die foto er dan bij gedaan?'

Dit was Eve Harrelsons jongere zus, realiseerde hij zich nu. Ze heette nu Alyssa Bradford en stond op verschillende foto's die hij in de presentatie had verwerkt. In de aula was iemand aan het praten, sprak in waarderende bewoordingen over Eve, maar dat leek deze vrouw helemaal niets te kunnen schelen. Ze had al haar aandacht op hem gericht.

'Ik vond hem iets speciaals hebben,' zei hij. 'Ik kan het niet anders verklaren. Soms krijg ik gewoon een gevoel. Het was de enige foto van die plek en er stonden geen mensen op. Dat vond ik apart. Hoe langer ik ernaar keek… ik weet niet, ik vond gewoon dat hij erin paste. Het spijt me als ik je ermee heb beledigd.'

'Nee. Dat is het niet.'

Een ogenblik viel er een stilte, terwijl zij beiden daarbuiten stonden en de bijeenkomst binnen doorging.

'Waar was dat eigenlijk?' zei hij. 'En waarom ben jij de enige die erop reageert?'

Toen keek ze achter zich alsof ze er zeker van wilde zijn dat de deuren dicht waren.

'Mijn zus heeft een verhouding gehad,' zei ze zachtjes en Eric voelde dat zich iets kils en spinachtigs door zijn borst wurmde. 'Ik ben de enige die ervan weet. Dat heeft ze tenminste tegen me gezegd. Ze ging met een man van de universiteit om, tijdens een zware tijd met Blake... Blake is een klootzak, een paar dingen die hij heeft gedaan zal ik hem nooit vergeven en ik vind dat ze bij hem weg had moeten gaan. Maar onze ouders zijn gescheiden en dat is een akelige bedoening geweest, dat wilde ze haar kinderen besparen.'

Dit soort bekentenissen waren niet ongebruikelijk. Eric was eraan gewend geraakt dat familieleden hem meer vertelden dan goed voor ze was. Door verdriet valt een oude barrière rondom geheimen weg en soms was het gemakkelijker ze aan een vreemde te vertellen. Misschien wel altijd.

'Dat huis staat in Michigan,' zei ze. 'Bij een meertje op het boven-schiereiland. Ze is daar een week met deze man geweest, is teruggekomen en heeft hem nooit meer gezien. Het kwam door de kinderen, weet je, alleen voor hen is ze gebleven. Maar ze was verliefd op hem. Dat weet ik zeker.'

Wat kon hij daar nou op zeggen? Eric verschoof de projector nogmaals, maar zei niets.

'Ze heeft geen foto's van hem bewaard,' zei Alyssa Bradford, en nu stonden er tranen in haar ogen. 'Ze heeft ook haar fotoalbums van de universiteit verscheurd, en elke foto die daarin stond verbrand. Niet uit woede, maar om hier te kunnen blijven, ze moest wel. Ik was bij haar toen ze ze verbrandde, en ze heeft die ene foto, dat kiekje, gehouden omdat er niemand op stond. Dat heeft ze als enige herinnering aan hem bewaard.'

'Hij leek er gewoon in te passen,' zei Eric nogmaals.

'En dat liedje,' zei ze terwijl ze hem opnieuw doordringend aankeek nadat ze haar tranen had weg geknipperd. 'Hoe kwam je in hemelsnaam bij dat liedje?'

Bij dat liedje hebben ze gevreeën, dacht hij, waarschijnlijk voor de eerste keer, en anders was het wel de beste keer, de keer die ze zich het langst had herinnerd, de keer die ze zich vlak voor ze stierf herinnerde. Ze hebben tijdens dat liedje gevreeën, hij trok aan haar haren, zij boog haar hoofd naar achteren en kreunde in zijn oor, en na afloop lagen ze naast elkaar te luisteren naar de wind die huilde om dat huis met de donkerrode verf. Het was warm en winderig en ze dachten dat het gauw zou gaan regenen. Dat wisten ze wel zeker.

De vrouw staarde hem aan, deze vrouw die de enige levende ziel was die wist dat haar zus een verhouding had gehad, dat ze een week in dat huisje had doorgebracht. Althans, los van haar minnaar de enige levende ziel. En nu wist Eric het ook. Hij keek haar recht aan en haalde zijn schouders op.

'Dat paste er gewoon bij, meer niet. Ik probeer de muziek aan de sfeer aan te passen.'

En dat deed hij ook, bij elk project. Dat klopte zonder meer. Al het andere, dat vreemde maar overtuigde gevoel dat dat lied belangrijk was, kon onmogelijk meer zijn dan hersenspinsels. Elk ander idee was absurd. Absoluut absurd.

Eve Harrelsons zus gaf hem een honderddollarbiljet voor ze naar de dienst terugging; een nieuwe tranenvloed stond in haar ogen. Eric wist niet zeker of het een fooi was of dat zijn zwijgen werd afgekocht, en hij vroeg er niet naar. Nadat hij zijn apparatuur in de auto had gezet en op de bestuurdersstoel zat van de Acura MDX die Claire had betaald, haalde hij het biljet uit zijn zak en stopte het in zijn portefeuille. Hij deed zijn best geen acht te slaan op zijn trillende handen.

2

Dit was niet de eerste keer. Door de jaren heen was Eric eraan gewend geraakt dat bij een bepaald beeld er voor zijn gevoel iets onverklaarbaars aan hem trok. Dat was een van de redenen waarom hij zo goed was in historische projecten. De laatste belangrijke film waaraan hij had gewerkt was voor de kabeltelevisie geweest, een historisch drama over de vlucht van de

Nez Percé-indianen in 1877, een verbazingwekkend en tragisch verhaal, en Eric had er vanaf het begin iets mee gehad. Ze hadden in het Bear Paw-gebergte in het noorden van Montana gefilmd, op de plek waar aan de terugtocht van ruim tweeduizend kilometer een einde was gekomen, zo'n zestig kilometer van de Canadese grens, waar de indianen wanhopig graag naartoe wilden. Er was een team historici mee, mensen die zich talloze uren in het verhaal hadden verdiept en geloofden dat ze de belangrijkste locaties precies wisten te vinden. De crew was zes uur bezig geweest om de boel op te bouwen en bijna zover om te gaan draaien toen Eric naar een heuvel reed die over een ander dal uitkeek. Dat was kleiner en oppervlakkig gezien minder aantrekkelijk. Er dwarrelde wat sneeuw omlaag en de zon was bezig de strijd met de wolken te verliezen. Toen de laatste zonnestraal zich overgaf, keek hij de kleinere vallei in en wist dat ze op die plek waren geweest. De Nez Percé. Opperhoofd Joseph en zo'n tweehonderd krijgers. Met generaal William Tecumseh Sherman en tweedúízend goed uitgeruste Amerikaanse soldaten op hun hielen.

Eric bleef nog even op die richel staan, reed toen weer terug en maakte flinke stampij om alles weer in te pakken en de volgende scène in het kleinere dal op te nemen. De regisseur was Douglass Wainberg, een kleine, joodse man die tijdens het hele project een cowboyhoed droeg, en hoewel hij een hoop tekortkomingen had, vertrouwde hij ook op talent. Hij liet zich vermurwen toen Eric een tirade had afgestoken dat het helemaal niet om licht en horizonlijnen ging – hij wilde alleen maar verkassen omdat hij wist dat ze in het verkeerde dal zaten – en het kostte een dag om de boel te verplaatsen. Een van de historici was het niet met de beslissing eens, vond het doodzonde dat zorgvuldigheid werd opgeofferd voor lichtomstandigheden. Eric had hem genegeerd, ervan overtuigd dat hij ernaast zat. De Nez Percé waren nooit in dit verdomde dal geweest.

Zo'n sterk gevoel over hoe belangrijk een enkel shot kon zijn, had hij daarna nooit meer gehad, tot deze foto van het rode huis. En zijn eerdere ervaringen hadden eerder iets weg gehad van een illusie, die verdween zodra je er de vinger op wilde leggen.

Een week na de dienst belde Eve Harrelsons zus hem op, net toen hij zichzelf inmiddels meesmuilend uitlachte om hoe zijn verbeelding met hem op de loop was gegaan.

'Ik hoop niet dat... dat ongelukkige moment tijdens Eves uitvaartdienst je ervan laat weerhouden om voor me te werken,' waren Alyssa Bradfords eerste woorden toen ze elkaar de dag na haar telefoontje ontmoetten. Ze zaten op het terras van een coffeeshop op Michigan Avenue, en aan weerskanten van haar stoel stonden twee boodschappentassen waarin waarschijnlijk voor tweeduizend dollar aan kleren zaten, zorgvuldig en vogue om informeel over te komen. Alles aan die vrouw wasemde geld uit. Eric had geen idee waar dat vandaan kwam. Hij had de Harrelson-kant van de familie leren kennen en in het gunstigste geval behoorde die tot de middenklasse. Het was duidelijk dat Alyssa een betere partij had getrouwd.

'Natuurlijk niet,' zei hij. 'Ik begrijp je reactie wel.'

'Ik heb je alleen maar gebeld omdat ik je presentatie zo goed vond,' zei ze. 'Zoals je alles in elkaar hebt gepast, en de muziek… prachtig gewoon. Iedereen die erbij was, was erdoor geroerd. Iédereen.'

'Daar ben ik blij om.'

'Het heeft iets in mijn hoofd losgemaakt. Iets wat ik voor mijn man kan doen. Mijn schoonvader – hij heet Campbell Bradford – is heel ernstig ziek, dat loopt bijna af, vrees ik. Maar hij is een opmerkelijk man en heeft een opmerkelijk verhaal, en nadat ik jouw film had gezien dacht ik: dit is perfect. Een absoluut volmaakt eerbetoon, iets wat de familie dolgraag zou willen hebben.'

'Nou, ik ben blij dat ik een goede indruk heb gemaakt. Nu je het hebt gezien, weet je vrij goed wat ik ervoor nodig heb en…'

Hij zweeg toen ze een hand opstak.

'Maar we gaan niet hetzelfde doen. Zie je, ik wil wat langer van je diensten gebruikmaken. Ik wil je graag ergens naartoe sturen.'

'Me ergens naartoe sturen?'

'Als je daartoe bereid bent. Ik heb begrepen dat je ervaring hebt met grotere projecten.'

Ervaring met grotere projecten. Hij keek haar met een lachje aan en wist even naar haar te knikken, terwijl hij weer door schaamte werd overmand, haast zo erg dat hij uit zijn stoel werd verdreven.

'Ik heb veel filmwerk gedaan,' zei hij. Het was de moeilijkste zin die hij ooit had uitgesproken.

'Dat dacht ik al. Ik heb op internet over je gelezen en was heel verbaasd dat je naar Chicago bent teruggegaan.'

Nu was de stoep naar hem aan het roepen, hij schreeuwde het naar hem uit. Sta op, sta als de sodemieter van die stoel op en maak dat je bij dit respectloze gedoe wegkomt. Ooit was je groot. Groot en op het punt om gróóts te worden. Weet je nog?

'Ik nam aan dat het waarschijnlijk een familiekwestie was,' zei Alyssa Bradford.

'Ja,' zei hij. Het was inderdaad een familiekwestie, in die zin dat het tijd werd om naar huis te gaan als je carrière was geïmplodeerd.

'Nou, dit is ook een familieaangelegenheid. Mijn schoonvader is een verhaal apart. Hij was als jonge tiener van huis weggelopen, kwam midden in de Depressie in Chicago terecht en heeft een succesverhaal van zichzelf gemaakt. Een reusáchtig succesverhaal. Tegenwoordig is hij goed voor een slordige tweehonderd miljoen. Het was ook een stilgehouden fortuin. Tot voor heel kort wist niemand in de familie hoeveel hij precies waard was. We wisten dat hij rijk was, maar niet zó rijk. Toen werd hij ziek, met alle juridische rompslomp vandien, en alles kwam naar buiten. Begrijp je nu waarom ik zijn verhaal zo graag wil vertellen?'

'Waarmee heeft hij zo veel geld verdiend?'

'Investeringen. Aandelen, handel, obligaties, onroerend goed, noem maar op. Alles wat hij aanraakte veranderde in goud.'

'Dat wil ik wel geloven.' Eric had er op de een of andere manier moeite mee haar recht aan te kijken. Haar blik, die intense blik met die blauwe ogen, deed hem denken aan de manier waarop ze hem tijdens de uitvaartdienst in het nauw had gedreven.

'Ik wil dat je naar zijn geboortestad gaat, die ligt in Zuid-Indiana, echt een heel wonderlijke plek, en prachtig. Heb je ooit van French Lick gehoord?'

'Larry Bird. De NBA-basketbalspeler,' zei hij en ze knikte lachend.

'Dat zegt bijna iedereen, maar French Lick was ooit een van de prominente resorts in de wereld. Eigenlijk zijn er twee steden, West Baden en French Lick, ze liggen naast elkaar en hebben beide een adembenemend hotel. Vooral dat in West Baden. Je hebt nog nooit zoiets gezien, en toch staat het in een godvergeten gat, in een stadje midden op het boerenland.'

'Wil je dat ik daarheen ga?'

'Dat hoop ik, ja. Daar komt mijn schoonvader vandaan; hij is in de periode opgegroeid dat het er bruiste van leven en mensen als Franklin D. Roosevelt en Al Capone er regelmatig kwamen. Dat heeft hij in zijn jeugd meegemaakt. Vorig jaar ben ik er voor het eerst geweest, nadat ik had gelezen dat de hotels in oude luister waren hersteld. Ik ben er maar een dag gebleven, maar dat was lang genoeg om te zien dat het echt een surrealistische plek is.'

'Wil je dan de geschiedenis van de plaats op video vastleggen, of zijn leven, of…'

'Een combinatie. Ik ben bereid om een verblijf van twee weken voor je te betalen en de periode die je nodig hebt om het na je terugkomst af te maken.'

'Twee weken lijken me buitensporig lang. Nog los van de kosten.'

'Volgens mij niet. Mijn schoonvader praat niet veel over zijn jeugd of zijn familie. Hij heeft het graag over de streek, alle verhalen over de steden en de tijden van weleer, maar over zijn eigen leven laat hij amper iets los. Het enige wat we weten is dat hij in zijn vroege tienerjaren van huis is weggelopen. Daarmee eindigde de relatie met zijn familie.'

'In dat geval,' zei Eric, 'vindt hij het wellicht niet zo fijn als ik de familiegeschiedenis op video zet.'

'Dat zou kunnen. Maar dit is niet voor hem bedoeld; het is voor mijn man en de rest van de familie.'

'Ik vind het zeker interessant,' zei hij, 'maar ik vind echt dat twee weken een beetje te…'

'O, ik vergeet nog te vertellen hoeveel je krijgt. Ik betaal twintigduizend dollar voor de hele productie. Daarvan krijg je een voorschot van vijfduizend.'

Ongelooflijk dat hij van dat bedrag in eerste instantie weinig onder de indruk was. Hij zat nog steeds met budgetten in zijn hoofd die met het maken van echte films gemoeid waren. Maar in tweede instantie realiseerde hij zich dat twintigduizend dollar de helft was van wat hij het hele vorige jaar had verdiend. En nog eens twintigduizend méér dan hij in het jaar daarvoor had omgezet. Hij sloot zijn mond om te voorkomen dat hij met het 'ik weet niet of ik zo veel tijd kan vrijmaken'-argument zou komen, leunde achterover in zijn stoel en trok zijn wenkbrauwen naar Alyssa Bradford op.

'Ik zou niet weten hoe ik dat zou kunnen weigeren.'

'Schitterend. Als je de stad en de hotels hebt gezien en meer te weten komt over de geschiedenis, dan vind je volgens mij wel dat het hele project heel erg bij je past. Het past bij iemand met jouw talenten.'

'Mijn talenten.'

Ze aarzelde, voor het eerst straalde ze iets anders uit dan volslagen zelfvertrouwen, en zei toen: 'Je weet wel, voorbije dingen bij de hoorns vatten en ze weer tot leven wekken.'

'Ik zou graag met hem praten,' zei Eric. 'Bij zo'n grote klus zijn gesprekken belangrijk.'

Ze knikte, maar de glimlach stierf weg. 'Dat begrijp ik, maar ik weet niet hoeveel je uit hem krijgt. Hij is vijfennegentig en er slecht aan toe. Gesprekken zijn lastig.'

'Soms kan één zin een enorme impact hebben. Als het de juiste woorden zijn, de juiste klank… dat kan veel meer zeggen dan je denkt.'

'Dan zal ik een bezoek voor je regelen. Ik weet ook dat je graag foto's en familieaandenkens hebt. Ik heb al iets voor je meegebracht.'

Ze reikte in haar tas en haalde er een glazen fles van zo'n dertig centimeter uit. Haar tas had in de zon gelegen, maar de fles voelde verrassend koel aan toen ze die aan hem gaf. Hij was van lichtgroen glas, waar PLUTO-WATER, HET MEDICIJN VAN AMERIKA in gegraveerd was.

'Keek eens naar de bodem,' zei Alyssa Bradford.

Hij draaide de fles om en zag dat daarin nog iets was gegraveerd, een afbeelding van een zwierige duivel met hoorns, een gevorkte staart en een zwaard aan zijn riem. Hij hield een hand opgestoken, als in een wave. Onder de figuur was het woord PLUTO gekerfd.

'Wat is het?'

'Mineraalwater. Daardoor is de stad beroemd geworden, zijn er hotels gebouwd en kwamen er uit de hele wereld mensen naartoe.'

De stop werd op zijn plaats gehouden door ijzerdraad en daaronder was het flesje gevuld met een troebele, zandsteenkleurige vloeistof.

'Dronken ze dit spul?' vroeg Eric.

'Ze dronken het uit flessen, ja, maar ze hadden ook spa's, bronnen waarin je je kon baden en die zogenaamd lichamelijke klachten genazen. Daar ging het bij die resorts om. Door die genezende krachten kwamen de mensen er vanuit de hele wereld op af.'

Eric streek met zijn duim over de ingekerfde figuur op de bodem en zag door zijn bewegingen het bezinksel in het glas op- en neergaan.

'Is het geen schitterende fles?' zei Alyssa Bradford. 'Dat is het enige wat ik over zijn geboortestad heb kunnen vinden. Ik vind het geweldig dat hij hem al die jaren heeft bewaard. Dat flesje is zo'n tachtig jaar oud. Misschien wel ouder.'

'Wat betekent die duivel?'

'Dat is Pluto. De Romeinse versie van Hades. God van de onderwereld.'

'Een beetje vreemd om zulk gezelschap als mascotte te kiezen.'

'Nou, het mineraalwater kwam uit ondergrondse bronnen. Dat zal hem wel geïnspireerd hebben. Hoe dan ook, vind je niet dat die duivel er gelukkig uitziet?'

En dat was ook zo. Opgewekt, verwelkomend. Maar dat water in het flesje was een ander verhaal. Door iets in de vreemde kleur en die fijne, korrelige sedimentvlokken draaide Erics maag zich om; hij zette de fles op tafel en schoof hem naar haar terug.

'Nee, houd hem maar voorlopig,' zei ze. 'Ik wil graag dat je hem meeneemt. Kijk of je iemand kunt vinden die er de juiste datum op kan plakken.'

Hij wilde de fles helemaal niet, maar hij nam hem aan toen ze die over de tafel naar hem toe schoof, legde zijn hand eromheen en voelde die onnatuurlijke, doordringende kilte die ervan uitstraalde.

'Wat heb je in je tas zitten, droogijs?'

'Zo voelt hij eigenlijk altijd aan,' zei ze. 'Ik begrijp niet hoe dat komt. Iets met de mineralen die erin zitten? Of misschien dat oude glas.'

Hij stopte de fles in zijn tas en nam een slok van zijn koffie, terwijl zij een cheque van vijfduizend dollar voor hem uitschreef. Hij hield zijn handpalm tegen de warme zijkant van de kop gedrukt tot ze de cheque had ondertekend, losscheurde en aan hem gaf.

3

Het was het soort verhaal dat erom smeekte verteld te worden, en voegde je daar die uitbundige, extravagante hotels in zo'n landelijke streek bij, dan was het ook nog eens een verhaal met een sterke visuele component.

Perfect voor een film. Misschien kon dit zelfs boven de Bradfords uitstijgen. Als hij dit goed deed, kon dit wellicht een paar deuren openen die in Los Angeles in zijn gezicht waren dichtgeslagen.

Nog voordat hij zelfs maar een voet in de stad had gezet, had Eric al snel een soort angstige bezitterigheid voor de stad ontwikkeld, bang als hij was dat iemand hem vóór zou zijn. Tijdens zijn eerste onderzoek had hij al talloze verhalen ontdekt. Over armen en rijken, gangsters en politici, de explosieve opkomst van de passagierstreinen en vervolgens de teloorgang ervan, de drooglegging en de gevolgen van de ineenstorting van de aandelenmarkten... Dat alles was als een werveling door deze bizarre stadjes gegaan. Je kon wel zeggen dat ze een microkosmos vormden, een verhaal over Amerika. Het was een kans om het weer eens écht ergens over te hebben.

Alyssa Bradford belde hem drie dagen na hun ontmoeting om te zeggen dat hij op de eerste vrijdag in mei in het West Baden Springs-hotel kon inchecken. Dat was al over een week en ze had voor hem geregeld dat hij zijn eerste – en, gezien de gezondheid van de man, wellicht zijn enige – kans kreeg om op de donderdag daarvoor met Campbell Bradford te praten. Alyssa waarschuwde hem dat het niet goed ging met de oude man en dat hij misschien niet in staat was om te communiceren. Eric zei dat hij toch een poging wilde wagen.

Claire belde die avond, en toen hij haar nummer op de display zag, kleurde hij van opluchting en dankbaarheid; ze hadden elkaar al een week niet gesproken en elke dag werd langer en zwaarder voor hem. 'Ik bel je alleen even om te vragen of het wel goed met je gaat,' zei ze, en alle positieve gevoelens verdwenen als sneeuw voor de zon. Bellen om te kijken of het wel goed met hem ging? Alsof hij suïcidaal was of zoiets, nu ze niet meer samen waren en hij zonder haar niet in staat was om zijn leven op de rails te houden.

Hij scheepte haar met een paar opmerkingen af, gooide er een stekelige opmerking over haar vader tussendoor en als een herdershond die zijn kudde schapen naar een open hek dreef zorgde hij ervoor dat ze bijtijds ophing. Toen ze hem vroeg of hij haar binnen een paar dagen wilde bellen, zei hij dat ze daar niet op hoefde te rekenen.

'Ik ga een tijdje de stad uit,' zei hij. 'Een paar weken, misschien een maand.'

'Een spontane vakantie?' zei ze na een korte stilte.

'Werk.'

'Waar ga je dan naartoe?'

'Indiana,' zei hij, terwijl hij het woord pijnlijk bijtend uitsprak.

'Wat exotisch.'

'Het is een schitterend verhaal. Geloof het of niet, maar die komen heus niet altijd uit Maui of Manhattan.'

'Grapje. Vertel waarover het gaat.'

'Misschien later. Ik heb het druk, Claire.'

'Oké.' Tot zijn plezier sijpelde er wat teleurstelling in haar stem door. 'Nou, ik hoop dat het geweldig voor je wordt, wat het ook is.'

Hij haalde met een gebalde vuist naar de muur uit, hield de slag op het laatste moment wat in en liet hem met een zachte bons neerkomen, wat niet echt pijn deed. Dat verdomde hópen van haar altijd, haar beste wensen en zegeningen.

'Dat gaat zeker lukken,' zei hij. 'Ik heb er een goed gevoel over. De laatste tijd lacht de wereld me weer wat toe.'

Dat was een gemene afscheidszin en uit haar kille 'dag Eric' en de klik van de verbroken verbinding wist hij dat hij recht in de roos had geschoten. Hij zette zijn telefoon uit, ging naar de keuken en schonk zichzelf twee vingers Scotch in. Nee, wat kon 't hem schelen, doe er maar vier. Hij liet er een ijsblokje in vallen – water, dat verdunde het drankje enigszins en dan is de hoeveelheid geen probleem meer, toch? – liep naar de woonkamer en keek zijn dvd-verzameling door, op zoek naar iets wat zijn gedachten zou afleiden. Een oude favoriet, Huston of Peckinpah, misschien. Ja, Peckinpah. Bloederig en snoeihard. Dat leek vanavond precies goed.

Hij had naar *Straw Dogs* gekeken en nog een Scotch genomen, en vergeefs geprobeerd te slapen voordat hij weer achter de computer kroop, opnieuw om onderzoek te doen. Hij had twee hits voor de juiste Campbell Bradford gevonden – hoewel hij zich in formele omstandigheden C.L. Bradford noemde – maar die hielden alleen verband met zijn liefdadigheidswerk. Voor zo'n rijke man leidde hij een opmerkelijk geruisloos bestaan. Eric kon op internet zelfs geen korte biografie vinden, de naam stond alleen op eindeloze donateurslijsten voor verschillende doelen. Zijn giften omvatten een breed spectrum, te breed voor Eric om iets over de man wijzer te worden, maar politiek gesproken neigde hij duidelijk naar de liberalen en hij was een kunstliefhebber, vooral van muziek. Hij had aanzienlijke bedragen gedoneerd aan verschillende streekorkesten, maar het viel Eric op dat het daarbij om kleine of plattelandsgezelschappen ging, met namen als Hendricks County Philharmonic, in plaats van de prestigieuze orkesten. Misschien veronderstelde hij – ongetwijfeld terecht – dat de grote gezelschappen betere fondsen tot hun beschikking hadden.

Nadat Eric zonder een steek op te schieten door pagina's vol resultaten was gescrold, deed hij een nieuwe zoekopdracht, en zocht op 'Campbell' in combinatie met 'West Baden', wat niets opleverde. Hij probeerde het opnieuw met 'French Lick' en was verbaasd dat hij drie hits kreeg. Bij nader inzien bleken ze alle drie in wezen over hetzelfde te gaan: een oproep om informatie over Campbell en nog een stuk of wat andere verzoeken, die door een promovendus van de universiteit van Indiana, ene Kellen Cage, waren gedaan. De student legde uit dat hij voor zijn proefschrift onderzoek deed naar de geschiedenis van de streek en hoopte over een aantal mensen informatie te krijgen, met name, zo had hij geschreven, over Campbell Bradford en Shadrach Hunter. De laatste naam zei Eric niets. Maar er stond een e-mailadres bij, dus Eric stuurde hem een berichtje. Als de jongen in Campbell geïnteresseerd was, dan had hij vast al een paar verhalen gehoord, waarmee hij een aardige voorsprong op Eric had. En, als het daarom ging, ook op de familie Campbell.

Nadat hij de minimale zoekmogelijkheden voor Campbell had uitgeput, zocht hij naar Plutowater en vond al vlug een paar oude advertenties die hij in de film zou moeten opnemen. Ze waren onbetaalbaar. Het leek wel of Plutowater verdomme bijna alles genas. Op de lijst stonden alcoholisme, astma, obesitas, verlamming, pukkels, galbulten, griep, slapeloosheid, malaria en geslachtsziekten. Het bleek dat het product niets anders was dan een laxeermiddel, maar zelfs nadat dat bekend was, produceerde het bedrijf nog altijd miljoenen flessen en verkocht die met de betoverende slogan: WANNEER DE NATUUR HET NIET DOET, DOET PLUTO HET WEL.

De advertenties zelf waren ook verbazingwekkend, een volmaakt tijdsbeeld van plaats en mensen. Vrouwen in zwierige rokken, mannen in pak, en die malle, grijnzende alomtegenwoordige duivel. Eric was vooral gecharmeerd van een advertentie van een man die voor een wastafel met spiegel stond. Op de illustratie keek hij zo te zien met volslagen afgrijzen naar zichzelf en naast zijn hoofd stond de tekst: WAT MANKEERT ME TOCH?

Hij stond op, was van plan nog een Scotch te nemen, maar bedacht zich toen. Misschien omdat de kamer een beetje om hem heen draaide, misschien omdat hij net het woord alcoholisme op die lijsten had zien staan. Bij dat vriendje wilde hij niet te dicht in de buurt komen, nee.

Maar hij was nu eenmaal opgestaan en had het gevoel alsof hij naar iets op zoek was.

Het Plutowater. Hij liep naar de woonkamer, vond zijn tas, maakte die open en pakte de fles vast. Nog steeds koud. Sterker nog, nog steeds zo merkwáárdig koud. Waarom kwam het water niet op temperatuur terwijl het al zo lang in de kamer was? Daar had hij bij zijn speurwerk niets over gelezen.

'Genezer van ziekten,' zei hij terwijl hij met zijn duim over de inkervingen streek. Het water zag er afschuwelijk uit, maar door de jaren heen waren er miljoenen flessen geconsumeerd. Het moest wel veilig zijn. Mineraalwater was toch niet slecht voor je? Maar na zo'n lange tijd bedierf álles, toch?

Er was maar één manier om daarachter te komen, maar dat kon hij natuurlijk niet doen.

Waarom eigenlijk niet?

Om te beginnen kon het water besmet zijn, hem besmetten, hem na één slokje voor dood op de kamervloer achterlaten.

Je weet dat dat niet gebeurt. Dit is natuurlijk water, uit een bron, geen chemische rommel.

Maar er waren andere redenen, die van de hoffelijke, professionele soort: je hoorde geen inbreuk te maken op een artefact dat de oude man om een of andere reden al die jaren lang niet had aangeraakt.

Er zit een dop op. Die kun je openmaken, een slokje nemen en de verdomde dop er weer op doen. Wie merkt dat nou?

Hij voelde zich als een jongetje dat voor een drankkast stond en erover nadacht of hij zijn eerste slokje alcohol zou nemen. Er wat van drinken, dan met water bijvullen – misschien appelsap voor de kleur – dan komen ze er nooit achter. Waar had hij nou verdomme zo'n moeite mee? Het was een fles oud mineraalwater. Waarom wilde hij weten hoe dat smaakte? Het smaakte ongetwijfeld naar stront.

Je bent er bang voor. Om de een of andere reden ben je er bang voor, watje dat je bent.

Het was de waarheid, realiseerde hij zich terwijl hij naar de fles stond te staren, het was waar en het was pathetisch, en er was maar één manier om die angst de kop in te drukken. Hij wurmde het oude ijzerdraad los en draaide de dop open. Het was verschrikkelijk om dat te doen – door hem te openen had hij waarschijnlijk de waarde van de fles gehalveerd – maar na de whisky's en het vervelende gesprek met Claire, evenals het besef dat hij om onverklaarbare reden bang was voor deze fles, maakte dat hem niets meer uit. Hij wilde het gewoon proeven.

De fles raakte zijn lippen, Eric hield hem schuin en een scheutje van de inhoud klotste over de rand zijn mond in en vond zijn weg naar zijn keel.

En Eric kokhalsde.

Hij viel op zijn knieën en spuugde de smerigheid op het tapijt, de smaak ervan was bedorven, de smaak van verrotting, van dood.

Hij zette de fles op de grond, spuugde nogmaals op het tapijt terwijl hij trillend door zijn neus ademhaalde. Toen voelde hij dat hij weer moest kokhalzen en wist dat het deze keer niet zo netjes zou aflopen; hij haalde het tot halverwege de badkamer waar hij hevig op de vloer overgaf. De whisky schroeide door zijn keel en brandde in zijn neusgaten terwijl hij zich een weg naar het toilet vocht, over de pot hing en opnieuw braakte. Zijn slapen bonsden en zijn zicht was troebel door de tranen die hem met de kracht en de verschrikkelijke inspanning in de ogen sprongen.

De volgende aanval was erger, een afschuwelijk wringen vanonder uit zijn maag, alsof iemand een natte handdoek net zo lang draaide tot de vezels het uitschreeuwden van de druk. Toen het achter de rug was, bleef hij met zijn gezicht op de vloer liggen, de tegels voelden koud tegen zijn wang.

Pas na een uur kwam hij de badkamer uit. Het duurde een uur voordat hij zich sterk genoeg voelde om op te staan. Hij haalde emmer en dweil tevoorschijn, evenals een desinfecterende spray, en toog aan het werk. Toen de badkamer schoon was, ging hij naar de woonkamer terug, de klok negerend die aankondigde dat het vier uur 's ochtends was, veel later dan het tijdstip waarop fatsoenlijke mensen hun bed opzochten, en pakte de Plutofles op. De stank steeg er weer uit op, hij klemde zijn tanden op elkaar terwijl hij de dop vastdraaide en zijn adem inhield tot de fles in zijn tas zat.

Genezer van ziekten, ja ja.

4

De volgende dag nam hij wat pijnstillers, dronk zo'n beetje twee liter ijsthee en at 's avonds pas weer wat, en die avond mocht hij van zichzelf geen bier of een glas wijn.

Op dat moment had hij geen andere klussen omhanden, alleen het Bradford-project, dus besteedde hij de rest van de week aan onderzoek en het aanschaffen van apparatuur, terwijl hij overwoog of hij van het voorschot van Alyssa Bradford een nieuwe camera zou aanschaffen. Hij wilde betere spullen kopen, deels om de kwaliteit te verbeteren en deels omdat hij dan niet meer de camera van Claires vader hoefde te gebruiken. Dat was een cadeautje van hem geweest toen de zaken in Los Angeles compleet mislukt waren en Eric Claire naar Chicago was gevolgd. Die aanmatigende klootzak. Deze week was zijn laatste boek uitgekomen. Eric zou het boek niet lezen, dat was een ding dat zeker was, maar als er ergens een slechte recensie werd gepubliceerd, zou hij díe zeker lezen.

Hij sprak Claire niet meer voor zijn ontmoeting met Campbell. Op de ochtend na hun laatste telefoongesprek – hij was met een hoofdpijn wakker geworden die duidelijk nog wel een paar uur zou aanhouden – wilde hij dat hij haar meer had verteld. Haar belangstelling zou gewekt zijn en ze zou geluisterd hebben. Hij moest Claire één ding nageven, ze luisterde altijd.

Maar hij belde niet en zij ook niet. Hij keek elke dag naar de display van zijn telefoon, een ritueel dat hem gek maakte, ze was zijn vrouw, godbetert, en daar zat hij dan, keek of ze misschien had gebeld.

Zijn vrouw.

Op de avond van zijn interview met Campbell Bradford ging hij onderweg langs het appartement om zijn apparatuur op te halen en zag het berichtenlichtje van zijn antwoordapparaat knipperen, dacht dat Claire misschien had gebeld en vervloekte zichzelf omdat hij daarop hoopte. Hij stond zichzelf niet toe om het bericht af te luisteren en negeerde het apparaat terwijl hij zijn camera, statief en koffertje pakte. Toen hij de tas openmaakte om zijn recorder op te bergen – altijd handig om een geluidsback-up te hebben – zag hij de lichtgroene fles en er ging een golf van misselijkheid door hem heen. Hij wilde de fles eruit halen, maar bedacht zich.

Misschien zou hij hem aan de oude Campbell laten zien om te kijken hoe die zou reageren.

Alyssa Bradford had hem gezegd rond zeven uur naar het ziekenhuis te gaan. Hij liep zo vlug hij kon het gebouw door, met lange, snelle passen terwijl de camerakoffer tegen zijn been bungelde. Hij had een bloedhekel aan ziekenhuizen, altijd gehad. Toen hij het juiste kamernummer had gevonden – 712 – zag hij dat de deur dicht was. Hij roffelde licht met zijn knokkels op de deur.

'Hallo?' zei hij terwijl hij hem openduwde en zijn hoofd om de deur stak. 'Meneer Bradford?'

Er stonden twee bedden in de kamer, maar slechts één ervan was bezet. De man die erin lag draaide zich naar Eric om, waarna één kant van zijn gezicht werd verlicht door een fluorescerend lichtje boven het bed. Verder was het donker in de kamer. De lakens waren tot de hals van de man opgetrokken en hij had een verweerd en uitgemergeld gezicht, met diepliggende blauwe ogen waar zijn ziekte nog meer uit sprak dan uit de ziekenhuiskamer zelf. Losse huidplooien hingen om een kaak die ooit hard en vierkant was geweest en de op de lakens rustende handen waren weliswaar dun en breekbaar, maar wel groot. Ooit moesten die sterk zijn geweest.

'Meneer Bradford?' zei Eric nogmaals en de oude man leek te knikken.

'Uw schoondochter zei dat ze u zou vertellen dat ik kwam,' zei Eric, terwijl hij naar het voeteneind van het bed liep en een plastic stoel bijtrok. 'Ik hoop niet dat ik ongelegen kom.'

Geen antwoord. Geen woord, zelfs geen oog dat knipperde. Maar hij volgde Eric wel met zijn ogen.

'Alyssa heeft u toch verteld wat ik ga doen?' zei Eric. Hij reikte in zijn cameratas, onrustig door de kille blik van de oude man.

'Ik hoopte dat u me een aantal verhalen zou kunnen vertellen,' vervolgde hij terwijl hij de camera uit de tas haalde. 'Alyssa heeft me beloofd dat u daar een paar mooie van in huis hebt.'

Campbell Bradford haalde zacht sissend, nauwelijks hoorbaar adem en toen Eric zich van het geluid bewust werd, wilde hij de kamer uit. Hij vervloekte zichzelf omdat hij dit om te beginnen aan Alyssa had voorgesteld. Deze man was stervende. Dat duurde geen maanden meer, of zelfs weken. De dood kwam naderbij. Hij hoorde het aan die kleine, sissende pufjes die uit Campbells neus kwamen.

Het was nog niet eens zo heel veel jaren geleden dat Eric bij een oude zieke was, zoals nu, en verdriet had. Nu was hij angstig. De door de jaren opgeworpen buffer werd rap dunner. Nog even en hij was zelf aan de beurt.

'Ik laat u gewoon zo veel praten als u wilt, en wanneer u genoeg van me hebt, ben ik zo weer weg,' zei hij terwijl hij het statief uitklapte en de camera erop bevestigde. Toen hij een blik op Campbell wierp zag hij hetzelfde nietszeggende gezicht en dacht: nou, hier ben ik zo klaar. De man was niet in staat met hem te praten. Toen haalde Eric de lensdop weg, keek door de zoeker om de scherpte te controleren en voelde de daaropvolgende woorden in zijn borst wegsterven, neergeslagen door een kille vuist van angst. In de lens lag Campbell Bradford hem met een compleet andere uitdrukking aan te kijken, de blauwe, dwars door hem heen kijkende ogen stonden hard en verbijsterend alert. De ogen van een jonge man, een sterke man.

Eric tilde langzaam zijn hoofd op, wendde zich van de camera naar de man in het bed en zag dat die koude vuist in zijn borst zich opende en dat hij zijn vingers bewoog.

Campbell Bradfords gezicht was onveranderd. De ogen keken net zo dof, net zo nietsziend. Eric keek naar de deur, wilde nu dat hij die open had gelaten.

'Gaat u met me praten?' vroeg Eric.

Een traag knipperen met de ogen, nog een sissende ademhaling. Verder niets.

Eric keek hem aan en dacht: oké, laten we het nog een keer proberen, en hij keek weer door de zoeker. Daar was Campbell, nog altijd in bed, hem nog altijd aankijkend, nog steeds met alerte, blauwe ogen die in niets leken op de ogen waar Eric zojuist naar had gestaard.

Hij wilde weer opkijken, maar deed dat niet in plaats daarvan hield hij zijn oog tegen de camera. Dat moest hij Paul Porter nageven: hij mocht dan een klootzak zijn, maar de man had een geweldige camera gekocht. Het was verbazingwekkend hoe het ding het leven in Campbell Bradfords ogen oppikte.

'Gaat u vanavond nog met me praten?' vroeg Eric opnieuw, deze keer met zijn oog tegen de camera.

'Ja,' zei Campbell Bradford met duidelijke en krachtige stem.

Eric tilde met een ruk zijn hoofd op, stootte met zijn knie tegen het sta-

tief en gooide bijna de camera om. Campbell keek hem met een leeg gezicht aan.

'Fantastisch,' zei Eric terwijl hij de camera weer goed zette en die op
Campbell richtte. 'Waar wilt u beginnen? Wat zou u me willen vertellen?'
Niets.

Wat had dit in godsnaam te betekenen? De oude rotzak praatte alleen
wanneer Eric door de camera naar hem keek. Hij wachtte en Campbell
zweeg nog altijd. Eric tuitte zijn lippen, ademde uit en schudde zijn hoofd.
Oké, opa, ik kijk wel weer de andere kant op. Hij legde zijn oog tegen de
lens en zei: 'Ik zou graag met u over uw jeugd praten. Is dat goed?'

'Daar heb ik niet echt veel over te zeggen,' zei Campbell Bradford. Door
de camera was zijn gezicht onveranderd, de vergeelde huid hing nog altijd
los en zijn ziekte was nog steeds zonneklaar. Sterker nog, behalve de blik in
zijn ogen was alles hetzelfde. Voor het eerst bedacht Eric dat de oude man
hem wellicht in de maling nam. Dat hij hem opzettelijk met die nietszeggende blik aankeek.

'Zou ik u iets anders mogen vragen?' zei Eric.

'Ja.' De stem klonk heel duidelijk, maar niet jong. Het was de stem van
een oude man. Van een zieke man.

'Praat u soms alleen met me als ik door de camera kijk?'

Campbell Bradford glimlachte.

'Wat een weerzinwekkend gevoel voor humor,' zei Eric.

Hij tilde nogmaals zijn hoofd op, Campbell zette zijn lege gezichtsuitdrukking weer op en Eric lachte.

'Oké, ik speel het spelletje wel mee.' Hij verplaatste de camera en klapte
de zoeker open zodat hij door de camera kon kijken zonder zijn oog tegen
de lens te hoeven leggen. 'Waarom wilt u het niet over uw jeugd hebben?'

'Valt niet veel over te zeggen.'

De oude man was goed. Hij had de timing goed, sprak wanneer Eric
zijn ogen naar de display neersloeg, hield op zodra hij zijn ogen opsloeg.
Wat een portret.

'Misschien kunt u me dan iets over de stad vertellen. West Baden, zo
heet die toch?'

'Leuke stad,' zei Campbell en nu leek zijn stem vermoeid.

'Hebt u in de buurt van het hotel gewoond?' vroeg Eric en hij wachtte
nu heel lang, staarde Campbell recht aan, wachtte tot die zou zwichten.

Dat deed hij niet en Eric sloeg zijn ogen weer naar de camera neer, waarop Campbell zei: 'Zeker.'

Shit, hij zou het niet opgeven.

'Hoe lang hebt u daar gewoond?' vroeg Eric, nog altijd met zijn ogen op de camera gericht.

'Een poosje.' Campbell werd nu snel door vermoeidheid overmand, en Eric vroeg zich af of het spel dat hij had gespeeld te veel van zijn krachten had gevergd.

Misschien moest hij hem de fles laten zien. Hem vertellen waar die viezigheid naar had gesmaakt, eens kijken of hij hem een lach kon ontlokken, of een zinniger antwoord. Eric haalde de fles tevoorschijn. Verdómme wat was dat ding koud.

'Alyssa heeft me dit gegeven,' zei hij terwijl hij hem in de hand van de oude man duwde. En voor het eerst veranderde Campbells gezicht terwijl Eric zijn ogen niet op de camera gericht had, het vertrok en raakte doorgroefd van bezorgdheid.

'Dat hoort u niet te hebben,' zei hij.

'Het spijt me. Ze heeft het me gegeven.'

Campbell maakte zijn lange, oude vingers van de fles los en tilde zijn hand op, vond Erics onderarm en kneep daar verrassend stevig in.

'Het was zo kóúd,' zei hij.

'De fles? Ja, ik weet het. Raar spul.'

'Nee!' Campbell sperde zijn ogen nu open, vol emotie, het spel vergetend.

'Wat?'

'Niet de fles.'

'Nou, die vond ik anders behoorlijk koud. Toen ik hem aanraakte…'

'Niet de flés.'

'Wat dan? Waar hebt u het over?' vroeg Eric.

'Zo koud.'

'Wat was koud?'

'De rivier.'

'Over welke rivier hebt u het?'

'Hij was zo kóúd.'

Eric wilde weer iets zeggen over Bradfords gevoel voor humor, wilde hem nageven dat hij zo'n zenuwslopende en verdomd inventieve streek met hem uithaalde, maar hij kreeg de woorden niet over zijn lippen, kon ze niet eens bedenken, want hij staarde naar het gezicht van de man en bedacht dat geen enkele toneelschool ter wereld ooit zo'n talent als dit kon voortbrengen. Hij acteerde niet. Hij was verloren in een of andere verstarde herinnering. En daar was hij doodsbang voor.

'Zo'n koude rivier,' herhaalde Campbell Bradford, en zijn stem was nu een fluistering terwijl hij zijn hoofd op het kussen teruglegde. 'Zo'n koude rivier.'

'Welke rivier? Ik begrijp niet waar u het over hebt, meneer.'

Niets.

Eric zei: 'Meneer Bradford? Het spijt me dat ik de fles heb meegenomen.'

Stilte. In vergelijking hiermee verbleekte de verbazingwekkende prestatie die hij had geleverd door zijn gezicht zo in de plooi te houden.

'Meneer Bradford, ik hoopte dat ik met u over uw leven kon praten. Als u het niet over West Baden of uw jeugd wilt hebben, vind ik dat prima. Laten we het dan over uw carrière hebben. Uw kinderen.'

Maar het ging niet lukken. Niet meer, tenminste. De oude man hield zijn mond stijf dicht. Spel of niet, Eric was niet van plan de hele avond te wachten. Hij wachtte vijf minuten, stelde nog een paar vragen maar kreeg geen antwoord.

'Goed dan,' zei hij en hij haalde de camera van het statief. 'Ik denk dat u me daarstraks in de war hebt willen brengen, en ik hoop dat u dat nu ook doet. Het spijt me als ik u van streek heb gemaakt.'

Bradford knipperde alleen maar futloos met zijn ogen. Toen Eric de fles van het bed pakte en die in zijn koffer terugstopte, volgde Campbell die met zijn ogen maar zei niets.

'Oké,' zei Eric. 'Pas goed op uzelf, meneer Bradford.'

Hij verliet het ziekenhuis en ging naar het appartement terug, maakte een biertje open en dronk dat leunend tegen de koelkast op, terwijl hij het bierflesje tussen de slokjes door tegen zijn voorhoofd hield. Wat een rare vent. Wat een rare avond.

Het was het soort verhaal dat hij ooit een keer met Claire had meegemaakt, en die gedachte herinnerde hem eraan dat hij het bericht nog niet had afgeluisterd. Misschien was zij het. Hópelijk was zij het. Als ze had gebeld, kon hij haar met een gerust hart terugbellen. Dan zou hij een excuus hebben.

Maar toen hij het bericht afspeelde, was het niet Claires stem.

'Eric, hoi, ik hoop dat je dit hoort! Met Alyssa Bradford, en ik bel je om te zeggen dat je niet de moeite hoeft te nemen om vanavond naar het ziekenhuis te gaan. Mijn schoonvader is deze week ernstig verslechterd. Ik was daar gisteren en hij kon geen woord uitbrengen, hij staarde me alleen maar aan. De artsen zeiden dat hij sinds maandag niets heeft gezegd. Sorry dat het niet gelukt is. Ik wilde dat je met hem had kunnen praten. Hij heeft zo veel gevoel voor humor. Ik vermoed dat de laatste keer dat hij zijn mond heeft opengedaan, hij tegen de verpleegkundige zei dat ze een nieuwe outfit nodig had. Dat was net wat voor hem. Als dat zijn laatste woorden waren, waren ze tenminste grappig.'

Ze wenste hem succes in West Baden en hing op. Eric sloeg de rest van zijn bier in één lange teug achterover en wiste de boodschap.

'Het is vervelend dat ik het moet zeggen, Alyssa,' zei hij hardop, 'maar dat waren niet zijn laatste woorden.'

5

Op de eerste vrijdag van mei was het tweeëndertig graden en met wie Anne McKinney ook sprak, iedereen had het over de hitte, schudde zijn hoofd en straalde ongeloof uit. Anne had dit natuurlijk al zo'n zes weken eerder zien aankomen, toen de lente zich vroeg en zacht had aangediend. De hele derde week van maart was het ruim vijftien graden geweest en terwijl de mensen op tv het alleen maar over de vraag hadden wanneer daar weer een einde aan zou komen, wist Anne op de vierde dag dat dat niet zou gebeuren. Niet echt, niet zoals bij normale lentes in Indiana het geval was, met die wilde uitschieters, de ene dag eenentwintig graden en de volgende onder het vriespunt.

Nee, dit jaar werd het echt lente en die zette de hakken in het zand; de winter had er niet zo veel over te zeggen, slechts wat nachtelijk gemopper, koude regen en wind. In april was het vijf dagen lang bijna zevenentwintig graden geweest en als het al regende, voelde dat aangenaam aan. Koesterend. De hele stad stond nu in bloei, alles was weelderig, groen en puur. Met name het terrein rondom het hotel was verbijsterend. Dat was het natuurlijk altijd – dat had je nu eenmaal als je fulltime hoveniers in dienst had – maar Anne had zesentachtig lentes in West Baden meegemaakt en kon zich daar tachtig vrij goed van herinneren, en deze was de allermooiste.

En de warmste.

Ook al had ze het gewild, ze kon niet om de gesprekken over het weer heen; in de stad was ze de verpersoonlijking van het weer, het enige wat de meeste mensen te binnen schoot als ze haar zagen. Soms kwam het onderwerp achteloos op, andere keren was er oprechte belangstelling en wilden ze het weten, en maar al te vaak met een knipoogje en een glimlachje. Sommige mensen vonden het wel amusant dat het weer haar zo fascineerde dat haar huis op de heuvel vol stond met barometers en thermometers en was omgeven door windwijzers en windklokken. Anne vond dat prima. Ieder zijn meug, zogezegd. Ze wist waar ze op wachtte.

Maar eerlijk gezegd waren er ook momenten dat ze dacht het nooit meer te zullen meemaken. De echte storm, waar ze sinds haar meisjestijd zo op vlaste. Misschien had ze de laatste paar jaar wat minder goed opgelet, raakte ze minder geïnteresseerd. Ze hield natuurlijk nog altijd dagelijks de gegevens bij, kende elke verschuiving en werveling van de wind, maar dat deed ze eerder ter observatie dan verwachtingsvol.

Maar nu was het op de eerste vrijdag van mei ruim tweeëndertig graden, de lucht was zo stil alsof de wind uit zijn baan was geraakt en op zoek naar werk verder was getrokken. De barometer stond stevig op 30,08 en gaf geen verandering voor de korte termijn aan. Alleen hitte, een blauwe hemel en roerloze lucht. Omdat de zomerse vochtigheid nog moest komen, was die tweeëndertig graden nu beter te verdragen dan in juli het geval zou zijn geweest.

Eigenlijk allemaal best vredige signalen. Anne geloofde er echt niets van.

Ze liep om drie uur het West Baden-hotel binnen, ging in een van de luxe, met fluweel beklede stoelen in de buurt van de bar zitten en nam haar middagcocktail. Brian, de barman, knipoogde naar een van zijn collega's toen hij Annes drankje klaarmaakte, alsof ze niet wist dat hij slechts het hoogstnoodzakelijk drupje Tanqueray in de tonic deed voordat hij de limoen uitkneep. Tegenwoordig was een drupje alles wat ze nodig had. Verdomme, ze was zesentachtig. Wat dacht die knul wel niet, dat ze hier kwam om zich een stuk in haar kraag te zuipen?

Nee, het was een gewoonte. Meer dan wat ook een dankritueel, ter ere van het feit dat ze nog steeds gezond was, een gezondheid die ze op deze leeftijd niet als vanzelfsprekend beschouwde. Ze kon nog steeds zelf alle trappen op komen, gebruikte geen wandelstok, rollator of de arm van een vreemde. Ze liep onder de koepel door naar binnen, ging zitten en nam een glaasje. Zodra ze dat niet meer kon, nou, vooruit maar, nagel de doodskist dan maar dicht.

Niemand ter wereld kon begrijpen hoe Anne zich voelde als ze hier naar binnen ging en zag dat de plek bruiste. Op de dag van de heropening was ze de hal met die torenhoge glazen koepel in gelopen en in tranen uitgebarsten. Ze moest op een stoel gaan zitten en huilde, en mensen glimlachten slechts meewarig naar haar, zagen een oude vrouw die ontroerd was zoals een oude vrouw dat kan zijn. Ze konden niet begrijpen wat het betekende, konden niet begrijpen hoe het er hier had uitgezien toen ze nog een meisje was, de verbazingwekkendste plek ter wereld.

Jarenlang was het grotendeels een ruïne geweest. Tientallen jaren. Ze was dagelijks door de stad gelopen, had opgekeken naar het afbrokkelende steen en gebarsten marmer, en met elke dag en elke keer dat ze keek was een stukje van haar een jammerlijke, smartelijke dood gestorven.

Maar ze had evenmin ooit de hoop opgegeven. Het was een speciale plek en ze kon zich eenvoudigweg niet voorstellen dat het voor eeuwig zo kon doorgaan. Ze geloofde rotsvast in de terugkeer van het hotel, net zo goed als ze geloofde dat de zware storm zou terugkeren. Dat soort dingen noemde je vertrouwen.

Haar vertrouwen was beloond. Bill Cook, zo heette de man. Een doodgewone naam, dacht ze, maar hij had een paar miljard dollar verdiend met een medisch bedrijf in Bloomington, had vervolgens zijn weg hierheen gevonden en niet alleen gezien wat er moest gebeuren, maar hij kon het zich ook nog veroorloven er handen en voeten aan te geven.

Dus nu waren ze er weer allebei, het West Baden Springs-hotel en het French Lick Springs-resort, gebouwen die in dit dal net zo misplaatst waren als een stelletje giraffen in een hondenshow, en hoewel ze niets moest hebben van het lelijke casino op de neprivierboot die was gebouwd om mensen te lokken, begreep ze wel waarom het er was. Het ergerlijkste was dat het ding niet echt een rivierboot was, het was niets anders dan een gebouw met een gracht eromheen, maar dat was klaarblijkelijk genoeg om de wetgevers gunstig te stemmen, die alleen casino's op een rivierboot toestonden. Je mocht je vervolgens wel afvragen wat dat zei over de intelligentie van de staatsbestuurders, dat ze zichzelf zo voor de gek hielden door te denken dat een gebouw een boot werd wanneer je er maar een gracht omheen groef, maar Anne liep al te lang mee om sowieso nog enige hoop te hebben waar het de overheid betrof. Als het aan haar lag mochten ze roepen dat het ding een ruimteschip was, zo lang de hotels er maar door terugkwamen.

Ze mocht het allemaal nog meemaken. Dat was al heel bijzonder, en daarmee keerde ook haar vertrouwen in de storm terug. Die zat er een keer aan te komen, een donkere, woedende wolk en hoewel ze niet wist welke rol ze daarin zou spelen, wist ze dat het belangrijk was dat ze dan klaarstond. Een deel van haar wilde die storm, een ander deel vond hem doodeng. Ze mocht er nog zo veel van houden – die schitterende bliksemflitsen, de verschrikkelijke, krijsende wind – ze was er ook bang voor. Ze namen alle macht van de mens weg en lachten hem uit.

Vandaag werd er een of andere conventie in het hotel gehouden, en de plek was extra bedrijvig met weergalmende stemmen, gelach en voetstappen op het parket. Ze putte er troost uit, alsof iemand een hand op haar schouder legde. Ze vroeg Brian om nog eentje, glimlachte bij zichzelf toen ze zag dat hij een klein glas met alleen tonic en ijs vulde voor hij de limoen erbij deed. Hij kende de regels. Anne was hier voor de geluiden en het schouwspel, niet de drank.

Ze dronk langzaam van haar tonic en toen die op was, werd ze slaperig van de aangename geluiden, de drukte en de zachte fluwelen leunstoel, en ze wist dat het tijd was om te gaan. Als ze hier in slaap zou vallen, dan zou het personeel haar minder charmant gaan vinden. Op dit moment was ze met haar dagelijkse gin, haar glimlachjes en zo nu en dan een ad rem grapje een soort plaatselijk juweeltje. Gekoesterd, gewaardeerd, zelfs door de jongeren. Ze hield van die rol en begreep maar al te goed dat die door één suffig slaapje al snel uitgespeeld zou zijn.

Ze stond op, was blij met die pijnsteek in haar onderrug, een steek die ze niet zou hebben als ze niet meer kon opstaan, liet een paar dollars voor Brian achter – dank u wel, mevrouw McKinney, een fijne dag nog en tot morgen – en liep van de bar terug naar de ronde hal met de koepel. Ze bleef in het midden staan en keek naar de koepel omhoog, naar de zon die erdoorheen scheen en de plek betoverde; ze haalde diep adem en dankte de lieve Heer dat ze weer zo'n middag had mogen meemaken. Dierbare dingen. Dierbaar.

Ze liep de hoofdingang uit naar de trap, en wel heb je ooit: ze werd door een briesje begroet. Het eerste zuchtje wind dat ze de hele dag had gevoeld. Niet indrukwekkend, gewoon een vriendelijk, experimenteel pufje, alsof het briesje nog onzeker was, maar het was er even goed. Ze bleef boven aan de trap staan, zag het struikgewas ruisen en de bladeren bewegen en dwarrelen, merkte op dat de wind nu uit het zuidwesten kwam. Interessant. Ze had de omslag vandaag nog niet verwacht. De lucht was nog steeds warm, die kon nu zelfs een paar graden hoger zijn dan tweeëndertig, maar ze dacht een zekere kilte in de wind te voelen, bijna alsof er wat kou in opgesloten zat, omgeven door warmte, maar ze was er toch.

Ze zou naar huis gaan en het een en ander eens aflezen, eens zien of ze er wijs uit kon worden. Het enige wat ze nu wist was dat er iets in de lucht hing. Er was iets op til.

6

De rit duurde zes uur en het laatste, derde deel was heel wat aangenamer dan de eerste twee delen waren. Het was op zichzelf al een nachtmerrie om de stad uit en Indiana in te komen, en toen werd Eric slechts beloond met zo'n sombere rit als hij nooit voor mogelijk had gehouden: van Chicago naar Indianapolis. Maar in het zuiden van Indy veranderde dat. De vlakten gingen over in heuvels, de eindeloze velden vulden zich met bomen, de kaarsrechte weg werd bochtiger. Hij stopte in Bloomington om te lunchen, ging van de snelweg af en reed de stad in om de campus te bekijken, omdat hij had gehoord dat die zo mooi was. Hij werd niet teleurgesteld. Hij nam een hamburger en een biertje in een uitspanning met de naam Nick's; het bier kwam uit de streek, Upland Wheat. 's Lands wijs, 's lands eer, nietwaar? Het bleek het lekkerste warmweerbiertje te zijn dat hij ooit had geproefd, iets waardoor je languit in de zon zou willen liggen om je een tijdje te ontspannen. Maar hij had nog een rit voor de boeg, dus na dat ene biertje vertrok hij weer, stapte in de Acura en reed naar het zuiden.

Na Bloomington kwam Bedford. Daar maakte de snelweg een bocht, werd in een stad die Mitchell heette een rijstrook smaller en sneed dalend en stijgend door de heuvels. Alles was groen, weelderig en vol leven, en zo nu en dan denderden grote vrachtwagens volgeladen met pas gedolven kalksteen voorbij. Langs dit gedeelte van de snelweg stonden niet veel huizen, maar als Eric een dollar had gekregen voor elk huis met een basket aan de gevel, was hij een rijk man geweest toen hij bij Paoli aankwam.

Op de kaart had hij gezien dat Paoli dicht in de buurt was en nadat hij erachter was welke weg hij vanaf het plein moest nemen – de hele zijkant van een gebouw werd in beslag genomen door een geschilderde wegwijzer naar French Lick – drukte hij het gaspedaal iets verder in, popelend om een einde aan deze rit te maken.

Een doffe, aanhoudende hoofdpijn, die zich ergens ten noorden van Indianapolis achter in zijn schedel had genesteld en na zijn biertje was weggetrokken, kwam nu heviger bonzend terug, waardoor hij zo nu en dan ineenkromp wanneer die wel heel geïnspireerd opspeelde. Hij had pijnstillers in zijn koffer en zodra hij bij het hotel was, zou hij daar wat van nemen. Hij hoopte dat in de buurt van West Baden en French Lick het landschap wat exotischer werd, maar er was alleen maar nog meer boerenland. Hij kwam langs een witte vangrail die zich vijftienhonderd meter lang leek uit te strekken – wat een rotklus om dat ding te moeten schilderen – en verder was er niets opmerkelijks te zien. Toen kwamen er een paar gebouwen in zicht en een bord vertelde hem dat hij West Baden naderde, en hij dacht: je neemt me zeker in de maling.

Want daar was niets. Een groepje oude gebouwen en een barbecueplek, dat was alles. Daarna viel zijn blik op iets wat verderop van de weg af lag, rechts van hem, heuvelopwaarts; hij liet het gaspedaal los en merkte dat zijn adem in zijn keel stokte terwijl hij vaart minderde.

Daar stond het hotel. En Alyssa Bradford had het juist getypeerd, want slechts één woord kwam in de buurt: surrealistisch. Zo was het precies, en nog een beetje meer ook. Lichtgele torens flankeerden een reusachtige karmozijnrode koepel, waaronder de rest van het bouwwerk in het niet viel; honderden ramen waren in het steen te zien. Het leek eerder een kasteel dan een hotel, iets wat in Europa thuishoorde, niet op dit uitgestrekte boerenland.

Achter hem werd er getoeterd en Eric realiseerde zich dat hij midden op de weg bijna tot stilstand was gekomen. Hij drukte het gaspedaal weer in en stuitte op een paar dubbele, stenen bogen die op wacht stonden voor een lange, bochtige oprit naar het hotel. WEST BADEN SPRINGS – HET KARLSBAD VAN AMERIKA, stond er op de bogen. Uit zijn onderzoek wist hij dat daarmee een beroemd Europees kuuroord werd bedoeld.

Hij kreeg onmiddellijk de aandrang om zijn camera te pakken, de plek nu vast te leggen, alsof die zomaar weer kon verdwijnen.

Hij wist niet zeker of de geplaveide weg een officiële ingang was, dus reed hij langs de stenen bogen op zoek naar het parkeerterrein en binnen de kortste keren was hij in French Lick. De ene stad uit en de andere in, voor zijn gevoel op een afstand van zes huizenblokken. Het waren twee verschillende steden, maar in werkelijkheid leken ze één geheel, en de enige reden waarom ze door de jaren heen niet met elkaar waren versmolten, waren die hotels. Ooit waren French Lick en West Baden concurrenten geweest en veel plaatselijke bewoners noemden de streek kortweg Springs Valley.

Hij reed langs het French Lick Springs-resort, dat wel de grandeur maar niet de magie van zijn conculega uit West Baden had. De architectuur was traditioneler, dat was alles. Een knap gebouw, dat wel, maar niettemin een gebouw. Het West Baden-hotel deed met zijn koepel en torens het hart sneller kloppen. De eigenaar van het French Lick-hotel, Thomas Taggart, was een felle concurrent geweest van de eigenaar van het West Baden Springs-hotel, Lee Sinclair, zowel in zaken als in de politiek, waarbij Taggart een van de belangrijkste democraten van de staat was en Sinclair een net zo machtige republikein. Tientallen jaren lang hadden die twee in het dal om de eerste plaats gewedijverd, en Sinclairs hotel mocht het dan hebben gewonnen, Taggart had met zijn Plutowater een miljoenenbusiness opgebouwd, terwijl Sinclairs Sprudelwater – nagenoeg hetzelfde product – het op de een of andere manier niet had gered, waardoor hij uiteindelijk gedwongen was om zijn belang in het water aan Taggart te verkopen.

Eric keerde bij het casino en reed de weg af op zoek naar de ingang van het West Baden-hotel. Het parkeerterrein bevond zich naast en boven het hotel; hij parkeerde, pakte zijn koffers en liep naar de ingang terwijl hij intussen om zich heen keek. Dwars door het terrein liep een kreek die werd omgeven door in bloei staande bomen, bloemperken en smaragdgroen gras. De lucht rook naar het pas gemaaide gras, en iets aan die geur zorgde ervoor dat hij van de ingang van het parkeerterrein werd weggetrokken en hij om het gebouw heen naar de voorkant liep. Hij zette zijn koffers op de trap neer, haalde adem en keek de lange, geplaveide oprit af.

'Wat een plek.' Hij zei het hardop, maar zachtjes, en was verbaasd toen iemand zei: 'Wacht maar tot je het vanbinnen ziet.'

Hij draaide zich om en zag een bejaarde dame van de trap naar hem toe komen lopen. Ze leek minstens tachtig, maar liep met stevige, gestage tred en droeg make-up en sieraden; een pocketboek zat tussen haar bovenarm en zij geklemd.

'Ik sta te popelen,' zei hij terwijl hij een stap opzij deed zodat ze erdoor kon. 'Al een tijdje.'

'Ik ken het gevoel,' zei ze. 'En maak je geen zorgen, je zult niet teleurgesteld worden.'

Hij pakte zijn koffers, liep de trap op en door de deuropening het atrium in. Toen hij zo'n zeven meter binnen was, moest hij zijn koffers weer abrupt neerzetten, niet omdat ze te zwaar waren, maar omdat de plek al zijn aandacht in beslag nam.

De koepel was drie keer zo breed als hij had verwacht en twee keer zo hoog, een ontzagwekkende globe van glas die op witte stalen ribben rustte. Het ontwerp was voor zijn tijd werkelijk ingenieus; verdomme, dat was het nog steeds. Harrison Albright, de architect die aan de wieg van het hele verbazingwekkende ontwerp had gestaan, had de paraplu-achtige steunen bedacht die de koepel op zijn plaats hielden, maar was bang geweest dat ze door temperatuurswisselingen in een ander tempo zouden krimpen en uitzetten dan het gebouw eronder; een gegarandeerd recept voor een ramp, want door de ontstane druk zou de koepel kunnen bezwijken waardoor er een stortvloed van glas op de mensen eronder zou neerstorten en de schepper in het stof zou kruipen. Als oplossing had Albright de stalen steunribben op kogellagers laten rusten, waardoor de koepel onafhankelijk van het gebouw kon krimpen en uitzetten. Dit was een idee uit 1901.

Alleen al de koepel bestond uit zo'n driehonderd vierkante meter glas. In de periode dat hij werd gebouwd was dat meer glas dan in welk ander gebouw ook ter wereld was verwerkt, zelfs meer dan in het Crystal Palace in Londen. Het was één ding om dat soort details op internet te lezen, maar iets heel anders om het ook met eigen ogen te aanschouwen. Een van de verhalen waar Eric op was gestuit, was dat toen ze de steunbalken onder de koepel weghaalden, veel toeschouwers, Sinclair incluis, ervan overtuigd waren dat het ding zou instorten. Albright reageerde daarop door tijdens het weghalen van de laatste steigers per se op het dak te willen klimmen en precies in het midden op de koepeltop te gaan staan. Hij was zeker van zijn berekeningen, ook al was hij de enige.

Het atrium strekte zich onder de koepel uit, de vloer glansde, er lagen weelderige kleden, er stonden potvarens en rondom was er heel veel verguldsel. Ze hadden het tegelwerk opgeknapt – twaalf miljóén marmeren mozaïekstenen waren met de hand in de originele vloer aangebracht – dat paste bij de oorspronkelijke verfkleur, de tapijten, het paste verdomme bij alles waar het maar bij kon passen. Eric had indrukwekkende renovaties gezien, maar geen enkele met zo'n oog voor detail.

Verschillende kamers hadden een balkon dat over het atrium uitkeek en hij hoopte dat Alyssa Bradford zo een voor hem had geboekt. Hij wilde daar 's avonds een drankje drinken en zien hoe de plek tot rust kwam. En hij zou waarschijnlijk spoken zien, dacht hij, en hij glimlachte.

Maar zo voelde het hotel wel aan. Het begon er al mee dat de klasse ervan hier zo misplaatst was, dat het zich in dit godvergeten gat bevond, gebouwd naar een verbijsterend ontwerp en zo zorgvuldig en perfect gerestaureerd dat het leek alsof je bij het binnengaan van het gebouw in een andere eeuw stapte.

Hij liep een paar passen van zijn bagage weg, meer naar het midden van de ruimte, en hield zijn hoofd wat schuin om rechtstreeks naar de koepel omhoog te kijken. Toen hij dat deed, laaide de kortstondig vergeten hoofdpijn weer met een felle, stekende pijn achter zijn ogen op. Hij kromp ineen, sloeg zijn ogen neer en schermde ze met zijn hand af. Slecht plan, zo in het licht omhoogkijken. Hoofdpijn werd van licht altijd erger.

Hij keerde naar zijn bagage terug, nam die mee naar de receptie en checkte in. Hij pakte de keycard van zijn kamer aan – 418 – ging naar boven en zette zijn bagage weg. De kamer was een afspiegeling van de rest: sierlijk, luxueus, herinneringen aan het voorbije verleden. En er was een balkon. Alyssa Bradford had het goed geregeld.

Maar hij kon niet van de kamer genieten, want hij werd nu door de hoofdpijn overmand. Hij opende de koffer en nam de pijnstillers eruit, schudde drie tabletten op zijn handpalm, liep naar de badkamer, schonk een glas water in en spoelde ze weg.

Dat zou moeten helpen. Een borrel leek hem ook geen slecht idee. Hij wilde onder de koepel aan de bar zitten en er traag van nippen. Hij zou de pijnstillers hun werk laten doen, dan zou hij terugkomen om zijn camera te halen en aan het werk gaan.

Josiah Bradford had nauwelijks een sigaret opgestoken of Amos kwam al woedend om de hoek aanrennen om hem te vertellen dat hij die uit moest doen. Hij liet zich tot één trekje verleiden en trapte hem met zijn voet uit terwijl Amos hem uitfoeterde.

'Hoe vaak moet ik je nog zeggen dat er op het werk niet gerookt mag worden, Josiah? Je kunt het toch niet maken dat wanneer de gasten buiten van de dag willen genieten ze vervolgens de sigarettenrook van mijn tuinmannen moeten inademen? Ik zweer 't, kerel, hoe vaak je het ook te horen krijgt, je lapt het gewoon aan je laars.'

Josiah slikte zijn antwoord in, schoof langs Amos' dikke pens en gooide de sigaret in de vuilnisbak, pakte daarna zijn onkruidwieder en startte die met een theatraal gebaar op, terwijl hij met zijn wijsvinger op de starthendel drukte zodat het gierende ding het uitgilde en Amos' stem overstemde. Shit, het was maar een sigaret, geen atoombom. Amos moest de dingen verdomme eens in het juiste perspectief zien.

Josiah droop af naar de geplaveide weg om de randen te wieden die niet gewied hoefden te worden, terwijl hij met zijn rug naar Amos toe bleef staan tot hij het terreinwagentje hoorde starten en wegrijden. Toen liet hij de hendel los, draaide zich naar Amos om die in zijn idiote karretje vertrok en spuugde een dikke fluim zijn kant op. Die haalde het in de verste verte niet, maar het ging om het gebaar.

Het was verdomme te heet voor mei. Halverwege april was de huid op Josiahs armen en nek al donkerbruin en nu voelde hij hoe het zweet zijn shirt doorweekte en zijn nekhaar klitte door het vocht. Er was een tijd geweest, niet eens zo lang geleden, dat hij over de kou had geklaagd. Maar nu wilde hij dat het maar gauw weer herfst werd.

Hij werkte de hele bestrate oprijlaan af, tot de stenen bogen en het oude gebouw ernaast dat ooit een bank was geweest. Toen stak hij naar de overkant over en pauzeerde even voor hij met die kant aan de slag ging, terwijl hij de hele oprit afkeek naar het werk dat nog gedaan moest worden. En naar dat verdomde hotel keek.

O, ooit had hij het mooi gevonden en was hij net als iedereen opgetogen geweest bij het nieuws dat het zou worden gerestaureerd, dat er een casino zou komen. Zat banen, zo werd er gezegd. Nou, hij had zijn baan. Had eelt op zijn handen en was door de zon verbrand. Bofte hij even.

De resorts zouden geweldig uitpakken voor de plaatselijke bevolking. Ze zouden een – welk woord gebruikte die politicus ook nog? – een weldaad zijn, dat was het. Een weldaad. Shit.

Wat Josiah betrof waren deze verdomde hotels een marteling. Er kwamen weer rijkelui op af, zoals dat zo lang geleden ook het geval was geweest, en plotseling werd je je bewuster van je plek op de wereld. Werd je je bewuster van je vijftien jaar oude Ford pick-uptruck wanneer je daarmee naast een Mercedes met een kenteken uit Massachusetts voor een verkeerslicht stond te wachten. Bewuster van de blikjes goedkoop bier die je in pakken van dertig inkocht terwijl je iemand in een Armani-pak een twintigje zag neergooien voor een Grey Goose martini en vervolgens het wisselgeld liet zitten.

Ze zeiden dat dit alles ten goede zou komen aan de lokale economie, en daar hadden ze gelijk in gehad. Josiah verdiende per jaar nu achtduizend dollar meer dan voordat de restauraties begonnen. Maar dat deed hij wel voor mensen die tachtigduizend meer verdienden. Zelfs achthonderdduizend meer. Nog erger dan het geld was dat de mensen je niet zagen staan, ze liepen zonder je een blik waardig te keuren straal langs je heen. Het was niet zo dat ze je in je gezicht minachtten, ze beseften niet eens dat je er was.

Dat ergerde hem. Al bijna vanaf de eerste dag dat de hoteldeuren werden geopend en hij al dat goud en glitter zag, vanaf het eerste moment dat hij door het casino liep met een tiendollarbiljet in zijn hand geklemd; meer geld om te gokken had hij gewoonweg niet. Want Josiah Bradfords familie woonde al generaties lang in dit dal, en er was een tijd, vroeger, toen de kuuroorden tijdens de drooglegging floreerden, dat ze een machtige familie waren, dat ze in de belangstelling stonden en bekend waren. Toen hij de plek weer tot leven zag komen en hij daar met een onkruidwieder in zijn handen stond, voelde dat op een of andere manier verkeerder dan verkeerd, het was onverdraaglijk.

Nog geen maand geleden was een of andere zwarte knul van de universiteit van Indiana in een verdomde Porsche Cayenne, waar het geld gewoon van afdroop, naar Josiahs huis, zei dat hij over Josiahs overgrootvader Campbell wilde praten, die ooit de scepter in dit dal zwaaide. Hij was van huis weggelopen, had elke cent van de familie meegenomen – en volgens de verhalen hadden ze niet veel centen – maar in zijn tijd was hij net zo machtig geweest als iedereen die ooit door die verdomde koepelzaal was gelopen. Van het soort achter-de-schermeninvloed, het soort dat je opbouwt met boksbeugels en lef, het enige soort waarvoor Josiah ooit respect had gehad. Campbell had een beruchte erfenis nagelaten, maar Josiah was hoe dan ook altijd merkwaardig trots op hem geweest. Toen was die zwarte knul opgedoken, een of andere rijke student, die over de verhalen wilde praten en zijn eigen versie van de Bradford-familiegeschiedenis op papier wilde zetten. Josiah had hem als de sodemieterij het huis uit gegooid en sindsdien niets meer van hem gehoord. Maar de auto was vaak genoeg in de buurt, zo'n klote suv met een 450 pk motor, het sufste ding dat Josiah ooit had gezien, een stommigheid van zeventigduizend dollar en nog wat.

Maar elke belediging was olie op het vuur. Dat zei hij dag in, dag uit tegen zichzelf, daardoor bleef hij daar, trapte hij sigaretten uit nog voordat hij maar de kans kreeg er een trekje van te nemen, zei hij 'ja, meneer' en 'nee, meneer' tegen die dikke kloothommel Amos. Dat zou niet eeuwig duren. Daar mocht je je mooie kontje om verwedden. Er zou een dag komen dat hij dit klotegat van een stad zou binnenwandelen en ze versteld zouden staan, hij zou dat casino in paraderen en een paar duizend op tafel gooien, verveeld kijken als hij won en geamuseerd als hij verloor, de menigte zou aan zijn lippen hangen.

Je moest ambitieus zijn. Daar was Josiah al vroeg achter, zelfs toen hij de middelbare school vaarwel zei, wist hij dat hij boven al deze rotzooi zou uitstijgen. Hij had de middelbare school niet nódig, dat was het gewoon. Toen hij ermee ophield had hij voor alles achten en negens, behalve voor scheikunde, daar had hij een vijf voor toen hij het voor gezien hield. Maar wat moest hij dan? Een beurs verdienen, naar de universiteit van Indiana of Purdue gaan om een of andere klotegraad te halen waardoor hij in een vijfkamerwoning met een hypotheek van dertig jaar en een lease-Volvo terecht zou komen? Alsjeblieft, zeg. Hij had iets veel groters voor ogen, en daarvoor had je geen studie nodig. Daar had je honger voor nodig. En die had Josiah Bradford dubbel en dwars. Peper in je reet, had die ouwe van hem het genoemd, vlak voordat hij in Bedford stomdronken op de us 50 zijn Trans Am om een boom vouwde en verongelukte voordat Josiah het plezier mocht smaken.

En geloof maar dat er peper was. Die werd elke dag heter, maar Josiah was niet achterlijk, hij wist dat hij geduld moest oefenen, moest wachten tot de juiste gelegenheid zich voordeed.

Het geluid van het pruttelende motortje van het terreinwagentje haalde hem uit zijn overpeinzingen, hij boog opnieuw zijn hoofd en stak de onkruidwieder naar voren, liet de zon op zijn rug branden terwijl hij langzaam de terugtocht langs de oprijlaan naar het hotel hervatte.

Ooit had de naam Bradford in deze stad iets betekend.

Dat zou weer gebeuren.

7

Bij de bar stond een cocktailserveerster die Eric aan Claire deed denken, even slank gebouwd, hetzelfde glanzende donkere haar en net zo goedlachs, dus hij besloot toch niet zo lang over zijn drankje te doen. Hij nam nog een biertje, ging daarna naar zijn kamer, trok zijn schoenen uit en ging op het bed liggen met de bedoeling even een paar minuten uit te rusten. Maar het was duidelijk dat hij door de rit en het bier slaperig was geworden, want toen hij zijn ogen weer opende zag hij op de wekker dat hij bijna twee uur had geslapen. Het was nu over vijven. Tijd om in actie te komen.

Hij kwam kreunend overeind, nog altijd slaapdronken, zwaaide zijn voeten op de grond en liep naar zijn koffertje. Daarin zat een blocnote waarop hij grofweg had opgeschreven wat hij als eerste wilde doen. Voor vanavond stond alleen maar een ontmoeting met die promovendus op het programma, die hij over Campbell had gemaild, maar hij wilde ook wat opnamen maken en alles zo snel mogelijk in gang zetten.

In zijn koffertje vond hij de blocnote en de fles Plutowater, wat hem eraan herinnerde dat hij dat moest controleren, zo mogelijk daar de juiste datum op moest zien te plakken.

Toen hij de fles uit zijn koffertje haalde, durfde hij te zweren dat die zelfs nog kouder was dan toen hij hem voor het laatst in Chicago in handen had gehad. Hij was altijd al onnatuurlijk koud geweest, maar nu voelde het alsof hij net uit de koelkast was gekomen. Als je bedacht wat zijn laatste ervaring ermee was, was het bijna niet te geloven dat de fles vandaag op de een of andere manier bijna aanlokkelijk leek. Verfrissend haast.

'Geen sprake van,' zei hij toen hij overwoog nog een slokje te nemen. Dat kreeg hij niet nog een keer door zijn keel. Je wist maar nooit wat er mis mee was. Dat spul werd z'n dood nog.

Maar toch draaide hij de dop weer open. Hij rook er even aan, zette zich schrap tegen die verderfelijke, misselijkmakende stank.

Maar die was er niet. Een spoortje, misschien, maar niet zo smerig als de vorige keer. Sterker nog, het rook nu mild, bijna zoet. Dat was raar. De ergste stank was zeker vervlogen zodra hij hem had geopend. Misschien deden ze dat vroeger zo, lieten ze het spul een tijdje openstaan voordat ze ervan dronken.

Ach, wat kan mij het ook verdommen, dacht hij, vooruit, neem nog een drupje op je tong.

Hij deed een paar druppels in het kommetje van zijn hand, bracht dat naar zijn gezicht en nam er een likje van, was op het ergste voorbereid.

Zo erg was het helemaal niet. Alleen een nauwelijks waarneembare zoete smaak. Het had eerst natuurlijk een beetje moeten ademen. Maar er was geen sprake van dat hij nog een echte slok zou nemen. Geen sprake van.

Hij deed de dop er weer op en ging de kamer uit.

Die eerste middag liep hij het liefst wat rond. Hij maakte om te beginnen een paar opnamen van de koepel en het atrium, en de rest van de pracht en praal van het interieur, daarna ging hij naar buiten en verkende het terrein eromheen. Daar stond een handvol prachtige, maar kleine stenen gebouwen waarin ooit een aantal mineraalbaden gehuisvest waren geweest.

Een fontein midden in de tuin sprong in het oog en Eric ontdekte dat er op de heuvel daarboven een kleine begraafplaats was met uitzicht op de koepel. Hij nam een paar verkennende shots van het terrein, maakte langs de scheefgezakte grafzerken opnamen van het hotel en was tevreden over het resultaat. Deze plek moest in zijn productie worden meegenomen, wanneer je zoiets groots kon filmen met op de voorgrond grafstenen, moest je dat altijd doen.

Hij liep de heuvel weer af, was verbaasd dat het in de eerste meiweek zo warm was – zijn shirt plakte al tegen zijn rug en zijn voorhoofd was nat van het zweet – en wandelde naar het einde van de geplaveide oprit, langs een nog bezwetere man met een onkruidwieder, die Erics hoofdknikje met een korzelige blik beantwoordde, en bleef toen onder de stenen bogen staan om opnieuw een opname van het hotel te maken. De zon stond nog altijd hoog aan de hemel, scheen verblindend op de koepel. Hij bedacht dat het waarschijnlijk een sterk beeld zou opleveren als hij die op een avond tijdens de schemering op de juiste stand zou kunnen vangen, wanneer de zon onderging en die ouderwetse lampen aangingen.

Hij had hier mogelijkheden en opnamehoeken te over, de plek bood het soort visuele potentieel dat hij nergens anders was tegengekomen. Hij maakte wat opnamen buiten de bogen, waarbij hij traag op de bestrate oprijlaan inzoomde zodat het net leek alsof je naar het hotel toe liep. Daarna liep hij naar de auto terug en ging op weg naar French Lick. Dat bevond zich op loopafstand, maar hij paste ervoor om in de verschroeiende zon met zijn apparatuur te gaan zeulen.

Eenmaal binnen moest hij het French Lick-hotel iets meer eer geven: op zichzelf was het behoorlijk verbazingwekkend. In dit stadje zou het buitengewoon zijn geweest als grote broer verderop er niet was geweest. Terwijl hij erdoorheen liep, voelde Eric een milde sympathie voor Thomas Taggart. Hij had hier een fantastische plek gecreëerd, slechts om te worden overschaduwd door iets wat anderhalve kilometer verderop stond. Maar zo gingen de dingen nu eenmaal, iemand anders was altijd net ietsje beter.

Hij filmde in het hotel en het casino, liep er rond en dronk nog een biertje aan de bar in de kelder, waar aan de muren antieke elektrische schakeltoestellen hingen. De krachtcentrale, zo werden ze genoemd. Maakte niet uit, het bier was koud en de lichten gedimd, en dat hielp tegen zijn hoofdpijn. Hij wist niet precies waar die vandaan kwam. Eric had nooit last van hoofdpijn gehad, maar dit hardnekkige klootzakkie achtervolgde hem al de hele dag. Misschien had hij iets onder de leden.

Hij at de avondmaaltijd in het casinobuffet, nam er de tijd voor, want tot negen uur had hij toch niets anders te doen, dan had hij een afspraak met de promovendus. De jongen had tegen Eric gezegd dat hij die avond uit Bloomington zou komen, zodat ze laat hadden afgesproken en in de hotelbar een borrel zouden drinken. Verder was er in de e-mailuitwisseling weinig gemeld, dus Eric had geen idee hoe de jongen hem verder kon helpen.

Toen hij weer naar buiten ging, baadde het terrein in lange schaduwen, terwijl de zon achter de met bomen bedekte heuvels onderging. Achterom liep een weg die de twee hotels en het casino met elkaar verbond en waar een pendeldienst reed om gokkers heen een weer te vervoeren, en die weg nam hij terug. Vóór hem stond een oude Chavy Blazer met een kapotte knalpot, links van hem bevonden zich de steile heuvels en rechts van hem een dal waar een treinspoor doorheen liep. In het dal stonden vier herten te grazen, die nieuwsgierig maar niet angstig naar de auto's keken. Hij reed met de raampjes open, liet zijn arm op de deur rusten, dacht aan Claire en maakte zich los van de omgeving; tot hij de bladeren zag.

Ze lagen rechts van hem, op een smal terrein tussen de spoorrails en een kreek. Een hoopje dode bladeren dat door de winterse sneeuw en lenteregens doorweekt was en daarna in deze abnormale warmte tot perkament was gebakken. Hij haalde zijn blik van de weg toen de Blazer vóór hem knetterend en brullend wegreed, trapte op de rem, gaf een ruk aan het stuur, bracht de Acura aan de kant van de weg tot stilstand en keek.

De bladeren draaiden rond, werden een metertje van de grond opgetild, maar bleven stevig aan elkaar plakken, terwijl ze in een perfecte werveling opwaaiden. Zoiets zag je wel eens in de herfst in Chicago, waar de wind tussen gebouwen dwarrelde, gevangenzat tussen tonnen beton en staal en gedwongen werd ongebruikelijke patronen te volgen. Maar daar, op een open veld, met een westenwind en niets waar ze tegenaan konden botsen, was het vreemd dat ze ronddraaiden. Zelfs de wind leek te weifelen, verleende iets ongemakkelijks aan de manier waarop de bladeren dansten en draaiden. Ja, dat was het juiste woord. Ongemákkelijk.

Hij zette de auto in de parkeerstand, opende het portier en stapte in de wind, voelde hoe die zijn shirt om zijn lichaam wikkelde en het warme stof van de weg naar zijn neusgaten optilde. Die geur deed hem denken aan een zomerbaantje tijdens zijn studietijd, toen hij voor een bouwbedrijf in Missouri met kruiwagens over een bouwterrein moest zeulen. Hij verliet de weg, terwijl hij de motor liet draaien en het portier halfopen liet staan, en liep de korte heuvel af naar het hoge gras aan de andere kant. Hij liep het richeltje over, daarna over de rails en bleef toen staan om naar die bladeren te kijken.

De draaikolk was nog dikker geworden, er waren meer bladeren bij gekomen. Hij was minstens tweeënhalve meter lang en had van boven tot onder een doorsnee van ruim een meter. Hij draaide met de klok mee, bewoog zich lichtjes op en neer, maar over het geheel genomen in een perfecte cirkel.

Een ogenblik lang werd hij er volkomen door gebiologeerd, hij hield zijn adem in en staarde ernaar, maar toen kwam hij weer bij zijn positieven en dacht: ga je camera halen, sukkel.

Hij haastte zich naar de Acura terug en haalde de camera en het statief tevoorschijn, er zeker van dat wanneer hij zijn rug naar de bladeren toe keerde, ze weer waren gaan liggen en dit meeslepende moment voorbij was. Maar ze draaiden nog en hij liep naar het grindtalud waar het treinspoor op lag, zette de camera op het statief en deed hem aan.

Hij wilde zo weinig mogelijk inzoomen, de hoek zo groot mogelijk houden om de bizarre aanblik ervan te vangen. Er was weinig licht, slechts het grijze halfduister van de schemering, maar het was genoeg om er opnamen bij te maken. Achter de dwarrelende bladeren stonden de herten aan de boskant naar hem te staren. Hij had een paar seconden met zijn oog door de zoeker gekeken waarna ze de oren spitsten en kalm na elkaar een voor een met een sprong tussen de bomen verdwenen. Pas toen de laatste weg was, werd hij een geluid gewaar, eerst vaag, maar het klonk al snel harder. Voor een deel kwam het geluid van de wind, er was meer wind in zijn oren dan in de lucht, als een diep gebrul. Maar daarbovenuit klonk nog iets anders, een lichte, zangerige toon. Een viool.

Nu viel een derde geluid in, lager dan zowel de viool als de wind, en eerst dacht hij dat het 't gestage plukken aan een cello- of bassnaar was. Maar toen het aanzwol, realiseerde hij zich dat het helemaal geen instrument was, maar een motor, het geluid van een zwaarbelaste transmissie die in een constant ritme doordreunde. De viool steeg tot een uitzinnige kreet op en stierf toen abrupt weg, de wind ging liggen en de bladeren vielen uit de dwarreling uiteen, verspreidden zich over de grond, waaiden over het gras en kwamen tegen Erics been in de val te zitten.

Het motorgeluid klonk nu luider dan ooit, naderde snel, en Eric wendde zich van de camera af, keek langs de spoorrails en zag de wolk. Het was een kolkende, inktzwarte massa die laag aan de horizon hing en snel dichterbij kwam. Hij stond midden op het treinspoor en staarde ernaar, terwijl hij de ondergaande zon op zijn nek voelde maar voor zich uit slechts duisternis zag. Toen vielen de rookpluimen naar achteren uiteen en dook er vanuit het midden een trein op.

Het was een locomotief en die kwaadaardige donkere wolk kolkte in dikke, zwarte rookslangen uit zijn pijp. Een fluit gilde en Eric voelde de grond nu onder zijn voeten trillen, de rails dreunden onder het naderende gewicht, losse kiezels ratelden tegen elkaar.

Hij had nog nooit een trein zo snel zien rijden en Eric bevond zich precies op zijn pad. Hij stapte aan de kant en bleef met zijn schoenpunt achter een rail haken, struikelde en viel bijna terwijl hij het statief optilde en van het spoor op het gras met de gevallen bladeren strompelde. Toen de locomotief langs hem heen daverde, moest hij zich van het spoor afwenden en met een arm zijn gezicht afschermen. Daarna verscheurde de fluit nogmaals de lucht en hij keek naar de langs dreunende goederenwagons, zag dat de trein kleurloos was met alleen zwart- en grijstinten, op één witte wagon na waarop een rode vlek in de vorm van het Plutowaterlogo prijkte. De deur van de wagon stond open en er hing een man uit, zijn voeten stonden in de wagon en zijn bovenlichaam hing naar buiten, zijn gewicht rustte op de hand die hij om de rand van de deur had geklemd. Hij droeg een ouderwets pak met een vest en bolhoed. Toen de wagon dichterbij kwam, keek hij Eric aan, glimlachte en tikte tegen zijn hoed. Alsof hij hem bedankte. Zijn donkerbruine ogen glansden vochtig en Eric zag dat hij in water stond, waarvan er wat over de zijkant spatte en het glinsterde in de in duisternis gehulde trein.

Nadat de trein voorbij was, de pikzwarte achterkant van de laatste wagon, steeg de ermee gepaard gaande wolk op en stond Eric in het niets te staren. Op de weg kwam een auto aanrijden die even naar de andere rijbaan zwenkte om de Acura te ontwijken, en de vrouw achter het stuur wierp Eric een nieuwsgierige blik toe maar minderde geen vaart, reed door naar West Baden Springs, achter een trein aan die zij duidelijk niet had gezien.

8

Het gevoel dat hem bekroop leek in niets op wat hij ooit eerder had ervaren, de realiteit en de wereld die hij kende werden van elkaar gescheiden en stoven uiteen. Hij had de trein zo duidelijk gezien, had de hitte geroken en de aarde voelen trillen. Hij was verdomme zo écht geweest.

Maar nu was hij weg. Als een spookverschijning in de avondlucht verdwenen, en hij wist zeker dat de vrouw die zojuist was langsgereden er niets van had gezien. Er was geen spoortje rook in de lucht.

Zelfs de wind was weg. Daardoor moest hij weer aan de ronddraaiende bladeren denken en hij wendde zich naar de camera en klikte het displayvenster open. De bladeren waren echt geweest. Díé krankzinnige shit had hij tenminste op film.

Hij drukte op de terugspoelknop en toen op afspelen, sloeg de opnamen van het casino over tot hij bij het schemerige terrein was gekomen, de spoorrails en de...

... lege lucht.

Op de band dwarrelden geen bladeren in de lucht. Niets dan de spoorrails, de bomen en het lange, in de wind wuivende gras.

Hij ging weer terug naar de casino-opnamen, speelde de video helemaal af, tuurde naar het scherm en zag opnieuw geen spoor van de buitelende bladeren.

'Godverdomme,' zei hij hardop, terwijl hij naar de display staarde. 'Godverdomme, stom ding, dit kán gewoon niet...'

'Ik dacht dat een camera nooit loog,' zei iemand boven hem. Eric keek op en zag dat een jonge zwarte man hem gadesloeg. Hij was achter de Acura gestopt en uit zijn auto gestapt; Eric had daar niets van gemerkt omdat hij zo geobsedeerd naar een camera staarde die hem voor leugenaar uitmaakte.

'Ik kan me vergissen,' zei de man, 'maar volgens mij was ik op weg naar een ontmoeting met jou.'

Eric hield zijn hoofd schuin en bekeek de ander eens goed. Het was een lange, jonge man, minstens een meter negentig, en heel donker, met kort haar en brede schouders. Hij was gekleed in spijkerbroek en een wit overhemd dat los over zijn broek hing.

'Kellen Cage?' vroeg Eric. Dit was niet iemand van wie hij verwachtte dat hij een proefschrift schreef over de geschiedenis van een plattelandsstad in Indiana.

'Ah, dus jij bent Eric.'

'Hoe kom je daar zo bij?'

'In je e-mail zei je dat je aan een of ander filmproject werkte. Ik mag dan geen detective zijn, maar ik kan me niet voorstellen dat er veel mensen met zo'n camera rondlopen.'

'Klopt.'

'Wat ben je aan het opnemen?' zei Cage terwijl hij om zich heen keek.

'Ah, niets. Landschap, je weet wel.'

'O ja? Nou, dan zou je ergens anders moeten parkeren, man, of tenminste een beetje dichterbij. Als je hem zo achterlaat, kan iemand 'm zo meenemen.'

Kellen Cage was dichterbij gekomen, helemaal de heuvel af, en nu zag hij er zelfs nog jonger uit. Misschien vijfentwintig, op z'n hoogst zesentwintig. En nu was ook duidelijk hoe groot hij was. Eric was zelf geen kleine jongen – een meter tachtig en negentig kilo, en behoorlijk stevig in zijn vel voordat hij uit Los Angeles was vertrokken – maar naast deze Kellen Cage, die langer, breder en één en al spier was, voelde Eric zich kleintjes.

'Wat mankeert er aan je camera?' vroeg Cage toen Eric geen antwoord gaf.

'Niks, man, niks.'

'Je was 'm anders behoorlijk om niks aan het uitfoeteren.' Hij hield zijn hoofd schuin en bekeek Eric met een sceptische blik. Eric gaf geen antwoord, haalde alleen de camera van het statief en deed die in zijn hoes.

'Wat voor film ben je eigenlijk aan het maken?' vroeg Kellen Cage.

'O, niets groots, niets noemenswaardigs, maar het betaalt en levert misschien nog meer op. En jij?'

Hij worstelde met de camera omdat zijn handen trilden en hij hoopte dat Cage dat niet had gemerkt.

'Ik kom hier nu al maanden,' zei Cage. 'Ik werk aan een proefschrift voor een doctorstitel in Indiana. Maar het zou mooi zijn als er een boek van komt. Ik kwam hier en dacht, man, hier is van alles. Ik zou het doodzonde vinden als daar niets mee wordt gedaan.'

'Richt je je op het hotel?'

'Nee. Alle historische aandacht heeft zich al op de hotels gericht, en Taggart en Sinclair, maar er is ook een sterke zwarte geschiedenis. Joe Louis liep hier de deur plat, trainde hier vroeger altijd voor grote wedstrijden, dacht dat er een soort magie in de bronnen zat. Zwoer bij hoog en bij laag dat hij nooit een gevecht verloor als hij hier was geweest. Maar hij logeerde niet in dit hotel, verbleef altijd op een plek die de Waddy heette en voor zwarten was. En ze hadden een baseballteam samengesteld uit kruiers, koks en terreinknechten van de hotels, die tegen de grote competitieclubs speelden als ze hier hun lentetrainingen hielden. Ze speelden zelfs góéd, zo werd gezegd, en hebben de Pirates een keer verslagen. De zwarte teams vanhier hadden tegen iedereen kunnen spelen.'

Eric had eindelijk de camera in de tas weten te krijgen. Het duurde een paar seconden voordat hij zich realiseerde dat Kellen Cage niets meer zei en op een reactie wachtte.

'Over Louis heb ik gelezen,' zei Eric, 'maar van dat baseball wist ik niet.'

'O, er zitten nog heel wat meer belangrijke aspecten aan, maar ik merk dat ik altijd het eerst over de sport begin. Ik richt me vooral op dat Waddy-hotel. Het is belangrijk om deze twee hotels weer onder de aandacht te brengen. Ik wil er alleen voor zorgen dat het Waddy niet wordt vergeten.'

Eric schoof de cameratas over zijn schouder, wilde toen het statief oppakken, liet dat vallen en verloor bijna de cameratas toen hij zich bukte om het op te rapen. Kellen Cage pakte het statief op.

'Wil je nu naar het hotel en die borrel gaan pakken, zoals we van plan waren?' zei hij. 'Niet lullig bedoeld, man, maar je ziet eruit alsof je daar hard aan toe bent.'

'Ja,' zei Eric. 'Ja, ik ben absoluut aan een borrel toe.'

9

Hij ging niet naar zijn kamer, maar nam in plaats daarvan de camera mee het atrium in, terwijl Kellen iets uitlegde over de bartijden en Eric hem nauwelijks hoorde.

Denk er niet te veel over na, Eric, zoals je dat met de Harrelson-tape hebt gedaan. Zoals dat in die vallei in de Bear Paws gebeurde. Ze zijn niet met elkaar te vergelijken. Die keren trok er iets aan je. Had je een soort intuïtie. Maar dit? Die trein heb je je verbeeld, kerel. Meer was het niet.

Eric was nu eigenlijk blij dat Kellen Cage naast hem liep. Cage beloofde iets waardevols, een afleiding. Met hem praten, een paar borrels drinken, dit moment vergeten. Die bibbers in zijn maag vergeten, dat dwaze, onheilspellende gevoel.

'Wil wil jij?' vroeg Cage toen ze bij de bar aankwamen.

'Grey Goose met ijs en een schijf citroen.'

Cage wendde zich tot de barman en bestelde terwijl Eric zich op de kruk liet zakken, zich omdraaide, naar het uitgestrekte atrium keek en diep ademhaalde. Hij moest zich ontspannen. Dit, nou ja, dit stelde eigenlijk niets voor. Het was zelfs de moeite niet om het te analyseren. Hij moest het gewoon vergeten.

'Dus ik ben echt blij te horen dat je geïnteresseerd bent in Campbell Bradford,' zei Kellen, 'want hij is een van de grootste vraagtekens waar ik nog tegenaan loop. Toen hij uit de stad wegging, is die ouwe gewoon verdwenen.'

'Na zijn vertrek heeft hij hopen geld verdiend,' zei Eric. 'Zijn schoondochter is degene die me heeft ingehuurd. Zei dat hij tweehonderd miljoen waard is, of om en nabij.'

'Je bedoelt hij zo veel waard wás,' zei Kellen. 'Niet is. Was. Hij moet haast wel dood zijn.'

'Nee, maar het scheelt niet veel.'

Kellen hield zijn hoofd schuin en trok een wenkbrauw op. 'Leeft de man dan nog?'

'In elk geval wel toen ik uit Chicago vertrok.'

Kellen schudde zijn hoofd. 'Dat kan niet. Dat is niet dezelfde Campbell.'

Eric fronste zijn wenkbrauwen. 'Zijn schoondochter heeft me verteld dat hij hier is opgegroeid en als kind is weggelopen.'

'De Campbell Bradford over wie ik het heb is ook uit de stad weggelopen. Maar hij was een volwassen man, liet een vrouw en een kind achter. En hij was in 1892 geboren, dus dan zou hij nu zo'n beetje honderdzestien moeten zijn. Jouw man kan toch niet zó oud zijn, wel?'

'Hij is vijfennegentig.'

'Dan is het niet dezelfde.'

'Nou, dan moeten er twee mensen zijn met die naam. Misschien is mijn man de zoon van de jouwe?'

'Hij had een zoon, William, die bleef in de stad achter.' De teleurstelling droop van Kellens gezicht. 'Verdomme, aan jou heb ik niets. We hebben met twee verschillende mensen te maken.'

'Ze moeten iets met elkaar van doen hebben,' zei Eric. 'Zo'n naam, zo'n stad? Er moet ergens een link zijn.'

Kellen nam een slok en zei: 'Mijn Campbell was een verdorven man.'

'Hoezo?'

'Ooit was het hier een gokparadijs, in de jaren twintig van de vorige eeuw. Er kwamen bakken met geld binnen, hopen schulden stapelden zich op, en Campbell Bradford was de man die erop toezag dat die twee in evenwicht bleven.'

'Een soort incasseerder?' vroeg Eric.

'Inderdaad. Hij was de spierbundel, degene die de schulden inde. Mensen waren als de dóód voor die man. Dachten dat hij het vleesgeworden kwaad was. Ik ben vooral geïnteresseerd in de manier waarop deze vent met mijn project samenkomt, want het verhaal gaat dat hij Shadrach Hunter heeft vermoord nadat in 1929 de aandelenmarkten instortten, vlak nadat deze stad zijn beste tijd had gehad. Het is niet te filmen hoe snel deze plek na Zwarte Dinsdag leegliep. De ene dag was dit een van 's werelds elitekuuroorden, een dag later was het verlaten en op weg in puin te vallen. Die verandering ging verdomd snel, weet je.'

'Wie was Shadrach Hunter?'

'Die runde het zwarte casino,' zei Kellen. 'Ja, dat was er echt. Het begon als een pokerspelletje in een lullig achterkamertje en is verder uitgegroeid. Er werkten hier zo veel zwarten in de hotels, maar ze konden op sociaal vlak geen voet aan de grond krijgen, dus dobbelden ze wat bij Shadrach en legden er een kaartje. Maar het duurde niet lang of dat kreeg echt handen en voeten. Campbell Bradford controleerde mede het hele gokgebeuren in het dal voor blanken – hij werkte samen met Ed Ballard, de eigenaar van dit hotel, alleen was Campbell heel wat smeriger dan Ballard, die zelf verre van schone handjes had – maar hij had niets te maken met Shads handeltje. Volgens de legende was Shad een vrek, roomde van elk spel geld af en spaarde dat op als appeltje voor de dorst. Hij droeg altijd een pistool aan zijn riem en had voortdurend een paar zware jongens bij zich, bodyguards.

Nou, toen de markt instortte, lag de hele stad plat en verdwenen de geldstromen. Rond die tijd werd Shadrach Hunter vermoord en verdween Campbell Bradford, zonder zijn familie ook maar met een cent achter te laten.' Kellen spreidde zijn handen. 'Je begrijpt dus vanaf welk moment de mythe is ontstaan. Ik heb een paar schitterende verhalen gehoord, maar er zijn verdomd weinig feiten. Ik hoopte dat jij me daarmee kon helpen.'

'Het enige wat ik heb is een stervende oude miljonair in Chicago die net zo heet.'

'En die kan met geen mogelijkheid dezelfde zijn?'

'Hij is wel oud, maar geen honderdzestien.'

'Nou, ik zal je morgen in contact brengen met ene Edgar Hastings,' zei Kellen. 'Ik ben benieuwd wat hij ervan vindt. Hij kende de familie en is een van de laatste mensen in deze stad die zich Campbell Bradford nog duidelijk kan herinneren. Er woont hier ook nog een achterkleinkind van Campbell, maar met hem breng ik je niet in contact.'

Er speelde een droog glimlachje om zijn lippen.

'Hoe zit het dan met hem?' vroeg Eric.

'O, hij is een ietwat korzelig type. Edgar waarschuwde me al, zei dat ik maar beter niet met hem moest gaan praten, maar dat advies heb ik in de wind geslagen en ik ben naar zijn huis gegaan. Hij had me binnen twee minuten de deur uit gewerkt. Hij gooide een bierfles naar mijn auto toen ik wegreed.'

'Wat aardig.'

'Uitermate gastvrij. Maar aangenomen dat jij niet veel meer aan hem zult hebben dan ik, heb ik alleen Edgar in de aanbieding.'

'Oké.'

'Hoe ben jij eigenlijk in dit vak terechtgekomen?' vroeg Kellen. 'Wilde je altijd al filmmaker worden, was het een uit de hand gelopen hobby, of...?'

Zijn stem stierf weg, hij wachtte, de vraag was absoluut in alle onschuld gesteld, maar Eric voelde woede door zich heen stromen. Ik ben filmmaker gewéést, wilde hij roepen, en als er een paar meevallers mijn kant op waren gekomen en een paar klootzakken uit mijn buurt waren gebleven, zou je me nu om een handtekening vragen.

'Ik heb de filmacademie gedaan,' zei hij, en hij deed een poging het achteloos te laten klinken. 'En ik heb een tijdje in Californië gewerkt. Ik ben bij verschillende producties beeldregisseur geweest.'

'Ken ik daar wat van?'

Ja, daar kende hij wat van. Maar als hij dat zou zeggen, zag hij de onvermijdelijke vervolgvraag al aankomen: aan welke films heb je onlangs gewerkt? En wat moest Eric daar dan op zeggen? Nou ja zeg, heb je de Anderson-trouwvideo dan niet gezien? Of de compilatie voor de Harrelson-begrafenis? Ben je wel van deze wereld?

'Waarschijnlijk niet,' zei hij. 'Ik hield het daar niet uit, dus ben ik naar Chicago teruggegaan en mijn eigen toko begonnen.'

Kellen knikte. 'Beeldregisseur... Wat betekent dat precies?'

'Je gaat over de camerastandpunten en de lichtcrew. De regisseur gaat natuurlijk over de hele film, maar de beeldregisseur bepaalt de beelden.'

'Zorgt voor de beelden die de regisseur wil?'

Eric glimlachte licht. 'Zorgt voor de beelden die hij nodig heeft. Soms zijn ze het daarover eens. Soms niet.'

Op Kellens gezicht was oprechte belangstelling te lezen, maar Eric wilde absoluut niet dieper op dit gesprek ingaan. In plaats daarvan zei hij: 'Weet je, eigenlijk wil ik hierbinnen graag een paar shots doen,' vooral om wat adempauze te krijgen.

'Nou, hier kun je je hart ophalen,' zei Kellen. 'Moet je die open haard zien.'

Eric draaide zich om en keek naar de haard vlak bij de bar. Die was evenals het hotel prachtig en indrukwekkend. Het front was van rivierstenen opgebouwd, met op het oppervlak een muurschildering. De schildering stelde kolkend blauw water voor en weelderige grasvelden, links in de achtergrond was een kleine beeltenis van het hotel geschilderd, achter een paardenkastanje. In de rechterbovenhoek, boven het tuimelende water, was Sprudel te zien, de West-Badense metgezel van French Licks Pluto, god van de onderwereld. Hij zag er eerder uit als een gnoom dan als een duivel, maar Eric moest onmiddellijk weer aan de zwarte trein denken en er ging een duistere vlaag door hem heen. Hij had de trein écht gezien. Daar was geen twijfel over mogelijk. Dus wat betekende dat dan in godsnaam? Was hij verdomme zijn verstand aan het verliezen?

'Ooit werd hier ruim vier meter hout gestookt,' zei Kellen. 'Kun je je dat voorstellen? Dat is net zoiets als telefoonpalen doormidden zagen om die in de haard te gooien. Je zou er een opname van moeten maken.'

Eric knikte, haalde de camera tevoorschijn maar zette die niet op het statief, hij ging alleen staan en liet hem op zijn schouder rusten, draaide zich om, richtte op de muurschildering en keek hoe het Sprudel-figuurtje de lens vulde.

Niet ver van de bar stond een piano, een vleugel, en een man in smoking speelde erop. Eric draaide zijn kant op en maakte er een opname van. De pianist zag hem, keek in de camera terug en knipoogde. Om de een of andere reden draaide Eric onmiddellijk weg, liet de camera zakken, schakelde hem uit en stopte hem in de tas terug. Toen hij weer overeind kwam, was hij duizelig en vierkantjes licht zwommen voor zijn ogen toen hij naar de rij flessen achter de bar keek.

'Dat heb je snel gedaan,' zei Kellen.

'Het licht is niet goed,' mompelde Eric en hij reikte naar zijn drankje. Hij nam een grote teug en knipperde een paar keer met zijn ogen, terwijl hij wachtte tot de duizeligheid overging. Dat gebeurde niet.

Hij werd overvallen omdat het ronde bouwwerk zo enorm was, werd merkwaardig duizelig, ook al stond hij met beide voeten stevig op de grond. Het was er verdomme gewoon te open en het was verdomme te groot. Hij en Kellen stonden aan de korte kant van de bar die zich naar het atrium uitstrekte, maar tegenover hen was de bar omsloten, afgeschermd tot een kleine ruimte met houten lambrisering en gedempte lichten. Plotseling wilde hij daar naar binnen. In de krappere ruimte, in het donker.

Maar Kellen Cage was nog altijd aan het praten, ging maar door over het Waddy-hotel en een baseballteam uit de Negro League dat de Pluto's heette, dus legde Eric een hand op de bar en zette een voet op de koperen rail om zich staande te houden, terwijl hij nog een grote slok Grey Goose nam. Laat de jongen maar praten, zorg dat je niet hysterisch wordt. Er was geen probleem. Alles was in orde.

Ondanks het drankje had hij een droge mond en Kellen Cages stem leek van ver weg te komen, en er zat een lichte echo in. De lichten van het atrium begonnen feller te schijnen, langzaam maar onmiskenbaar, alsof iemand een hand op de dimmer had gelegd en er zachtjes aan draaide, de wattage opvoerde. De hoofdpijn was weer terug, een vaag bonzen onder in zijn schedel, en de te overvloedige buffetmaaltijd verschoof in zijn maag.

Hij legde beide handen op de bar, leunde op het koude granieten blad en wilde Kellen Cage net onderbreken door te zeggen dat hij naar buiten wilde om wat frisse lucht te halen, toen een nieuw geluid in de plaats kwam van die merkwaardige, echoënde conversatie om hem heen. Muziek, een heldere melodie, puur en prachtig. Snaren. Wellicht een cello op de achtergrond, maar op de voorgrond klonk een viool, een viool die zo zoetgevooisd speelde als Eric nooit had gehoord. Het was een vertroostend geluid, een liefkozing, en hij merkte dat de gevangen lucht in zijn longen en de hoofdpijn wegebden en zijn maag weer tot rust kwam. De cello bracht een lage, lange toon voort en de viool kwam daaroverheen, nam een uitbundige, hoge vlucht. Eric vond het ontzagwekkend mooi en draaide zich om, op zoek naar waar het vandaan kwam. Het moest wel live zijn; hij wist alles van opnameapparatuur en was er zeker van dat ze nog niet iets hadden uitgevonden dat het geluid zo goed kon weergeven.

Het atrium was op een paar mensen na leeg, geen spoor van een muziekband, niemand anders dan de pianist. Hij draaide zich nogmaals om toen de vioolmuziek weer inbond en het lied opnieuw triest en lieflijk klonk. De pianospeler zat met gebogen hoofd, zijn handen vlogen over het toetsenbord, maar hun bewegingen liepen totaal niet synchroon met de snaren. De vioolmuziek kwam uit de piano. Dat was onmiskenbaar. Het ding stond niet verder dan tien meter bij hem vandaan en Eric, die gezegend was met goede oren en nog betere ogen, wist heel zeker dat de vioolmuziek van onder de klep van die vleugel kwam.

'Je vindt de muziek mooi, hè?' zei Kellen Cage.

Eric stond nog steeds te staren, wachtte tot hij iets zou zien waaruit bleek dat hij zich vergiste, en vond niets… Maar op de een of andere manier speelde de piano strijkmuziek. De mooiste strijkmuziek die hij ooit had gehoord. De handen kwamen er echter niet mee overeen. De handen speelden niet deze muziek.

'Hoe heet dit liedje?' zei hij. Zijn stem klonk schor.

Kellen Cage trok zijn hoofd naar achteren en keek Eric met een curieus lachje aan. 'Neem je me in de maling? Dat is dat stuk uit *Casablanca*, man. Iedereen kent het. "As Time Goes By".'

Dat was niet het lied dat Eric hoorde, maar aan de handbewegingen van de pianospeler zag hij dat Kellen gelijk had, opgesloten in dat bekoorlijke, bekende ritme.

'Ik bedoel de viool,' zei Eric.

'Viool?' zei Kellen, en toen was de smoking van de pianospeler verdwenen en in plaats daarvan droeg hij een gekreukt pak en een bolhoed, en als Kellen al iets zei, dan hoorde Eric dat niet. Hij staarde naar de pianist, wiens gezicht was afgewend en ook door de bolhoed werd verborgen. Net achter zijn schouder stond op nog geen twee meter afstand een lange, magere jongen met een viool tegen zijn schouder, die zijn ogen stijf dicht hield. Hij droeg slecht passende kleren, zijn magere onderarmen staken uit de mouwen van zijn shirt en je kon een paar centimeter van zijn sok zien. Zijn blonde haar was al wekenlang niet geknipt. Aan zijn voeten lag een open vioolkist waarin her en der bankbiljetten en munten waren gegooid.

Even speelden ze alleen maar in dat zachte duet door, de jongen had nog altijd zijn ogen dicht, en toen keek de man aan de piano op. Hij tilde zijn hoofd op en keek Eric met een brede grijns recht in het gezicht aan, en tegelijk ging de prachtige, meeslepende strijkmuziek over in een heftig, indringend strijken met uitzinnige en angstaanjagende tonen.

Eric liet het glas uit zijn hand vallen, dat de rand van de bar raakte voordat het op de tegelvloer viel, brak en de splinters alle kanten opspatten. Zodra het glas versplinterde, verdween de muziek, midden in een noot afgebroken, alsof iemand de stekker uit een stereo had getrokken. En in plaats van de jongen met de viool en de man met de bolhoed zat daar weer de pianist van daarstraks, en nu kon Eric het lied horen: 'You must remember this, a kiss is just a kiss…'

'As Time Goes By'. Beroemd geworden door *Casablanca*. Kellen had gelijk, dit kende iedereen.

'O o, als je dat drankje nog wilt opdrinken heb je een zwabber nodig,' schertste de barman glimlachend. Eric voelde dat Kellen zijn arm stevig had vastgegrepen.

'Gaat het wel? Eric? Gaat het goed?'

Nu wel. In elk geval op één vlak. Op een ander…

'Zullen we ergens anders naartoe gaan?' vroeg Eric. 'Buiten dit hotel is vast wel een tent waar je een borrel kunt krijgen.'

Kellen Cage keek hem met opgetrokken wenkbrauwen aan, maar knikte langzaam, zette zijn glas neer en liet Erics arm los.

'Natuurlijk, man. Die is er zeker.'

Zodra ze buiten waren, voelde hij zich beter. Het was nog altijd warm, het moest wel bijna zevenentwintig graden zijn, maar met het ondergaan van de zon was ook iets van de vochtigheid verdwenen, de lucht buiten het hotel was fris en geurig, en er waaide een zacht briesje.

'Daarbinnen zag je er niet goed uit,' zei Kellen terwijl ze om het gebouw heen liepen in de richting van het parkeerterrein.

'Ik werd een beetje duizelig,' zei Eric.

'Maar wat bedoelde je nou met de viool?'

'Gewoon in de war.'

Het lag het meest voor de hand om Kellen nu de hand te schudden, tegen hem te zeggen dat het fijn was geweest om met hem te praten en daarna naar zijn kamer te gaan om te slapen. Maar iets leek hem naar een andere plek te trekken. Hij wilde uit dat hotel weg.

'Zullen we naar het casino gaan?' vroeg Kellen toen ze vlak bij de parkeerplaats waren.

Eric schudde zijn hoofd. 'Nee, ik ga liever ergens naartoe' – waar niet zo veel lichten zijn – 'waar het rustiger is. Meer besloten.'

Kellen tuitte nadenkend zijn lippen. 'Eerlijk gezegd zijn er hier niet zo veel plekken. Maar verderop langs de weg is wel een aardige bar. De Haan. Ik heb daar een paar keer geluncht. Er staat trouwens een vriendelijke dame achter de bar.'

'Mij best.'

Kellen stak zijn hand op, drukte op een knop op zijn sleutelbos en de lichten van een auto vóór hen flakkerden op. Zo te zien een spiksplinternieuwe zwarte Porsche Cayenne.

'Ze betalen studenten nu zeker beter dan in de tijd dat ik nog op de universiteit zat,' merkte Eric op.

'Nee, deze heb ik van mijn bijverdiensten gekocht. Ik heb een beetje met crack rondgezwaaid.'

'Dat zal wel, ja.'

'Er komt een dag dat ik een blanke zover krijg dat hij het gelooft.'

'Kwestie van tijd,' zei Eric instemmend terwijl hij naar de passagierskant liep, de deur opende en zich op de leren stoel liet glijden. 'Maar het is een verdomd mooie auto.'

'Van mijn broer gekregen,' zei Kellen. 'Voor mijn vijfentwintigste verjaardag.'

Eric trok zijn wenkbrauwen op. 'Dat is me het cadeautje wel. Wat doet hij?'

'Dat laat ik je later wel zien,' zei Kellen en hij ging er verder niet op in toen hij de motor startte en ze van het hotel wegreden. Eric vroeg niet door. Op een andere avond zou die opmerking zijn nieuwsgierigheid wellicht meer hebben geprikkeld. Maar deze avond wilde hij alleen maar met zijn hoofd tegen de leuning rusten, zijn ogen sluiten en geloven dat als hij ze weer opendeed, hij alleen maar de dingen van deze wereld zou zien.

10

Josiah Bradford zou het helemaal niet erg hebben gevonden om gewoon met zijn voeten omhoog en een biertje op de veranda te zitten en in de beslotenheid van de nacht te wachten tot het minder warm werd en een dag vol arbeid uit zijn spieren te laten wegtrekken. Maar Danny Hastings had het op z'n heupen gekregen, zoals Danny dat wel vaker kreeg op de vrijdagavond, en dus bevond Josiah zich niet op de veranda maar in plaats daarvan in het casino.

Danny was waarschijnlijk de stomste klootzak die ooit rechtop had leren lopen, maar hij had nog altijd meer hersens dan geld. Desondanks vond hij nagenoeg wekelijks zijn weg naar het casino. Hij was zo'n stomkop die dacht dat hij met één ruk aan de gokautomaat verwijderd was van rijkdom, één juiste beweging en hij kon op een eersteklasvlucht naar Frankrijk stappen.

Zielig gedoe, als je het Josiah vroeg.

Hij had natuurlijk thuis kunnen blijven, maar toen Danny eenmaal belde, liet Josiah zich vrij snel vermurwen. Dat had niets met Danny of het casino te maken, maar meer met het feit dat Josiah in een somberder stemming was dan anders, na zijn werk in die verschroeiende zon, terwijl hij Amos ontliep en de weekendmenigte in het hotel had zien arriveren. Een beetje afleiding leek hem wel een goed idee. Josiah kende zijn eigen stemmingen inmiddels behoorlijk goed, hij zag ze als stormwolken aankomen

63

en probeerde als het even kon bij ze uit de buurt te blijven. Maar soms zag hij ze aan de horizon opdoemen en kon het hem gewoon geen snars schelen, dan liet hij ze komen en over zich heen spoelen. En op die momenten kon je maar beter ver uit zijn buurt blijven.

Zoals zo vaak had hij zin in een lekkere wip. Dat kwam goed uit, want de vrouwen dronken meer op een avond in het weekend en dat was een gunstige omstandigheid. Hij en Danny waren rond een uur of acht in het casino, Josiah sloeg een paar glazen bourbon achterover en keek toe hoe Danny veertig dollar cash vergokte – geld waarmee hij tot de volgende loonbetaling op donderdag had moeten doen – vervolgens naar de geldautomaat ging om nog eens vijftig dollar te pinnen van de laatste creditcard die hij ooit nog zou krijgen van een bank die daar voor stom genoeg was. Josiah verliet daarop de blackjacktafel, bestelde nog een borrel en ging aan de bar een babbeltje maken met een paar ouwe gabbers en wachtte tot Danny weer platzak was.

Het was bijna tien uur toen hij langs de blackjacktafels liep op weg naar de wc en Danny met de gever zag marchanderen, terwijl er nog twee dollar aan fiches voor hem lag. Daarover kon je alleen maar je hoofd schudden. Stomme klootzak.

Josiah deed een plas, liep terug en keek de ruimte rond, voelde zijn woede opnieuw op hem drukken, een woede die nu toenam omdat hij nog geen vrouw had gevonden. O, er hingen er wel een stuk of tien rond, daar lag het niet aan, maar die hingen allemaal al aan de arm van iemand anders, rijke bitches die hier in het weekend met hun vriendje naartoe kwamen. Die keurden Josiah met geen blik waardig, keken dwars door hem heen, zoals de hotelgasten ook altijd deden. Er waren mensen – Danny Hastings, bijvoorbeeld – die dat wel best vonden, die in hun anonieme leventje glipten als in een tweede huid. Maar die paste Josiah niet. Hij was niet van het soort dat als een onbekende door het leven wilde gaan. Dat realiseerde hij zich toen hij een paar mannen in het casino nauwlettend bekeek, mannen die de leiding hadden over welke menigte klootzakken ook die hier binnenkwam. Hij hoefde hun klotegeld, sletten van wijven of kontkussende vriendjes niet. Wat hij wilde – verdiende – was de rol die ze speelden. Mensen merkten deze lulhannesen wel op en behandelden Josiah als een meubelstuk.

Naar de hel ermee. Hij had meer dan één borrel gehad en hield het voor gezien.

Hij was halverwege de bar op de terugweg toen hij iemand hoorde schreeuwen, een wild soort rebelse kreet die eerder als het geluid van een klein meisje klonk, of misschien van een krijsende big, en de haartjes in zijn nek en op zijn armen gingen rechtovereind staan, niet omdat hij bang was, maar omdat hij wist waar het vandaan kwam: het was Danny.

Danny had gewonnen.

Ergens achterin tussen de gokautomaten klonken woest gerinkel en bellen. Grommend liep Josiah met een handvol andere toeschouwers op het geluid af.

'Josíah! Josiah, waar ben je? Je moet dit zien!'

Danny schreeuwde naar hem, ook al was Josiah maar een paar stappen bij hem vandaan.

'Josíah!'

'Hou je kop, ik ben vlak bij je.' Hij ging naast Danny staan en keek naar de display. Een fruitautomaat, het ding zoemde en rinkelde nog steeds, ontworpen om een massa dwazen aan te trekken die zo snel mogelijk hun eigen geld in een van die glanzende vuilnisbakken wilden gooien. Het duurde even voordat hij het bedrag ontdekte: vijfentwintighonderd dollar.

'Zie je dat, Josiah? Vijfentwintighónnert!' Danny slaakte nog zo'n klote-kreet en sloeg Josiah op de rug. Josiah had de grootste moeite om hem niet tegen de grond te werken.

'Ik heb er één dollar in gestopt, meer niet. Eén dollar, niet te geloven toch? Had een beetje geluk aan de blackjacktafel, ik voelde het, alleen niet in de laatste ronde.'

Alleen niet in de laatste ronde. Briljant. Hoeveel van die aan de grond zittende klootzakken hadden dat wel niet gezegd?

'Dus ik was m'n geld kwijt, maar ik wist dat m'n geluk me nog niet in de steek had gelaten, oké? Ik had nog maar twee dollar over en een daarvan heb ik hierin gestopt. Ik trok aan de arm en won, deed er nog eentje en won weer, en toen kwam deze, dit was pas de dérde keer.'

Een of andere dombo van een blonde meid klapte nu voor hem, pro-beerde anderen erbij te betrekken. Danny draaide zich om en grijnsde hen toe terwijl hij als een bokskampioen zijn handen boven zijn hoofd ineensloeg. Shit, wat was hij toch lelijk. Josiah wist niet of hij ooit een grotere lelijkerd had gezien. Lelijk ras, natuurlijk, roodharige mannen.

Vrouwen konden met rood haar wegkomen, maar mannen? Te weerzin-wekkend voor woorden.

Danny had bovendien een dikke bierbuik, sproeten en hij zweette. Het was bijna onverdraaglijk om nu naar hem te kijken. Zoals hij met zijn handen boven zijn hoofd ronddanste, en dat vanwege vijfentwintighonderd pegels. Vóór het volgende weekend zou hij elke cent weer aan het casino hebben teruggegeven, en nog steeds zijn verhaal rondbazuinen alsof hij een prestatie had geleverd.

'Laat ik je dit vertellen, gabber,' zei Danny, terwijl hij op de printknop drukte, toekeek hoe zijn ticket eruit kwam en het blonde meisje nog altijd floot en in haar handen klapte. 'Vanavond is alle drank voor mij.'

'Als je dat maar weet,' zei Josiah, die zijn hand uitstak en – wat hem de grootst mogelijke moeite kostte – Danny zacht, vriendschappelijk tegen de schouder stompte. 'Schiet op, ga je geld halen en kom dan naar de bar om het uit te geven.'

'Ik heb het altijd gezegd, ik heb 't áltijd gezegd,' kraaide Danny, zijn stem dik van de drank en opwinding, 'ooit zal de naam Danny Hastings anoniem zijn voor succes!'

Anoniem voor succes. Christene ziele, dat zei hij echt, en niet expres.

'Dat is nu al zo,' zei Josiah, en Danny grijnsde alleen maar, sloeg hem nogmaals op de schouder, snapte het nog steeds niet, terwijl de andere toeschouwers gnuivend lachten.

'Zoals ik al zei, ga je geld halen. Ik zit aan de bar,' zei Josiah.

Danny liep geestdriftig snaterend weg. Josiah liet hem helemaal naar de kassier gaan voordat hij om de gokautomaten heen liep en het casino verliet.

Hij liep naar zijn Ford Ranger op het parkeerterrein en startte die, reed van het casino weg en aarzelde toen bij de 56, twijfelde over welke kant hij op zou gaan. Hij zou verdomme absoluut niet daarbinnen gaan zitten toekijken hoe Danny de hele avond de beest uit ging hangen, niet in dit pesthumeur. Misschien wel als hij wat dronkener was geweest. Maar hij was nog steeds nuchter, en boos. Hij kon naar huis gaan, maar zijn huis was in de heuvels tussen Orangeville en Orleans, en hij had het gevoel dat hij een lafaard was als hij nu de stad uit reed, dat hij wegvluchtte om te gaan zitten sippen. Nee, hij ging naar een andere bar.

Maandag – nee, verdomme misschien zondag al – zou hij wel een beetje spijt hebben dat hij zo wegging. Vooral omdat Danny stom genoeg was om de hele avond iedereen op een rondje te trakteren; deels omdat de idioot werkelijk zijn meevaller met Josiah wilde delen. Maar nu kon hij er absoluut niet tegen. Het was maar vijfentwintighonderd dollar, maar ze waren wel in Danny's dikke vette schoot geworpen en niet in die van Josiah.

Hij stond bij de uitgang van het parkeerterrein met de voet op de rem te wachten op een kans de weg op te rijden, schonk geen enkele aandacht aan de passerende auto's, zocht naar een gaatje, tot hij een zwarte Porsche Cayenne voorbij zag stuiven.

Die klootzak van een student was nog steeds in de stad. Die auto maakte hem razend, hij wilde wel het gas van de Ranger intrappen en er pal op in rijden, zien hoe die achterlichten uiteenspatten. Hij schoot erachter en trapte op het gaspedaal, zo hard als zijn tot op de draad versleten banden het toelieten, en voelde zich toen een sufferd. Als hij er op een vrijdagavond zo vanaf het casino vandoor ging, kon je net zo goed met een megafoon om de politie schreeuwen, dat was vragen om aangehouden te worden.

Hij ging langzamer rijden maar bleef achter de Porsche, volgde hem heuvelopwaarts, de stad uit en dacht toen: o, man, het wordt nog een harde dobber om deze kans te laten schieten, toen hij vlak voor de Haan zag dat hij zijn richtingaanwijzer aandeed, hem vaart zag minderen en het kiezelparkeerterrein van de bar op reed. Dat had hij vanavond nou net nodig: getart worden door een of andere rijke kerel die naar een plaatselijke bar ging alsof het verdomme een toeristenattractie was. Om naar het plattelandsvolk te staren, misschien een paar foto's te nemen. Nog meer vragen te stellen over Josiahs vlees en bloed.

Hij reed de parkeerplaats op, zag het portier aan de bestuurderskant van de Porsche opengaan en de jongen uitstappen; het was verdomme een kast van een vent. Josiahs koplampen waren op hem gericht zodat hij de gespierde schouders en borstkas kon zien. Deze keer was er iemand bij hem. De tweede vent was blank, had kort haar en zo'n baard van drie dagen waardoor hij er nonchalant, onverschillig uitzag. Ouder dan de zwarte jongen, maar ook weer niet zo oud dat je je schuldig moest voelen als je hem in elkaar roste.

Ze verdwenen naar binnen. Josiah zette zijn motor af en doofde de lichten. Zijn hele dag was toch al vergald en nu zou hij z'n gram halen. Die zwarte knul was zo groot, dit zou duidelijk een spektakel worden. Als Josiah eenmaal met hem klaar was, had niemand het meer over Danny Hastings en zijn vijfentwintighonderd pegels.

11

Op de bouwvallige bar waar Kellen hen naartoe had gereden was in neon een haan bevestigd, maar er stond geen naam bij. Misschien heette de tent niet eens de Haan. Misschien noemden ze hem zo vanwege die verlichting. Binnen zag het er vriendelijk uit, oud maar schoon. Een handvol mensen zat in boxen langs een muur, misschien nog eens zes verspreid aan de bar. In een hoek speelden twee kerels darts.

'Daar ben je weer!' zei de blonde vrouw achter de bar, naar Kellen turend. 'Wacht even, ik weet het wel. Hmm…. Er zit een K in. Kelvin?'

'Kellen.'

'Verdorie! Dat had ik moeten weten. Maar je bent hier dan ook een tijd niet geweest, dus eigenlijk is het je eigen schuld.'

'Daar valt niks tegen in te brengen,' zei hij en hij bestelde een biertje, als het maar van de tap en licht was. Eric stak twee vingers op, bedacht dat het sowieso een goed idee was om de rest van de avond de lichte kant maar wat te dimmen, als je zag hoe zijn geest een spelletje met hem speelde.

'Als je wat anders wilt, dan roep je Becky maar,' zei de vrouw terwijl ze de biertjes naar hen toe schoof.

Kellen knikte. 'Zal ik onthouden. Oké, denk je dat je TNT op die tv kunt vinden?'

Becky pakte de afstandsbediening en kreeg die niet aan de praat, gooide hem neer en rekte zich tot op haar tenen uit om bij de tv te komen. Goeie, lange benen, mooi zongebruind. Misschien vijfenveertig. Zo'n tien jaar ouder dan Claire. Claire had fantastische benen…

'Kijk eens aan,' zei Kellen. 'Bedankt.'

Hij wilde een basketbalwedstrijd zien, de Timberwolves speelden tegen de Lakers. Eric had een bloedhekel aan de Lakers. Vroeger werd hij wel eens naar een wedstrijd meegesleurd door een bevriende producer, die dat dan als een zakelijk uitje beschouwde en altijd met zijn rug naar het veld zat om rond te kijken of er ook filmsterren te bewonderen waren. Eric, die ooit zelf een behoorlijk grote basketbalfan was geweest, vooral op de universiteit, had een bloedhekel gehad aan het Hollywoodgeurtje dat aan de Lakers kleefde. Jack Nicholson die daar beneden met die verdomde zonnebril van hem langs de kant van het veld naar de scheidsrechters stond te blaffen, andere sterren die – hoe zochten ze het uit – alleen hun weg naar de wedstrijden wisten te vinden als ze op de nationale tv kwamen.

'Je wilde weten wat mijn broer deed,' zei Kellen en hij knikte naar de tv. 'Nummer veertig voor Minnesota.'

'Echt waar?' zei Eric.

'Ja. Ik wilde dit opnemen, vind het vervelend om er een te missen, maar wat maakt het ook uit.'

Eric ontdekte nummer veertig en zag de gelijkenis onmiddellijk. Een paar centimeter langer dan Kellen en wat slungeliger, zonder de spierballen, maar de vorm van het hoofd en de gelaatstrekken leken duidelijk op elkaar.

'Hoe heet hij?' vroeg Eric.

'Darnell.'

'Jonger of ouder?'

Kellen aarzelde slechts een fractie van een seconde en zijn ogen flakkerden even opzij voordat hij zei: 'Jonger. Drie jaar jonger,' zachter dan daarvoor.

Ze keken toe hoe de bal zijn weg vond naar Darnell Cage. Hij ving een pass van achter de driepuntslijn vanuit de verdediging en zette het op een lopen, deed alsof hij wilde schieten, dribbelde naar de zijlijn en waagde een schot dat van de achterkant van de ring terugstuiterde.

'Kom op, kom op,' zei Kellen. 'Geef die bal. Schud die tegenstander af.'

De teams gingen heen en weer het veld over zonder dat Cage de bal kreeg. Toen scoorden de Lakers en Minnesota deed een tegenaanval die niets opleverde, gooide weer van achteren naar voren en speelde rond. Er stonden nog acht seconden op de klok toen de bal aan de linkerkant van de baseline bij Darnell Cage kwam, en Kellen lachte. Het was een donker, bijna sluw geluid.

'O, nu zitten ze in de nesten,' zei hij.

Darnell Cage keek naar zijn verdediger terwijl hij de bal achter zijn heup hield en naar voren leunde.

'Nu komt er een cross-over,' zei Kellen.

Darnell Cage maakte een lichte schijnbeweging met zijn schouder, dribbelde vervolgens naar links voor hij naar rechts schoof, terwijl de verdediger, die zich niet door de schijnbeweging liet misleiden, met hem meeging. Toen kwam de cross-over, een gemene, snelle dribbel waarbij hij de bal tussen zijn benen door naar zijn linkerhand overbracht, en Darnell Cage overbrugde in ongeveer twee stappen de rest van de baseline voordat hij de lucht in schoot en het afmaakte met een fabelachtige eenhandige dunk waardoor het thuispubliek uitgelaten opsprong.

'Wauw,' zei Eric.

Kellen grinnikte. 'Hij is heer en meester op die linker baseline, man. Heeft er patent op. Hij is linkshandig en je kunt 't hem moeilijk maken als je hem naar rechts dringt, maar weet hij je aan die linkerbaseline eenmaal uit balans te brengen, dan is het met je gedaan. Hij is zo verdomd snel. Hij stuurt je alle kanten op en het enige wat je kunt doen is toekijken.'

Kellen had zich omgedraaid om Eric aan te kijken maar nu dwaalden zijn ogen naar een hoger punt, hij fronste zijn voorhoofd en zei: 'Niet te geloven.'

'Wat?'

'Je wilde toch een familielid van Campbell Bradford ontmoeten? Míjn Campbell? Die staat daar achterin, bij de pooltafel. Dat is die knakker die die fles naar me toe gooide. Josiah.'

Eric draaide zich om en staarde in de donkere ogen van een kerel met verwaarloosd bruin haar en een zwart poloshirt, die naast de pooltafel naar hen stond te kijken.

'Kennelijk weet hij ook nog wie jij bent,' zei Eric.

'Ja. Ik geloof niet dat ik hem nog meer vragen over zijn stamboom ga stellen.'

'Niet te geloven dat hij hier is.'

'Kleine stad,' zei Kellen. 'Niet veel cafés.'

Maar daar leek hij niet zo zeker van.

'Nou, zo zie je,' zei Kellen terwijl hij zich weer naar de tv draaide. 'Dat is mijn broer, het familietalent.'

'De een zit in de NBA en een andere gaat promoveren?' zei Eric. 'Wat doet de rest van de kinderen, zijn die soms astronaut?'

Kellen lachte. 'We zijn maar met z'n tweeën.'

Er was nu iemand naast hen komen staan, hij stond dicht bij Kellen en staarde hem aan. Josiah Bradford. Hij wierp Eric een vluchtige blik toe en Kellen leek zich zeer bewust van zijn aanwezigheid, maar draaide zijn gezicht niet naar hem toe, bleef in plaats daarvan naar de wedstrijd kijken. Na een tijdje reikte Josiah Bradford over de bar, griste de afstandsbediening weg en drukte op een knop. Hij was woedend toen er niets gebeurde.

'Becky, ik wil een andere zender,' schreeuwde hij. 'En geef me een Budweiser.'

'Die jongens kijken naar de wedstrijd,' antwoordde ze zonder achterom te kijken. 'Kom maar hier, dan kun je op deze tv kijken.'

De man liet zijn blik op Kellen rusten. 'Je vindt het toch niet erg, hè?'

'Hoe gaat-ie, Josiah?' zei Kellen, en eindelijk keek hij hem aan. 'Alweer een tijdje geleden.'

De man gaf geen antwoord, staarde Kellen alleen maar in de ogen. Becky leek te voelen dat zich een spanning opbouwde toen ze zijn Budweiser neerzette, en begon een praatje met Kellen en Eric alsof ze die wilde doorbreken.

'Heb je gehoord van die ouwe vent die van zijn vrouw niet mocht drinken en niet in zijn favoriete buurtcafé mocht komen?' zei ze.

'Mag er een andere zender op?' zei Josiah. 'Die kerels vinden dat helemaal niet erg.'

'Zo meteen, misschien,' zei Becky zonder hem zelfs maar aan te kijken terwijl ze verderging met haar mop. 'Nou, de vrouw zorgde ervoor dat hij niet meer dronk, maar ze ging een paar dagen de stad uit, op bezoek bij haar zus. Ze liet hem met duidelijke instructies achter: haal het niet in je hóófd om naar het café te gaan, makker.'

'Met zo'n vrouw zal dat niet lang duren,' zei Joshia en toen wendde hij zich van de bar af. In het voorbijgaan stootte hij met zijn schouder tegen die van Kellen. Hard. Te hard voor toevallig contact.

'Pas op, Josiah,' snauwde Becky en Kellen keek hem alleen maar onverstoorbaar aan en zei geen woord.

'O, hij is een grote jongen, dat deed heus geen pijn,' zei Josiah. 'Je bent toch groot genoeg?'

Kellen hield zijn blik even vast en zei toen: 'Natuurlijk,' en wendde zich weer tot Becky. 'Ga door.'

Josiah leek teleurgesteld.

'Oké,' zei Becky. 'Dus die ouwe vent bedenkt dat ze er toch niet achter kan komen, ja? De eerste avond dat ze weg is, gaat hij de deur uit. Het café is maar een straat verderop. Hij gaat naar binnen en drinkt er een paar, en nog een paar, en daarna nog wat. Tegen het einde van de avond krijgt hij het te kwaad en de ruimte begint om hem heen te draaien. Hij besluit dat hij maar beter naar huis kan gaan. Dus hij staat op om de rekening te betalen en valt bijna plat op zijn gezicht, moet zich aan de bar vasthouden om overeind te blijven. Hij legt zijn geld neer, doet een paar stappen en, bám, valt met een smak op de grond. Hij kan eigenlijk niet meer overeind komen en nu weet hij zéker dat hij er eentje te veel op heeft. Gelukkig komt zijn vrouw daar niet achter. Dus kruipt hij naar de deur, trekt zichzelf overeind, stapt naar buiten en valt opnieuw.'

Kellen glimlachte, keek naar haar, maar Eric hield Josiah in de gaten. Die schouderduw beloofde niet veel goeds.

'Die ouwe kerel kruipt op zijn buik de hele weg naar huis,' zegt Becky. 'Sleurt zichzelf in zijn bed. De volgende ochtend is hij nog amper wakker als de telefoon gaat. Zijn vrouw. Ze begint hem uit te schelden omdat hij heeft gedronken en hij zegt: "Hoe weet je dat?" En zij zegt tegen hem: "De barman heeft gebeld. Zei dat je je rolstoel weer had vergeten."'

Kellen en Eric moesten daar harder om lachen dan de mop verdiende en Josiah bleef zwijgend staan. Hij wachtte tot ze waren uitgelachen en zei: 'Ik weet ook een mop.'

Niemand reageerde. Zelfs Becky niet. De toon van de man stond Eric helemaal niet aan, hij draaide zijn barkruk een klein stukje naar hem toe en haalde zijn voeten van de stang.

'Een stel ouwe kerels zit in hun stamkroeg te zuipen,' zei Josiah. 'Komt er een klootzak van een beer de parkeerplaats op, op zoek naar eten. Hij schopt de deur open en gaat naar binnen. Dan begint de ellende, die ouwe kerels rennen door elkaar heen, de beer gromt en gooit tafels en stoelen omver. De beer breekt de hele kroeg af, schiet dan de deur door en verdwijnt.'

Hij wachtte even om een lange, theatrale slok bier te nemen.

'Die dronken kerels staan op, kloppen zichzelf af, waarna de een tegen de ander zegt: "Verdomme. Trek een roetmop een bontjas aan en hij doet alsof de tent van hem is."'

Eric springt overeind en Becky zei: 'Houd die gore klep van je dicht, Josiah,' terwijl Josiah Kellen lachend aankeek.

'Rot op,' zei Becky. 'Nú.'

Josiahs ogen schoten naar Eric, alleen een nieuwsgierige blik, en daarna weer naar Kellen.

'Wat? Vind je 't geen leuke mop?'

Eric deed nog een stap bij zijn kruk vandaan, er nu zeker van dat het matten werd. Maar Kellen stak waarschuwend een hand op.

'Het is al goed,' zei hij. 'We zitten moppen te tappen, oké? Gewoon een beetje dollen.'

Er trok een afkerige en teleurgestelde blik over Josiahs gezicht. Hij snoof.

'O, vind je dat een leuke mop? Nou, dan weet ik er nog wel eentje. Misschien moet je daar ook wel om lachen.'

'Laat mij er eerst een vertellen,' zei Kellen.

Josiah wachtte, de voeten in spreidstand, zijn handen ter hoogte van zijn riem.

'Heb je gehoord van die blanke boerenpummel die met een stijve tegen een muur aanliep?' zei Kellen. Hij wachtte even en zei toen: 'Die brak zijn neus.'

Josiah haalde als eerste uit, maar Eric kwam al op hem af en sloeg hem uit balans zodat de klap Kellens hoofd miste. Eric gooide hem tegen de bar en leunde ver achterover, zodat hij de uppercut tegen de kaak van die klootzak kon uitdelen die hij in gedachten had. Maar zover kwam het niet. Hij kreeg eerst een knietje in zijn liezen en daarna trokken zijn longen vacuüm toen een felle, stekende pijn door zijn buikstreek straalde en zich over zijn borst verspreidde. Hij strompelde achteruit, wist weg te duiken om Josiahs vuist te ontwijken en werd in plaats daarvan geraakt door zijn onderarm. De klap raakte hem vol op de neus, die prompt over zijn lippen en kin begon te bloeden terwijl Josiah net met een volgende uithaal miste. Zijn vuist schampte langs Erics gezicht, waardoor er een streep bloed op Josiahs hand achterbleef. Dit alles gebeurde terwijl Becky van achter de bar naar hen schreeuwde en Kellen Cage zonder een woord te zeggen van zijn kruk afgleed.

Josiah leek geen belangstelling meer te hebben voor Eric, draaide zich met een brede grijns op zijn gezicht naar Kellen en zei: 'Kom maar op, jongen.'

Kellen raakte hem. Een flitsende linker die er eerder uitzag als een slangenbeet dan een stomp, en Josiahs hoofd klapte achterover. Kellen ontweek met gemak de tegenstoot en raakte hem opnieuw, deze keer in de buik.

Josiahs knieën knikten en hij wankelde naar achteren, maar incasseerde het beter dan de meesten zouden kunnen en hij kwam weer op Kellen af. Kellen wachtte hem zwijgend op terwijl Eric met moeite overeind kwam en Becky met een hard, ratelend geluid als een klokkenspel een paar kogels in een geweer stopte.

Iedereen bleef stokstijf staan. Eric merkte plotseling dat er twee mannen uit een box waren opgestaan en op hen af kwamen, op Josiah af kwamen. Nu bleven zij ook staan.

'Je mag op de politie wachten,' zei Becky met zachte en rotsvaste stem terwijl ze de twaalf kaliber Remington stevig vasthield, 'dat vind ik prima. Anders maak je dat je als de sodemieter oprot, Josiah.'

Hij grijnsde naar haar en wendde zich toen naar de rest, waar hij geen steun vond. Hij keek weer naar Kellen en zei: 'We maken dit later wel af.'

'Als je dat doet,' zei een van de mannen uit de box, 'dan zal-ie ervoor zorgen dat je je tanden opvreet, Josiah. Nu luister je naar de dame en scheer je met je pathetische reet weg.'

Josiah schoof langs Eric en hield Kellens blik nog even vast voordat hij zich naar de deur omdraaide. Die schopte hij met de hiel van zijn laars open en hij stapte naar buiten terwijl de deur tegen de muur stuiterde en langzaam terug sidderde; en Erics bloed drupte op de grond.

12

Nadat Erics neus niet meer bloedde en ze nog een biertje hadden gedronken om Becky ervan te overtuigen dat het niet aan de bar lag, zaten ze weer in de Porsche en draaide Kellen zich naar hem toe.

'Nou, vervelend dat dit is gebeurd, want die idioot staat in geen verhouding tot wat ik verder in deze stad heb meegemaakt.'

'Ik had je niet naar zo'n tent moeten meeslepen.'

'Nee, man, dat zeg ik nou juist, het lag niet aan de tént. Ik ben daar eerder geweest. Sterker nog, ik ben heel vaak in deze stad geweest en dit is de eerste keer dat iemand me zoiets flikte. Wat ik, eerlijk gezegd, niet had verwacht.'

'O nee?'

Kellen knikte toen hij de motor startte. 'Eigenlijk heeft deze staat wel een ietwat racistische geschiedenis. Het eerste hotel werd hier gebouwd door ene William Bowles, die voor hoogverraad is berecht omdat hij betrokken was bij iets wat zich de Ridders van de Gouden Cirkel noemde. Die waren voorstanders van de confederatie en een voorloper van de Ku Klux Klan. Dát was pas een lieverdje, aangeklaagd wegens grafroof, godbetert. Maar hij was niet de enige. In de periode dat deze streek écht groeide en bloeide, werden zwarten uit die hotels geweerd. Voor Joe Louis waren deze hotels verboden terrein. Tegenwoordig loopt de hele toeristenbranche hier met zijn naam te koop, schept op dat hij hier zo vaak kwam, maar in werkelijkheid logeerde hij altijd in het Waddy.'

Ze reden van het parkeerterrein weg, Kellen had een pols over het stuur gehaakt.

'Dus toen ik hier kwam om over de zwarte geschiedenis uit deze streek te schrijven, had ik wel een wat bittere smaak in mijn mond door wat ik over het verleden wist. Maar de keren dat ik hier was, waren de mensen alleen maar vriendelijk tegen me, en de enige uitzondering daarop was onze vriend hier, meneer Bradford. Hij zou de laatst overlevende zijn van de lijn van míjn Campbell. Ik hoop dat je gelijk hebt en je iemand anders op het oog hebt. Want Josiah gaat je geen spat verder helpen.'

'Lijkt me ook niet,' zei Eric instemmend. 'Maar je zou toch denken dat mijn mannetje familie van hem is.'

'Zonder meer. En daarom ben ik zo benieuwd naar wat Edgar Hastings te vertellen heeft. Hij is de enige in de stad die ik heb gevonden met duidelijke herinneringen aan Campbell. Maar hij is ook een soort pleegvader van Josiah, dus ik neem aan dat we maar beter niets moeten zeggen over wat er vanavond is gebeurd. Kun je morgen, als ik iets met hem kan afspreken?'

'Natuurlijk.' Eric betastte zijn gezicht met zijn vingertoppen, nam de schade op. Zijn lip zou de volgende ochtend een beetje opgezwollen zijn, maar hij had er een koel biertje tegenaan gehouden, dus hij zou er niet al te gehavend uitzien.

'Ik heb nooit van een andere Campbell Bradford gehoord,' zei Kellen. 'Het is raar.'

'We komen er wel achter,' zei Eric, terwijl hij bedacht dat op dit moment de verwarring over de identiteit van de man nog het mínst raar was. Dat kwam nog niet in de buurt van de zwarte trein, de bladeren of die man met de bolhoed, o nee.

Kellen zette hem af, drukte hem de hand en beloofde dat hij de volgende dag Edgar Hastings zou bellen. Eric was bijna zenuwachtig omdat hij in z'n eentje weer het hotel in moest en voelde een kinderachtige aandrang om naar het parkeerterrein terug te rennen, Kellen tot staan te brengen en hem te vragen nog één borrel te drinken. Blijf gewoon nog twintig minuten bij me, makker, zodat ik kan rondkijken en me ervan kan verzekeren dat dit een gewoon hotel is en niet het griezelige Overlook Hotel.

Toen hij aan het hotelhorrorverhaal van Stephen King dacht, moest hij om de een of andere reden glimlachen toen hij het atrium in liep en om zich heen keek. Ja, Kubrick zou zijn vingers hebben afgelikt als hij op deze locatie had kunnen filmen. Ze had alles wat een filmmaker maar wenste: schoonheid, grandeur, een grote ruimte, historie en, vanavond in elk geval voor Eric, een kingsize dosis horror.

'Meer kon je je niet wensen,' zei hij binnensmonds. Het hotel was nu wat rustiger, slechts een handvol mensen zat aan de bar, de pianist was weg en de vleugel was afgedekt. Hij zag en hoorde niets ongewoons. Het hotel leek weer in zijn normale doen.

Hij ging naar boven naar zijn kamer, waar hij elk licht aanknipte, om ze daarna onmiddellijk allemaal weer uit te doen omdat zijn hoofdpijn door het felle schijnsel weer oplaaide. Het was nu na elven. De merkwaardigste dag van zijn leven was bijna voorbij. Hij voelde een sterke behoefte om Claire te bellen, haar elk akelig en angstaanjagend detail te vertellen en haar reactie daarop te horen. Nee, hij wilde Claire verdomme helemaal niet bellen, hij wilde haar persoonlijk spreken, haar in deze slaapkamer zien. En hij wilde al helemaal niet práten met Claire, hij wilde haar hier ter plekke nemen, in dat grote luxebed. Wilde haar spijkerbroek van die lange benen van haar afrukken, wilde die zoals altijd bij de welving van haar billen voelen.

Verdomme, wat miste hij haar. Het voelde zoals oude mensen met artritis in hun botten, een niet-aflatende foltering die elke dag, elk uur, elke minuut maar doorging.

Hij had haar ontmoet in een cafetaria in Evanston, waar ze eerstejaars rechtenstudent op Nortwestern was. Hij was op doorreis nadat hij op bezoek was geweest bij een vriend; dit was in de zomer voordat hij naar Los Angeles verhuisde. Hij had een sandwich gegeten, zat aan tafel een krant te lezen en stond op het punt om weg te gaan toen zij met een vriendin binnenkwam en aan de overkant van de ruimte ging zitten. Hij had zitten kijken hoe ze door de ruimte liep – door iets in de manier waarop de jonge vrouw liep was zijn mond opengevallen en hij had haar met halfopen mond nagestaard – en zij had hem een piepklein glimlachje geschonken, een merkwaardiger gebaar dan wat ook, geforceerd beleefd als reactie op het onverwachte oogcontact.

Hij had geen idee wat hij in de twintig minuten daarop in de krant had gelezen. Hij hield zijn ogen erop gericht zodat hij haar maar niet aanstaarde, en hij wierp haar zo vaak als hij durfde een steelse blik toe, keek hoe ze praatte, lachte en van haar ceasarsalade at, zo nu en dan met haar vork gebaarde, waardoor er stukjes sla in de lucht rondvlogen. Ze zat met haar gezicht naar hem toe, ving zijn blik nog een paar keer op, schonk hem nog zo'n terloops glimlachje. Maar ze at te snel, en haar vriendin ook, en nog voordat hij zelfs maar een woord tegen haar had gezegd, hadden ze beiden hun eten bijna verorberd en waren ze klaar om hun dag te vervolgen. Hij wilde zo ontzettend graag iets tegen haar zeggen. Hij was niet onzeker bij vrouwen, had er geen moeite mee om ze mee uit te vragen, maar het was heel iets anders om op klaarlichte dag een vreemde vrouw in een cafetaria aan te spreken dan tijdens een middernachtelijke vrijdag in een bar. En het was een extra drempel met die vriendin erbij, de ogen die ten hemel zouden worden geslagen en het gegniffel.

Toen stond de vriendin van tafel op en liep naar het toilet. Voorzienigheid, besloot Eric, dat moest wel voorzienigheid zijn, want de vriendin was het laatste excuus dat hij had bedacht, en nu was ze zojuist weggelopen. Hij legde de krant neer, liep naar dat donkerharige meisje met de ironische glimlach en de pretogen toe en zei: 'Ik heet Eric en ik wil je graag een drankje aanbieden.'

Wat een adembenemend originele openingszin. Ze keek hem een paar tellen zonder iets te zeggen aan en zei toen: 'Dit is een cafetaria. Daar schenken ze geen alcohol.'

Daarop had Eric geantwoord: 'Nou, wat dacht je van limonade?'

Ze hadden die limonade genomen en later die avond een echt drankje, en een dag later kwam de eerste kus en vijftien maanden later kwamen de trouwbeloften en de huwelijksreis.

'Shit,' zei hij nu, terwijl hij op een hotelkamer in Indiana op zijn rug lag en Claire een paar honderd kilometer ver weg was. Hij ging rechtop zitten en reikte naar de afstandsbediening, wilde afleiding. Laat het niet weer beginnen. Laat deze gedachten niet het sluitstuk zijn van zo'n dag die je al achter de rug hebt.

Hij vond de afstandsbediening, leunde weer in bed achterover, schopte zijn schoenen uit en draaide zich naar de tv toe. Toen hij dat deed, kreeg hij het flesje Plutowater dat op het bureau stond in het oog. Hij fronste zijn wenkbrauwen, stond op en liep ernaartoe. Het verdomde ding zweette. Het zat onder de vochtdruppeltjes en eronder zat een natte kring.

Toen hij zijn hand uitstak en de fles aanraakte, merkte hij dat die zelfs nog kouder was dan daarvoor. Hoe kon dat nou? En nu hij erover nadacht, hoe kon dat ding zo nat zijn als een gecondenseerde bierpul in de zon? Zou het lekken? Hij ging met zijn vinger langs de buitenkant, verzamelde het vocht en hield zijn vinger daarna eerst onder zijn neus en depte hem toen tegen zijn lippen. Daar was diezelfde vage zoetheid weer, bijna honingachtig. Er was geen sprake van die afschuwelijke bedorven lucht waardoor hij een paar dagen eerder in puin had gelegen.

Maar dat was door de drank gekomen. Toch? Had hij zichzelf dat niet wijsgemaakt? Hij maakte de oude dop weer los, rook eraan en ja, weer die geur van honing. Het rook totaal niet naar wat hij zich ervan herinnerde.

'Als je 't maar uit je hoofd laat,' zei hij hardop terwijl hij naar de vloeistof in de fles keek. Hij had genoeg over mineraalwater gelezen om te begrijpen dat het krachtig spul was, maar niets over hoe het zich gedroeg, vooral niet hoe het zo koud kon blijven, laat staan over het feit dat het van geur en smaak veranderde.

Er was nog steeds een Plutowaterfabriek in de stad, tegenover het French Lick Springs Resort. Hij moest daar morgen eens langsgaan en informatie inwinnen. Maar als die waanbeelden aan bleven houden, zou hij dat pas in tweede instantie doen. Want dan zou hij eerst naar de dokter gaan.

De zwarte jongen had Josiah een aandenken meegegeven, een linkeroog dat al paars werd tegen de tijd dat hij thuiskwam en zichzelf in de spiegel bekeek, terwijl hij een koud bierblikje tegen zijn oogkas hield en brandde van woede en schaamte.

Hij was de enige die zichtbare schade aan de schermutseling had overgehouden en dat was zo klote als klote maar kon zijn. Hij had die kerel omver moeten slaan, zodat die op zijn grote zwarte reet terechtkwam. In plaats daarvan had hij hem niet eens een fatsoenlijke opstopper kunnen verkopen. Josiah had wel eens een vechtpartij verloren, maar had zonder uitzondering verwondingen toegebracht.

Shit, zelfs in beledigen had hij voor hem ondergedaan. Die tekst van de zwarte knaap over Josiahs pik was beter dan die stomme negermop. Het rare was dat Josiah niet eens een racist was. O, hij zou daar wel voor aangezien kunnen worden, veronderstelde hij, maar hij kon worden aangezien voor alles wat te maken had met slecht gedrag en ruzie zoeken. Het maakte niet uit of je wit, zwart, Mexicaans of wat dan ook was. Het was een respectloze wereld, dat wist hij als klein jongetje al zo zeker als wat, en niemand had minder respect voor de wereld dan Josiah Bradford.

Vroeger had hij nog wel wat geduld gehad. Hij had goed kunnen wachten, bracht elke dag door met de wetenschap dat hij zijn sporen wel zou nalaten terwijl hij zijn best deed te wachten tot de juiste gelegenheid zich voordeed. Maar vandaag had zijn geduld hem in de steek gelaten, had als een onzichtbare kracht aan zijn ziel getrokken zoals de maan met de getijden aan het strand trok. Het was begonnen met de warmte en werd nog versterkt door Amos, totdat het in rook was opgegaan toen Danny Domkop Hastings de jackpot van vijfentwintighonderd dollar had gewonnen, zo'n keel had opgezet, had geblèrd en een hoop mensen had aangetrokken die naar zijn dikke reet hadden gestaard alsof hij iets bijzonders was.

Nee, Josiah Bradford had geen geduld meer over. En iets zei hem, iets in die vochtige, zwarte nacht, dat het binnenkort ook niet zou terugkeren.

Hij had nog steeds het bloed van die blanke kerel op zijn hand, dat realiseerde hij zich toen hij nog een biertje ging pakken. Een lange streep roestkleurig geronnen bloed. Hij liep naar de gootsteen, liet het warme water lopen, schrobde zijn hand met een stuk zeep en spoelde hem onder het water schoon.

Toen gebeurde er iets heel vreemds, het water werd koud. Terwijl het bloed van zijn hand wegspoelde, werd het warme water koud, daarna vloeide het bloed in een rozige werveling door het afvoerputje. Zodra het laatste spoortje bloed verdwenen was, werd het water weer warm. Het gebeurde heel snel, met een abrupte overgang.

'Oude leidingen,' mopperde Josiah. Logisch dat de leidingen bagger werden, net als al het andere in dit huis.

Hij waste zijn hand nog eens.

Anne McKinney werd vlak na twee uur 's ochtends wakker, ging rechtop in bed zitten en knipperde met een strak gevoel om haar borst kortademig tegen de duisternis. Hartaanval, dacht ze. Zesentachtig jaar gezond en wel en nu sloop de dood als de spreekwoordelijke dief in de nacht naar binnen en overvalt me in mijn bed.

Maar ze kwam weer op adem en toen ze haar handpalm onder haar linkerborst legde, voelde ze haar hart traag en gestaag pompen. Ze duwde zich tegen de kussens af, kromp ineen toen haar rug het uitgierde van de pijn en zwaaide haar voeten naar de koele vloerdelen, terwijl ze zich met beide handen van het bed overeind werkte. In het openbaar gebruikte Anne onder het lopen zo min mogelijk haar handen, maar hier thuis was het een ander verhaal. Hier moest ze een stuk voorzichtiger zijn, want ze woonde alleen sinds Harold in maart 1992 door een hartaanval was getroffen, midden in die basketbalwedstrijd van Duke tegen de Hoosiers, waarin de scheidsrechters één rampzalige beslissing te veel namen voor Harolds arme lieve hart. Dat was bijna zestien jaar geleden en sindsdien was Anne de enige die een nacht in het huis had doorgebracht, niemand anders. Ze wist dat als ze hier zou vallen, het heel lang zou duren voordat iemand haar zou vinden.

Oorspronkelijk was haar slaapkamer een soort bibliotheek geweest, dat was althans het idee. Maar hij was voor de kinderen voornamelijk speelkamer geweest en Harold had er zijn spulletjes opgeborgen die Anne niet in de huiskamer wilde hebben. Ze was tot haar eenentachtigste in hun oude slaapkamer blijven slapen, maar toen begon de dagelijkse tocht over de trap naar boven haar te veel te worden. Ze had het destijds niet willen toegeven – koppig als ze was – maar had zichzelf liever wijsgemaakt dat het tijd was om de boel wat op te knappen en dan kon ze, wat kon het haar ook schelen, net zo goed naar beneden verhuizen, had ze weer eens een ander uitzicht. Nu was ze al ruim een maand niet boven geweest.

Ze bleef naast het bed staan terwijl ze met een hand op het bureau leunde en haar benen een paar seconden de tijd gaf om warm te worden. Net als een auto in koud weer, zo moest je dat zien. Het was niet zo dat als de auto op een winterse ochtend een beetje sputterde, hij het voor geZíén hield; hij had gewoon wat tijd nodig. Als je hem die gaf, liep hij weer als een zonnetje. Het kwam er in elk geval dichtbij. Nou ja, hij deed het. Daar ging het om. Dat hij het bleef doen.

De bovenkant van het bureautje was leeg op de spulletjes na die ze het meest nodig had: haar pillen, verdeeld over zo'n weekdoosje, een wilgenmandje voor post dat meestal leeg was (tegenwoordig schreef niemand meer naar Anne) en een van haar weerradio's. Dit was alleen maar een scanner; de zendradio stond beneden in de kelder. Soms wilde ze dat ze die boven had, dicht bij de hand, maar ze zou die gedachte nooit serieus in overweging nemen. De kortegolfradio hoorde in de meest stormbestendige ruimte van het huis te staan, en dat was de kelder. Betonnen muren en slechts twee raampjes boven in de westelijke muur, precies op beganegrondniveau. Wanneer er een grote storm woedde, was de kelder de beste plek om te schuilen, en dus moest de radio daar staan.

Anne was nu al tientallen jaren weerspotter geweest en ze nam die taak heel serieus. Je kon alle meetinstrumenten van de wereld hebben, maar die betekenden niets als je geen contact kreeg, en in zware stormen lagen de telefoonlijnen plat. De radio in de kelder was bijna dertig jaar oud, maar hij deed het nog als de beste. Het was een R.L. Drake TR-7, gebouwd door het eerste – en beste – bedrijf dat zich ooit op zendradio's had toegelegd. Harold had hem voor haar gekocht, een krachtige antenne geïnstalleerd en haar geleerd hoe ze hem moest gebruiken. Hij was nooit zo iemand geweest die dacht dat apparaten en elektronica voor vrouwen te hoog gegrepen waren, zeldzaam voor een man uit zijn tijd. Het had niet lang geduurd of ze begreep de Drake beter dan hij.

Haar benen voelden nu stevig genoeg aan, ze tintelden doordat de bloedcirculatie weer op gang was gekomen; ze haalde haar hand van het bureau en bewoog zich naar de deur. Het maanlicht wierp een witte streep over de vloerplanken, bijna als een pad in de duisternis, en ze volgde hem de slaapkamer uit naar de woonkamer, liep daardoorheen, opende de voordeur en stapte de veranda op, zich nog altijd afvragend waardoor ze in hemelsnaam was opgestaan en gaan rondlopen. Toen hoorde ze de klokken tingelen, luider en sneller dan eerder die avond, en ze wist waardoor ze wakker was geworden: de wind.

Die was tijdens haar slaap toegenomen, blies nog altijd uit zuidwestelijke richting, maar nu harder, hij kwam echt op gang. Hij had weer wat zelfvertrouwen gekregen.

Terwijl ze naar het einde van de veranda schuifelde en tegelijk de stang met haar handen vastgreep, ademde ze de lucht in en huiverde een beetje in zijn greep. Er hing een barometer op de veranda – in elke kamer van het huis hing een barometer – en daarop zag ze dat de druk 30,16 was. Een stijging ten opzichte van de afgelopen middag.

Ze begreep de verschuiving niet. Of misschien ook wel. Gisteren had ze op de apparatuur afgelezen dat het opnieuw een warme, vredige dag zou worden met een stabiele druk. Maar in gedachten, gedachten die door achtenzestig jaar studie en ervaring waren gevormd, vond ze het té warm en stil, en het duurde te lang.

Dus misschien was dit volkomen logisch. Ze wist gewoon niet wat er nu ging gebeuren. De wind was onverwacht in kracht toegenomen, en dat was prima, maar wat zat hem op de hielen?

13

De zon scheen vroeg en warm zijn kamer in. Eric werd knipperend tegen het licht wakker, voelde de warmte op zijn gezicht en hij was nog maar amper bij zinnen of hij wist dat de hoofdpijn terug was.

De klootzak was bovendien teruggekomen in de vorm van een motorbende die met brullende motoren door de stad reed. Hij kreunde en bedekte zijn ogen met de muis van zijn handen, drukte met zijn vingertoppen hard tegen zijn slapen. Dit was net zo erg als de hoofdpijn van welke kater ook die hij ooit had gehad, en deze kwam niet eens van een kater.

Hij stond op, nam een glas water met drie pijnstillers, waar hij niet al te optimistisch over was – gisteren hadden ze ook niet geholpen – en nam toen in het donker een douche. Het licht, dat leek het probleem. Toen hij de badkamer weer uit was, liet hij de lichten uit en de gordijnen dicht, daarna schoot hij in een spijkerbroek en een shirt met korte mouwen van een of andere kaki-achtige stof. Het was zijn geluksshirt. Hij had het een keer op een middag in Mexico gedragen, tijdens de opnamen van een volkomen geflopte western, ondanks het uitstekende script en een sterke cast, en die dag had hij de tijd van zijn leven bij die film gehad. De regisseur ervan was een en al plezier geweest, een van die kerels die zich eerder op de leiding van de hele productie richtten dan zijn cameraman te vertellen hoe hij zijn werk moest doen. Dat waren voor Eric droomregisseurs, kerels die je vertrouwden en je je gang lieten gaan, en in Hollywood had hij daar veel te weinig van zien rondlopen. En al helemaal niet meer nadat hij Davis Vassars neus had gebroken.

Vassar was de grootste naam waarmee Eric ooit had gewerkt; en een man die ervoor had gezorgd dat hij ook de láátste grote naam was waarmee Eric ooit had gewerkt. In het begin hadden ze goed met elkaar overweg gekund, Eric was echt dol op dat project, een roadthriller waarin een lifter getuige was van een moord waarbij een journalist min of meer werd geëxecuteerd. Het was een fantastisch verhaal, zo pakkend als wat, en op de dag dat Eric was ingehuurd, had hij vier flessen champagne gekocht en was met Claire naar een prachtige herberg in de buurt van Napa gereden, waar ze in de eerste twaalf uur vijf keer seks hadden gehad. Wilde, speelse, vrolijke, adembenemende seks. Overwinningsseks.

Daarna was zoiets niet echt meer voor hen weggelegd.

Je had tactloze regisseurs en je had Davis Vassar, die duidelijk alleen maar een cameraman inhuurde zodat hij iemand bevelen toe kon blaffen. Talent betekende vrijwel niets voor hem, professioneel beoordelingsvermogen zelfs nog minder. Eric had een maand doorgeworsteld voor de eerste uitbarsting kwam, en twee dagen daarna was zijn vuist op Vassars gezicht beland, begon een serveerster te gillen en was Eric Shaws Hollywoodcarrière voorbij.

Drift, drift, drift. Je moest oppassen voor je driftbuien.

Het moment dat het bergafwaarts met ze ging, staat nog in zijn geheugen gegrift. Eric was naar het kantoor van de productiemaatschappij gegaan voor een bespreking met Vassar en twee van de producenten. Ze hadden in een kamer gezeten en over Wilshire uitgekeken, en Vassar had hen drieëntwintig minuten laten wachten. Midden in de kamer stond een koffietafel met glazen blad, en toen hij uiteindelijk binnen kuierde, had hij zich in een van de leren stoelen laten vallen en zijn voeten op tafel gelegd. Hij had de hakken van zijn schoenen met onnodig luid vertoon op het glas laten neerkomen. De boodschap was: Ik Ben Verdomme Heel Wat.

Ze hadden bijna een uur gepraat en Eric kon zich nog altijd niet herinneren wat er was gezegd. Hij was een imagejongen, en dat imago – Vassars glanzende zwarte schoenen op dat glazen tafelblad – wilde maar niet uit zijn hoofd. Hij staarde naar die schoenen, luisterde en keek naar de producenten, hoe kruiperig en huichelachtig die zich jegens Vassar gedroegen en hij dacht: dit is bullshit. Ze luisteren naar je vanwege je verdomde naam, niet om je talent. Omdat je een paar successen hebt gehad en omdat iemand anders fenomenaal geacteerd heeft en je daardoor een Oscar hebt gescoord. Je begrijpt dit verhaal niet eens; je hebt verdomme geen flauw benul hoe het verteld moet worden. Ik wel. Ik zou dit moeten regisseren, niet jij, maar ik heb die naam niet. En dus moet ik hier blijven zitten en toekijken hoe je je schoenen op andermans tafel legt en luidruchtig je mening verkondigt, terwijl je om de twee minuten op je BlackBerry kijkt om ons er allemaal aan te herinneren hoe belangrijk je wel niet bent.

Die vergadering had hij nog rustig uitgezeten. Met de film lukte hem dat niet.

'En zo,' zei Eric hardop, 'ben je uiteindelijk in Indiana terechtgekomen. Chapeau.'

Die ochtend kon hij de herinnering van zich afschudden, maar de hoofdpijn niet. Misschien zou eten helpen, of in elk geval een kop zwarte koffie. Hij verliet de kamer en liep opnieuw de trap af het atrium in. Hij had nog geen twintig passen gezet of het licht dat door de koepel naar binnen scheen bracht hem tot staan, hij draaide zich om, knarste met zijn tanden en trok zich terug naar de donkerder gang die om het atrium heen liep. Hij liep naar een van de eetzalen, ging aan een tafeltje zitten en bestelde een omelet en koffie. De koffie snel, graag.

Hij dronk twee koppen en voelde er niets van, prikte in de omelet en nam er misschien drie hapjes van voordat hij het opgaf, geld op tafel gooide en naar zijn kamer terugkeerde. Dit was waardeloos. Dit soort hoofdpijn, zo plotseling, met zo verblindend veel pijn... dat was een voorbode. Eric wist wel zo veel om dat te snappen, en hij kreeg de rillingen van wat dat kon betekenen. Hersentumor, bloedpropje, kanker. Aneurysma's, beroertes en hartaanvallen.

Het was tijd om dokter Sharp in Chicago te bellen. Er zat niets anders op.

Hij belde met zijn mobieltje. Pas toen hij de robotstem hoorde die het keuzemenu oplas herinnerde hij zich dat het zaterdag was en dat hij dokter Sharp dus onmogelijk aan de lijn kon krijgen. Zijn praktijk was in het weekend dicht en de monotone boodschap raadde Eric aan naar de spoedeisende hulp te gaan als zijn toestand ernstig was.

Voor hem voelde het bloedernstig, maar het was ook maar een hoofdpijn. Daarmee liep je geen spoedeisende hulp binnen. En waar was hier in de buurt trouwens een ziekenhuis?

Hij wist niet zeker of hij naar het Plutowater keek omdat hij eraan dacht, of dat hij eraan dacht omdat hij ernaar keek. De logica was niet duidelijk maar op de een of andere manier merkte hij dat hij naar het flesje op het bureau staarde en dacht: waarom ook eigenlijk niet? Dat werd toch geacht hoofdpijn te genezen? Hij was er zeker van dat hij dat had zien staan op de lijst met kwalen, waarover het mineraalwater had opgeschept dat het daar wel raad mee wist. Toegegeven, bijna elke andere aandoening uit de vroege twintigste eeuw had verdomme op die lijst gestaan, maar dat spul dankte zijn reputatie heus niet alleen aan het feit dat het puur een placebo was. Het moest érgens goed voor zijn.

Hij liep naar het bureau en stak zijn hand uit naar de fles, maar op vijftien centimeter van het flesje aarzelde hij, hield zijn hoofd schuin en staarde ernaar. Nu zat er een soort glazuurlaag over de fles. Het zag er bijna uit als…

Rijp. Verdomme nog aan toen, het was rijp. Hij veegde er met zijn duim wat van weg, en zag dat het net was alsof hij op een vroege winterochtend in Chicago een streep op het raam schoonveegde.

'Ik moet weten wat het is,' zei hij.

Hij zou helemaal nergens achter komen zo lang hij zich in deze kamer verschanste, terwijl hij op de grond pijnstillers zat weg te kauwen alsof het snoepjes waren. Dus waarom zou hij het niet met het water proberen?

Hij maakte de dop los en nam aarzelend een slokje.

Niet slecht. Sterker nog, de zwavelachtige smaak was weg en het smaakte in plaats daarvan eerder naar suiker. Hij nam een hele slok en door de smaak nam hij er nog eentje en daarna nog een derde, het spul ging er nu in als nectar. Hij moest bewust ophouden en toen hij de fles liet zakken, zag hij dat er meer dan de helft uit was, dezelfde vloeistof waardoor hij in Chicago bij dat piepkleine slokje had moeten kokhalzen.

Het mocht dan beter smaken, het had geen enkel effect. De hoofdpijn bonsde nog naar hartenlust, die motorbende cirkelde nog altijd racend door de stad.

Oké, Plutowater hielp dus geen zier. Stom idee, oké, maar hij was bereid om een stom idee uit te proberen als hij daarmee de dag door kon komen.

Hij liep naar het bed terug, ging languit op zijn buik liggen en stopte zijn gezicht onder de kussens die hij op zijn hoofd liet rusten. Misschien moest hij wél naar het ziekenhuis gaan. Hij was waarschijnlijk gek als hij het niet deed. Als Claire hier was geweest, zou het niet eens een punt van discussie zijn; dan zouden ze op dit moment over die landwegen rijden, op zoek naar het karakteristieke blauwwitte bord. Ze was een tobber. En nam hem ook in bescherming. Ze zou hem tot het einde toe verdedigen.

Nou ja, bijna tot het einde. In Californië was ze door dik en dun achter hem blijven staan, maar toen ze eenmaal in Chicago terug waren, te midden van haar familie en het veroordelende gefluister, was haar standvastigheid gaan wankelen. Toen begonnen de vragen te komen, ze vroeg hem wat het volgende zou zijn, zei dat het prima was als hij uit de filmbusiness wilde stappen, maar wat voor werk zou hij in de toekomst vinden, wat zou hij dan gaan doen? Hij had tijd nodig gehad, dat was alles, en zij had duidelijk niet genoeg tijd voor hem gehad. Had niet genoeg...

Hij liet zijn gedachten aan Claire varen, haalde heel langzaam de kussens van zijn hoofd en tilde dat op. Hij hield het naar een kant schuin, alsof hij naar iets in de verte luisterde.

'Het gaat weg,' zei hij.

Die verdomde hoofdpijn ebde weg. Hij was er nog wel, maar de bende motorrijders vertrok, reed nu heuvelopwaarts over de wegen die de stad uit leidden.

14

Eerst vertrouwde hij het niet, misschien wilde hij het niet vertrouwen. Hij liep het balkon op en ging een kwartier over het atrium zitten uitkijken terwijl de hoofdpijn verder wegtrok en daarna was verdwenen. Nee, dacht hij, hij kan niet echt weg zijn. Je bent gewoon aan het licht gewend.

Dus ging hij naar buiten en liep een half uur lang in het felle zonlicht over het terrein, terwijl hij wachtte tot de pijn zou terugkeren. Dat gebeurde niet. Het Plutowater had de klus geklaard, verbijsterend snel en efficiënt.

Hij moest zien te ontdekken wat er in dat spul zat. En, nou ja, als het zo ongelooflijk goed werkte, waarom was het product dan door de jaren heen verdwenen? Werd je soms resistent of had het vervelende bijwerkingen? Er moest iets aan mankeren, want alles wat een migraine op deze manier kon laten verdwijnen zou miljarden per jaar opleveren.

Terwijl hij het hotel weer in liep en naar zijn kamer ging, besloot hij dat het Plutowater vandaag zijn eerste prioriteit was. Hij voelde zich nu geweldig, fit en vol energie. Maar voor hij daaraan zou beginnen, moest hij Alyssa Bradford bellen.

Hij belde op het balkon, keek omlaag naar een groep middelbareschoolleerlingen die op excursie waren, een man met een lijzig plattelandsaccent informeerde hen over de geschiedenis van het hotel. Eric ving stukjes van zijn praatje op – 'Het eerste West Baden-hotel werd door brand verwoest en Lee Sinclair wilde het per se door iets ongelooflijks vervangen... Ze hebben deze plek in nog geen jaar gebouwd, en dat was in een tijd waarin nog geen moderne bouwmachines bestonden... Als je dat glas in de koepel plat op de grond zou neerleggen, zou het een oppervlakte beslaan van bijna vierenhalve kilometer lang en veertig centimeter breed.' – terwijl hij Alyssa's nummer opzocht en belde.

'Nou, Eric, wat denk je ervan?' zei ze. 'Verbazingwekkend, vind je niet?'

'Zonder meer,' zei hij en nu. Zonder de hoofdpijn en zorgwekkende spelletjes die zijn geest met hem speelde, was hij in staat dat oprecht te zeggen, dat hij echt blij was dat hij er was. 'Ik had de foto's gezien, maar evengoed is het adembenemend. Want het lijkt hier gewoon niet op z'n plaats.'

'Nee! Die plek hoort in Oostenrijk thuis, niet in Indiana. Is het je al gelukt om iets over mijn schoonvader te ontdekken?'

'Alleen dat er discussie bestaat over zijn leeftijd,' zei Eric. 'Zou het kunnen dat hij eigenlijk honderdzestien is?'

'Wat?' zei ze en ze moest lachen. 'Nee, ik geloof van niet. Hoe kom je daar nou bij?'

Hij vertelde haar over zijn eerste dag in de stad; althans de onderzoekskant ervan. Het had geen zin om haar in te lichten over de verdwijnende trein of de violen in zijn hoofd. Hij had tenslotte een professionele reputatie op te houden en zo. Hij moest er niet aan denken toekomstige trouwvideo's mis te lopen doordat het gerucht ging dat hij van lotje getikt was.

'Campbell Bradford is geen veelvoorkomende naam,' zei ze. 'De ander moet wel familie zijn.'

'Dat dacht ik ook,' zei Eric, 'maar mijn contact hier verzekert me ervan dat de Campbell die hij kende in 1929 bij zijn familie is weggelopen. Hij liet een zoon, William, achter, maar William is in de stad gebleven en er gestorven.'

'Ik heb geen idee wat ik daarvan moet denken,' zei ze, 'alleen dat het mijn schoonvader niet kan zijn. De leeftijden verschillen veel te veel.'

'Oké. Jouw schoonvader had een zoon kunnen zijn van die kerel nadat hij was vertrokken, maar…'

'Mijn schoonvader is in de stad opgegroeid.'

'Ja. En nog niets anders, wellicht heb ik een neef voor je gevonden. Maar ik denk niet dat het iemand is die je op een familiereünie zou willen uitnodigen.'

Hij vertelde haar over Josiah en de knokpartij met Kellen Cage.

'Ik hoop zeker dat hij géén familie is,' zei ze. 'Maar als je toch ontdekt dat hij een of ander ver familielid is, dan kun je hem gerust buiten de film houden.'

'Maak je geen zorgen, ik zal hem echt niet interviewen.'

'Heb je al enige tijd met de fles doorgebracht?' vroeg Alyssa.

'Enige tijd doorgebracht?'

'Ja. Of je, nou ja, geprobeerd hebt om er iets over te weten te komen.'

'Nee,' zei Eric langzaam, 'nog niet.'

Natuurlijk had hij er tijd mee doorgebracht, maar over dat stadium van het onderzoek wilde hij nog niets kwijt.

'In het ziekenhuis leek hij erdoor van streek gebracht,' zei hij.

'Wat? Ben je in het ziekenhuis geweest?'

'Ja. Ik hoorde je bericht pas donderdagavond. Die middag ben ik hem gaan opzoeken, heb geprobeerd met hem te praten. Hij raakte in de war toen ik hem de fles liet zien, dus ben ik maar weggegaan.'

Er viel een korte stilte en toen zei ze: 'Eric... de dokters hebben ons gezegd dat hij sinds maandag geen woord meer heeft gezegd. Hij was niet meer in staat om met de familie te communiceren, en de dokters denken dat hij dat ook niet meer zal doen. Het einde is nu heel dichtbij. De geest is al vertrokken, maar het lichaam houdt nog vol.'

'Nou, tegen mij heeft hij gepraat. Hij liet bovendien een beetje van dat gevoel voor humor zien, probeerde me zelfs in de maling te nemen.'

Maar nog terwijl hij dit zei, voelde hij hoe een koude lijkwade zich om hem heen wikkelde.

'Je in de maling te nemen? Dat geloof ik niet. En dat heb je op video?'

'Ja,' zei hij. Probeerde hij te zeggen.

'Wat zei je?'

'Ja,' zei hij. 'Ik zou het op video moeten hebben.'

'Dat zou heel bijzonder voor ons zijn. Ik kan het gewoon niet geloven. Donderdagavond, zei je? Dat was drie dagen nadat hij gestopt was met praten.'

'Wat akelig om te horen,' zei hij. 'Maar ik moet nu ophangen, Alyssa, sorry, maar ik moet gaan. Ik heb... een van mijn bronnen belt me. Dus ik moet nu...'

'Natuurlijk, neem maar op. Hou me op de hoogte en geniet van je verblijf daar.'

'Ik zal mijn uiterste best doen,' zei hij en verbrak de verbinding. Onder hem dreunde de gids door. De kinderen in de groep leken een jaar of zestien, de klassieke alles-is-vervelend-leeftijd, maar ze waren stil, staarden bijna vol ontzag om zich heen. Dat begreep Eric wel. Dit was zo'n soort plek, die greep je aandacht en hield die vast.

Hij stond langzaam op, liep de kamer in en haalde de camera tevoorschijn. Hij gebruikte mini-dvd's, en de vorige dag had hij er voordat hij op pad ging een nieuwe in gedaan. Op de dvd die hij uit de camera had gehaald stonden de beelden van zijn bezoek aan Campbell Bradford. Nu haalde hij de West Baden-dvd eruit en verving die door de Bradford-disc. Hij haalde lang en diep adem en keek naar het plafond.

'Hij heeft gepraat en dat staat daar op,' zei hij. 'Het staat daar op.'

Hij drukte op de afspeelknop.

Daar lag Campbell Bradford in het ziekenhuisbed. Zijn gezicht zag eruit zoals Eric het zich herinnerde: afgetobd, vermoeid, wegkwijnend. Nog geen spoor van de twinkeling in zijn ogen, maar dat had even geduurd. Eric zette het geluid harder en hoorde zijn eigen stem.

Gaat u met me praten?

Op het scherm knipperde Campbell Bradford traag met zijn ogen en haalde sissend adem.

Gaat u vanavond nog met me praten?

Hier had hij toch antwoord op gegeven? Eric had nadat hij die vraag had gesteld door de zoeker gekeken, en Bradford had toen voor het eerst gepraat.

Maar nu hij ernaar keek, gebeurde er niets. Bradford zweeg. Oké, misschien zat Eric verkeerd. Misschien had hij een tijdje gepraat voordat de oude man met zijn spelletje begon.

Zijn eigen stem vervolgde: *Fantastisch. Waar wilt u beginnen? Wat zou u me willen vertellen?*

O, shit. Hij gaf nu antwoord op Bradford, toch? Dat moest wel. Maar op het scherm had de oude man geen woord gezegd, had zijn hoofd niet opgetild of zijn lippen bewogen.

Zou ik u iets anders mogen vragen?

Stilte. Geen antwoord van Bradford.

Praat u soms alleen met me als ik door de camera kijk?

In zijn herinnering wist Eric nog zo duidelijk als wat dat de oude man toen had geglimlacht. Maar op het scherm vertrok hij zijn lippen alleen maar een beetje.

Wat een weerzinwekkend gevoel voor humor.

'Nee, nee, nee,' zei Eric. 'Hij praatte. Hij práátte.'

Maar hij praatte niet. Hij had geen woord gezegd, geen spier bewogen. En op de achtergrond babbelde Eric maar door, was in gesprek met niemand, klonk als... een krankzinnige.

'Ik ben niet gek,' zei hij. 'Dat ben ik niet. Je hebt gepraat, oude man, je hebt gepraat en dat weet ik heel zeker, en ik weet niet waarom deze klotecamera dat niet wil laten zien!'

Hij schreeuwde nu half, maar tussen zijn opeengeklemde kaken door;

hij kwam met de camera in zijn handen overeind, zijn ogen nog altijd aan de display gekluisterd. Hij zag zichzelf nu op het scherm, met de groene fles in zijn hand. Op dat moment was Campbell van streek geraakt. Toen had hij zich bewogen, Eric bij de arm gegrepen en was over de rivier begonnen.

Wat?

Nou, die vond ik anders behoorlijk koud. Toen ik hem aanraakte...

Je kon horen dat Erics stem nu werd onderbroken, en hij herinnerde zich ook dat Campbell hem had onderbroken, maar dat was niet te horen. In plaats daarvan klonk het net alsof hij zichzelf midden in een zin onderbrak. De man in het ziekenhuisbed had niet bewogen, noch gesproken.

Wat dan? Waar hebt u het over?

'Hij had het over de rivier,' zei Eric. 'De koude rivier.'

Maar praten deed hij niet. Alleen Eric sprak. Gaf volgens de camera antwoord op een opperste stilte.

Over welke rivier hebt u het?

Welke rivier? Ik begrijp niet waar u het over hebt, meneer.

Meneer Bradford? Het spijt me dat ik de fles heb meegenomen.

Meneer Bradford, ik hoopte dat ik met u over uw leven kon praten. Als u het niet over West Baden of uw jeugd wilt hebben, vind ik dat prima. Laten we het dan over uw carrière hebben. Uw kinderen.

Alleen Erics stem was te horen. Geen enkel gefluisterd woord van Campbell Bradford. Toen ging de video op zwart, de opname was voorbij, en Eric stond daar in de hotelkamer met de camera in zijn handen naar een blauw scherm te staren.

Krankzinnig, fluisterde een stem in Erics hoofd, je wordt krankzinnig. Je verliest waarachtig, letterlijk je verstand. Het is één ding dat je dingen ziet die er niet zijn, maar je had een gesprék dat er niet was, maat. Dat soort dingen overkomt alleen...

'Ik heb me er niets van verbeeld,' zei Eric. 'Heb me er geen detail van verbeeld. Het was allemaal echt en ik weet niet waarom dit ding dat niet wil laten zien.'

Hij spoelde terug, speelde een gedeelte nogmaals af, zag hetzelfde als wat hij al had gezien en nu ging zijn hart als een razende tekeer.

'Bullshit,' zei hij. 'Het is gebeurd en de camera draaide. Dus waarom heb je dat niet opgenomen, kloteding? Waarom heb je het niet ópgenomen?'

De video speelde door en alleen Erics stem was te horen.

'Verdomme,' zei hij met trillende stem tegen de camera. 'Het komt door jou. Het is jóúw schuld.'

Dat moest wel, de camera. Het ding was... niet kapot, maar wat dan wel? Duivels, dat was het. Deze camera was dúívels. Want Eric wist dat hij een gesprek met Campbell Bradford had gehad, wist het zo zeker als hij zijn eigen naam wist, en hij wist dat hij de vorige avond de trein en de draaiende bladeren had gezien, en die dingen waren ook niet opgenomen geweest, wat geen andere mogelijkheid openliet dan dat deze shitcamera corrupt, kwaadaardig, duivels...

Hij tilde hem boven zijn hoofd en smeet hem tegen de rand van het bureau. Er verscheen een barst in de body, maar de rest van de camera bleef intact. Goed gebouwd, stoer. Dank je wel, Paul. Hij tilde hem op en gooide er nogmaals mee. En opnieuw.

Inmiddels was hij gaan schreeuwen, niet zozeer met woorden als wel met keelachtige vloeken terwijl hij de camera optilde en neersmeet, optilde en neersmeet, optilde en neersmeet.

Hij hield niet op tot de body aan stukken was en het tapijt bezaaid lag met plastic scherven. Toen liet hij hem hijgend op de grond vallen en schopte ertegenaan, zodat de camera over de grond rolde met een spoor kapotte onderdelen in zijn kielzog.

'Net goed,' zei hij zachtjes en toen liet hij zich op het bed vallen, liet zijn hoofd in zijn handen zakken terwijl zijn borst met diepe, van angst doortrokken uithalen op en neer ging.

Deel 2

Nachttreinen

15

Toen Josiah vrijdagavond thuiskwam, hadden er elf blikjes Keystone Ice in de koelkast gestaan, en hij dronk er negen van op voordat hij ergens tijdens de stille uurtjes vlak voor de dageraad in slaap viel. Dat gebeurde op de veranda, hij wist nog dat de wind zich op het laatst was gaan roeren en dat hij eraan had gedacht dat het tijd was om naar binnen te gaan, maar de door alcohol veroorzaakte roes overmande hem en hield hem stevig op zijn plek.

Toen kwamen de dromen.

In de eerste was hij in een stad, in een straat met onbekende gebouwen die boven hem uittorenden. Alles was stoffig grijs, als een oude foto, en de wind huilde om de betonnen hoeken en waaide stof in zijn ogen. Dat stof deed pijn, hij kromp erdoor ineen en wendde zich af, en toen hij dat deed, zag hij dat er op straat auto's geparkeerd stonden, stuk voor stuk ouderwetse sportwagens met koplampen zo groot als eetborden en lange, breed uitlopende spatborden.

Er liep niemand op de trottoirs, er was niemand te zien, maar desondanks had hij het gevoel dat het er bruiste, dat het er druk was. Een krachtig, ongeduldig gonzend geluid versterkte die indruk en toen hoorde hij er een stoomfluit luid bovenuit schallen, die een trein aankondigde. Hij draaide zich weer om, in de wind en het stof, en zag nu dat de trein regelrecht over de stoep op hem afkwam. Hij stapte achteruit toen de locomotief brullend aankwam en in een nevel langsreed, die nog meer stof in zijn ogen woei en zijn kleren tegen zijn lichaam sloeg. De reusachtige stalen wielen reden pal over de stoep, er waren geen rails onder, terwijl ze een fijne laag beton afslepen, en toen wist Josiah waar al dat stof vandaan kwam.

Hij stak zijn handen omhoog om zijn gezicht af te schermen, hoorde de locomotief vaart minderen en de voorbijschietende wagons begonnen vorm aan te nemen; golfplaten deuren, ijzeren ladders en koppelingen als ineengeslagen stalen vuisten. Alles in dat smerige grijs, in deze wereld was geen kleur. Toen draaide hij zich naar links, keek naar de lange sliert treinwagons die er nog aankwam, en zag een rode spat op een witte ondergrond. Het rood had de vorm van een duivel, met een puntstaart en een hooivork in zijn hand, daarboven stond het woord PLUTO geschreven, en dit alles op een schone, witte wagon. Deze wagon kwam dichterbij en hij zag dat er een man uit leunde, hij hield zich slechts aan één hand vast en zwaaide met de andere. Zwaaide naar Josiah. De man kwam hem niet bekend voor, maar Josiah kende hem toch, kende hem goed.

De trein reed nu stapvoets en Josiah deed een stap dichterbij toen de Plutowagon naderde. De eruit hangende man droeg een gekreukt bruin pak met gerafelde broekzomen boven versleten schoenen; een bolhoed stond scheef op zijn hoofd, waar dik donker haar onder uitstak. Hij glimlachte naar Josiah terwijl de stoomfluit nog een kreet slaakte en de trein schommelend tot stilstand kwam.

'Tijd om verder te gaan,' zei de man. Hij hing nu pal boven Josiah uit de wagon, bijna zo dichtbij dat hij hem kon aanraken.

Josiah vroeg wat hij bedoelde.

'Tijd om verder te gaan,' zei de man nogmaals, en toen deed hij zijn hoed af en zwaaide ermee naar de locomotief. 'Hij blijft hier niet voor eeuwig staan. Ik zou maar opschieten als ik jou was.'

Josiah vroeg waar ze naartoe gingen.

'Naar het zuiden,' zei de man tegen hem. 'Naar huis.'

Josiah gaf toe dat hij best graag naar huis wilde, hij kende deze plek niet, hij vond het hier maar niets. Maar hoe zeker kon hij ervan zijn dat de trein naar huis ging? Thuis was in French Lick, zei hij, thuis was in Indiana.

'Dit is de Monon-spoorlijn,' zei de man. 'De Indiánalijn. Natuurlijk gaan we naar French Lick. En ook naar West Baden. Ik zou nu maar instappen.'

Josiah zei dat de Monon-lijn voor zover hij het zich kon herinneren al in ruim veertig jaar geen wagon meer had vervoerd.

'Dat kan wel zijn,' zei hij. 'Maar mocht er al een andere manier zijn om thuis te komen, dan weet ik er niet van.'

Hij verschoof van zijn plek en stapte weer in de wagon. Er spatte iets op en Josiah keek omlaag, zag nu dat de man in water stond, zijn schoenen en gerafelde broekzomen waren doorweekt.

'We moeten maar weer verder,' zei de man nogmaals, en de trein kwam in beweging, water klotste uit de wagon en spatte op de stoep. 'Ik zei 't je toch, we blijven hier niet voor eeuwig staan.'

Josiah vroeg of de man er zeker van was dat ze zijn kant op gingen.

'Natuurlijk,' zei de man. 'We gaan naar huis om terug te halen wat van jou is, Josiah.'

De trein reed weg en Josiah begon mee te lopen, zette het vervolgens op een holletje, maar dat was niet snel genoeg en ten slotte rende hij volop mee, hij hijgde met gierende uithalen. Maar hij kwam te dicht bij de trein en door de kracht van de langs denderende wagons tolde hij om en struikelde. En toen was die droom weg en belandde hij in een andere.

Deze keer was hij op een akker, een akker van goudkleurig tarwe dat door de ondergaande zon bloedrood werd gekleurd en doorboog onder een straffe wind. Aan de overkant wierp een rij bomen schaduwen op de akker en daarbovenuit rees de koepel van het West Baden Springs-hotel machtig en glanzend in de lucht op. Het was tijd om er aan het werk te gaan; dat wist Josiah en hij wist dat hij zich moest haasten, want het was een allemachtig lange akker en er stond een harde tegenwind waar hij maar moeilijk tegen op kon boksen.

Hij zette zich ertegen schrap, liep stevig door, maar de zon glipte snel weg en ernaast kwam de maan in precies hetzelfde tempo op, alsof ze beide door hetzelfde klokkentouw werden voortgetrokken. De duisternis viel snel en zwaar in, de hotelkoepel glansde in de maan en de wind werd nu kouder, zo koud, en toch leek Josiah geen stap verder te komen, hij had nog evenveel akker te gaan als eerst. Het werd almaar donkerder en bij de boskant kreeg hij een man in het oog, dezelfde man als die in de trein, met de bolhoed, en hij had zijn handen in zijn broekzakken gestoken. Hij schudde zijn hoofd naar Josiah. Keek hem walgend aan. Walgend en boos.

De tweede droom vervaagde en er kwam hitte voor in de plaats, een onaangename zwarte hitte waardoor Josiah uiteindelijk wakker werd. Toen hij zijn ogen opende, zag hij dat de zon op was en via de voorruit van zijn pick-uptruck recht in zijn gezicht scheen.

Hij stond kreunend op, strompelde naar voren en leunde op het verandahek, voelde de oude verf onder zijn handpalm afschilferen. Zijn gezicht klopte dof en pas toen herinnerde hij zich de vorige avond, de blanke vent met dat stoppelbaardje en de zwarte knaap met de vernietigend snelle linkse. Hij voelde met zijn vingertoppen rondom zijn ogen, wist alleen al door de aanraking hoe het eruit moest zien, en voelde de woede die hem in zijn slaap had achtervolgd terugkeren.

Hij had een droge mond van het bier, maar zijn maag was in orde en zijn hoofd was helder. Verdomme, wat voelde hij zich goed. Hij had een stomp op zijn oog gekregen, had zich daarna een stuk in z'n kraag gezopen en was rechtop zittend op een plastic stoel in slaap gevallen, maar op de een of andere manier voelde hij zich goed. Sterk.

De telefoon ging en hij liep naar binnen, pakte hem van tafel, nam op en hoorde Danny's stem.

'Josiah, waar was je gisteravond in jezusnaam gebleven?'

'Ik voelde me niet zo lekker. Ik moest slapen.'

'Gelul. Ik hoorde dat je naar de Haan bent geweest en in je gezicht bent gestompt door een of andere…'

'Vergeet het,' zei Josiah. 'Moet je horen, ben je al klaar met victorie kraaien over je vijfentwintighonderd?'

'Was je daarom van streek, omdat ik een beetje geluk heb gehad? Dat is echt klote, Josiah.'

'Dat was het niet. Maar ik vraag je alleen of je nog steeds 't haantje bent.'

'Ik voel me gewoon goed. Ben later nog in een vechtpartij verzeild geraakt, heb ongeveer achthonderd verloren, maar ik heb nog ruim vijftienhonderd over. Dat is geen slechte avond.'

'Nee, inderdaad. Maar is dat genoeg voor je? Is dat alles wat je nodig hebt?'

'Wat bedoel je?'

Josiah draaide zich om en keek uit het raam naar de zonovergoten dag.

'Het is tijd om echt geld te gaan verdienen, Danny. Die tijd is nu gekomen.'

16

Een uur nadat Eric de video had afgespeeld, terwijl hij nog altijd naar de puinhoop die er van zijn camera was overgebleven staarde en probeerde te bevatten wat er verdomme aan de hand was, ging zijn mobieltje.

Het was Claire. Ze belde hem, ook al had hij haar gezegd dat hij er een paar weken niet zou zijn. Hij hield de telefoon in zijn hand maar nam niet op. Hij kon nu niet met haar praten, niet in deze toestand. Een minuut nadat hij was gestopt met rinkelen, luisterde hij het voicemailbericht af en het geluid van haar stem brak iets in hem; hij liet zijn schouders hangen en deed zijn ogen dicht. 'Ik weet dat je in Indiana zit,' zei ze, 'maar wilde even horen hoe het met je gaat. Ik moest aan je denken… Als je wilt kun je me terugbellen. Als je dat niet wilt, begrijp ik dat wel. Maar ik wil graag weten of het goed met je is.'

Een week geleden had hij stekelig gezegd: horen hoe het met me is? Graag weten of het goed met me gaat? Waarom zou dat níét het geval zijn? Gaat het soms niet goed met me alleen maar omdat jij niet bij me bent? Maar deze dag, terwijl hij zo op de hotelkamervloer zat en omringd werd door de onderdelen van zijn kapotte camera, kon hij die reactie niet opbrengen. In plaats daarvan belde hij haar terug.

Ze nam op zodra de telefoon overging.

'Hé,' zei hij.

'Hé. Heb je m'n bericht gehoord?'

'Ja.'

Stilte.

'Nou, ik wilde je niet lastigvallen. Alleen, je had niet echt iets gezegd over waar je naartoe ging of wanneer je misschien weer terug was, dus…'

'Het is oké. Ik had je er meer over moeten vertellen. Sorry.'

Ze zweeg even, alsof die woorden haar verraste. Dat was waarschijnlijk ook zo.

'Gaat het wel goed met je?' zei ze. 'Je klinkt een beetje mat.'

'Ik heb… Claire, ik zie dingen.'

'Wat bedoel je? Ben je…'

'Dingen die er niet zijn,' zei hij en er zat iets diks achter in zijn keel.

Stilte, en hij bereidde zich voor op de minachting en hoon die nu zijn deel zouden zijn, de beschuldigingen. In plaats daarvan hoorde hij een deur dichtzwaaien, in het slot vallen en daarna het metalige gekletter dat hij zo goed kende: ze gooide haar autosleutels in de aardewerken kom op de tafel naast de deur. Ze had op het punt gestaan om weg te gaan, maar nu niet meer.

'Vertel,' zei ze.

Hij praatte ongeveer twintig minuten, vertelde haar meer dan hij van plan was geweest, haalde elk woord terug dat Campbell Bradford over de koude rivier had gezegd, beschreef de trein tot aan de trillende kiezels onder zijn voeten en de woedende stormwolk die uit zijn schoorsteen kwam. En ze hoorde het allemaal aan.

'Ik weet wat je nu gaat zeggen,' zei hij toen hij klaar was met het verhaal van de man in de treinwagon. 'Maar het komt niet door drank of pillen en het komt niet door…'

'Ik geloof je.'

Hij aarzelde. 'Wat?'

'Ik geloof dat het niet door drank of pillen komt,' zei ze. 'Want dit is eerder gebeurd. Je hebt eerder zulke visioenen gehad.'

'Niet zo,' zei hij. 'Je bedoelt die keer in de bergen, maar…'

'Dat is er een van, maar er waren er meer. Weet je die keer nog met de Infiniti?'

Dat snoerde hem de mond. Shit, hoe kon hij de Infiniti nu vergeten zijn? Misschien expres.

Ze waren op zoek geweest naar een nieuwe auto voor Claire, in Californië, toen alles nog koek en ei was en de werkaanbiedingen binnenstroomden, en waren naar een Infiniti-dealer gegaan om een proefrit te maken met een rode G35 coupé die ze zo mooi vond. De auto was spiksplinternieuw en zo veel geld had ze niet willen uitgeven, maar Eric was eigenwijs en uitgelaten, en had benadrukt dat geld geen rol speelde. Dus hadden ze een proefrit gemaakt, zij tweeën voorin en de corpulente verkoper met de verwijfde handen achterin geperst, die voortdurend mekkerde over de verbazingwekkende en kennelijk eindeloze extraatjes: navigatie, airco, verwarmde stoelen, pedicures, tranquillizers, een hand die rechtstreeks van onder het dashboard uitkwam en zo nodig je ballen poederde. Zijn stem werkte Eric op de zenuwen, maar Claire reed en het was trouwens toch haar keus, dus Eric was achterover gaan zitten en had zijn ogen even dichtgedaan.

Zelfs uren later nog kon hij zweren dat hij metaal hoorde openrijten. Daar was hij diep in z'n hart van overtuigd. Hij had het scherpe, martelende scheurende metaal gehoord, een geluid dat op schroothopen of in rampgebieden thuishoorde. Hij was met een ruk in zijn stoel rechtop gaan zitten, had zijn ogen geopend en zag dat de voorruit als een spinnenweb was versplinterd. Hij had zich naar Claire toegewend, gezien hoe straaltjes bloed zich over haar voorhoofd verspreidden en over haar lippen langs haar kin, terwijl haar nek levenloos naar rechts zakte.

Hij had min of meer naar adem gesnakt of een grom of kreet geslaakt, en Claire had op de rem getrapt; ze had zich naar hem toegewend terwijl de man achterin eindelijk zijn mond hield, en Eric had met zijn ogen geknipperd, want de snelweg draaide om hem heen. Toen hij weer helder kon kijken, zag hij dat ze allemaal prima in orde waren, dat de auto intact was, de voorruit heel en Claires gezicht glad, zongebruind en zonder bloed.

Het excuus dat hij destijds had weten uit te brengen – iets over een plotselinge buikkramp – had de verkoper tevredengesteld, maar Claire niet. En toen ze naar het parkeerterrein teruggingen, had ze hem apart genomen en gevraagd wat eraan mankeerde. Het enige wat hij had gezegd was: 'Als je 't maar uit je hoofd laat om die auto te kopen.' Meer kon hij haar niet vertellen, hij kon niet beschrijven hoe haar gezicht er in die verschrikkelijke flits uit had gezien.

Vijf dagen later zat hij aan de keukentafel koffie te drinken en had ze hem een exemplaar van de *Times* gegeven, die voor hem op tafel gegooid en hem gewezen op een artikel waarin verslag werd gedaan van de dochter van een muziekdirecteur die met haar spiksplinternieuwe Infiniti G35 tegen een elektriciteitspaal was geknald, terwijl ze ongeveer honderdzeventig kilometer per uur reed. De auto was rood en was net van Martin Infiniti gekocht, dezelfde dealer waar zij waren geweest. Eric had het Claire ten slotte verteld, haar gezegd wat ze al wist. Toen had hij haar er nog van willen overtuigen dat het net zo goed een andere auto kon zijn geweest.

'Dat ben ik werkelijk vergeten,' zei hij nu tegen haar. 'Maar zelfs dat kan niet tippen aan wat ik de laatste tijd heb gezien, Claire. Dat gesprek met de oude man, en dan de trein... het voelde allemaal echt. Op de momenten zelf waren ze absoluut echt.'

'Maar in het verleden heb je bovennat...'

'O, hou op, dat woord wil ik niet horen.'

'In het verleden heb je vréémde visioenen – beter? – gezien die ook heel echt leken. Je was in staat om voorwerpen of plekken in verband te brengen met dingen die waren gebeurd of zouden gaan gebeuren. Dus waarom wil je niet geloven dat dit daarop lijkt?'

'Dit is zo veel indringender...'

'Die andere ervaringen ontstonden door contact van buitenaf,' zei ze. 'Je hebt van dat water gedronken, Eric. Je hebt het in je gestopt.'

'Het water.'

'Natuurlijk. Denk je niet dat het daar een reactie op is?'

Eigenlijk, dacht hij, gaf ik de schuld aan de camera van je vader. Ik moest dat ding zelfs doodslaan. Hoe logisch is dát?

'Ik heb nog niet echt de tijd gehad om er goed over na te denken,' zei hij. 'Maar die ontmoeting met de oude man in het ziekenhuis, dat was de dag nadat ik het water voor het eerst had geproefd. Voor een drug toch wel lang om in je lijf te blijven rondzwemmen.'

'Het is geen drug, Eric. Je bent het zélf.'

'Wat?'

'Je bent ermee verbonden, net zoals dat eerder met die andere dingen het geval was. De auto, dat oude indiaanse kamp in de bergen, dat soort dingen. En het verbaast me niet dat deze ervaring voor je gevoel sterker, intenser is, want in die gevallen heb je er alleen maar naar gekeken. Dit spul heb je gedronken.'

Ze praatten nog een poosje en hij voelde zich gek genoeg veel beter nadat hij ten slotte had opgehangen. Claire had niet alleen zijn versie van het gebeuren geloofd, maar was ook met een herinnering gekomen die daarmee strookte. Hij was toch niet gek. Wat heerlijk om terug te zijn.

Hij schaamde zich er een beetje voor dat hij ermee bij haar was komen aanzetten en zoals zij had geluisterd. Na al die kilheid van de afgelopen tijd had hij zich in zijn nood maar wat vlug tot haar gewend, en zij had dat goed gevonden.

Het was, realiseerde hij zich, het langste gesprek geweest dat ze sinds zijn vertrek hadden gehad. Sterker nog, het eerste dat niet was uitgemond in een hevige ruzie of waarbij hij niet in schreeuwen of zij in tranen was uitgebarsten. Ze hadden weer als kameraden met elkaar gepraat. Bijna als man en vrouw.

Dat veranderde natuurlijk niets. Maar ze was er geweest toen hij haar nodig had en dat was niet niks. Zeer zeker niet.

Er zijn wanneer ze nodig was, zo was Claire. Door dik en dun, zo was Claire geweest. Tot hij naar Chicago was teruggekomen, totdat hij geen werk en geen duidelijke vooruitzichten meer had. Waar was ze toen dan geweest?

Daar. In je huis. En jij bent naar buiten gewandeld en nooit meer teruggegaan, en zij is daar nog, ze is daar nog en jij bent degene die is vertrokken…

Naar de hel ermee. Met één telefoontje kon je geen huwelijk repareren, maar het was fijn om met haar te praten en hij voelde zich nu veel beter dan daarvoor; geschrokken, maar opgelucht. Zoals je je voelde nadat je misselijk was geweest, bibberig, maar blij dat dát tenminste over was.

Dat water klopte wel. Het water voegde een soort logisch element toe aan wat een uur geleden compleet onlogisch had geleken. En angstaanjagend.

Oké, tijd om met de dag verder te gaan. Er moest onderzoek gedaan worden en hij bedacht dat het een verdomd goed idee was als hij met het mineraalwater zou beginnen. Hij hoefde zich tenminste niet als een lafaard in zijn kamer te verschuilen en zich af te vragen of hij gek geworden was. De hoofdpijn zou nu wel een tijdje wegblijven. Dan kon hij maar beter aan het werk gaan. Doodzonde dat hij zijn werk zonder camera moest doen.

Maar het had goed gevoeld toen hij hem vernielde. Te zien dat hij aan gruzelementen ging, hem uit alle macht tegen de rand van het bureau te smijten, te zien dat iets anders voor zijn eigen pijn, zijn eigen angst opdraaide. O ja, wat was dat een lekker gevoel geweest.

Hij vroeg zich af hoe Claire op die gedachte zou reageren. Iets zei hem dat het haar niet zou verbazen.

Het bedrijf van Plutowater was gevestigd in een langwerpig stenen, roomkleurig gebouw. Buiten stonden twee grote tanks en in het gebouw zat een serie ouderwetse ramen met elk zo'n veertig glaspanelen, waarvan er een paar openstonden voor de frisse lucht. Via de ingang belandde Eric bij een trap en bovenaan trof hij het kantoor aan; hij ging naar binnen en legde aan de aantrekkelijke brunette achter een bureau uit wat hij wilde.

'Als u in de geschiedenis van het bedrijf geïnteresseerd bent, kunt u daarvoor het beste in het hotel terecht,' zei ze.

'Ik ben inderdaad in de geschiedenis geïnteresseerd, maar ook in het water zelf. Wat er in het water zit, wat het doet.'

'Wat het doet?'

'Ik heb wat oud reclamemateriaal gezien, daarin stond dat het ongeveer alles kon genezen.'

'Er was maar één ding dat dat water ooit heeft gedaan.' Ze wachtte even op een reactie en toen ze die niet kreeg, leunde ze naar voren en zei: 'Je gaat ervan schijten, meneer. Dat is het enige. Plutowater was niets anders dan een laxeermiddel.'

Hij glimlachte. 'Dat begrijp ik, maar ik probeer iets te ontdekken over de legendes waarmee het omgeven is, de folklore.'

'Nogmaals, daar kunnen wij u geen antwoord op geven. Het enige wat we met het oorspronkelijke bedrijf gemeen hebben is de naam. Wij produceren dat water niet meer.'

'Wat produceren jullie dan wel?'

'Schoonmaakmiddelen,' zei ze. 'Producten voor Clorox.' Toen glimlachte ze en voegde eraan toe: 'Nou ja, ik vermoed dat dat toch iets met elkaar gemeen heeft. Een reinigingsmiddel, ja? Want dat ouderwetse spul reinigde je…'

'Ik snap het,' zei hij. 'Oké. Bedankt voor uw tijd.'

Achter in de ruimte zat een oudere vrouw aan een bureau, die naar Eric had geluisterd en over haar leesbril naar hem had getuurd. Toen hij zich omdraaide om weg te gaan, nam ze het woord.

'Als u iets over de folklore wilt weten, zou u Anne McKinney moeten opzoeken.'

Hij bleef bij de deur staan. 'Is zij historica?'

'Nee, dat is ze niet. Ze is vanhier, achter in de tachtig maar beter bij de tijd dan menigeen, en ze heeft een geheugen waar iedereen een puntje aan kan zuigen. Haar vader heeft bij Pluto gewerkt. Ze zal elke vraag beantwoorden die u maar kunt bedenken en nog heel wat meer die u niet hebt kunnen bedenken.'

'Dat klink geweldig. Waar kan ik haar vinden?'

'Nou, u volgt Larry Bird Boulevard – dat is deze straat hier – heuvelop-waarts de stad uit, dan komt u haar huis vanzelf tegen. Een leuk, blauw huis, twee verdiepingen met aan de voorkant een grote veranda; in de tuin staan een paar windmolens, op de veranda wemelt het van de mobiles. Ook van de thermometers en barometers. U kunt het niet missen.'

Eric trok zijn wenkbrauwen op.

'De oude Anne wacht op een storm,' zei de vrouw met het grijze haar.

'Ik begrijp het. Denkt u dat ze het erg vindt als ik zomaar binnenval of moet ik eerst bellen?'

'Ik geloof niet dat ze dat erg vindt, maar als u haar thuis niet lastig wilt vallen, kunt u om een uur of twee naar het West Baden Springs-hotel gaan. Daar gaat ze dan altijd een borreltje drinken.'

'Een borreltje? Ik dacht dat u zei dat ze achter in de tachtig was?'

'Dat klopt,' zei de vrouw met het grijze haar glimlachend.

17

's Middags stond de barometer op 30,20, iets hoger dan die ochtend. De temperatuur stond op ruim zevenentwintig graden Celsius, maar Anne dacht niet dat het vandaag net zo warm zou worden als gisteren, met die lichte bries en de lichte bewolking die vanuit het zuidwesten kwam opzet-ten. Dunne, witte wolken, geen storm. Nog niet.

Ze deed de hele ochtend over de was. Er was een tijd dat de was geen hele ochtend in beslag nam, maar de wasmachine en droger stonden in de kelder en tegenwoordig had ze moeite met die smalle houten trap. O, ze zou die wel kunnen nemen, alleen een beetje langzamer. Dat gold vandaag de dag voor zo veel. Alleen een beetje langzamer.

Tegen elven was ze klaar met de was, schonk een glas ijsthee in en ging met de krant op de veranda zitten. De *New York Times*, waarop ze al langer was geabonneerd dan ze zich kon heugen. Het was belangrijk te weten wat er in de wereld gebeurde, en de laatste keer dat ze de tv vertrouwde, was op de laatste dag dat de journalist Edward R. Murrow erop te zien was geweest.

Tegen de middag stond ze op en controleerde de temperatuur, windrichting en -snelheid en de barometerstand, en schreef dat allemaal op in haar logboek. Haar logboeken gingen meer dan zestig jaar terug, vijf registraties per dag. Het was een heel interessant document, mocht iemand er belangstelling voor hebben. Maar ze vermoedde dat dat er niet veel waren.

De oorsprong van haar gewoonte om het weer te observeren ging terug tot in haar jeugd. En was voortgekomen uit bangheid. Als klein meisje was ze verlamd van angst geweest voor stormen. Zodra het begon te donderen en bliksemen, verstopte ze zich onder haar bed of in een kast. Haar vader had erom moeten lachen – ze herinnerde zich nog altijd zijn zachte, donkere lach als hij binnenkwam om haar onder het bed uit te vissen – maar haar moeder had besloten dat er iets aan gedaan moest worden en had een kinderboek over stormen ontdekt, met illustraties van donkere donderkoppen, wervelende tornado's en kolkende zeeën. Anne was zeven geweest toen ze dat boek kregen, tegen de tijd dat ze acht was, had ze het stukgelezen.

'Je moet er niet bang voor zijn, want daar schiet je niets mee op,' had haar moeder gezegd. 'Daarmee houden ze heus niet op, voel je je geen snars veiliger. Je moet ze respecteren en proberen te begrijpen. Hoe meer je ervan begrijpt, hoe minder bang je bent.'

Dus had Anne het boek nogmaals gelezen en zichzelf gedwongen om bij het raam te blijven wanneer de stormen opstaken. Ze had gekeken hoe de bomen doorbogen en de bladeren door de lucht zwiepten, terwijl de regen het huis geselde en tegen het glas roffelde. In de bibliotheek vond ze nog meer boeken en ze bleef doorstuderen. Als het een andere tijd was geweest, was ze waarschijnlijk naar Purdue gegaan om meteorologie te studeren. Maar zo zat de wereld toen niet in elkaar. Ze kreeg een liefje, trouwde zodra ze van de middelbare school afkwam, en toen werd het oorlog, was hij overzees en moest ze een baantje nemen; en daarna kwam hij terug en had ze kinderen op te voeden. Kinderen die ze al had begraven, wat moeilijker te dragen was voor een mens dan ze zich maar kon voorstellen. Haar dochter was op haar dertigste aan kanker bezweken, haar zoon op zijn negenenveertigste aan een beroerte. Er waren geen kleinkinderen.

Op het moment dat ze de auto langzaam over de weg naderbij zag komen, dacht ze aan haar zoon, dacht terug aan de tijd dat hij van deze zelfde veranda was gevallen, op een bloempot eronder terecht was gekomen en zijn pols had gebroken. Vijf jaar was hij toen en hij wilde indruk maken op zijn zus door op de leuning te gaan staan. Hemeltjelief, wat had die jongen gehuild. De auto bleef staan en draaide haar oprit op, haar gedachten lieten het verleden los en ze stond op. De wind was een tikje frisser toen de auto de oprit op reed, waardoor de mobiles op de veranda tingelden en er wat stof van de vloerplanken opdwarrelde. Ze veegde het ding twee keer per dag, maar aan stof was er in de wereld nooit gebrek.

De bezoeker stapte uit, een man met kort haar in een kleur die ergens tussen blond en bruin in de war was geraakt. Hij moest zich nodig scheren maar verder zag hij er schoon uit.

'Anne McKinney? Ik heb uw naam gekregen in French Lick,' zei hij terwijl hij het portier dichtgooide en naar de trap liep toen ze knikte. 'Ik ben geïnteresseerd in Plutowater. De oude verhalen, de folklore. Zou u mij daar meer over willen vertellen?'

'O, wel degelijk. Zodra ik geen oude verhalen meer wil vertellen, kun je maar het beste de begrafenisondernemer bellen, dan mag hij me met zijn schep op m'n hoofd slaan. Maar ik moet je wel waarschuwen: wanneer ik eenmaal op m'n praatstoel zit, moet je er ook maar lekker bij gaan zitten. Ik sta erom bekend dat ik van geen ophouden weet.'

Hij glimlachte. Het was een aangename glimlach, hartelijk en oprecht.

'Mevrouw, ik heb meer dan genoeg belangstelling en tijd.'

'Kom dan hier en ga zitten.'

Hij liep de trap op en stak zijn hand uit. 'Ik ben Eric Shaw. Ik kom uit Chicago.'

'O, Chicago. Ik ben altijd dol op die stad geweest. Ben er in jaren niet geweest. Maar ik weet nog dat ik er een paar keer over het Monon-spoor naartoe ben geweest. Sterker nog, daar hebben mijn man en ik onze huwelijksreis gevierd. In de lente van negenendertig. Ik was achttien.'

'Wanneer stopte de Monon ermee?'

'Ze stopten er gewoon mee, punt uit, in drieënzeventig.'

Vijfendertig jaar geleden. Ze vond die jaartallen niet zo belangrijk, maar ze had er zojuist twee uitgeflapt, en ze klonken allebei onmogelijk lang geleden. Ze herinnerde zich de dag waarop de Monon zijn laatste rit had gemaakt trouwens nog heel goed. Zij en Harold waren naar de Greene County-schraagbrug gegaan en hadden gekeken hoe hij eroverheen denderde, terwijl hij onderweg zwaaide bij wijze van afscheid. Ze had zich niet eens precies gerealiseerd waarvan ze afscheid namen. Van een tijdperk. Een wereld.

'Jarenlang had elk hotel hier zijn eigen treinstation,' zei ze. 'Vind je dat nu niet ongelooflijk? Maar daar ga ik weer, ik ben al helemaal van het onderwerp afgedwaald nog voor we zelfs maar begonnen zijn. Wat wil je over Plutowater weten?'

Hij ging in de stoel tegenover haar zitten, haalde een van die kleine taperecorders tevoorschijn en stak hem met een vragende blik omhoog.

'O, doe maar, hoor, als je werkelijk nog een tweede keer naar me wilt luisteren, ga dan gerust je gang.'

'Dank u wel. Ik vroeg me af wat u me kunt vertellen over de... meer ongebruikelijke werking van het water.'

'Ongebruikelijk?'

'Ik weet dat de mensen zich uiteindelijk realiseerden dat het niets meer dan een laxeermiddel was, maar vroeger had dat spul een reputatie die veel verderging dan dat.'

Ze glimlachte. 'Die had het zeker. Een tijdlang werd beweerd dat Plutowater tot ongeveer alles in staat was, behalve een man op de maan zetten. Het gangbare antwoord op je vraag is natuurlijk dat met de jaren de mensen slimmer werden, meer over wetenschap en gezondheid te weten kwamen en ontdekten dat dat alles niets anders was dan een fabeltje. Het bedrijf wist het een tijdje te overleven door die beweringen af te zwakken en ermee als laxeermiddel te adverteren, maar dan wel het beste laxeermiddel ter wereld. Toen keken de mensen daar ook doorheen, of vonden een beter product en Plutowater verging het zoals het zo veel dingen van vroeger vergaat. Het werd snel vergeten en verdween uiteindelijk helemaal.'

'U zei dat dat het gangbare antwoord was,' zei Eric Shaw. 'Weet u er dan nog een?'

Daarop grijnsde ze opnieuw; ze dacht aan wat haar vaders reactie op deze man zou zijn als hij nog had geleefd. Verdraaid, hij zou inmiddels uit zijn stoel zijn gekomen, zijn pijp uit zijn mond hebben gehaald en ermee hebben gezwaaid om zijn punt kracht bij te zetten. Het enige wat de arme man ooit had gewild was dat iemand naar zijn Plutowatertheorieën luisterde.

'Nou ja, ik heb er zeker een paar gehoord,' zei ze. 'Mijn vader heeft bij het bedrijf gewerkt, begrijp je. En volgens zijn verhalen veranderde het water door de jaren heen. Oorspronkelijk bottelden ze het vers uit de bronnen en wat je dronk kwam feitelijk rechtstreeks uit de bron. Probleem was alleen dat het water niet houdbaar was. Ze probeerden het met vaten en fusten, maar het ging snel achteruit. Ondrinkbaar. Dat was geen echt dilemma, totdat mensen zich realiseerden hoeveel geld ze konden verdienen wanneer ze het water overal naartoe konden transporteren. Toen moesten ze daar iets aan doen.'

'Pasteuriseren?'

'Zoiets. Ze kookten het water zodat iets van de gassen die erin zaten verdampten en voegden er twee verschillende soorten zout aan toe waardoor het stabieler en beter houdbaar werd. Toen ze dat proces eenmaal hadden uitgevonden, bottelden ze het water en distribueerden ze het over de hele wereld.'

Eric Shaw knikte maar zei niets, wachtte tot er meer kwam. Dat mocht ze wel. Tegenwoordig waren zo veel mensen ongeduldig, hadden haast.

'Het bedrijf en de meeste mensen die erbij betrokken waren bezwoeren bij hoog en bij laag dat er tijdens dat koken en verrijken niets aan het water veranderde.'

'En uw vader was het daar niet mee eens,' zei hij, waarna ze giechelde.

'Hij vermoedde dat door het conserveringsproces het water een andere uitwerking kreeg.'

'En u geloofde hem niet.'

'Ik was misschien wel geneigd te geloven dat vers uit de bron getapt water effectiever was dan het gebottelde en verscheepte spul. Dat geldt toch voor de meeste dingen? Een tomaat uit je eigen tuin smaakt anders dan eentje die je in de winkel koopt.'

'Absoluut.'

'Hij had ook het idee,' zei ze, 'dat jouw standaard Plutowater speciaal was en verbazingwekkende geneeskrachtige eigenschappen bezat, maar dat er in de streek een paar bronnen waren die nog een stapje verdergingen. In dit gebied wemelt het van de bronnen. Sommige zijn groot, andere klein, maar er zijn er heel veel.'

'Hebt u ooit geruchten gehoord dat het water hallucinaties veroorzaakte?'

Ze trok haar wenkbrauwen op en schudde haar hoofd. 'Daar heb ik nooit van gehoord, nee.'

Hij keek absoluut teleurgesteld maar probeerde dat te verhullen, gaf een hoofdknikje en stelde haastig een volgende vraag.

'Hoe zit het met de temperatuur? Ik heb, eh, gehoord dat het ongebruikelijk koel blijft. Dat er een soort... nou ja, een chemische reactie was, vermoed ik, en dat je de flessen in een warme kamer kon laten staan, maar dat ze toch koel bleven, dat er zelfs een beetje rijp op kwam.'

'Nou,' zei Anne, 'ik weet niet wie jou al die verhalen heeft verteld, maar zo te horen komen ze van een kleurrijke bron. Van zoiets heb ik nog nooit gehoord.'

Hij zweeg even, zijn ogen stonden zorgelijk en het leek alsof hij ergens naar op zoek was.

'Maar u had toch het geconserveerde of verrijkte water?' zei hij ten slotte.

'Ja.'

'Stelt u zich eens voor dat het 't verse water was, gebotteld voordat ze met dat proces begonnen?'

'Dan zou dat water van vóór 1893 moeten zijn, vermoed ik,' zei ze. 'Daar weet ik niet zo veel van, maar ik heb nooit gehoord dat het ongebruikelijk koel blijft.'

'Wat zou er gebeuren als je niet-geconserveerd Plutowater dronk?'

'Nou, zoals het mij altijd is verteld, werd het na geruime tijd ongeschikt voor menselijke consumptie.'

'En als iemand er dan toch van dronk?'

'Als ze er werkelijk genoeg van naar binnen zouden kunnen werken,' zei Anne, 'geloof ik dat dat fataal zou kunnen zijn.'

Daar leek hij van te schrikken. Hij bevochtigde zijn lippen en sloeg zijn ogen neer naar de verandavloer, hij zag er een beetje beroerd uit. Ze fronste haar wenkbrauwen, keek naar hem, vroeg zich nu af waarom hij al deze vragen stelde, wat ze hier nu feitelijk bij de hand had.

'Mag ik vragen waarom je dit allemaal wilt weten?'

'Ik ben bezig met het in kaart brengen van een familiegeschiedenis,' zei hij.

'Iemand die bij Pluto heeft gewerkt?'

'Nee, maar ik probeer er zo veel mogelijk van de streekgeschiedenis bij te betrekken. Uiteindelijk komt er een film over, maar momenteel doe ik alleen het voorbereidende werk.'

'Wie heeft je hoofd volgestopt met al die ideeën over het water?'

'Een oude man in Chicago,' zei hij, en toen, voordat ze daarop kon reageren, vroeg hij: 'Hé, is er een rivier in de buurt?'

'Een rivier? Nou nee, niet in de stad. Er is wel een kreek.'

'Mij was over een rivier verteld.'

'De White River is hier niet ver vandaan. En je hebt ook nog de Lost River.'

De wind wakkerde op dat moment aan, bracht de mobiles in beweging, een geluid waar Anne nooit moe van werd, en ze hield haar hoofd schuin om langs Eric Shaw naar de tuin te kijken, waar de wieken van de windmolens ronddraaiden. En ze draaiden behoorlijk hard, er blies een fikse bries doorheen. Maar verder was er niets dan zon en witte wolken, geen spoor van een storm. Vreemd dat de wind zo aanwakkerde terwijl er geen storm op komst was…

'De Lost River?'

Door zijn vraag werd ze uit haar gedachten gerukt. Een beetje gênant dat ze erop betrapt werd dat haar gedachten zo afdwaalden, maar dit was een vreemde wind en ze werd erdoor afgeleid.

'Ja, sorry. Ik luisterde naar de mobiles. Ze noemen het de Lost River omdat een groot deel ervan ondergronds stroomt. Ik geloof wel meer dan dertig kilometer. Zo nu en dan komt hij naar boven en dan verdwijnt hij weer.'

'Dat is behoorlijk heftig,' zei Eric Shaw en Anne glimlachte.

'Alles waarmee deze steden zijn gebouwd komt uit de grond. Als ik die hotels binnen loop, kan ik alleen maar mijn hoofd schudden, want als het eropaan komt, zouden die daar niet zijn zonder dat beetje water dat hier in de buurt uit de grond opborrelt. Als jij niet gelooft dat daar niet een beetje magie aan kleeft, nou ja, dan weet ik het niet meer.'

'Dat is toch waar Pluto voor staat?'

'Inderdaad. Hij is de Romeinse versie van Hades, wat tegenwoordig voor de meeste mensen hier niet zo'n prettig idee is, maar er is een verschil tussen de hel en de onderwereld uit de mythen. Mijn vader is dieper in die mythen gedoken. Zoals hij het begreep, was Pluto niet de duivel. Hij was de god van de rijkdommen die in de bodem werden gevonden. Daarom hebben ze het bedrijf naar hem genoemd, begrijp je? Wat mijn vader altijd wel amusant vond, was dat in de mythen Pluto eigenlijk alleen maar over de doden op de oevers van de rivier de Styx ging; hij hield ze daar tot ze mochten oversteken om beoordeeld te worden. Dus Pluto was feitelijk een herbergier. En wat kwam er na het water in deze stad?'

Ze maakte een weids gebaar naar haar dal, het dal vol bronnen. 'Herbergen. Prachtige, verbazingwekkende herbergen.'

Ze lachte en vouwde haar handen samen, legde ze weer in haar schoot. 'Paps heeft waarschijnlijk heel veel over deze dingen nagedacht.'

Ze zwegen daarna een tijdje. Haar bezoeker leek zich met iets anders bezig te houden, en ze was er tevreden mee om naar de draaiende windmolens te zitten kijken en naar de mobiles te luisteren.

'U zei dat u veel met het water te maken had,' zei hij ten slotte. 'Zou u een fles herkennen als ik er een mee zou nemen? Zou u me dan kunnen vertellen uit welk jaar het water komt?'

'Absoluut. Sterker nog, ik heb er een paar boven staan, met het jaartal erop. Misschien is er wel net zo eentje bij. Waar logeer je? French Lick of West Baden?'

'West Baden.'

'Ik ga daar vanmiddag naartoe om er een borreltje te drinken. Neem de Plutofles dan mee. Ik ben daar over een half uur of zo.'

Dat leek hem op te fleuren, maar in de laatste minuten had hij ongemakkelijk geschenen, hij maakte zich duidelijk ergens grote zorgen over, en ze vroeg zich af wat dat was. Misschien had hij gehoopt dat hij een hoop nonsens in zijn film kon stoppen, hallucinaties en griezelige koude flessen, dat soort dingen. Nou, een verhalenverteller liet zich zelden door de werkelijkheid in de val lokken. Ze stelde zich zo voor dat hij daar wel raad mee zou weten.

Hij bedankte haar, stapte in zijn auto en reed de heuvel af, terwijl zij met gevouwen handen in haar schoot op de veranda bleef zitten. Hij was langsgekomen en had herinneringen opgeroepen aan een dag in een warme periode. Ze had aan haar zoon zitten denken, Henry, zoals die van de veranda was getuimeld. Toen was die man Shaw aan komen zetten, zei dat hij uit Chicago kwam, en waren haar gedachten rechtstreeks van die veranda naar die passagierstrein overgesprongen. Ze mocht van Harold bij het raam zitten en daar zat ze dan, met haar hand in de zijne en haar blik op het langs rollende landschap gericht, een gestaag *klak-klak-klak-klak.* Toen de trein in Chicago was aangekomen, had hij haar overeind geholpen, haar in zijn armen getrokken en haar lang en stevig gekust; iemand in de trein had gefloten, en ze was net zo rood geworden als de Mononwagon waarmee ze gekomen waren.

De lente van negenendertig, had ze tegen Eric Shaw gezegd. De lente van negenendertig.

Nu wilde ze hem wel over de weg achternarennen, hem uit zijn auto trekken en roepen: ja, het was in de lente van negenendertig, maar het was ook gísteren. Het was een uur geléden, begrijp je dat dan niet? Het is gewoon gebeurd, ik heb die reis gewoon gemaakt, gewoon die lippen geproefd, gewoon dat fluiten gehoord.

Die dag leek de trein sneller te rijden dan wat ook, duizelingwekkend snel ging hij. Maar er waren raceauto's die harder gingen dan de trein, vliegtuigen die weer sneller waren dan auto's en raketten sneller dan vliegtuigen, maar wat hen altijd allemaal voorbij stoof, was de tijd zelf, de dagen, maanden en jaren, o ja, de jaren. Daar kon geen mens iets op verzinnen, die gingen sneller dan wat ook, zo snel dat je een tijdje in de verleiding kwam te denken dat ze langzaam voorbijgingen; wat was er nou wreder dan dat?

De dag waarop Henry van de veranda viel en zijn pols brak, had ze hem voordat ze de dokter belde in haar armen genomen, hem de trap op gedragen het huis in, dat ging haar heel gemakkelijk af, daar hoefde ze niet bij na te denken. Maar tegenwoordig, bedacht ze, moest ze de traptreden één voor één nemen, terwijl ze de wasmand achter zich aan sleepte en zich aan de leuning vastklampte.

Ze stond op en ging naar binnen om haar autosleutels te zoeken, klaar om naar het hotel te gaan, een plek die de tijd een poosje was vergeten, hem zich vervolgens weer herinnerde en aan haar teruggaf.

18

Ik geloof dat het fataal zou kunnen zijn.

Shit, wat was dat een opwekkende opmerking geweest, zeg. Eric reed langs het parkeerterrein van het casino en de oude Plutowaterfabriek en trapte zwaar en hard op de rem; een auto achter hem toeterde en week uit om een botsing te voorkomen. De bestuurder riep hem iets toe terwijl hij over de dubbele gele streep zwenkte en langs hem reed, maar Eric draaide zich niet om. In plaats daarvan reed hij langzaam naar de kant van de weg naar een parkeerplaats en staarde uit zijn raampje.

Op een korte spoorrail midden in de stad stond een witte treinwagon met op de zijkant een rode Plutoduivel geschilderd. Volgens het bord dat er vlakbij stond, was hier het French Lick Spoorwegmuseum, en voor zover Eric kon zien bestond dat uit een oud depot en een handvol vervallen treinwagons. En slechts een daarvan had vandaag zijn blik getrokken.

Hij zette de motor af en stapte uit. Hij kon best eens gaan kijken. Hij liep met de warme en stevige wind pal tegen naar het station, ging naar binnen en een oudere man met een treinmachinistpet en een dubbelfocusbril keek op.

'Welkom!'

'Hallo,' zei Eric. 'Ja, eh... ik vroeg me af...'

'Ja?'

'Wat is het verhaal over die Plutowagon?'

'Knappe duivel, hè?' zei de man en hij lachte, en Eric voelde een bevrijdende golf door zich heen gaan. Déze treinwagon was echt.

'Absoluut,' zei Eric. 'Weet u hoe oud hij is?'

'O, vijftig jaar of zo. Geen ervan is origineel.'

'Oké. Mag ik even kijken?'

'Ja, natuurlijk. Ga je gang en stap naar binnen, als je wilt, maar kijk uit. Die wagons zijn hoger dan ze eruitzien. Je kunt er zomaar uit vallen. Hé, wat dacht je van een ritje? Er gaat een trein door het dal, met een echte locomotief, net als vroeger.'

'Met een echte locomotief,' echode Eric. 'Rijden ze toevallig ook 's avonds?'

'Sorry, nee. Alleen overdag. De volgende rit is over veertig minuten. Wil je een kaartje?'

'Liever niet. Ik heb het eigenlijk niet zo op treinen.'

De oude man keek hem aan alsof Eric zijn dochter voor luiwammes had uitgemaakt.

'Ik heb er onlangs een paar vervelende ervaringen mee gehad, dat is alles,' zei Eric. 'Maar evengoed bedankt.'

Hij sloot de deur en liep door de warmte naar de Plutowagon. De schuifdeur was voor het grootste deel dicht en kwam nauwelijks in beweging toen hij ertegenaan duwde. Het ding was indrukwekkend groot, zo groot zagen ze er van achter het stuur van een auto nooit uit. Hij moest wel vier meter hoog zijn en de stalen koppelingen aan weerskanten leken wel onverslijtbaar, alsof je er een hele dag met een moker op kon slaan zonder ook maar een krasje te veroorzaken.

Aan beide uiteinden van de wagon was een ladder, en op de voorkant waren een paar ijzeren sporten. Hij greep er een met een vuist vast en leunde ertegen, en op dat moment zag hij de vlekken. Glinsterende vlekken op het grind onder de wagon.

Watervlekken.

Hij keek ernaar en een volgende druppel water viel op de stenen, en hij zag dat het eerder uit de wagon kwam dan vanonder. Maar toen hij door de deur naar binnen staarde, lag er niets anders dan oud, droog vuil op de grond.

Hij verstevigde zijn greep om de sport van de ladder, hees zichzelf omhoog en zwaaide zijn linkervoet over de rand. Hij bleef daar even hangen terwijl hij in de schemering tuurde en glipte toen naar binnen.

De wagon was bedompt door de warmte die erin gevangenzat, de lucht rook naar roest. Vanbinnen leek de wagon veel groter dan vanbuiten, het uiteinde verdween in de duisternis. De golfplaten wanden leken het licht in te drinken, hielden het allemaal tegen op de smalle schacht in het midden na.

De grond onder zijn voeten was droog, maar nu hoorde hij het water, een zacht, klotsend geluid. Hij deed aarzelend een stap naar voren, uit het licht, en voelde dwars door zijn schoenen en sokken een koude nattigheid sijpelen, tot aan zijn huid toe.

Hij bukte zich en stak zijn hand uit, doopte zijn vingertoppen in het water. Ongeveer tweeënhalve centimeter diep en ijskoud.

Nog een stap naar het klotsende geluid, dat een gelijkmatig, constant ritme had. In het donkere gedeelte van de goederenwagon stond de hele vloer onder water en hij wilde weer naar het droge gedeelte en het vierkante stuk zonlicht teruggaan, maar ondanks zichzelf schuifelde hij in het donker verder.

Hij was drie meter bij de deur vandaan en liep nog altijd door, toen een silhouet vorm aan begon te nemen.

Het was helemaal achter in de wagon, verloren in de duisternis, op de typische contouren van de bolhoed na.

Eric bleef ter plekke staan; het water was als een winterse kreek op zijn voeten, en hij staarde door het resterende gedeelte van de wagon, zag hoe het silhouet duidelijker in beeld kwam, eerst de schouders en daarna de romp. De man zat in het water met opgetrokken knieën en met zijn rug tegen de muur. Met zijn voet tikte hij een langzaam, gestaag ritme, sloeg ermee in het water, dat bijna tot zijn enkels reikte.

'Een klaagzang,' zei hij, 'is een lied voor de doden.'

Eric kon niets uitbrengen. Dat kwam niet alleen door angst of verbijstering, maar het was bijna iets fysieks, hij werd door iets tegengehouden, wat hij niet begreep en waar hij niets aan kon doen. Hij was een toeschouwer in deze wagon. Hij was hier om te kijken. Te luisteren.

'Ik kan hem amper horen,' zei de man. Zijn stem was als een schuurpapieren fluistering. 'Jij?'

De vioolmuziek was er weer, zacht als een briesje, alsof hij niet door de wanden van de wagon heen kon dringen.

'Ik heb lange tijd gewacht om thuis te komen,' zei de man. 'De rit duurde langer dan ik had gewild.'

Eric kon zijn gezicht niet onderscheiden, kon niets anders zien dan zijn gedaante.

'De mensen hier schijnen het te zijn vergeten,' zei de man, 'maar dit is míjn dal. Was dat ooit. En dat zal weer zo zijn.'

Zijn stem leek aan kracht te winnen, en zijn pak was nu beter te onderscheiden, evenals zijn neus, mond en overschaduwde oogkassen.

'Er is maar een spoortje van mijn bloed achtergebleven,' zei hij, 'maar dat is genoeg. Dat is genoeg.'

De man liet daarop met twee zachte plonsjes zijn handen in het water vallen en duwde zich van de vloer af. Zijn silhouet rimpelde bij het opstaan, als een door de wind veroorzaakte reflectie in het water, en iets wat in Erics brein losgekoppeld was geweest, maakte plotseling weer contact en hij wist dat hij in beweging moest komen.

Hij draaide zich om en strompelde terug naar de streep zonlicht bij de deur, gleed uit op de natte vloer maar wist zich overeind te houden, zocht met zijn handen naar de wand en stootte ertegenaan. Hij stapte uit het water op de droge vloerdelen, toen greep hij met zijn hand om de rand van de deur, schoof zijn schouder door de gleuf en sprong in het licht.

Hij zette zich met zijn voeten af, kwam in een vrije val terecht en landde op zijn achterste op het vuile grind.

'Heb ik het je niet gezegd!' riep iemand. Eric keek op en zag de oude man met de machinistenpet hoofdschuddend buiten het depot staan. 'Ik zei toch dat je moest oppassen bij het uitstappen!'

Eric gaf geen antwoord, kwam slechts overeind en klopte het vuil van zijn spijkerbroek terwijl hij bij de treinwagon wegliep. Hij deed een paar stappen voordat hij zich omdraaide en er weer naar keek. Na een paar seconden liep hij er weer naartoe en liet zich bij de deur op een knie vallen.

De watervlekken waren weg. De stenen waren bleek en droog onder de zon.

'Je hebt je toch niet bezeerd, hè?' riep de oude man. Eric negeerde hem opnieuw, greep de rand van de grote goederenwagondeur vast, leunde er met zijn schouder tegenaan, gromde en kreeg hem in beweging. Hij schoof hem helemaal terug, terwijl de oude man naar hem schreeuwde dat hij voorzichtig met z'n spullen moest zijn, deed toen een stap opzij en keek naar binnen.

Het zonlicht scheen nu ook in de hoeken en daar was niets te zien, geen man, geen water. Hij boog zich naar voren en staarde naar het uiteinde, staarde naar de leegte. Toen bukte hij, pakte een steentje op, gooide dat naar binnen en hoorde hoe het over de droge vloer schoot.

De wind wakkerde aan en blies hard in zijn rug, deed het stof rondom de oude goederentreinwagon opwaaien. Er klonk een hoog, duizeligmakend gefluit toen die de wagon vulde, alsof hij de deur al een hele poos had bewerkt en opgetogen was dat hij iemand had gevonden die hem eindelijk helemaal had geopend.

19

In de auto belde hij Alyssa Bradford, hij had de airco op vol vermogen gezet en de blazers op zich gericht zodat de koele lucht pal in zijn gezicht blies. De oude man van het spoorwegmuseum leunde tegen de deurpost en stond hem met een gefronst voorhoofd gade te slaan.

'Alyssa, ik ben je nog een paar vragen vergeten te stellen,' zei Eric toen ze opnam. 'Die fles water die je me hebt gegeven… Kun je me daar ook maar iets over vertellen?'

Ze zweeg even. Zei toen: 'Niet echt. Daarom wilde ik dat jij…'

'Ik begrijp wat je wilde. Maar ik heb wat hulp nodig. Het is het enige wat je die eerste dag voor me hebt meegenomen. Het enige artefact dat je me hebt gegeven. Geen foto's, geen plakboek, alleen die fles. Ik vraag me eigenlijk af waarom je dacht dat die zo bijzonder was.'

Hij staarde naar de Plutogoederenwagon, de grijnzende rode duivel.

'Het is raar,' zei ze ten slotte. 'Vind jij het niet raar? Het feit dat hij altijd koud is, zoals hij… Ik weet het niet, vóélt. Er is iets vreemds mee aan de hand. En het is het enige – en ik bedoel ook het énige – wat hij nog uit zijn jeugd had. Mijn man vertelde me dat hij hem in zijn nachtkastje in een afgesloten la bewaarde en dat niemand hem mocht aanraken. Je begrijpt dus dat hij om een of andere reden veel voor hem betekende. Daarom ben ik er zo benieuwd naar.'

'Ja,' zei Eric. 'Ik ben er ook benieuwd naar.'

'Toen ik op Eves begrafenis met je praatte,' zei ze, 'en merkte dat je instinctief aanvoelde hoe belangrijk die foto was, wist ik dat ik jou die fles wilde geven. Ik dacht dat je iets zou zien, iets zou voelen.'

Ze had hem door die verdomde foto ingehuurd, de reden waarom ze hem hierheen had gestuurd. Hij had dat vanaf het begin wel hebben kunnen raden, maar in plaats daarvan geloofde hij liever haar holle bewering dat ze zo onder de indruk was geweest van de film. Claire zou zich niet om de tuin hebben laten leiden.

'Ik denk dat ik met je man moet praten,' zei hij.

'Wat? Waarom?'

'Omdat hij de enige is die feitelijk een band met de man heeft, Alyssa. Hij is familie en ik moet hem vragen wat hij verdomme echt van zijn vader weet. Wat hij heeft gehoord, wat hij denkt. Ik moet vragen...'

'Eric, bij deze film gaat het er nou juist om dat die een verrassing voor mijn man en zijn familie moet zijn.'

Dat kan me niet schelen, dat waren de woorden die in zijn keel opstegen, maar hij moest elk flintertje hysterie onderdrukken, en hij begon nu bijna tegen haar te schreeuwen, stond op het punt haar te vertellen dat er iets goed mis was met Campbell Bradford, maar als hij daar eenmaal mee begon, zou het sneller bergafwaarts rollen dan hij in de hand kon houden; verhalen over spooktreinen en rondwarende fluisterende geesten, dan zou zijn reputatie in Chicago net zo verpletterd worden als in Hollywood was gebeurd.

'Ik wil je vragen daar nog een keer over na te denken,' zei hij. 'Als ik hier verder mee wil komen, moet ik wat meer van hem te weten komen.'

'Ik zal erover nadenken,' zei ze op een toon waaruit zonneklaar bleek dat ze dat zeker niet zou doen. 'Maar ik sta op het punt om weg te gaan en ik ben bang dat ik moet ophangen.'

'Nog één ding, Alyssa.'

'Ja?'

'Speelde je schoonvader toevallig viool?'

'Ja, hij speelde prachtig. Autodidact ook nog. Ik neem dus aan dat het je toch is gelukt iets over hem te weten te komen.'

'Ja, een paar dingen kom ik wel te weten, ja,' zei Eric.

'Nou, het verbaast me dat je dáár achter bent gekomen, want hij had er een hekel aan om voor mensen te spelen.'

'O ja?'

'Ja. Voor zover ik weet speelde hij alleen maar als hij in zijn eentje was, met de deur dicht. Zei dat hij plankenkoorts had en hield er niet van als hij onder het spelen bekeken werd. Maar hij kon prachtig spelen. En er was iets mee... misschien omdat ik hem nooit heb zien spelen, hem alleen maar heb gehoord, maar het klonk absoluut schrijnend.'

Daarna reed hij terug naar het hotel, liet de Acura achter in de schaduw onder een van de paar bomen op het parkeerterrein en vermeed het felle licht van de koepel, nam de gang langs de zijkant. De hoofdpijn kwam weer opzetten, maar was nog niet op volle kracht, als een verkenningsploeg die op het bataljon vooruit was gestuurd.

Het eerste wat hij zag toen hij de deur van zijn hotelkamer opende, was de verbrijzelde camera op de grond. De schoonmakers waren geweest, maar ze hadden de camera op de grond laten liggen, duidelijk niet precies wetend wat ze in hemelsnaam aan moesten met overduidelijk dure apparatuur, ook al was die vernield.

Hij had die verdomde camera niet eens willen gebruiken, een cadeau van zijn schoonvader dat voelde als een beschimping, een reminder dat de periode waarin hij eersteklas studioapparatuur gebruikte al lang verleden tijd was. Om hem eraan te herinneren dat hij mislukt was.

'Claire vertelde me dat je voor jezelf wilt gaan beginnen,' had Paul Porter gezegd. 'Ik dacht dat dit wel zou helpen.'

Hij had dat net iets te nadrukkelijk uitgesproken, waarin zonneklaar twee onuitgesproken vragen besloten lagen: wat en wanneer? En Eric had hem met geveinsde dankbaarheid moeten bedanken en overdreven bewonderend naar de camera moeten kijken, terwijl Claire naast hem stond en het allemaal met een glimlach gadesloeg.

Ze had hem maanden achter de broek gezeten, hem aangespoord terwijl hij alleen maar wat geduld nodig had, en wanneer ze dacht dat hij het verband kwijtraakte tussen dat alles en haar vaders cadeau, ging ze uit haar dak. Sinds ze uit Los Angeles waren weggegaan, had ze hem vanwege zijn plánnen achter de broek gezeten, en hoewel hij haar in het begin tegemoet was gekomen – zelf een script schrijven, financiële bronnen aanboren, zijn eigen onafhankelijke productie regisseren, die als springplank kon fungeren om weer naar het echte werk te kunnen terugkeren – duurde het niet lang voordat ze geen genoegen nam met de moeite die hij deed.

De moeite die hij deed. In werkelijkheid was dat wat sterk uitgedrukt. Zo veel had hij niet gedaan. Hij had bijvoorbeeld de film niet geregisseerd, het geld niet geregeld of zelfs maar een script geschreven. Was niet eens aan een script begonnen. Met zoiets ging je niet overhaast te werk, je moest eerst een goed idee hebben, en het moest een groots idee zijn, met de juiste draagwijdte en ambitie, en dan moest je dat een tijdje in de week leggen…

Nee, veel haast had hij niet gemaakt. Eigenlijk had hij compleet stilgestaan. En gaandeweg veranderden de zachte aanmoedigingen in regelrechte beschuldigingen en eisen, en toen kwamen de zaken snel en dodelijk in een neerwaartse spiraal terecht. Ze hadden knallende ruzie gekregen nadat zij toevallig in de stad met een vriendin in een bar&grill was gaan lunchen en hem daar aantrof met al drie whisky's achter de kiezen, tussen de middag welteverstaan. Dat incident was later die avond in een onredelijk gesprek uitgemond, een gesprek dat al snel akelig werd; en toen Eric met een scheldkanonnade en een omgegooide salontafel in zijn kielzog het huis uit was gestormd, was hij van plan geweest om een paar uur later terug te gaan. Maar in plaats daarvan was hij in een hotelkamer beland, weigerde haar de voldoening te geven door te capituleren. En één nacht in het hotel werden er algauw tien en daarna was hij op zoek gegaan naar een appartement.

De bullshit 'carrière' die hij nu had, had net zo goed uit schuldgevoel voortgekomen kunnen zijn als uit iets anders. Hij had iets willen vinden wat zo pathetisch was dat zij kon voelen hoe zwaar het was. In plaats daarvan had ze tegen hem gezegd dat ze zo blij was dat hij weer aan het werk was. O, en ze vond het heel fijn te weten dat haar vaders camera nu zo goed van pas kwam.

'Ik heb 'm goed kunnen gebruiken, Paulie,' zei hij en hij liet de hotelkamerdeur dichtzwaaien terwijl hij op handen en knieën de puinhoop ging opruimen.

Het was niet best dat hij geen videocamera meer had, niet onder deze omstandigheden, nu hij iets nodig had waarmee hij te weten kon komen of iets wel of niet echt was gebeurd. Maar hij had de microrecorder nog. Nadat hij de camera had opgeruimd haalde hij die tevoorschijn en speelde een paar minuten van zijn gesprek met Anne McKinney af, genoeg om te verifiëren of alles zoals hij het had beleefd op tape stond. Hij luisterde er nog steeds naar toen zijn telefoon ging; hij zette de recorder af en keek op de telefoon, hopend dat het Claire was, maar zag in plaats daarvan een nummer dat hij niet herkende.

'Eric? Met Kellen. Ik heb contact gehad met Edgar Hastings, die oude man die Campbells familie heeft gekend, en hij is bereid je te ontmoeten. Hij zou in staat moeten zijn deze warboel op te lossen.'

'Schitterend.'

'Ik ben nu in Bloomington, bij m'n vriendin. Ik zou daar vannacht blijven, maar als ik nu naar je toe kom, kunnen we samen gaan.'

'Dat hoeft niet, hoor.'

'Nee, ik vind 't prima. Ze zou me er toch algauw uit hebben gegooid.'

Eric hoorde op de achtergrond een lachje, een lief, vrouwelijk geluid dat door hem heen sneed.

'Je moet het zelf weten, Kellen. Ik ga nergens heen.'

'Ik bel je zodra ik er ben.'

Eric hing op. Hij zag op de klok dat er bijna een uur was verstreken sinds hij bij Anne McKinney was vertrokken, wat betekende dat ze waarschijnlijk nu in de bar zou zitten. Hij haalde diep adem, pakte de fles en voelde de koele vochtigheid tegen zijn huid.

'Oké,' zei hij. 'Op naar de routinecontrole of ik nog bij m'n gezonde verstand ben.'

Ze zat in een fauteuil niet ver van de bar met in haar hand een klein glas met daarin een heldere vloeistof en ijs, op de rand zat een schijfje citroen. Nadat hij haar op de veranda had achtergelaten, had ze sieraden omgedaan, twee armbanden en een halsketting, en ze had een andere blouse aangetrokken. Ze had zich er duidelijk op gekleed om in de stad haar cocktail te gaan drinken. Hij was nog niet in het atrium of ze stak een hand op en zwaaide naar hem. Goede ogen. Erics moeder was twintig jaar jonger en zou hem van die afstand nog niet opmerken, ook al reed hij op een kameel.

Nu hij de fles in zijn hand hield, zweette die des te meer, en terwijl hij door het atrium liep, vielen er een paar druppels water af die langs zijn pols op het tapijt eronder drupten.

Anne had haar ogen al op de fles gericht toen hij een stoel bijtrok; ze zette haar drankje op de tafel en zei: 'Nou, laat me eens kijken.'

Hij gaf haar de fles en toen ze die aanpakte, zette ze eerst grote ogen op en kneep ze daarna samen terwijl ze het voorhoofd fronste en hem snel van de ene naar andere hand overbracht. Een streep vocht glinsterde op haar gerimpelde handpalm.

'Heb je hem in ijs bewaard?' vroeg ze, en Eric voelde een golf van opluchting door zich heen gaan, werd er bijna in ondergedompeld.

'Nee,' zei hij. 'Zo is hij altijd.'

Ze staarde hem aan. 'Wat?'

'Sinds ik hier ben, heeft die fles de hele tijd op mijn bureau in de kamer gestaan. Daarvóór zat hij in mijn koffertje in de auto. Hij is niet in de buurt geweest van een koelkast, vriezer of ijsemmer.'

'Neem je me in de maling? Ik begrijp de truc niet.'

'Het is geen truc, mevrouw McKinney. Daarom heb ik u gevraagd of het water koud bleef. Ik vond het heel vreemd.'

Ze bestudeerde zijn gezicht, zocht naar een teken of hij een of andere klootzak was die erop kickte om een oude vrouw in de maling te nemen. Kennelijk vond ze dat niet, want ze schonk hem een amper merkbaar knikje, liet haar blik toen weer op de fles vallen en rolde die in haar handen heen en weer.

'Ik heb nog nooit zoiets gezien,' zei ze zachtjes. 'Of ervan gehoord. Zelfs paps heeft hier nooit iets over gezegd, en hij zat vol verhalen over Plutowater.'

'Kan het zo oud zijn dat het nooit door dat kook- en zoutproces is gegaan?'

Ze schudde haar hoofd. 'Nee. Deze fles is in de verste verte niet zo oud.'

Met haar duim veegde ze wat van de berijpte condens weg en daarna streek ze over het ingekerfde woord Pluto aan de onderkant.

'Deze kan niet ouder zijn dan 1926 of '27. Ik zal het nog eens controleren, natuurlijk, maar deze kleur en het ontwerp… nee, deze moet van eind jaren twintig zijn. Ik heb er een stuk of tien van. Er zijn miljoenen van geproduceerd.'

Hij zei niets, keek alleen toe hoe ze die fles steeds maar weer omdraaide.

'Ik heb nog nooit zoiets gezien,' zei ze nogmaals, en toen zei ze zonder hem aan te kijken: 'Je hebt er wat van gedronken, hè?'

'Ja.'

Ze knikte. 'Ik dacht al zoiets. Je lijkt je zorgen te maken over welk effect dat heeft. Zo te zien heb je er aardig wat van genomen.'

Ja, inmiddels had hij minstens twee derde van de fles leeggedronken.

'Volgens mij zit er iets anders in,' zei ze. 'Het is verkleurd, en dat bezinksel hoort er niet.'

'Maak maar eens open,' zei hij, 'en vertel me dan of dit volgens u naar Plutowater ruikt.'

Ze maakte hem open, hield hem onder haar neus en schudde bijna onmiddellijk haar hoofd.

'Dat is geen Plutowater. Dat zou…'

'Verschrikkelijk ruiken,' zei hij. 'Zwavelachtig.'

'Ja.'

'Daar rook het ook naar toen ik hem voor het eerst openmaakte. Sindsdien…'

'Het is bijna zoet.'

'Ja,' zei hij, met opnieuw dat gevoel van opluchting, omdat deze oude vrouw nu dubbel en dwars iets bevestigde waarvan hij bang was geweest dat het een zinsbegoocheling was.

'Je vroeg me naar hallucinaties,' zei ze voorzichtig en vriendelijk.

'Volgens mij heb ik er een paar gehad sinds ik hiervan heb geproefd.'

'Wat zie je dan?'

'Dat is verschillend, maar ik verbeeldde me een gesprek met een man in Chicago, en daarna kwam ik hier en dacht dat ik een oude stoomtrein zag…'

'Zo eentje waarmee ze de toeristen rondrijden.'

'Die trein was het niet,' zei hij. 'Het was de Monon-lijn, dezelfde waar u het over had; hij kwam uit een inktzwarte stormwolk tevoorschijn, en uit de goederenwagon vol water hing een man…'

Hij flapte het er allemaal in één adem uit, hoorde hoe krankzinnig het klonk, maar hij hield haar ogen in de gaten en zag er geen oordeel in.

'En ik heb telkens hoofdpijn,' zei hij, 'verschrikkelijke hoofdpijn die snel verdwijnt als ik nog een slokje neem.'

Ze keek weer naar de fles. 'Nou, als ik jou was zou ik er niet meer van drinken.'

'Dat ben ik ook niet van plan.'

Ze draaide de dop weer dicht en gaf hem de fles terug. Hij wilde hem eigenlijk niet in zijn handen voelen, het was heerlijk om te zien dat iemand anders hem vasthad. Hij zette hem op de tafel naast haar drankje en ze keken er allebei met een mengeling van verwondering en wantrouwen naar.

'Ik weet gewoon niet wat ik ervan moet denken,' zei ze.

'Ik ook niet,' zei Eric. Toen reikte hij in zijn zak en haalde de microrecorder tevoorschijn, spoelde zonder iets te zeggen terug en drukte op de afspeeltoets. Daar waren hun stemmen weer, terwijl ze over het water praatten, alles wat ze net hadden gezegd werd herhaald. Hij liet de tape een halve minuut draaien, zette hem toen uit en stopte de recorder weer in zijn zak. Anne McKinney sloeg hem met zowel schrandere als verbaasde ogen gade.

'Daarom neem je alles op. Je wilt er zeker van zijn dat je het je niet verbeeldt. Je wilt zeker weten dat het echt is.'

Hij wist een zwak glimlachje tevoorschijn te toveren en knikte.

'Jongen,' zei ze, 'volgens mij ben je doodsbang.'

20

Danny kwam halverwege de middag langs en Josiah voelde zich prima. Hij had die middag het verandahek geschuurd en geschilderd, met een biertje of drie als gezelschap. Ook grappig, die verandahekken waren al jaren aan een lik verf toe en hij was er nooit aan toegekomen. Hij had verdomme bijna een jaar geleden de verf gekocht, bedacht dat hij er de volgende dag aan zou beginnen, maar die volgende dag schoof steeds verder op, en algauw waren de verfblikken met stof en spinnenwebben overdekt en zag het verandahek er erger uit dan ooit.

Maar vandaag kostte het karweitje hem geen moeite, eenvoudigweg omdat hij iets omhanden moest hebben. Het was een mooie dag, warm en vol beloften, die vroeg erom om meer te doen dan alleen maar op je kont zitten. In de meeste weekenden was Josiah meer dan tevreden om alleen maar op zijn kont te zitten; van maandag tot en met vrijdag werkte hij voor andere mensen en dan vond hij dat hij wel een paar dagen nietsdoen had verdiend. Maar vandaag was het anders, in zijn geest en in zijn lijf, alsof de wind, die in de nacht dat hij op de veranda had geslapen was aangewakkerd, hem dwars door zijn vel een soort energie had gegeven. Zet het in je agenda, lui, vanaf 3 mei nam Josiah Bradford er geen genoegen meer mee zijn tijd af te wachten.

Het was jammer dat hij iemand als Danny Hastings bij zo'n plan moest betrekken, maar sommige dingen kon je nu eenmaal niet in je eentje. Bij sommige dingen had je een beetje hulp nodig, en hoewel Danny in veel opzichten niet ideaal was, was hij overdreven trouw. Ze waren bijna als broertjes opgegroeid, hoewel ze geen bloedverwanten waren, en Josiah had hem gedurende hun jeugd vaker wel dan geen pak slaag gegeven, en toegekeken hoe de kleine sproetige klootzak op z'n dooie akkertje om meer kwam vragen, als een hond die niet weet hoe hij níét van zijn baas moet houden, ook al krijgt hij er met de zweep van langs. Danny was inmiddels wel wat gewend.

Toen Danny in zijn Oldsmobile Cutlass, waar een verkeerde portier in zat, aan kwam rijden, liep Josiah met de verfkwast in zijn hand over de veranda, op zoek naar plekken die nog moesten worden bijgewerkt, maar die vond hij niet. Hij had het grondig aangepakt. Het huis – als je het zo kon noemen – had één slaapkamer en was een bouwvallige puinhoop die rijp was voor de sloop, en Josiah kon niet bedenken waarom hij het ooit had gekocht. Het was door de bank teruggevorderd en hij had het voor een prikkie gekregen, maar nog steeds boven de prijs, en er was niets aantrekkelijks aan, behalve dan het feit dat het zich op een steenworp afstand bevond van wat vroeger Bradford-land was geweest. De Bradfords hadden ooit een grote lap grond bezeten, en van generatie op generatie was dat stukje bij beetje verkocht om de deurwaarders op afstand te houden, afgebrokkeld tot er helemaal niets meer over was. Waarom hij zo dicht bij die herinneringen wilde wonen, wist hij niet, maar op de een of andere manier werd hij er steeds weer naartoe getrokken.

'Verdomme,' zei Danny, die met een bungelende sigaret in zijn mond naast Josiah kwam staan. 'Ik wist bijna zeker dat je dat nooit meer zou schilderen. Wat bezielt je?'

'Verveling,' zei Josiah. Iets aan dat verandahek schonk hem verbazingwekkend veel voldoening, zoals zijn werk schoon, wit en zuiver glom onder de zon. Het glansde alsof hij iets had gepresteerd.

'Maar wel mooi.'

'Vind je ook niet?'

'In elk geval beter dan jij. Die zwarte kerel heeft je goed te pakken gehad, hè? Je oog ziet er verschrikkelijk uit.'

'Het was zo'n klote *sucker punch*,' zei Josiah en hij liep weg. Hij ging naar de kraan die los aan de muur bungelde – hij was al jaren van plan die vast te metselen – draaide de kraan open, deed de kwast onder de straal en wreef er met zijn vingers over, terwijl hij toekeek hoe de witte verf van de haren wegspoelde en wachtte tot zijn woede hetzelfde deed. Het laatste waar hij verdomme iets over wilde horen was wel zijn oog.

'Ik heb een leuk verhaal,' zei Danny, maar Josiah stak een hand op om hem de mond te snoeren; hij had geen geduld om naar de kletspraatjes van Danny te luisteren.

'Weet je nog wat ik je eerder heb gevraagd?' vroeg Josiah.

'Over geld verdienen?'

'Inderdaad.'

'Dat weet ik nog, ja.'

'En doe je mee?'

'Al zou je m'n arm nog zo vaak omdraaien, dan doe ik toch nog mee.'

'Zelfs als het iets was waardoor je een pietsje in de problemen zou kunnen komen als je zo stom bent om gepakt te worden?'

Danny's blozende gezicht werd ernstig, hij haalde de sigaret tussen zijn lippen vandaan, gooide die op het met onkruid overwoekerde grind van de oprijlaan en trapte hem met zijn laarzen uit. Het was niet zo dat hij schrok van dat idee – Josiah en hij hadden vroeger wel vaker de wet overtreden – maar hij was er blijkbaar ook niet opgetogen over.

'Als je maar geen meth gaat koken,' zei hij.

'Jezus, nee.'

Dat leek Danny gerust te stellen. Hij had ooit een maatje gehad, die ze om redenen die Josiah niet meer herinnerde allemaal Tommy Thunder noemden, en was omgekomen toen hij zijn caravan opblies bij het van een partij methamfetamine. Danny, die vóór dat akkefietje zelf drugsgebruiker en -koerier was, had zich er sindsdien verre van gehouden. Er was maar één ontploffing voor nodig om hem bij de les te houden.

'Oké. Prima. Maar waar denk je dan aan?'

Josiah liep via de veranda naar de keuken, kwam terug met twee biertjes, gaf er een aan Danny en maakte de andere voor zichzelf open.

'Kijk je wel eens omhoog als je bij dat verdomde hotel onkruid aan het wieden bent?' vroeg hij. Danny werkte ook als terreinknecht; sterker nog, hij had Josiah dat baantje bezorgd.

'Elke dag,' zei Danny op zijn hoede. Hij had zijn biertje nog niet opengemaakt.

'Is je de laatste tijd iets opgevallen?'

'Er valt me altijd wat op.'

'Hm. Ik heb het over één ding in het bijzonder. Er gebeurt hier van alles en nog wat, congressen, rondleidingen, dat soort shit.'

'Dat weet ik.'

'Heb je gezien welke conferentie er volgende maand plaatsvindt?'

Danny schudde zijn hoofd.

'Edelstenen,' zei Josiah. 'Er komt een tentoonstelling in de hal, dozen diamanten en robijnen en zo. Een berg stenen die miljoenen waard is, Danny. Miljoenen.'

Danny's gezicht vertrok en hij deed een paar stappen opzij, wilde op het verandahek leunen, maar herinnerde zich dat dat nat was en leunde er toch maar niet op.

'Als zoiets je stad binnen komt zeilen,' zei Josiah, 'ben je gek als je daar geen munt uitslaat.'

'Je maakt een geintje, zeker,' zei Danny.

'Helemaal niet. We gaan achter die stenen aan. Zo moeilijk is dat niet. Zie je, ik heb bedacht dat bij brand dat pand binnen een mum van tijd leeg is, en snel ook. Met al die wettelijke verplichtingen die ze hebben? Man, zodra het eerste vlammetje de kop opsteekt, wordt de hele boel ontruimd.'

'Josiah… Denk je niet dat de eigenaars van die stenen daaraan hebben gedacht?'

'Ze kunnen wel overal aan denken, punt is dat ze het niet kunnen tégenhouden. Heb je enig idee hoe het er daar uitziet als er brand uitbreekt? Dat noemen ze chaos, vriend, en weet je wat er tijdens een chaos gebeurt? Dan raken spullen kwijt.'

'Denk je dat ze niet zullen merken…'

'Natuurlijk mérken ze het wel, sukkel, wat ik bedoel is dat als het eenmaal zover is, het te laat is. We zetten de boel in de fik, zodat het gebouw ontruimd wordt en de sprinklers aanspringen, dan grijpen we die kisten en maken dat we wegkomen. Je hoeft je geen zorgen over het alarm te maken, want dan gaan er toch al talloze af, een paar meer of minder maakt dan verdomme ook niets meer uit.'

'Al die edelstenen staan geregistreerd of zoiets,' zei Danny. 'Je kunt ze niet verkopen. Waar moet je ze kwijt? Moeten we naar de lommerd en daar met zulke stenen leuren?'

'We gaan ze niet hier verkopen.'

'Nou ja, dat snap ik ook wel, maar waar dan wel, volgens jou? We kunnen naar de andere kant van het land gaan…'

'We verkopen ze niet in dit land,' zei Josiah zachtjes. Dat trok Danny's aandacht en wat voor zijn versie van een bedachtzame uitdrukking moest doorgaan, trok over zijn gezicht.

'Ik verdwijn,' zei Josiah. 'Je kunt meegaan of niet, daar ga ik niet over. Maar ik ga hier wég.'

'Het is een stom idee,' zei Danny en Josiah was sprakeloos bij zo'n gotspe. Noemde Danny Hastings hém stom? Hij zou naar hem moeten uithalen, dat rode haar van zijn hoofd moeten trekken. Maar dat deed hij niet. In plaats daarvan stond hij daar alleen maar te staren. Er was iets vreemds aan wat Danny zojuist had gezegd, het duurde even voordat Josiah erachter was waarom het zo vreemd was… Danny had gelíjk. Het wás een stom idee.

Stom, maar niet onmogelijk. En Josiah Bradford was bereid om die gok te wagen, net als zo'n dwaas die op vrijdagavond naar het casino ging en wist dat hij werd uitgekleed maar die het geen reet kon schelen. In het uiterste geval zouden ze zich Josiah in deze stad nog heugen. Daar zou hij verdomme wel voor zorgen.

'Het kan,' zei hij, maar zijn stem klonk niet overtuigend. 'Als je de ballen er niet voor hebt, prima. Maar ga me niet vertellen dat het niet kan.'

Danny zweeg. Na een tijdje maakte hij zijn biertje open, dronk een paar slokjes en zweeg, terwijl hij er een beetje onhandig bijstond omdat hij niet op het hek kon leunen. Josiah ging in een van de stoelen zitten, Danny liep naar hem toe en nam de andere.

'Ik moest je nog vertellen dat ik mijn opa vandaag heb gesproken. Hij zei dat iemand in de stad aan het rondvragen is over de oude Campbell.'

Josiah fronste zijn wenkbrauwen en liet zijn biertje zakken. 'Diezelfde klootzak over wie ik je heb verteld?'

'Die zwarte jongen? Nee. Zei dat het nu iemand anders was. Deze is bezig met een soort film. Die zwarte jongen helpt hem daarbij.'

'Een film over Cámpbell?'

Dit was wel raar. Josiahs overgrootvader was door de jaren heen door de ouwe Edgar voor van alles en nog wat uitgemaakt, maar wie wilde er in godsnaam een film over hem maken?

'Edgar loopt te ijlen,' zei hij. 'Een fílm?'

'Tegen mij zei hij,' zei Danny, 'dat een of andere kerel uit Chicago aan een film werkt en hem vandaag over Campbell wilde spreken.'

'Nou, ik zou niet weten waarom iemand zijn tijd aan hem zou verspillen. Campbell heeft helemaal niets achtergelaten, daar teer ik vandaag de dag nog op.'

'Nou, dat zat ik me af te vragen,' zei Danny. 'Als het waar is wat die vent tegen opa heeft gezegd, en hij maakt een film over iemand in jouw familie, is hij je dan niet iets verschuldigd?'

Dat was een puike vraag. Een púíke vraag. Waar haalden die vreemdelingen het recht vandaan om over Josiahs eigen vlees en bloed rond te vragen? Laat staan er nog van te profiteren ook?

'Je zei dat die kerels vandaag naar Edgar zouden gaan?'

'Inderdaad. Ik wilde er zelf naartoe, voor de zekerheid, dat het niet van dat tuig is over wie je wel hoort, wat ze met die oudjes doen en zo, maar jij zei tegen me dat ik langs moest komen…'

Josiah dronk zijn bier op, kneep het blikje fijn en gooide het opzij.

'We gaan met mijn truck.'

21

Eric liet Anne onder de koepel achter toen Kellen belde om te zeggen dat hij in de buurt van het hotel was. Hij nam de fles mee naar zijn kamer en ging buiten staan wachten. Hij voelde zich beter nadat de oude vrouw alles had bevestigd wat hij in de fles had gezien.

Kellen reed in zijn Cayenne met de raampjes omlaag naar het hotel en er dreunde hiphopmuziek uit de speakers. Ouwe kost, Gang Starr, waarschijnlijk uitgebracht toen Eric nog op de middelbare school zat en Kellen misschien zeven was. Eric moest een glimlach onderdrukken toen hij instapte. Een blanke kerel van halverwege de dertig zoals hij, die in een Porsche naar rap ging zitten luisteren… Ah, het was bijna alsof hij weer terug was in Los Angeles.

'Voel je je wel goed?' vroeg Kellen toen Eric instapte.

'Ja. Hoezo?'

'Je ziet er pips uit.'

'Ik ben blank.'

'Ik wist dat er iets raars met je was.' Kellen reed van het hotel weg. Hij droeg jeans en een glimmend wit t-shirt, gemaakt van zogenaamd vocht-absorberende stof, evenals een zonnebril en een zilveren horloge.

'Kun je goed met je broer opschieten?' vroeg Eric terwijl hij in de Porsche rondkeek en bedacht van wie hij hem had gekregen.

'O, ja. We spreken elkaar drie, vier keer per week.'

Eric knikte.

'Je vraagt je zeker af of het moeilijk is,' zei Kellen. 'Om zijn broer te zijn. Om degene te zijn die niet beroemd is.'

'Nee, dat deed ik niet,' loog Eric.

'Man, dat vraagt iedereen zich af. Het is oké, het geeft niet.'

Eric wachtte.

'Ik ben dol op mijn broer,' zei Kellen. 'Ik ben trots op hem.' Hij zei het met een felheid die eerder op zichzelf gericht leek dan op Eric. 'Maar wil je 't echt weten? Nee, het is niet gemakkelijk. Natuurlijk niet.'

'Dat lijkt me ook niet.'

'Ik zou de professionele basketbalspeler worden. Dat was mijn toekomst. Dat wist ik zeker. Tegen de tijd dat ik in de achtste groep zat, was ik een meter negentig en een spórtman, weet je wel? Toen ik nog bij de amateurs zat, kwamen coaches van de ACC, Big Ten, Big East langs om naar me te kijken, allemaal. Toen was ik veertien.

Bovendien had ik een geweldig studiehoofd, zat altijd in de boeken. Maar wil je weten waarom? En dit is echt waar, man, ik zweer 't, ik werkte aan mijn image voor het geval ik bij de league kwam. De NBA. Ik zou de paradox worden, weet je wel, de professionele sportman die ook nog gestudeerd had. Ik had het helemaal in mijn hoofd, hoe ik tijdens persconferenties vergelijkingen zou maken tussen wedstrijden en veldslagen, coaches en generaals, scheidsrechters en diplomaten. Ik plande de interviews al van tevoren, niet gelogen. Ik hóórde ze, man, hoorde wat de presentatoren over me zouden zeggen, ik hoorde het alsof het echt was.'

Eric keek de andere kant op, schaamde zich, niet voor Kellen maar voor zichzelf. Kellen beschreef de fantasie van een kind. Hij beschreef ook Eric toen die zelf in de twintig was. En, verdomme, een groot deel als vroege dertiger, toen hij had verzonnen dat filmrecensenten voortdurend over films jubelden die hij nooit zou maken. Hij was ervan overtuigd dat het slechts een kwestie van tijd was voor die fantasieën werkelijkheid werden. Daar was hij zeker van geweest.

'Als je écht jong bent, kijken alle coaches alleen maar naar wat je kunt,' zei Kellen. 'En, vriend, ik kon dingen. Ik was lang, snel, sterk. Ik had niet dat gevoel met het spel zoals de andere kinderen dat hadden, maar dat kwam toch vanzelf? Nou, bij mij dus niet. Nooit. Ik hoorde het woord "focus" zo vaak dat het ongeveer m'n roepnaam had kunnen zijn, maar ik kon gewoon niet in die flow komen die ik nodig had, kon me nooit in het ritme ervan verliezen. Toen de andere kinderen op de middelbare school even lang werden als ik, werd dat al snel duidelijk.'

Ze reden nu over de kronkelige landwegen door de heuvels ten zuiden van het hotel.

'Mijn broer heeft dat spel in zijn vingers,' zei Kellen. 'Als hij speelt, bestaat er verder niets. Níéts. Hij ziet alles van tevoren aankomen, als kind al. Hij loopt in een snelle counter het veld over, gaat meteen naar links, vervolgens wil iemand hem de pas afsnijden, hij ziet vlak daarvoor dat hij dat van plan is en is hem dus te slim af... hij was aalglad. Onmiskenbaar. Maar hij was ook een knulletje, zo schriel als wat. Dus het maakte niet zo veel uit.'

Eric zweeg, wachtte af.

'Mijn eerste jaar op de middelbare school,' zei Kellen, 'speelde ik een wedstrijd voor een paar grote coaches. En toen heb ik het gewoon verknald. Ik scoorde dertien punten en had acht rebounds, maar verloor bijna twee keer zo vaak de bal. Ze hadden zo'n klein, snel team dat voortdurend druk zette en me steeds op de huid zat. Ik kon er niet mee omgaan. Elke keer als ik had besloten wat ik met de bal ging doen, was ik een halve seconde te laat. Rampzalig gewoon.

Dat was op een vrijdagavond, en de volgende middag ga ik met mijn ouders naar een wedstrijd van de achtste groep kijken, waarin mijn broer meespeelde. En Darnell, hij liep gewoon over ze heen. Alsof het niets was. Geen levende ziel op dat veld kon zich zelfs maar vóórstellen ooit op zijn niveau te kunnen spelen. Hij dribbelde wanneer hij daar zin in had, schoot wanneer hij maar wilde, passte wanneer hij niet schoot, stal de bal van de tegenpartij alsof ze de deuren open hadden laten staan en ladders onder de ramen hadden gezet. Het was gewoon gemeen. Na afloop ben ik het veld op gegaan en heb hem gefeliciteerd, maar het was niet van harte.'

Hij wreef met een hand over zijn achterhoofd, boog zich dicht naar het stuur toe.

'Die avond zat hij in de woonkamer tv te kijken; ik liep naar binnen en zette hem zonder een woord te zeggen op een andere zender. Hij werd natuurlijk pisnijdig en ik stortte me boven op hem. Ik gooide hem met z'n reet over de bank, sloeg hem en had mijn handen om zijn keel toen mijn vader binnenkwam en me van hem af sleurde.'

Hij glimlachte meesmuilend. 'Mijn vader is bepaald geen kleine man. Hij nam me mee de tuin in en heeft me een pak op m'n donder gegeven. Hij sloeg me alle kanten op en bleef maar komen, en ondertussen zei hij voortdurend: "Op wie ben je nou eigenlijk kwaad? Op wie ben je nou eigenlijk kwaad?" Steeds maar weer met die heel zachte stem: "Op wie ben je nou eigenlijk kwaad?" Want hij had mijn wedstrijd gezien, en die van mijn broer, weet je, en hij begreep wat er aan de hand was. Hij begreep het beter dan ik.'

'Ben je uiteindelijk collegebasketbal gaan spelen?' zei Eric.

'Nee. Ik kreeg beurzen aangeboden voor kleine D-1 scholen, maar ik hoorde niet bij de besten. En als ik niet op dat niveau kon spelen, hoefde het voor mij niet. Sommige mensen zouden dat als afnokken beschouwen. Ik noem het begrijpen. Want ik ben nooit met spelen opgehouden, ik heb mezelf tot op de laatste seconde van mijn middelbareschoolcarrière een schop onder m'n kont gegeven. Maar basketbal, dat was niet voor mij weggelegd. En dat heb ik leren begrijpen. Ik had een heel hoog gemiddeld schoolcijfer, wat een aanvulling op mijn sport had moeten zijn, zou je denken. Nou, dat ging anders. Ik verlegde m'n focus, kreeg een universitaire beurs, haalde daarna een graad en toen mijn master, en nu ga ik promoveren. Ik ben góéd in wat ik doe, oké? Maar het is geen basketbal. Dat is niet afnokken. Dat is veranderen. Dat is groei.'

'Het komt goed uit dat je een innemende jongen bent,' zei Eric. 'Want als er íéts erger is dan een wijze oude man, dan is het wel een wijze jonge.'

'Man, het klinkt alleen maar zo goed omdat ik heel veel tijd heb gehad om erover na te denken,' zei Kellen lachend, en toen trapte hij op de rem, gaf een ruk aan het stuur, stoof de weg af en een hobbelig grindpad op. 'Verdomme. Ik had 'm bijna gemist.'

Hier zag het er heel anders uit dan bij Anne McKinney. In plaats van het goed onderhouden huis met twee verdiepingen op de heuvel, omringd door windmolens en windvanen, stond hier een klein huis met kromgetrokken en afgebladderde muren, met aan de voorkant een goot die aan één kant zo'n dertig centimeter onder het dak hing. Boven op het dak stond een ouderwetse antenne, die onnatuurlijk scheef stond en onder de roest zat. Op nog geen tien meter afstand van het huis stond een caravan op blokken en er was slechts één grindpad en één brievenbus.

'Weet jij waar we moeten zijn?' vroeg Eric.

'Hij zei tegen me dat ik naar het huis moest komen.'

Kellen parkeerde voor de caravan, ze stapten uit en sloegen de portieren dicht. Op dat moment dook uit het hoge onkruid dat langs de bakstenen fundering van het huis groeide een hond met een lange, goudkleurige vacht op. Eric verstarde, bedacht dat dit het soort plek was waar eerst gebeten en dan pas geblaft werd, maar toen hij zag dat de hond met zijn staart kwispelde, liet hij zijn hand zakken en knipte met zijn vingers. De hond liep naar ze toe met de stijve tred die op reumatische heupen duidde en rook aan Erics hand, daarna duwde hij zijn snoet tegen zijn been, terwijl hij sneller met zijn staart ging kwispelen.

'Allemansvriend,' zei Kellen.

Het was een bastaard, waarschijnlijk een kruising tussen een golden retriever en een herder, en hij was zo braaf als wat. Eric krabde hem even achter de oren voordat ze naar het huis gingen, terwijl de hond naast hem meeliep alsof ze altijd al samen waren geweest. Alleen de hordeur was dicht en toen ze daar waren, riep Kellen hardop hallo in plaats van te kloppen.

'Hij is open,' zei iemand aan de andere kant.

Kellen trok de hordeur naar zich toe en de hond schoot langs hen heen. Eric graaide nog naar zijn nek, maar hij had geen halsband om, en toen was het beest in huis, zijn nagels tikten op de oude houten vloer.

'Waarom hebben jullie hem verdomme binnengelaten?' schreeuwde de stem binnen. 'Hij gaat hier erger tekeer dan een tornado.'

'Sorry,' zei Kellen. Hij stapte naar binnen, Eric liep achter hem aan en zag Edgar Hastings voor het eerst; een man met wit haar, een hoekig gezicht, in een blauw flanellen shirt, die in een stoel in de hoek van de kamer zat. De tv was aan, maar het geluid stond uit. In het zakje van zijn flanellen shirt zat een pakje sigaretten en er lag een kruiswoordpuzzel op zijn schoot. Er was één woord ingevuld. Op de bijzettafeltjes om hem heen stonden een stuk of zes limonadeglazen, allemaal met een laagje van iets wat op verschaalde cola leek.

'Ik breng hem wel weer naar buiten,' zei Kellen. De hond was 'm nu naar de keuken gesmeerd en sloeg hen van achter de tafel gade, en iets in zijn blik vertelde Eric dat die reumatische heupen een verdomd stuk losser werden wanneer de hond niet gepakt en uit huis gezet wilde worden.

'O, maak je om Riley maar niet druk. Die krijg ik er wel op tijd uit. Ga maar op de slaapbank zitten.'

Slaapbank. Dat woord had Eric al een tijdje niet gehoord. Hij en Kellen gingen op de slaapbank zitten die Edgar hen had gewezen, waar op de plek van Kellen een veer uitstak. En Riley, alsof hij merkte dat de dreiging van een naderende uithuiszetting was geweken, kwam weer terug en liet zich aan Erics voeten vallen.

'Leuke hond,' zei Eric.

'Van mijn kleinzoon, niet van mij. Hij woont in de caravan.' Edgar bekeek Eric met een onaangedane, loensende blik. Zijn gezicht was als een spinnenweb zo gerimpeld, zelfs zijn lippen waren dat, en op zijn kin zat een stoppelbaardje. 'Vertel me nou maar waarom jullie in godsnaam iets over Campbell Bradford willen weten.'

'Nou, Eric is geïnteresseerd in iemand die ook zo heet,' zei Kellen, 'maar we weten niet zeker of het wel dezelfde persoon is. Zijn Campbell leeft nog.'

De oude man schudde zijn hoofd. 'Dan is het de verkeerde. Hij moet allang dood zijn. Wie heeft je met die vragen hierheen gestuurd?'

'Een vrouw in Chicago,' zei Eric. 'Zij is een familielid van Campbell, maar haar Campbell is nu vijfennegentig.'

'Dat is iemand anders,' zei Edgar op effen toon. 'Je had beter even kunnen bellen.'

'Nou, mijn Campbell beweert dat hij in deze stad is opgegroeid. Dat hij als tiener is weggegaan.'

'Dan liegt-ie,' zegt Edgar.

'U beweert dat u iedereen in de stad kent?'

'Ik ken iedereen die Bradford heet, en ik ken ábsoluut iedereen die Campbell Bradford heet! Verdomme, iedereen uit mijn tijd zou hem kennen. Er was altijd maar één Campbell Bradford in dit dal, dus als die man van jou je iets anders wijsmaakt, liegt-ie. Maar ik zou niet weten waarom iemand dat in godsnaam zou willen. Hij was niet het soort man voor wie je je wilt uitgeven. Campbell was in en in slecht.'

'Sorry?'

'Hij was zo waardeloos als waardeloos maar zijn kan, hield zich met iedere gokker en al het gannef op die ooit naar de stad kwamen, liet zijn familie volkomen links liggen. Hield puur voor overspel een hotelkamer aan, dronk de hele dag door, wist van elke waarheid een leugen te maken. Hij nam de benen en liet zijn vrouw zonder een cent achter, en toen zij stierf moesten mijn ouders het kind in huis nemen. Dat deden de mensen in die tijd nog. Mijn ouders waren christelijke mensen en

135

zij geloofden dat dat hun plicht was, dus deden ze dat.'

Dat laatste zei hij een tikje uitdagend.

'Hij klinkt niet bepaald indrukwekkend, dat moet ik toegeven,' zei Eric.

'Campbell ging nog veel verder,' antwoordde Edgar. 'Zoals ik je al zei, was die man slechter dan slecht. De duivel was in hem gevaren.'

'De dúível?' vroeg Eric met een meesmuilend glimlachje.

'Daar kun je grappig over doen, maar dat is het niet. Já, hij was duivels. Dat was hij zo waar als ik hier zit. Het is verdomme bijna tachtig jaar geleden dat die vent ertussenuit is geknepen. Ik was nog maar een jongen. Maar ik herinner me hem net zo goed als m'n eigen vrouw, God hebbe haar ziel. Je hart verkilde bij die man. Mijn ouders zagen het, iedereen zag het. Die man was het kwaad in eigen persoon. Kwam midden in de hoogtijdagen naar de stad, legde het aan met gokkers en whiskysmokkelaars, maakte het soort geld dat je niet met eerlijk werk verdiende.'

Eric voelde zijn schedel onaangenaam bonzen en werd weer door hoofdpijn overvallen.

'U zei tegen me dat Campbell geen andere familie heeft achtergelaten dan Josiah,' zei Kellen.

'Dat klopt. Josiah is Campbells achterkleinkind, de laatste echte telg van het geslacht Campbell, voor zover iemand dat in deze contreien althans weet. Ik vermoed dat ik zelf zo'n beetje een grootvader voor hem ben, hoewel ik dat vaak genoeg niet graag zou willen beweren. Josiah is een lastig portret.'

Kellen verborg een lachje door in zijn vuist te kuchen en keek Eric geamuseerd aan.

'Ik bedoel, we waren net familie, weet je, ook al is er van die kant geen sprake van bloedverwantschap,' zei Edgar Hastings. 'Josiahs moeder noemde me ome Ed, en ik beschouwde haar als een nicht. We waren ook dik met elkaar. Heel erg.'

De kamer scheen Eric nu kleiner toe, alsof de muren opeens naar hem toe waren geslopen, en hij werd zich bewuster van de warmte, voelde dat het zweet zich uit zijn poriën wurmde en langs zijn kin gleed. Hoe hield Edgar Hastings het hierbinnen in godsnaam in een flanellen shirt uit? Hij haalde zijn hand van de kop van de hond die bij wijze van reactie jankte, eerder vragend dan klagend.

'Ik zei jullie al, ik begrijp gewoon niet waarom jullie al die moeite doen om over zo'n man een film te maken,' zei Edgar. 'Ik vind trouwens sowieso dat de meeste films geen knip voor de neus waard zijn. Ik heb die tv van vroeg tot laat aanstaan en heb nog nooit iemand gezien die de moeite van het bekijken waard is.'

Dat vond Kellen opnieuw grappig, maar de glimlach stierf van zijn gezicht weg toen Edgar vlug naar hem keek, en Kellen zei: 'Eh, dus het kán eenvoudigweg niet zo zijn dat de Campbell die uit deze stad is vertrokken nog steeds in Chicago leeft?'

'Nee. Hij is in de herfst van negenentwintig vertrokken, en toen was hij in de dertig.'

'Heeft hij dan misschien na zijn vertrek nog een zoon gekregen?' vroeg Eric. 'Dat hij zijn zoon dezelfde naam heeft gegeven?'

'Jezus, na zijn vertrek is alles mogelijk.'

'En bestaat er een kans dat hij naar de stad is teruggekeerd, of zijn zoon heeft teruggebracht...?'

'Uitgesloten.' Edgar schudde meevoelend zijn hoofd.

'U hebt de man persoonlijk ontmoet,' zei Eric. 'Klopt dat?'

'Ja. Ik was nog maar een jongen toen hij wegging, maar ik kan me hem nog herinneren en ik was als de dood voor hem, dat herinner ik me ook. Hij kwam wel eens langs, praatte en glimlachte tegen me, en er was iets in de ogen van die man waardoor je maag omdraaide.'

'U vertelde me dat hij in de dranksmokkel zat,' zei Kellen.

'O, absoluut. Naar verluidt kon Campbell de beste drank in het dal leveren, en tijdens de drooglegging zwom het dal in de drank. Mijn vader dronk niet veel, maar hij zei dat Campbells whisky een man het gevoel gaf dat hij de hele wereld aankon.'

'Zulke drank maken ze nog steeds,' zei Eric met een grijns die Edgar niet beantwoordde.

'Ik heb gezien hoe goede mannen door de drank aan lager wal raakten,' zei hij. 'Vroeger dronk ik er nog wel een paar, maar om je de waarheid te zeggen blijf ik er zo ver mogelijk bij uit de buurt. Een man raakt er dingen door kwijt. Kijk naar mijn kleinzoon, hij is dertig en weet niet eens van mijn terrein weg te komen. Het is een goeie jongen, hoor, hij bedoelt het goed, maar hij is aan de drank. Als ik er niet was geweest, wie weet wat er dan van hem was geworden. Mijn vrouw wist nog het beste met hem om te gaan, maar die is negen jaar geleden overleden.'

'Dus hij was een dranksmokkelaar,' zei Eric. 'Illegaal, ja, maar niet duïvels. Ik zie niet…'

'Campbell zorgde ervoor dat bij bepaalde zaakjes het gevestigde gezag in deze stad werd omgekocht,' zei Edgar. 'Bij alle zaakjes waar hij bij betrokken was. Als ze weigerden, gingen ze eraan. In die tijd was een neef van mijn vader hulpsheriff. Een goeie vent. Hij wilde onderzoek doen naar Campbell in verband met een moord op een man die onder een paar schulden uit wilde komen. Wilde hem aanklagen, dacht dat hij bewijzen had. Zei tegen de mensen in de stad dat hij Campbell aan de schandpaal zou nagelen. Bij wijze van spreken, weet je wel.'

Niemand zei iets toen Edgar zweeg en Eric met uitdrukkingsloze ogen aanstaarde.

'Ze vonden die hulpsheriff aan de muur van zijn eigen schuur genageld. Letterlijk. Had grote spijkers door zijn handpalmen, polsen en nek. En door zijn geslachtsdelen.'

De hond jankte opnieuw aan Erics voeten.

'Heeft iemand geprobeerd Campbell daarvoor te arresteren?' vroeg Kellen.

Edgar schonk hem een verdrietig glimlachje. 'Dat dacht ik niet. Sterker nog, volgens mij maakte het de zaken er voor Campbell alleen maar gemakkelijker op. Degenen die van plan waren hem de voet dwars te zetten, nou, die krabden zich nog eens achter de oren.'

Op dat moment hoorden ze het geluid van een motor en zich door grind ploegende banden, en Eric en Kellen draaiden hun gezicht naar het raam terwijl de hond blafte en opstond.

Het was een oude Ford Ranger met twee mannen erin. Hij kwam vlak achter Kellens Porsche tot stilstand, de portieren werden opengesmeten en de mannen stapten uit. Een korte, roodharige man aan de passagierskant en aan de bestuurderskant een slanke, donkerharige…

'O, shit,' zei Eric. De bestuurder was Josiah Bradford.

'Wie is daar?' zei Edgar terwijl hij zich uit zijn stoel omhoogduwde en door het raam tuurde. 'O, verdorie, alleen maar mijn kleinzoon en Josiah. Misschien wel goed om met Josiah kennis te maken. Zoals ik al zei is hij de laatste telg uit het geslacht Campbell.'

'We hebben al kennis met hem gemaakt,' zei Kellen zachtjes, en hij bleef op de bank zitten terwijl Eric opstond en naar de deur liep.

22

Eric keek door de hordeur toen de roodharige man naar de veranda liep en Josiah Bradford achterbleef en op de oprit naar de Porsche bleef staan staren. Hij stond die nog steeds te bestuderen toen zijn metgezel zonder kloppen door de hordeur naar binnen ging. Edgar Hastings' kleinzoon kwam met opgezette borst snoevend binnen, als een cowboy die een saloon binnenvalt, maar toen hij Eric zo dicht bij de deur zag staan, aarzelde hij een onbeholpen moment, en Edgar zei: 'Verdomme, Danny, waar zijn je manieren?'

De roodharige keek naar zijn grootvader, toen weer naar Eric, en stak schoorvoetend zijn hand uit.

'Danny Hastings,' zei hij.

Toen kwam Josiah Bradford snel van de Porsche aanlopen, hij liep haastig de trap op, de veranda over en de deur door. De deur sloeg tegen de muur, zijn ogen vonden die van Eric en daarna verplaatste hij zijn blik naar Kellen op de bank. Kellen zwaaide even naar hem en wiebelde met zijn wenkbrauwen, net als Groucho Marx, als Groucho tenminste ruim een meter negentig en zwart was geweest.

'Edgar, hebben deze klootzakken naar mijn familie gevraagd?' vroeg Josiah.

Danny stond nog steeds met uitgestoken hand; Eric schudde die en zei: 'Aangenaam. Ik ben Eric Shaw.'

Danny trok zijn hand terug alsof hij hete kolen had aangeraakt, deed toen snel een stap opzij en keek Josiah vragend aan. Josiah stond met wijd uit elkaar staande voeten in de deuropening. Kellen had zich op de bank nog niet verroerd. Nu leunde hij achterover tegen het kussen, rekte zich uit, vlocht zijn vingers achter zijn hoofd en sloeg ze zonder belangstelling gade alsof het tafereel zich op de tv afspeelde in plaats van anderhalve meter bij hem vandaan.

'Ken je hen?' vroeg Edgar aan Josiah. En toen aan Eric: 'Ik dacht dat je uit Chicago kwam?'

'Dat is ook zo,' zei Eric. 'Ben gisteren aangekomen. Ik ben hier nog geen vierentwintig uur, maar dat was lang genoeg om met Josiah kennis te maken en een optater van hem te krijgen.'

'Dat lastige portret waar u het net over had zijn we inderdaad al tegen-gekomen,' zei Kellen tegen Edgar.

'Ik had je gisteravond in elkaar moeten rossen en dat zal ik vandaag ze-ker doen,' zei Josiah terwijl hij de woonkamer in stapte. De hond maakte zich uit de voeten en ging achter de tafel en stoelen in de keuken staan. Het was duidelijk dat Riley wist welk vlees hij met Josiah in de kuip had.

Josiah bracht zijn gezicht een paar centimeter van dat van Eric. 'Wie ben jij en waar haal je het recht vandaan om in mijn stad over mijn familie rond te vragen?'

Eric keek naar het verweerde gezicht van de ander, door de zon verbrand en door de wind gehard. De huid onder zijn rechteroog was opgezwollen en verkleurd, doortrokken met paarse en zwarte strepen, een aandenken aan Kellens linkse. Eric merkte dat hij ernaar staarde, iets aan de kleur van de kneuzing deed hem denken aan de stormwolk die hij met de trein had zien aankomen. Boven de verwonding waren Josiah Bradfords ogen van een donker, vochtig bruin dat hem bekend voorkwam. Campbells ogen? Nee. Eric had Campbell die ochtend nog op tape gezien en wist heel zeker dat diens ogen blauw waren. Maar toch had hij deze ogen eerder gezien. Ze waren de ogen van de man op de trein, de man die piano had gespeeld.

'Ik stelde je een vraag, dikkop,' zei Josiah.

'Ik ben ingehuurd om een geschiedenisvideo te maken,' zei Eric, die niet langer in Josiah Bradfords ogen wilde staren, maar zijn ogen er niet van kon afwenden. 'Mijn cliënt wilde dat ik meer over Campbell Bradford te weten kwam. Voordat ik hier gisteren aankwam, wist ik helemaal niets van jou, je familie of wie dan ook hier. Ik had verdomme al helemaal niet verwacht dat jij je op de eerste avond dat ik in de stad ben als een idioot zou gedragen en een robbertje met me wilde vechten.'

Hoe langer Eric in Josiahs ogen keek, hoe erger zijn hoofdpijn werd. Die was tot zo'n intense pijn aangezwollen en nam hem zozeer in beslag dat hij er zelfs door dit gedoe niet van afgeleid kon worden. Hij wendde zich van hem af en zoog lucht door zijn mond, kromp ineen een stak onwillekeurig zijn hand uit naar zijn achterhoofd.

'Heb je weer gevochten?' zei Edgar. 'Josiah, ik zweer 't, je bent hope-loos.'

'Ze waren op zoek naar mot, Edgar.'

'Lulkoek.'

'Ah, hij was gisteren alleen maar wat met ons aan het dollen,' zei Kellen. 'Hé, Edgar, ken je die mop van de nikker in de bontjas?'

Josiah stak zijn arm op en wees naar Kellen. 'Pas op, jij.'

'Pas jij maar op,' riep Edgar. 'Ik wil dit niet in mijn huis hebben.'

Josiah liet zijn arm zakken, negeerde de oude man en keek weer naar Eric. 'Ik wil weten waarom je hier over mijn familie rondvraagt.'

'Dat heb ik je al gezegd,' zei Eric en hij moest met afgewend hoofd praten. Hij hield niet van die lichaamstaal, daardoor gaf hij de indruk dat hij geïntimideerd was, maar hij kon het niet verdragen hem in de ogen te kijken, want dan flakkerde de pijn weer op.

'Je hebt me helemaal niets verteld. Een film? Gelul. Waar zijn de camera's dan?'

Er trok een glimlachje over Erics gezicht.

'Denk je soms dat je grappig bent door me zo in de zeik te nemen? Ik sla je hier ter plekke in elkaar, man.'

'Als je dat maar uit je hoofd laat,' zei Edgar en zijn kleinzoon zei bijna fluisterend bij de deur: 'Hou je gemak een beetje, Josiah.'

'Waar zijn de camera's?' herhaalde Josiah.

'Vanochtend had ik wat probleempjes met mijn apparatuur.'

'Ik geloof je niet.'

Eric haalde zijn schouders op.

'Wie maakt die film?' zei Josiah. 'En waarom?'

'Ik heb geen zin om die vraag te beantwoorden,' zei Eric en deze keer hief hij zijn hoofd op om Josiah Bradford in het gezicht te kijken, terwijl hij ervoor zorgde zijn blik op het midden van Josiahs neus te richten en een direct contact met die vochtige bruine ogen te vermijden.

'Nou, kerel, ik zal je eens laten zien waar ík zin in heb,' zei Josiah, en hij deed een stap naar voren en stootte met zijn borst tegen die van Eric. Eric gaf geen krimp terwijl Edgar Josiah toeschreeuwde dat hij zich gedeisd moest houden en Danny Hastings ongemakkelijk bij de deur heen een weer schoof. Kellen strekte geeuwend zijn benen uit en legde zijn voeten op de salontafel.

'Je hebt het recht niet om over mijn familie rond te vragen,' zei Josiah en zijn warme adem stonk naar bier. 'Heb je vragen? Dan mag je voor de antwoorden dokken. Als je iets over mijn familie wilt beweren, heb ik recht op geld.'

'Nee,' zei Eric, 'dat heb je niet. Misschien heb je nog nooit van het woord "biografie" gehoord. Het zou me niets verbazen. Zelfs als ik over jóú een film zou willen maken, klootzak, dan heb ik daar het volste recht toe. Het goede nieuws is dat niemand ter wereld daarin geïnteresseerd is. Dus wees gerust, dat gebeurt echt niet. Intussen, als jij me nog een keer bedreigt, mijn vriend aanvalt of nog meer van je pathetische, kinderachtige geintjes uithaalt, dan zorg ik ervoor dat je met je reet in het gevang belandt.'

'Dat kent-ie al vanbinnen,' zei Edgar vanuit zijn stoel. 'Je zal toch echt iets anders moeten verzinnen om hem te overtuigen.'

'Smoel dicht, Edgar,' zei Josiah, zijn ogen nog altijd op Eric gericht.

'Hé,' zei Danny Hastings. 'Dat zeg je niet.'

'Bedankt voor je tijd, Edgar,' zei Eric. 'Je hebt ons erg geholpen.'

Hij liep langs Danny en draaide zich met zijn hand op de deurkruk om terwijl hij toekeek hoe Kellen langzaam overeind kwam, zich tot zijn volle lengte uitvouwde en de kamer vulde.

'Sodemieter op,' zei Josiah.

Kellen glimlachte naar hem. Toen boog hij zich over de salontafel heen om Edgar Hastings de hand te schudden, liep vervolgens vlak langs Josiah zonder die aan te raken of aan te kijken, knikte naar Danny en liep naar Eric bij de deur. Eric duwde die open en ze liepen naar buiten. Ze waren halverwege de auto toen Josiah achter hen aankwam en ze nog een afscheidsgroet na schreeuwde.

'Je kunt de naam Campbell Bradford maar beter vergeten!' schreeuwde hij. 'Gesnopen? Zet die naam zelfs maar uit je hoofd.'

Geen van hen reageerde. Eric hield zijn ogen op de binnenspiegel gericht terwijl Kellen de Porsche startte en om de pick-uptruck heen achteruitreed, maar Josiah bleef op de veranda.

'Nou, dat was dikke pret,' zei Kellen terwijl hij van de oprit wegreed. 'Dat was de trip vanuit Bloomington zeker waard.'

'Sorry.'

'Nee, nee, ik meen het. Ik zou nog een uur extra hebben omgereden om dit mee te maken. Zag je zijn oog?' Hij lachte. 'Ah, dat heeft mijn hele dag goedgemaakt. Zag je dat hij vandaag een ietsiepietsie minder stoer was? Geen vuisten, geen moppen.'

'Dat heb ik gemerkt, ja.'

'Ja, nou, dat heb je met een blauw oog.'

Niet ver van het huis reed een blauw bestelbusje van de berm weg en Kellen kwam er gevaarlijk dichtbij, schampte bijna zijn zijkant omdat hij minstens dertig kilometer te hard reed.

Kellen keek naar Eric terwijl zijn ogen schuilgingen achter de zonnebril. 'Mag ik je wat vragen?'

'Ga je gang.'

'Als je bedenkt dat jouw Campbell wellicht niet in deze stad heeft gewoond, heb je er dan bij stilgestaan dat hij domweg zit te liegen? Dat hij misschien zijn hele leven iemand anders is geweest dan hij voorgeeft te zijn?'

'Ja.'

'In die hoedanigheid is hij succesvol, rijk en heeft hij een gezin,' zei Kellen, 'maar hij heeft de identiteit aangenomen van een klootzak uit een stadje in een andere staat. Waarom zou iemand dat in hemelsnaam doen?'

'Ik denk,' zei Eric, 'dat dat de hamvraag gaat worden. Ik wil jou ook iets voorleggen, maar ik vermoed dat als je dat hebt gehoord, je me waarschijnlijk uit je auto wilt zetten.'

Kellen hield verward zijn hoofd schuin. 'Wat dan?'

'Het klinkt krankzinnig, man.'

'Daar kan ik wel mee overweg.'

'Het punt is... ik heb Josiahs overgrootvader eerder gezien. Ik heb díé Campbell gezien. Ik ben er bijna zeker van. En hij is niet dezelfde vent als de man die ik in Chicago heb ontmoet.'

'Waar heb je hem dan gezien?'

'In een visioen,' zei Eric. Kellen tuitte zijn lippen en knikte langzaam, bedachtzaam... Ja hoor, in een visioen, logisch.

'Je hoeft het niet te geloven,' zei Eric, 'maar voordat je je een oordeel vormt, wil ik je graag een fles water laten zien.'

23

Om vijf uur zakte de barometer een beetje en aan de westelijke hemel ontstonden wolkenflarden. Het waren cirri, vederwolken, en ze bevonden zich heel hoog in de atmosfeer, op zevenhonderd, duizend, misschien wel veertienhonderd meter. De naam cirrus was een Latijnse term voor een haarlok, en daar leken ze vandaag dan ook precies op, fijne witte sliertjes hoog tegen een achtergrond van kobaltblauw.

Ze leken bijna stil te staan, gevangen tegen de westelijke horizon, maar Anne wist dat ze zich in werkelijkheid gestaag voortbewogen. Het probleem was dat ze zó hoog waren dat je niet kon zien hoe snel ze gingen. Het waren kalme wolken, ze zagen er stil en vredig uit, maar ze kondigden ook een weersverandering aan. Zulke hoge vederwolken waren een teken dat het weer zou verslechteren en de wind op termijn zou aanwakkeren. Er bestond zelfs een uitdrukking voor: 'Zie je in de lucht een schilderskwast, dan wakkert de wind snel aan, zo zeker en vast'. Het interessante van de wolken van vandaag was dat de wind nú al aanwakkerde. Dat was gisteren ook al zo. Dus dat betekende dat er iets heftigers aan zat te komen…

Ze noteerde de veranderingen in haar logboek, ging toen naar binnen en maakte een groentesoep klaar. De weersveranderingen hielden haar minder bezig dan anders. Haar gedachten waren bij de vreemde man uit Chicago, Eric Shaw, en die bizarre fles Plutowater. Ze had nog nooit zoiets meegemaakt. Zo koud. En de man zelf, nou, die was bang. Zo veel was wel duidelijk geweest.

Ze had meer dan genoeg volksverhalen over Plutowater gehoord, maar zelfs in de wildste verhalen werd beweerd dat het om genezing ging, niet om een vloek. Ze kon zich geen enkel relaas herinneren over visioenen en voorgevoelens. De stad had zijn portie spookverhalen, zonder meer, geen ervan hield echter verband met Plutowater. Maar ze geloofde Shaw, geloofde in elk geval dat de visioenen pas waren opgetreden nadat hij van het water had geproefd. En daar was ze niet zo verbaasd over.

Dit dal, al zo vele jaren, zo vele tientallen jaren, haar thuis, was een vreemde plek. Er was iets magisch aan, daar was ze zeker van, maar hier werden goede jaren vaak gevolgd door slechte, perioden van rijkdom afgewisseld door armoede, gloriedagen door tragedies. Alles in het dal leek in een permanente staat van eb en vloed te verkeren, in tegenstelling tot welke plek ook die ze ooit had gekend. Ze had daar zo haar eigen ideeën over, maar die waren niet van het soort dat je rondbazuinde. Nee, met dat soort ideeën was je algauw het mikpunt van spot.

Ze zette de soep op het fornuis, liep de keuken uit, keek naar de trap die ze al in geen weken met een voet had aangeraakt. Nou, tijd om naar boven te gaan. Ze hield zich aan de leuning vast en liep langzaam naar boven, probeerde er niet aan te denken dat ze zou kunnen vallen, en liep een van de lege slaapkamers binnen, de kamer die ooit van haar dochter Alice was geweest, en ze trok de kastdeur open. Een stapel met tape dichtgeplakte kartonnen dozen staarde haar aan, muf en met stof bedekt. Een paar jaar geleden zou ze nog geweten hebben in welke doos de flessen zaten, maar het was al zo lang geleden sinds ze die had geopend dat ze er nu geen idee van had. Er zat niets anders op dan met de bovenste doos te beginnen. Ze waren zwaarder dan ze had verwacht, dit zou ze eigenlijk niet in haar eentje moeten doen, maar ze wist dat de inhoud zorgvuldig was ingepakt en dat die wel tegen een stootje kon. Ze trok aan de doos op de eerste stapel tot die begon te vallen en stak net op tijd haar voet uit. Hij kwam met een luide klap op de grond terecht en het stof waaide op. Ze haalde haar naaischaar tevoorschijn en knipte de tape open.

De flessen zaten pas in de derde doos en tegen de tijd dat ze die open had, schreeuwden haar gewrichten het uit, was ze uitgeput en geloofde ze zelfs niet dat ze nog in staat was de soep op te eten; ze wilde alleen maar liggen en haar ogen dichtdoen. Toen ze het plakband van de derde doos had doorgeknipt vatte ze weer wat moed; het feit dat dit de goede doos was, gaf haar weer een beetje energie. Er zaten bijna dertig verschillende flessen in de doos, allemaal beschermd door bubbeltjesplastic met een datum erop. Het duurde even voor ze dezelfde had als die Eric haar had laten zien. Over de verpakking zat een stuk afplakband met daarop het jaartal 1929 geschreven. Ze had gelijk gehad.

Ze haalde het plastic van de fles en hield hem in haar hand. Hij voelde koel aan, maar dat was van nature zo, dat had je nu eenmaal met glas. Vanbinnen was het water een beetje troebel, maar niet zo korrelig en verkleurd als wat ze in Eric Shaws fles had gezien.

Ze liet de dozen op de grond staan. Het was één ding om ze omlaag te trekken, maar weer terug tillen was heel wat anders. Met de fles in de hand ging ze weer naar beneden, keek naar de soep, belde toen naar het West Baden Springs-hotel en vroeg te worden doorverbonden met Eric Shaws kamer. De telefoon ging een paar keer over en toen kreeg ze een antwoordapparaat.

'Met Anne McKinney. Ik heb een idee… Ik weet niet of dit helpt, maar ik denk ook niet dat het kwaad kan. Ik heb precies zo'n zelfde fles gevonden als die van jou. Ik heb er maar één uit dat jaar en hij is nog vol. Nooit open geweest. Jij mag hem hebben. Misschien kun je het water ergens laten testen. Ik weet niet wie dat zou kunnen doen, maar er is vast wel een laboratorium waar dat mogelijk is. Dan kunnen ze ze allebei analyseren en je vertellen wat het verschil is. Er zit iets in jouw Plutowater wat niet in het mijne zit. Misschien helpt het je als je weet wat dat is.'

Ze liet haar nummer achter, hing op en liep naar de veranda. Haar rug bonsde toen ze de deur openduwde. Buiten draaiden de windmolens snel en gestaag, en de cluster vederwolken die er tijdens haar laatste controle aan de westelijke horizon was geweest, bevond zich nu pal boven haar. De lucht was zwanger van de geur van rododendrons en van de kamperfoelie die langs de zijkant van het huis groeide. Een zonder meer schitterende dag, maar met nog steeds die wind en die wolken; ze waren een waarschuwing.

24

Kellen Cage zat in de bureaustoel en staarde naar de groene fles, raakte die voorzichtig met zijn vingertoppen aan, trok ze toen terug terwijl hij de wegsmeltende rijpsporen bestudeerde die een vochtige glans op zijn donkere huid achterlieten. Eric had hem inmiddels alles verteld en Kellen had nog niet veel gezegd. Maar hij had Eric gedurende het hele verhaal aangekeken en dat was veelbelovend. Het was iets wat Eric had geleerd van de door de jaren heen steeds bedroevender wordende bijeenkomsten met studiobazen: wanneer mensen aan je oordeel twijfelden of geloofden dat je knettergek was, keken ze tijdens een gesprek de andere kant op.

'Ik geloof wel dat deze rommel je hallucinaties bezorgt,' zei Kellen. 'Wat ik níét kan geloven is dat je er om te beginnen van hebt gedronken. Het lijkt me smerig.'

'Dat was het ook,' zei Eric. 'De eerste keer althans. De tweede keer smaakte het goed. En de laatste keer, vanochtend? Toen was het lékker.'

Kellen haalde zijn hand van de fles en schoof de stoel een paar centimeter achteruit.

'De hele tijd dat wij aan het praten zijn geweest, is het alleen maar kouder en kouder geworden.'

'Uh-huh.'

Kellen keek wantrouwig naar de fles. 'Het goede nieuws is dat die visioenen misschien ophouden als je er niet meer van drinkt.'

Dat was waarschijnlijk wel zo, maar de andere kant van de medaille weer gevormd door de hoofdpijn, desoriëntatie en duizeligheid, waarvan hij nu was gaan denken dat het ontwenningsverschijnselen waren. Zijn hoofd bonsde nu even erg als het de hele dag had gedaan en hoewel Kellen daar zat en hem vertelde hoe weerzinwekkend het Plutowater eruitzag, wilde Eric er toch een slokje van nemen. Gewoon een beetje om de scherpte weg te halen van het zwaard dat nu langzaam in zijn schedel ronddraaide, een zwaard dat in het afgelopen half uur zijn weg naar een slijpsteen leek te hebben gevonden. Ontwenning, inderdaad; hij hunkerde nu naar die notoire borrel tegen de kater.

'Waarschijnlijk tollen je hersens rond van wat er in dat water zit,' zei Kellen.

'Ik zal je eens wat vertellen,' zei Eric, 'die kerel in de trein, die had precies dezelfde ogen als Josiah Bradford.'

'Dat wil ik wel geloven. Maar je had Josiahs ogen al gezien. Die heb je gisteravond verdomd goed kunnen bekijken. Dus ze zaten al in je hoofd, iets waarmee je geest spelletjes kon spelen toen je high werd van dat water.'

Mogelijk, maar Eric was niet overtuigd. Die man op de trein was Campbell Bradford geweest. Daar was hij net zo zeker van als die keer dat hij zeker wist dat ze tijdens de film over de Nes Percé in het verkeerde dal zaten, en net zoals het feit dat hij wist dat de foto van het rode huis in Eve Harrelsons verzameling van belang was.

De telefoon op het bureau ging. Kellen keek Eric vragend aan, maar Eric schudde zijn hoofd. Liet 'm op de voicemail overgaan. Op dit moment wilde hij niet gestoord worden.

'Ik vermoed dat als het meer is dan alleen het effect van een drug, je dat gauw genoeg merkt,' zei Kellen.

'Wat bedoel je?'

'Als je er hallucinaties van krijgt, dan zijn die vast willekeurig, nietwaar? Dan ga je straks nog draken op het plafond zien. Maar als het iets anders is, als je… geesten of zoiets ziet, nou, dan krijg je meer van diezelfde kerel te zien, toch?'

Meer van diezelfde kerel. Eric herinnerde zich hem in de goederentreinwagon, zag het water om zijn enkels spatten en de bolhoed die hij in Erics richting had aangetikt. Nee, die kerel hoefde hij niet meer te zien.

'Ik heb visioenen,' zei hij, 'ik zie geen spoken. Misschien klinkt het jou als één en hetzelfde in de oren, maar dat is niet zo. Geloof me maar.'

Kellen leunde naar achteren en zette een voet schrap tegen de rand van het bureau. Zo te zien maat tweeënvijftig. 'Weet je waardoor ik om te beginnen belangstelling kreeg voor deze plek?'

Eric schudde zijn hoofd.

'Tijdens de bloeiperiode was mijn overgrootvader kruier in dit hotel. Hij stierf toen ik elf was, maar tot die tijd vertelde hij het allerliefst verhalen over zijn tijd hier. Hij had het vaak over Shadrach Hunter. Had een theorie dat Campbell Bradford de man had vermoord, zoals ik al eerder heb gezegd, vanwege een ruzie over de whisky waarmee Campbell deze stad overspoelde. Hij had het over de casino's, de baseballteams en de beroemde lui die hier kwamen. Al die verhalen over hoe het was om in die periode een zwarte in deze stad te zijn, wekten mijn bijzondere belangstelling. Maar dat waren niet de enige verhalen die hij vertelde.'

'Kom nou niet met spookverhalen aanzetten,' zei Eric.

'Ik weet niet of je ze spookverhalen kunt noemen. De man geloofde wel in geesten – hij noemde ze *geisten* – en hij dacht dat er hier een heleboel van waren. Volgens hem zelfs meer dan normaal. En ze waren niet allemaal slecht. Hij geloofde dat het een mix van beide was, en heel veel. Hij zei me dat er over dit dal een bovennatuurlijke lading lag.'

'Een lading?'

'Ja, net als bij elektriciteit. Nou ja, hij legde het zo aan me uit dat ik het moest vergelijken met een accu. Hij zei dat elke plek een herinnering aan de doden vasthoudt. Op sommige plekken is die alleen sterker dan op andere. Volgens de oude Everett' – er speelde een glimlachje om Kellens lippen, maar zijn ogen stonden ernstig – 'was een normaal huis niets meer dan een accu die misschien dubbel zo lang meegaat. Maar op sommige plekken, zei hij, leek het eerder alsof er een generator overuren stond te draaien.'

'En dit hotel is een van die plekken?'

Kellen schudde zijn hoofd. 'Niet het hotel. Het hele dal. Hij dacht dat er op deze plek meer bovennatuurlijke energie was dan waar hij ook ooit was geweest.'

'Ik kan wel meegaan in het feit dat er op een plek een herinnering aan de doden achterblijft,' zei Eric. 'Jezus, met de ervaringen die ik heb gehad moet ik dat wel geloven. Maar het idee dat een geest, of wat dan ook, feitelijk invloed óp de wereld kan uitoefenen, gaat er bij mij niet in.'

'Dit dal is in veel opzichten een vreemde plek.'

'Inderdaad. Maar je hebt vreemd en je hebt het idee dat er geesten actief zijn. Dat laatste geloof je toch zeker niet?'

Kellen glimlachte. 'Hierop zal ik de oude Everett citeren, broeder. "Ik ben geen bijgelovig mens, maar ik weet wel beter dan in het donker over een begraafplaats te wandelen."'

Eric lachte. 'Dat is een goeie.'

Ze keken elkaar een tijdje stilzwijgend aan, alsof geen van beiden precies wist hoe hij het gesprek een andere kant op moest sturen, nu geesten er een centrale plaats in hadden ingenomen. Uiteindelijk knikte Kellen in de richting van de telefoon, waarvan het rode lampje nu knipperde.

'Je hebt een bericht.'

Eric pakte de telefoon en speelde het bericht af. Anne McKinney. In het begin luisterde hij maar half, maar toen hij hoorde wat ze zei, concentreerde hij zich. Eigenlijk kwam de oude dame met een schitterend idee. Hij schreef haar nummer op de blocnote naast het bureau, wiste de boodschap en wendde zich weer tot Kellen.

'Weet je nog dat ik je over die vrouw had verteld, die hier is geweest om de fles te bekijken? Zij heeft er net zo een. Zelfde flesontwerp, zelfde jaar, nog nooit open geweest.'

'Laat me raden,' zei Kellen. 'Die is niet met rijp overdekt.'

'Nee. Maar zij stelt voor om dat water en dat van mij ergens te laten vergelijken. De samenstelling.'

Kellen hield zijn hoofd schuin en tuitte zijn lippen op een manier waarvan Eric inmiddels wist dat dat een gewoonte van hem was, en knikte langzaam. 'Dat kan de moeite van het proberen waard zijn. En ik kan je daar misschien bij helpen. Nou, mijn vriendin dan. Zij heeft scheikunde gestudeerd aan de universiteit van Indiana en heeft in haar laatste semester gewerkt aan haar toelatingsexamen voor de medische faculteit. Als iemand het hier in de buurt kan analyseren, dan weet zij misschien wel wie.'

'Schitterend,' zei Eric en hoewel dit voorstel van Anne McKinney misschien niet veel betekende, voelde het voor hem belangrijk omdat hij daardoor in actie kon komen. Omdat het hem een gevoel gaf – of een soort illusie, wellicht – dat hij er nog enige controle over had.

'Misschien heb jij het niet nodig, nu jij op spookwater teert, maar ik heb wel zin in iets te eten,' zei Kellen.

'Sterker nog, ik móét eten. Ik heb de hele dag nog niets gehad. Maar vind je het erg als ik eerst de fles bij deze dame ga ophalen? Ik wil hem graag hebben.'

'Nee, man. Ik rij wel.'

Eric belde Anne McKinney terug, bedankte haar voor het aanbod en zei dat ze langs zouden komen om de fles op te halen. Ze zei dat dat prima was, maar ze klonk anders dan die middag. Minder sprankelend. Vermoeid.

De zon stond laag en ging achter de westelijke heuvels van het hotel schuil toen ze buiten kwamen en naar het parkeerterrein liepen. Naast Kellens Porsche stond een blauw bestelbusje. Eric schonk er geen aandacht aan tot de bestuurdersdeur openging, een man in een bezweet poloshirt uitstapte en zei: 'Wacht even, meneer Shaw. Ik wil graag met je praten.'

De bestuurder was een korte, maar gespierde man van een jaar of veertig, kaal, op een vlijmscherp randje haar boven zijn oren na. Hij stond kaarsrecht, met zijn schouders naar achteren, de houding van een soldaat. Kille, blauwe ogen, aan zijn riem zat een BlackBerry in een leren hoes geklemd.

'Moet ik weten wie je bent?' zei Eric. Hij bleef staan terwijl Kellen naar zijn Porsche doorliep, tegen de motorkap leunde en ze nieuwsgierig gadesloeg. Hij had zijn zonnebril op en toen de vreemdeling zijn richting uit keek, zag Eric diens reflectie in de goudkleurige glazen.

'Meneer Cage,' zei de man naar hem knikkend.

'Wow,' zei Kellen, 'hij kent iedereen.'

'Ik vraag slechts een minuutje van je tijd, als dat kan.'

'Dan kun je ons maar beter vertellen wie je bent,' zei Eric.

De kale man haalde een visitekaartje tevoorschijn en gaf dat aan Eric. GAVIN MURRAY, CORPORATE CRISIS SOLUTIONS, stond erop. Drie telefoonnummers en een adres in Chicago.

'Ik heb geen bedrijf,' zei Eric, 'en ook geen crisis.'

Hij bewoog zich richting Kellens auto en tegelijk stak Gavin Murray een hand op, de handpalm naar buiten gekeerd, en zei: 'Maar je stevent wellicht wel op een crisis af, en ik wil graag helpen dat te voorkomen. We zouden het moeten hebben over wat je voor Alyssa Bradford doet.'

Eric bleef staan en keek naar hem achterom en kreeg een koele blik terug. Kellen deed zijn zonnebril af, hing hem aan de kraag van zijn shirt en keek Eric met opgetrokken wenkbrauwen aan.

'Zoals ik al zei, hij kent iedereen.'

'Inderdaad, meneer Cage. Ik leer mensen razendsnel kennen als het eropaan komt. Gefeliciteerd met het succes van je broer, trouwens. Fantastische speler. En je schoonvader, meneer Shaw, die heeft geloof ik een hoop boeken verkocht, hè? O, ik weet dat je gescheiden bent van Claire, maar tot de scheiding definitief is, blijft hij je schoonvader.'

Hij schonk ze een leeg glimlachje. 'Nou, zullen we praten?'

'Oké,' zei Eric terwijl hij zijn hand opstak om zijn nek te masseren. De hoofdpijn leek zich daar te hebben genesteld en straalde naar zijn ruggengraat uit. 'Laat maar horen.'

'Mooi zo. Maar hoe leuk ik het ook vond om meneer Cage te ontmoeten, dit is een privéaangelegenheid. Dus als hij even wil wachten, kunnen wij naar de tuinen verderop wandelen.'

Eric aarzelde, maar Kellen zei: 'Ga je gang, man. Die kerel heeft een duidelijk plan. Ik zou het niet durven hem te dwarsbomen.'

'Dank je wel,' zei Gavin Murray, terwijl hij zich omdraaide en van de auto's wegliep, en Eric liep achter hem aan.

25

'Het was niet mijn bedoeling je zo op de parkeerplaats te overvallen,' zei Gavin Murray toen ze van Kellen wegliepen. 'Ik wilde in het hotel vragen je te halen, maar voor ik de kans kreeg, liepen jullie al naar buiten. Ik bedacht dat ik je net zo goed nu kon aanspreken als later.'

'Ik vermoed dat je niet door Alyssa bent gestuurd,' zei Eric.

'Nee.'

'Door wie dan?'

'Die vraag kan ik niet beantwoorden,' zei Murray. 'Mijn zaken zijn vertrouwelijk.'

'En wat zijn dat dan voor zaken?'

'ccs is een bedrijf dat in onderzoek en oplossingen doet. Beschouw ons maar als probleemoplossers.'

'Je bent helemaal uit Chicago hierheen gereisd zonder een telefoontje te plegen. Dan zijn er behoorlijke problemen op te lossen.'

'We doen graag persoonlijk zaken. Wat ik met je wil bespreken is belangrijk, en zelfs in je voordeel.'

'Is dat jouw mening of die van je cliënt?'

'In dit geval van beiden.'

Eric zweeg. Ze liepen nu de tuinen in, in de richting van de fontein.

'Ik begrijp dat je hier aan een historische film werkt,' zei Murray. 'Lijkt me een interessant vak. Vast heel leuk. Maar dit project is niets voor jou.'

'O nee?'

'Nee.'

'Volgens mij heb ik dan wel recht op wat opheldering. Zoals door wie je bent gestuurd.'

'Ik mag dat echt niet zeggen. Ik weet zeker dat je dat begrijpt.'

'Natuurlijk,' zei Eric. 'Je doet gewoon je werk. Respecteert de wensen van je cliënt, voldoet aan zijn verzoeken.'

'Precies.'

Eric bleef staan. Ze stonden nu naast de fontein en een harde wind sproeide fijne druppeltjes op zijn huid.

'En dat doe ik nou ook,' zei hij. 'En daar ga ik mee door, Gavin, ouwe gabber. Ik heb m'n geld gekregen en ga het karwei afmaken.'

Gavin Murray keek hem niet aan. Hij pakte een pakje sigaretten uit zijn zak en tikte er een uit, wachtte even om het pakje aan Eric aan te bieden, maar toen Eric zijn hoofd schudde stopte hij het weer in zijn zak. Hij stak de sigaret aan, inhaleerde diep en blies de rook door zijn neus uit terwijl hij naar het hotel achteromkeek.

'Hoeveel betaalt ze je?'

'Dat doet er niet toe en gaat je ook niet aan.'

'Ik mag je vijftigduizend dollar geven om ermee op te houden.'

'Verdomme,' zei Eric, 'dat is minder dan ik ervoor krijg.'

Gelogen, natuurlijk, maar hij was nieuwsgierig naar hoeveel dit diegene waard was die aan de andere kant aan Gavin Murrays touwtjes trok. Vijftigduizend was een fantastisch begin, daar ging je ruggengraat van tintelen.

Murray glimlachte met zijn sigaret in de mond. 'Een onderhandelaar. Goed gespeeld. Ik kan hier ter plekke gaan tot vijfenzeventig. Je kunt om meer vragen, maar dat krijg je waarschijnlijk niet, en je weet dat vijfenzeventig meer is dan waarop je mag hopen.'

'Ik vraag niet om meer, en ik hóóp al helemaal nergens op. Ga naar huis, Gavin. Jammer van je verspilde tripje.'

'Wees maar niet zo zelfgenoegzaam, Shaw. Je verbaast me. Je hebt lang genoeg in de filmbusiness gezeten om te weten hoe zelden je gegarandeerd geld krijgt aangeboden, en hoe snel ze weer vertrokken zijn.'

'Ze zijn inderdaad snel vertrokken,' beaamde Eric. 'Maar weet je wie dat nooit doen? Klootzakken die geld als dwangmiddel proberen te gebruiken. Daarvan lijkt een onuitputtelijke voorraad te bestaan. Shit, alleen al in Los Angeles lopen er meer rond dan ik ooit zou willen tegenkomen. Maar ik ben er veel tegengekomen, zo veel dat ik doodmoe ben van dat spelletje. Dus bel je cliënt en zeg hem dat hij zijn vijfenzeventig- of honderd- of tweehonderdduizend strak oprolt en in z'n reet kan stoppen.'

Hij wilde weglopen, maar Murray liep achter hem aan en zei: 'Hier ben je te slim voor. Je weet hoe de zaken op dit niveau werken. Geld is een eerste poging, maar zo nodig vinden ze wel andere middelen.'

Eric bleef staan en draaide zich naar hem om. 'Wat bedoel je?'

Murray tipte as van zijn sigaret. 'Zo ingewikkeld is dat niet.'

'Ik mag hopen van wel. Want als het zo simpel is als het klonk, dan stond je me net te bedreigen, lulhannes.'

Murray zuchtte en bracht de sigaret weer naar zijn lippen. 'Kerels als jij zijn doodvermoeiend, weet je dat? Er is geen reden ter wereld – maar dan ook geen enkele – waarom je hier zo'n koppige klootzak over moet zijn, maar je kunt jezelf er niet van weerhouden.'

'Het is vast prettig om een kasboek te hebben op de plek waar je moraal zou moeten zitten, Gavin. Waarschijnlijk staan je grote dingen te wachten. Dat gebeurt met mensen zoals jij.'

'Het zou een fantastisch idee zijn om te onderhandelen, meneer Shaw. Dat kan ik u verzekeren.'

'Met wíé onderhandelen? Je biedt me geld aan en ik wil verdomme graag weten waar dat vandaan komt.' Eric sloeg hem gade. 'Dus voor welk familielid werk je?'

'Sorry?'

'De enige persoon die zich zorgen zou kunnen maken over wat ik aan het doen ben, moet iemand uit Chicago zijn die dicht in de buurt zit van Campbell Bradford.'

Gavin Murray glimlachte. 'Dat zou je denken, hè?'

Eric wachtte, maar er kwam verder niets meer. Hij zei: 'Ik ben klaar met je, Gavin. En zeg tegen degene die je heeft ingehuurd dat als hij wil praten hij me rechtstreeks kan benaderen.'

'Ik heb nog één vraag,' zei Murray. 'Wat heb je precies met Josiah Bradford besproken?'

Eric hield zijn hoofd schuin. 'Je kent echt iedereen, hè?'

Dat leverde hem een strak glimlachje en een knikje op.

'Wat ik tegen hem heb gezegd was persoonlijk,' zei Eric. 'Maar als je niet maakt dat je opsodemietert, zal ik hem nog wat meer vertellen. Zoals het feit dat er iemand in de stad met vijfenzeventigduizend dollar in m'n gezicht wappert. Ik vraag me af waarmee ze in zijn gezicht hebben gewapperd.'

'Met geen cent.'

'Dat waag ik te betwijfelen. Volgens mij maakt iemand zich ongelooflijk druk om de Bradford-erfenis. En waarschijnlijk ook om hun aandelenpakket.'

'Dat is niet zo.'

'O nee? Wat doe je dan in het mooie French Lick, vriend?'

Stilte.

'Dat bedoel ik,' zei Eric. 'Nou, fijne tijd hier, maat. En blijf uit m'n buurt.'
En nu liet Murray hem gaan.

26

Kellen wachtte in de auto met de raampjes omlaag en de muziek aan. Die zette hij zachter toen Eric instapte.

'En, voor wie werkt die kerel?'

'Iemand die me vijfenzeventigduizend heeft geboden om naar huis te gaan.'

Kellen leunde met open mond over het stuur. 'Wat?'

Eric knikte. 'Begon met vijftig en verhoogde dat toen naar vijfenzeventig.'

'Wat?' herhaalde Kellen, alsof er helemaal geen antwoord was gegeven.

'Ik weet het,' zei Eric. Hij staarde de heuvel af, op zoek naar Gavin Murray. Hij ontdekte hem ten slotte naast een van de prieeltjes met een mobieltje tegen zijn oor geplakt. Waarschijnlijk belde hij met Chicago om een update te geven en instructies in ontvangst te nemen.

'Een ander familielid, lijkt me zo,' zei Eric. 'Of iemand uit Campbells juristenteam. De oude man ligt op sterven en hij is een paar honderd miljoen waard. Misschien maken ze zich zorgen om Josiah.'

'Denk je?'

'Ja. Als Josiah een naaste bloedverwant is van de oude man in het ziekenhuis, kan hij een juridische claim tot compensatie afdwingen. Campbell heeft de familie in de steek gelaten. Weliswaar een paar generaties geleden, maar er zijn meer dan genoeg advocaten die met alle liefde namens Josiah genoegdoening zullen willen eisen.'

'Maar jij gelooft niet dat de twee Campbells dezelfde persoon zijn.'

'Nee, dat klopt. Maar dat maakt het allemaal des te interessanter, vind je ook niet?'

'Absoluut. Ik vraag me daardoor ook af wat jouw cliënt daarop te zeggen heeft.'

'O ja,' zei Eric. 'Ik ga haar nu bellen.'

Bij het prieeltje haalde Gavin Murray de telefoon van zijn oor, stopte hem in de hoes aan zijn riem en stak nog een sigaret op. Hij leunde tegen de omheining en staarde naar hen omhoog.

'Vind je dat een goed idee?' zei Kellen. 'Haar dit te vertellen?'

'Zij zal waarschijnlijk beter begrijpen waar dit verdomme over gaat dan ik. Waarom zou het een slecht idee zijn?'

Kellen haalde zijn schouders op en wachtte terwijl Eric Alyssa Bradfords nummer intoetste. Eerst haar mobieltje, daarna thuis. Geen antwoord. Hij liet op beide telefoons een bericht achter, maar geen details, vroeg haar alleen hem zo gauw mogelijk terug te bellen.

'Heb je die hoofdpijn weer?' vroeg Kellen toen hij ophing, en Eric realiseerde zich dat hij tijdens de telefoontjes over zijn achterhoofd had zitten wrijven.

'Maak je geen zorgen. Laten we gaan. Ik heb Anne verteld dat we onderweg waren.'

Toen ze van het hotel wegreden, stak Gavin Murray groetend een hand op. Hij was weer aan het bellen.

Josiah liet Danny bij zijn grootvader achter en reed een paar minuten nadat de Porsche was vertrokken zonder nog een woord te zeggen weg. Hij overwoog om achter ze aan te gaan, dat glanzende stuk schroot van de weg af te rijden, ze er één voor één uit te sleuren en ze dat pak slaag dat hij in Edgars huis had moeten uitdelen alsnog te geven. Maar ze waren uit het zicht verdwenen, nergens een auto te bekennen, op een blauw bestelbusje na dat in het onkruid geparkeerd stond.

Josiah schoot erlangs de stad in, stopte bij een benzinestation, tankte voor twintig dollar en kocht een sixpack, waarvan hij er één aan de pomp opdronk. Iemand zette zijn auto achter die van hem en toeterde, geërgerd omdat Josiah de pomp blokkeerde terwijl hij een biertje dronk, maar er was maar één blik voor nodig om de bestuurder naar een andere beschikbare pomp te sturen.

Josiah gooide zijn lege bierblikje in de vuilnisbak en reed van het benzinestation naar zijn huis. Zijn huis stond op de beboste heuvels even ten oosten van Orangeville, omringd door een paar honderd vierkante meter boerenland van de Amish. Ze reden in hun karretjes over de weg en verkochten groenten bij hun boerderij. Vroeger zou Josiah extra gas hebben gegeven wanneer hij langs ze reed, om met die o zo angstaanjagende machine naar ze te brullen. Dat vond hij lachwekkend. Maar gaandeweg was hij ze ondanks zichzelf gaan waarderen. Het waren rustige buren, zorgden voor hun land, vielen hem niet lastig met lawaai, gemaakt vriendelijke gesprekken of roddels. Ze bemoeiden zich met zichzelf en lieten hem met rust. En zo hoorde het ook.

De veranda zag er schoon en helder uit toen hij de oprit opreed, maar daar haalde hij geen voldoening meer uit. Hij had verdomme twee klappen voor z'n kiezen gehad. Het was al erg genoeg om die twee kerels in Edgars woonkamer te zien zitten, maar dat was vlak nadat Danny Hastings, die ouwe domme Danny, Josiah recht in het gezicht had gezegd dat zijn plan stom was. En daar nog gelijk in had ook.

Ja, deze dag ontvouwde zich uiteindelijk toch nog hoogst onaangenaam. Verdomme, dat was het hele weekend al zo. Het was gisteravond begonnen en razendsnel bergafwaarts gegaan. Vrijdagochtend was alles nog prima in orde geweest, in elk geval zo prima als altijd.

Maar dat was het probleem, dingen waren nooit prima in orde en dat zou ook nooit veranderen. Niet als hij geen actie ondernam. Hij zou de rest van zijn pathetische leven op die veranda pisbier zitten drinken en met Danny moppen zitten tappen, tot zijn reflexen achteruitgingen en hij niet langer met drank in zijn lijf de truck kon besturen, hij van de snelweg zou afraken en in de bomen zou belanden, net als zijn waardeloze vader vóór hem.

'Er moet iets veranderen,' fluisterde hij tegen zichzelf. Hij bleef in de cabine van zijn truck zitten, het zweet druppelde in zijn nek, zijn biertje warmde in de zon op en op de naastliggende Amish-boerderij liepen paarden rondjes, dreven een soort molenwiel aan, hun hoofd altijd maar omlaag, stap na stap na stap. 'Er moet iets veranderen.'

Hij stapte uit de truck maar wilde niet naar binnen, wilde niet op die smoezelige bank gaan zitten om naar de scheuren in de muur en de hellende vloer te kijken. Het verandahek glinsterde in de zon, absoluut, maar nu realiseerde hij zich hoe verdomd weinig dat hek betekende. Het huis was nog altijd een bouwval, met scheefhangende goten, een smerig dak en muren die onder de schimmel zaten. Natuurlijk kon daar iets aan gedaan worden, maar dat kostte geld. En dan nog, wat had het verdomme voor zin? Wat bereikte je nou met het oppoetsen van een misbaksel?

In plaats van naar binnen te gaan, pakte hij het bier en liep door de achtertuin naar het veld erachter, baande zich een weg door het hek met prikkeldraad dat de percelen van elkaar scheidde. Hij zou de bossen op de heuvels in lopen, nog een paar biertjes drinken.

Hij was halverwege het veld, zijn hoofd gebogen tegen de zon en de warme westenwind, toen hij zich de tweede helft van zijn droom herinnerde, de man die aan de boskant op hem wachtte. Bij die gedachte keek hij op, alsof hij de ouwe lulhannes daar zou zien staan. Er was niets te zien, maar hij kreeg toch de rillingen bij de herinnering en dacht aan de manier waarop die vent zijn hoofd naar Josiah had geschud terwijl de dag wegstierf en de nacht inviel. Wat een verdomd rare droom. En na die droom over de trein, waarin dezelfde man met het water rond zijn enkels in de goederenwagon had gestaan.

We gaan naar huis om terug te halen wat van jou is.

Sommige mensen geloofden dat dromen iets betekenden. Josiah behoorde niet tot die categorie, maar vandaag kon hij er niets aan doen toen hij aan de man met de bolhoed dacht. Terughalen wat van jou is, had hij gezegd. Josiah had niet veel in de wereld. Toch grappig, dat hij zo'n droom precies op het moment krijgt dat iedereen vragen stelt over zijn familie. Wie zou in godsnaam nu nog een snars om Campbell geven? Het was verdomme bijna tachtig jaar geleden dat de schurk op een trein was gesprongen en met de noorderzon vertrok.

Op een trein was gesprongen. Een ouderwetse trein, met een stoomlocomotief en een restauratiewagon, zoals die in zijn droom.

'Was jij dat, Campbell?' vroeg Josiah zachtjes voor zich uit, terwijl hij glimlachend over het veld stampte.

Een stelletje krankzinnige, stompzinnige gedachten, daarin had hij zich vandaag verloren. Brandstichten, juwelen stelen en dromen over zijn overgrootvader? Hij begon de kluts kwijt te raken.

De zon was heet en onder het lopen bungelden de bierblikjes onhandig tegen zijn been, maar het kon hem niet schelen. Zijn shirt was doorweekt van het zweet en muggen zoemden om zijn nek, maar dat gaf ook niet. Hij was hier in de bossen en op de velden opgegroeid, had daar meer tijd doorgebracht dan thuis. Veldlopers, zo noemde Edgar hem en Danny altijd. In Josiahs ogen had de oude Edgar het goed gedaan. Josiahs familie was zo verdomd rampzalig geweest dat hij in plaats daarvan net zo goed door de Hastings kon worden opgevangen. Hij en Danny waren bijna broertjes geweest en hoewel Danny niet veel hersens had meegekregen, had Josiah dat vroeger minder erg gevonden dan de laatste tijd. Feit was dat hij Danny altijd graag had gemogen, hij keek alleen een beetje op hem neer. Danny was een goeie vent, maar niet eentje die iets met zijn leven zou gaan doen. Zelfs toen ze op dezelfde dag de middelbare school vaarwel hadden gezegd, had hij het gevoel gehad dat Danny zijn lotsbestemming volgde terwijl Josiah er bewust voor koos. Josiah was degene van het stel die iets zou bereiken, degene met ambitie.

Zo had hij er althans altijd over gedacht. Maar nu leek het wel alsof hij ontnuchterd was en zich in een oogwenk realiseerde dat hij geen haar beter was dan Danny, zo zagen anderen dat in elk geval, niet écht. Ze waren nog steeds in deze stad, woonden in hun lullige huis en reden in lullige auto's rond, zwaaiden met onkruidwieders en heggenscharen en dronken te veel. Hoe was het verdomme zover gekomen?

Vandaag ging hij naar een plek die hij als kind had ontdekt, twaalf jaar en in z'n eentje op pad. Nou, niet zozeer op pad, hij rende, zijn rug deed nog steeds pijn van de riem van zijn pa. Ze hadden slechts op drie kilometer afstand gewoond van de plek waar hij nu woonde, drie kilometers die werden gescheiden door de velden die hij net was overgestoken.

Die dag had hij zijn longen uit zijn lijf gerend en zijn kniebanden hadden het uitgeschreeuwd, en toen had hij vaart geminderd en was gaan strompelen, stak nog een veld over het bos in, en merkte dat hij een steile heuvel op ploeterde. Het was een moeilijke klim, overwoekerd en hobbelig door de brokken kalksteen. Hij had een gorgelend geluid gehoord en was stokstijf blijven staan luisteren terwijl hij de koude rillingen kreeg, want het geluid kwam van ónder hem. Van pal onder zijn voeten, dat wist hij zeker, en toch was er nergens een watertje te zien.

Hij was op het geluid afgegaan, had zich tussen de bomen door geworsteld en een klif gevonden, een ruim dertig meter steile rots die uitkwam in een vreemde waterpoel eronder, met een spookachtige, zeegroene gloed. De poel was zo roerloos als een boerenvijver, maar overal eromheen was dat gorgelende, kolkende geluid van water dat voortdurend in beweging was. Berkenbomen waren van de richel getuimeld en lagen half in het water, hun spookachtige witte ledematen verdwenen in groene diepten.

Langs de hele top van het klif hadden de boomwortels vrij spel, hingen over het steen als iets uit een van die bloederige films die in de moerassen speelde.

De richel liep helemaal rondom de poel, vormde zo een reusachtige kom, en hij had moeite om zijn weg naar beneden te vinden. Op de bodem leek de plek zelfs nog onheilspellender dan vanaf de top, want hier kon je niet zo snel wegkomen, de wind plukte bladeren van de omringende bomen en ze dwarrelden naar omlaag. Zo nu en dan leek één hoek van de poel te grommen, water in nog meer water te spuwen, en ook onder de rotsen druppelde water, altijd te horen maar nooit te zien.

Josiah had nooit voor mogelijk gehouden dat zo'n plek kon bestaan.

Hij had die avond nog een pak slaag geriskeerd door zijn vader erover te vertellen, had gezworen dat de plek iets magisch had, en zijn vader had gelachen en hem verteld dat het de Wesley Chapel-kolk was of, als je een oudje was, de Elrod-kolk, een van de plekken waar de Lost River weer aan de oppervlakte kwam, opgehoest uit de grotten die hem gevangenhielden.

'Tijdens het regenseizoen moet je daar wegblijven,' had hij hem gewaarschuwd. 'Weet je nog tot hoe ver het water vandaag kwam? Nou, wanneer het ondergrondse deel van de rivier volloopt, komt hij wel tien meter of meer langs dat klif omhoog, en hij kolkt, net als in een maalstroom. Ik heb het gezien, jongen, en het is perfect om in te verdrinken. Als je daar in het regenseizoen naartoe gaat, verbrand ik je levend.'

Natuurlijk was Josiah tijdens de lenteregens naar de kolk teruggegaan. En verdomd dat die ouwe nu eens wél de waarheid had verteld: het water steeg langs de klifwand en het kolkte als een maalstroom. In de komvormige richel was een ondiepe plek, en daar spoelde het water naartoe, vond een droog kanaal en vulde dat, snelde nog even door en verdween toen in een van de ondiepe gaten om slechts een stukje verder weer aan de oppervlakte te komen.

Het was een vreemde rivier die Josiahs belangstelling het grootste deel van zijn jeugd gevangenhield. Hij en Danny spoorden de droge kanalen op en vonden ondiepe gaten, wel meer dan honderd, sommige ervan dronken het water dorstig op terwijl andere het weer aan de oppervlakte uitspuugden alsof ze ervan walgden. Er waren ook bronnen, sommige zo klein dat je ze over het hoofd zag als je er niet vlak naast stond, bronnen die een hevige stank van rotte eieren uitstootten. Verspreid langs de rivier en op de heuvels vonden ze zelfs sporen van huizen, vermolmde balken en met mos begroeide stukken steen.

Josiah ging regelmatig naar de kolk, maar nooit met iemand anders dan met Danny, tot zijn zestiende, toen hij er op een avond een meisje, ze heette Marie, mee naartoe nam. Ze had hem de hele weg lopen uitkafferen, zei dat het een enge plek was, en daarna mocht hij niet eens zijn hand onder haar rok doen en nog geen week later was ze met een andere jongen. Vanaf dat moment nam Josiah er nooit meer iemand mee naartoe.

Soms kwamen er mensen langs en gooiden vuilnis de heuvel af of in de poel, en er was niet veel waar Josiah zo razend van werd. Hij haalde er talloze bierblikjes en banden weg, één keer zelfs een heel toilet. Toen hij op de middelbare school zat, eiste Staatsbosbeheer het op omdat ze zich realiseerden dat het gebied iets bijzonders was. Ze maakten het schoon, zetten er een bord neer en hielden de plek in de gaten.

Deze dag klom hij langs de oostelijke kant van de richel en zocht zich een weg omlaag naar een uitstekende kalkstenen richel die over de poel uitkeek. Hij ging op de rand zitten, liet zijn voeten eroverheen hangen en maakte een biertje open. Het was inmiddels snikheet.

Als hij aan de overkant van dezelfde heuvel was gaan zitten en er geen bladeren aan de bomen hadden gezeten, had hij het huis kunnen zien waar hij was opgegroeid, wat er van over was, althans. De woning stond al tien jaar leeg en in de vorige lente was er een boom omgevallen die in het dak boven de keuken een gat had geslagen, waardoor het inregende. Het verbaasde hem dat ze het huis niet hadden gesloopt toen ze de boom kwamen weghalen.

De kolk was binnen loopafstand van het huis uit zijn jeugd, en binnen loopafstand van zijn huidige woning. Hij was slechts drie kilometer van zijn geboorteplek vandaan.

Drie kilometer. Zover was hij in het leven opgeschoten. Drie verdomde kilometers.

Hij dronk nog een biertje terwijl de zon achter de bomen onderging en de lucht begon af te koelen. In de kolk beneden vervaagden lange, gevallen, tot spierwit verweerde boomstronken in de schaduwen, het blauwgroen van het water veranderde in zwart. Aan de rand van de poel klonk zo nu en dan een onbehouwen gespetter waar de Lost River iets meer van

zijn verborgen water prijsgaf, terwijl de vochtige fluistering van zijn bewegingen over de ondergrondse stenen altijd aanwezig was. Hij maakte
nog een biertje open, maar dronk er niet van, zette het naast zich neer en
ging languit liggen. Hij wilde zijn ogen even sluiten. Wilde niet aan de
man uit Chicago denken, of aan die uit de droom. Hij wilde nergens aan
denken.

27

Anne McKinney maakte de deur open met de fles in de hand. Ze glimlachte toen Eric haar en Kellen aan elkaar voorstelde, maar hield tegelijk haar
hand op de deurpost; ze zag er minder evenwichtig uit dan eerder die dag.

'Het is dezelfde als die van jou, hè?' zei ze terwijl ze Eric de fles aanreik-
te.

Hij draaide de fles in zijn hand om en knikte. Elk detail was identiek,
maar deze was droog en op kamertemperatuur, voelde normaal tegen zijn
huid.

'Ze zijn precies hetzelfde.'

'Ik weet niet aan wie je kunt vragen ze te vergelijken. Misschien was het
een dwaas idee.'

'Nee, het is een geweldig idee. Kellen kent iemand die ons zou kunnen
helpen.'

'Mooi zo.'

'En u weet zeker dat u het niet erg vindt? Want als ik deze openmaak,
zou ik het vreselijk vinden als...'

Ze wuifde zijn opmerking weg. 'O, dat geeft niet. Ik heb er nog meer en
ik betwijfel of iemand ze wil hebben als ik er niet meer ben. Ik laat ze na
aan het historisch genootschap, maar het zijn er zo veel, die zullen er heus
niet één missen.'

'Dank u wel.'

'Hoe voel je je nu?' vroeg ze met zo te zien oprechte bezorgdheid.

'Het gaat best,' loog hij en hij was zelf verbaasd toen hij vroeg: 'En u?'

'O, ik ben een beetje moe. Ik heb vandaag waarschijnlijk meer gedaan dan goed voor me was.'

'Wat vervelend.'

'Maak je daarover maar geen zorgen. Het is gewoon zo'n dag...' Haar ogen dwaalden langs hem heen, naar de windmolens buiten die in een rij in de tuin stonden en als wachtposten over de stad eronder uitkeken. 'Er is vreemd weer op komst. Als ik jullie was, zou ik morgen een paraplu bij de hand houden.'

'Echt waar?' zei Kellen terwijl hij naar de blauwe lucht omhoogkeek. 'Mij lijkt het perfect.'

'Maar dat gaat veranderen,' zei ze. 'Dat gaat veranderen.'

Ze bedankten haar nogmaals en liepen via de verandatrap naar de auto terug. De mobiles tingelden, een prachtig geluid op een avond waarop de duisternis snel inviel.

Kellen vroeg of hij iets speciaals wilde eten, en toen Eric zei van niet, belandden ze weer in het buffet in het casino, want Kellen zei dat hij 'in de stemming was voor een stevige hap'. Tegen de tijd dat ze er waren, draaide Erics maag om en werd zijn blik door de hoofdpijn ietwat vertroebeld, gevoelig voor de lichten om hen heen. Hij moest gewoon wat eten. Daar lag het natuurlijk aan.

Toen ze de lange, brede en felverlichte eetzaal betraden, kwam het aroma van voedsel hem zo krachtig en plotseling tegemoet, dat Eric een paar tellen zijn adem in moest houden om een ermee gepaard gaande golf misselijkheid te onderdrukken. Ze liepen achter een serveerster aan naar een tafel midden in de zaal; hij wenste dat ze hun een ander tafeltje zou geven, in een hoek misschien, of op z'n minst dicht bij de muur. Toen ze vroeg wat ze wilden drinken, flapte hij eruit 'Water, graag,' gewoon omdat hij wilde dat ze wegging, wilde dat iedereen in die verdomde zaal vertrok zodat hij eerst rustig tot zichzelf kon komen. Maar Kellen was al op weg naar het buffet, dus liep hij achter hem aan.

Het porseleinen bord voelde zwaar in zijn handen, en gedachteloos griste hij willekeurig wat eten weg. Toen hij zich omdraaide, had hij een bord vol fruit en groenten, en hij merkte dat hij naar het vleesbuffet staarde, waar een zwaarlijvige man met een wit schort voor een reusachtig mes door een braadstuk heen werkte. Het mes beet in het vlees en toen de man erop leunde, het met zijn gewicht omlaag drukte, sijpelde er vocht uit het vlees dat een roze poeltje op de snijplank vormde; Erics knieën knikten en zijn oren begonnen te suizen.

Hij wendde zich snel af, te snel, liet bijna het bord vallen, en liep in de richting van hun tafel, die mijlenver weg leek te zijn. Zijn adem ging met onregelmatige pufjes, de zoemtoon rees omhoog en zijn maag ging er bijna achteraan. Hij kwam bij de tafel, dacht dat hij alleen maar een stoel nodig had, dat hij gewoon even moest gaan zitten.

Even geloofde hij werkelijk dat hij weer bij zinnen was. Hij leunde op de tafel en probeerde uit alle macht zijn ademhaling onder controle te krijgen. Hij begon zich net een tikkeltje beter te voelen toen Kellen terugkwam en met een dampend bord eten voor hem ging zitten. Toen kwam het zoemen terug en draaide zijn maag zich kolkend om.

Kellen had niets in de gaten, babbelde erop los en viel met mes en vork op zijn eten aan, terwijl Eric geen woord kon uitbrengen en wist dat hij razendsnel uit die zaal moest zien te komen.

Hij kwam met een ruk overeind, stootte tegen zijn stoel maar schoof erlangs, terwijl hij zijn blik op de uitgang en de gang erachter richtte, die leken te golven. Al het felwitte licht in de zaal begon nu te bewegen terwijl het suizen in zijn oren overging in een gebrul. Een warme sensatie wikkelde zich om hem heen, verspreidde zich door zijn ledematen en tintelde over zijn huid, terwijl hij langs de kassa en verder naar de gang toe liep, en dacht: ik red het wel. Maar toen barstte de warmte in een verschroeiende hitte uit, de dansende lichten werden eerst grijs en toen zwart, hij viel op zijn knieën en de ruimte om hem heen verdween.

Zachte, lieflijke snaarmuziek tilde hem op en gidste hem door de tunnel die naar het bewustzijn terugvoerde. Het was een prachtig geluid, zo vertroostend, en toen het begon weg te ebben, was hij ziek van verdriet, vond het vreselijk het te laten gaan.

Hij opende zijn ogen en staarde recht in een glinsterend lichtarmatuur. Een gezicht zweefde naar omlaag en blokkeerde het licht; Kellen Cages gezicht, zijn ogen stonden ernstig. Hij zei Erics naam, en Eric wist dat hij moest antwoorden maar wilde dat nog niet, wilde niet dat iemand iets zou zeggen, want als hij zich volkomen stilhield, zou hij misschien de vioolmuziek weer kunnen horen.

Zijn eerste samenhangende gedachte was dat hij het koud had. Waar vóór de black-out zijn huid had getinteld van de hitte, had hij het nu steenkoud, maar dat voelde goed. De hitte was onheilspellend geweest, een voorbode van fysieke rampspoed en de kou leek zijn lichaam gerust te stellen dat het de narigheid zelf wel kon oplossen. Geen zorgen, makker, wij zetten die boilers wel lager voor je.

'Eric,' zei Kellen nogmaals.

'Ja.' Eric likte langs zijn lippen en herhaalde het. 'Ja.'

'Er is een ambulance onderweg.'

Er keken een paar andere gezichten over Kellens schouder, een beveiliger sprak in een radio en daarachter stond een groepje toeschouwers. Eric sloot zijn ogen, schaamde zich nu, realiseerde zich dat hij zojuist was flauwgevallen.

'Geen ambulance,' zei hij met gesloten ogen, en hij haalde diep adem.

'Je moet naar het ziekenhuis,' zei iemand met een lage, onbekende stem.

'Nee.' Eric opende opnieuw zijn ogen, kwam toen langzaam overeind tot hij rechtop zat en de armen om zijn knieën heen sloeg om zijn evenwicht te bewaren. 'Ik heb gewoon wat suiker nodig, meer niet. Hypoglykemie.'

De beveiliger knikte, maar op Kellens gezicht was 'lulkoek' af te lezen. Een vrouw vlakbij mompelde dat haar zus ook last had van hypoglykemie en verdween om een koekje voor hem te halen.

Tegen de tijd dat ze terug was, stond hij weer rechtop en bij het idee alleen al iets te moeten eten werd hij misselijk, maar nu moest hij zijn leugen volhouden, dus pakte hij het koekje en een glas sinaasappelsap aan en werkte ze allebei naar binnen.

'Weet u zéker dat u niet naar het ziekenhuis wilt?' vroeg de beveiliger.

'Heel zeker.'

Daarop belden ze de ambulance af. Eric bedankte de vrouw en de beveiliger en maakte een flauwe grap naar de andere toeschouwers dat hij met veel plezier een voorstelling voor ze had opgevoerd. Toen zei hij tegen Kellen dat hij naar het hotel terug wilde.

Ze liepen in stilte over het trottoir en staken het parkeerterrein over. Toen ze halverwege de Porsche waren, zei Kellen: 'Hypoglykemie?'

'Yep. Heb ik je dat niet verteld?'

'Eh, nee. Dat heb je overgeslagen.'

Ze liepen naar de auto en Eric stond even met zijn hand op de passagiersdeur voordat Kellen de deuren ontgrendelde. Toen ze eenmaal waren ingestapt, draaide Kellen zich naar hem toe.

'Je zou echt naar het ziekenhuis moeten.'

'Ik heb gewoon wat rust nodig.'

'Je hebt gewoon wat rúst nodig? Man, je weet niet eens wat er daarnet is gebeurd. Het ene moment zit je nog aan tafel en het volgende val je flauw in de gang. Als zoiets gebeurt, heb je geen rust nodig, dan ga je naar een dokter.'

'Misschien bel ik morgen wel iemand. Nu wil ik alleen maar gaan liggen.'

'Dus je zou je midden in de nacht zomaar in je tong of iets anders kunnen verslikken en in die kamer het loodje leggen?'

'Dat lijkt me niet waarschijnlijk.'

'Moet je horen, ik zeg alleen maar…'

'Ik snáp 't,' zei Eric en hij zei het zo fel dat Kellen prompt zijn mond hield. Hij keek Eric even nauwlettend aan, haalde toen zijn schouders op en wendde zich af.

'Ik waardeer het dat je zo bezorgd bent,' zei Eric, zachter nu. 'Echt. Maar ik wil niet naar een ziekenhuis en daar vertellen dat ik black-outs krijg van Plutowater, oké?'

'Denk je dat het door het water komt?'

Eric knikte. 'Ik kreeg weer hoofdpijn en die werd erger. Tegen de tijd dat we bij Anne weggingen, voelde ik me beroerd. Dacht dat het misschien hielp als ik wat zou eten.'

'Dat hielp niet.'

'Nee. Sorry van je avondeten, trouwens. Je stierf van de honger.'

Kellen lachte. 'Maakt niet uit, man. Ik kan altijd nog eten. Maar wat er met jou aan de hand is… daar moeten we achter zien te komen.'

'Ontwenningsverschijnselen,' zei Eric.

'Denk je dat?'

'Ja. Absoluut. De lichamelijke symptomen verdwijnen wanneer ik meer van het water neem en worden erger naarmate ik er langer zonder moet. Anne McKinney heeft gelijk, ik moet uitzoeken wat er in die fles zit.'

'En tot die tijd?'

Eric zweeg.

'Daarom stelde ik een ziekenhuis voor,' zei Kellen. 'Ik geloof je, waarschijnlijk is het een ontwenningsverschijnsel van wat er in dat water zit. Maar als het erger wordt, heb je pas echt een probleem. Dat stukje dat je daarnet opvoerde, dat was eng, man.'

'Ik zou nog wat van het water kunnen nemen, als dat je geruststelt.' Het was als grap bedoeld, maar Kellen hield zijn hoofd bedachtzaam schuin.

'Wauw, jij zou een goeie zijn voor de AA,' zei Eric. 'Aan dat idee hoor je geen steun te geven.'

'Nee, ik zat te denken, wat zou er gebeuren als je ander water dronk?'

'Ik heb vandaag zo'n tien glazen gedronken in een poging dit weg te spoelen. Die hebben niet geholpen.'

'Geen gewoon water. Gewoon Plútowater.' Kellen knikte naar de fles die Anne McKinney hem had gegeven. 'Denk er maar eens over na. Als het vanavond erger wordt, kun je haar fles proberen voordat je uit die van jou drinkt.'

Kellen zette Eric bij zijn hotel af en toen die uit de auto stapte keek Kellen hem na met de blik van een ouder die een kind het verkeer in ziet lopen.

Erics hoofdpijn fluisterde hem weer toe toen hij uit de lift stapte, en bij dat besef voelde hij zich diep verslagen. Hij had gehoopt dat hij genoeg gestraft was met het voorval tijdens het diner, dat hij een paar uur respijt had verdiend. Klaarblijkelijk niet.

In de kamer knipperde het berichtenlichtje van de telefoon niet en zijn mobieltje toonde geen gemiste oproepen. Hij kreeg daar een vaag, bang voorgevoel over, want hij had verwacht dat Gavin Murray weer contact met hem zou proberen te zoeken om een ander aanbod – of andere dreiging – op tafel te leggen. Hij belde opnieuw naar Alyssa Bradford en kreeg de voicemail. Geërgerd wachtte hij tien minuten en belde nogmaals, weer zonder succes. Hij liet weer een bericht achter. Bel me onmiddellijk terug, zei hij. We moeten het over een groot probleem hebben.

Groot probleem leek bijna te zacht uitgedrukt. Waar was Gavin Murray nu? Toen Kellen hem terugbracht, was de blauwe bestelbus in geen velden of wegen te zien geweest, maar het leek hem niet waarschijnlijk dat Murray nu al naar Chicago zou terugrijden. Eric haalde zijn laptop tevoorschijn en logde in op het internet, zocht zowel op Murrays naam als de naam van zijn bedrijf, Corporate Crisis Solutions. Hij vond niet veel over Murray; zijn naam stond op de lijst van legerpersoneel dat een reünie op Fort Bragg had bezocht, meer belangwekkends was er niet. Bragg was de thuisbasis van de Special Operations-jongens.

Corporate Crisis Solutions had niet bepaald een webprofiel. Er was wel een bedrijfssite, maar die leek met opzet vaag te zijn gehouden. Een paar privédetectivepagina's hadden een link naar CCS met contactinformatie. Verdomme, hij zou Paul Porter moeten bellen, hem vragen wat hij ervan wist. Paul was twintig jaar strafpleiter geweest voordat hij zijn eerste boek publiceerde en zijn advocatenpraktijk opgaf om een serie bestsellers te schrijven over een onverschrokken, misdaad oplossende advocaat, onge-twijfeld om een pathetische wens in vervulling te laten gaan. Maar hij had nog altijd banden met de politie in Chicago en de juridische wereld, zowel door zijn schrijverschap als zijn achtergrond, en hij had waarschijnlijk wel van het bedrijf gehoord, misschien zelfs van Gavin Murray.

'Die genoegdoening gun ik hem niet,' mompelde Eric. Dat was precies in Pauls straatje, onhandelbare schoonzoon roept om hulp. De klootzak had dat trouwens feitelijk geopperd, toen hij en Eric een keer samenwerk-ten om de filmrechten voor Pauls romans aan de man te brengen, wat zich ondanks verschillende aanbiedingen al die jaren had voortgesleept. Ik zou kunnen schrijven en jij zou kunnen regisseren, had Paul gezegd. Ja, dat zou me het koppel wel zijn geweest.

Eric had de man in het begin trouwens best gemogen. Ze hadden prima met elkaar overweg gekund toen ze nog een paar duizend kilometer van elkaar af woonden en Erics carrière in de lift zat. Niet dat Paul destijds minder prat ging op zijn detectiveserietje, maar Eric had er ook niet zo veel last van gehad. Waarschijnlijk omdat het hem toen voor de wind ging. Daardoor was hij lang niet zo kwetsbaar. Het werd pas echt erg toen ze naar Chicago waren terug verhuisd en Paul hem voortdurend voor de voe-ten liep. Al die verdomde suggesties van hem, de ideeën, de voorstellen voor een verhaal; shit, dat ging steeds maar door.

Hij klapte zijn laptop dicht omdat hij bedacht dat zijn hoofdpijn ver-ergerde door naar het beeldscherm te staren. Hij deed de lichten uit en zet-te de tv aan, probeerde zich opnieuw van de pijn af te leiden. Op het bu-reau stond Alyssa Bradfords fles te glinsteren en te zweten, en die van Anne McKinney stond ernaast, donker en droog.

Laat ze maar staan, zei hij tegen zichzelf. Raak ze niet aan. Ik weet wat er op me afkomt en dat kan ik aan. Maar van dat water drink ik niet meer.

28

Josiah was weer terug in de grijze stad, dat kleurloze imperium, de wind blies door de stegen en floot om de ouderwetse auto's die langs de lege straten stonden. In zijn oren klonk een puffend geluid en nog voordat hij zich omdraaide om te kijken, wist hij dat de trein er aankwam en hij dacht: deze droom heb ik eerder gehad.

Maar de trein kwam tenminste weer naar hem terug. Droom of geen droom, de vorige keer had hij hem gemist, was erachteraan gerend, had hem niet kunnen inhalen en had zichzelf vervolgens in dat veld aangetroffen terwijl hij hard tegen het donker aanliep. Ja, als de trein deze keer terugkwam, zou hij er zeker op springen.

Hij ging aan de zijkant staan en zag hem naar zich toe komen dreunen, steenstof dwarrelde onder zijn wielen omhoog, een trechter zwarte rook schoot uit zijn schoorsteen. Precies zoals de vorige keer. Mooi zo. Dat moest dezelfde trein zijn.

Bij het passeren ging hij langzamer rijden en opnieuw zag hij de witte wagon met de rode spat op de deuren, de kleuren staken fel af tegen al dat grijs. Hij liep ernaartoe, gretig nu, terwijl de locomotief schril floot en de trein vaart minderde. Deze was op weg naar huis. Dat had de man met de bolhoed hem beloofd.

En daar was de man, net als eerder zichtbaar in de open goederenwagondeur. Deze keer leunde hij niet naar buiten, maar zat hij met zijn rug tegen de deurpost, had zijn knieën opgetrokken en liet zijn armen daarop rusten. Hij tilde zijn hoofd op toen Josiah naar hem toe liep en duwde met een vinger de hoed van zijn voorhoofd omhoog.

'Dacht dat je wel zin had in een ritje,' zei hij toen ze elkaar zo dicht waren genaderd dat ze elkaar konden verstaan. De glimlach was verdwenen, evenals de pretlichtjes in zijn ogen.

Josiah zei dat hij dolgraag mee wilde rijden, op voorwaarde dat ze nog altijd op weg naar huis gingen. De man zweeg daarop even, nam Josiah met die donkere ogen van hem op. Josiah hoorde binnen in de wagon een zacht klotsend geluid, zag dat het water over de rand van de deurpost spatte en op de stoep viel.

'Toen ik de vorige keer langskwam zei ik dat we op weg naar huis waren,' zei de man. 'Zei ik tegen je dat je vlug moest zijn als je mee wilde rijden.'

De man leek geïrriteerd; daardoor kreeg Josiah de bibbers in zijn buik en zijn huid prikte alsof die door iets kouds werd aangeraakt. Hij zei tegen de man dat hij wél had willen meerijden, en dat hij achter de trein aan was gerend, zo hard als zijn benen hem maar wilden dragen, en dat hij hem maar niet had kunnen inhalen.

De man luisterde daarnaar, hield zijn hoofd toen schuin en spuugde een fluim tabaksvocht voor Josiahs voeten.

'Als ik je vertelde dat het nu tijd is om in te stappen, neem je dat dan serieus?' zei hij.

Josiah verzekerde hem dat hij dat inderdaad zou doen.

'Dan moet je ook begrijpen,' zei de man, 'dat wanneer we thuis zijn, je wellicht een klusje voor me moet opknappen.'

Josiah vroeg wat er dan bij dat klusje kwam kijken.

'Een goede geest en een sterke rug,' zei de man. 'En in staat zijn richting te kiezen. Bezit je die eigenschappen?'

Josiah zei van wel, maar het vooruitzicht stond hem niet bepaald aan, en dat was vast van zijn gezicht af te lezen.

'Vind je dat geen eerlijke ruil?' zei de man met grote ogen.

Daar gaf Josiah geen antwoord op. Vooraan floot de stoomfluit opnieuw en de machine kwam puffend in beweging. De man glimlachte naar hem en spreidde zijn handen.

'Nou,' zei hij, 'als je een andere weg weet om thuis te komen, dan vind ik het best.'

Josiah wist geen andere weg naar huis, en hij had de trein al een keer gemist. Soms moest je een paar offers brengen om te bereiken wat je wilde, en op dit moment wilde Josiah naar huis. Hij zei tegen de man dat hij meeging.

'Dat werd tijd,' zei de man. Hij kwam overeind en stak zijn hand naar

Josiah uit om hem in de wagon te helpen. Terwijl hij opstond stroomde het water van zijn pak. Josiah schoof dichter naar de trein toe en boog zich voorover.

Pakte zijn hand.

Deel 3

Een lied voor de doden

29

Een uur nadat Kellen hem had afgezet was Erics hoofdpijn op volle sterkte terug. Hij nam nog meer pijnstillers en dronk een paar glazen water, en zette het geluid van de tv harder, op zoek naar afleiding.

Het haalde niets uit.

Tegen elven had hij de tv uitgezet en een kussen over zijn hoofd gelegd.

Ik kan dit verslaan, zei hij tegen zichzelf. Ik kan dit uitzitten. Ik drink niet van het water.

Zijn oren begonnen weer te suizen, wat al snel uitmondde in een oorverdovend klokgelui. Hij kreeg een droge mond en toen hij met zijn ogen knipperde, voelde het alsof zijn oogleden onder de fijne zandkorrels zaten.

Het is verschrikkelijk, maar het is ook echt. Dit is beter dan het alternatief. Ik zie niets anders dan de muren van deze kamer, de meubels en de schaduwen, ik zie geen dode mannen in treinwagons vol water. Dit kan ik aan. Dit kan ik verdragen.

Toen de misselijkheid op volle kracht toesloeg, wist hij de badkamer te halen voordat hij moest overgeven en ervoer dat als een opluchting, tot de tweede golf over hem heen kwam en het kleine beetje kracht dat hij nog had wegspoelde.

Laat het maar komen, dacht hij woest, terwijl hij met zijn wang op de koele tegels lag en het speeksel in een draad van zijn lip hing. Laat het z'n best maar doen, want ik ga dat water niet drinken, geen druppel.

De misselijkheid kwam weer terug, ook al was zijn lijf leeg, en daarna opnieuw, en uiteindelijk kon hij niet meer van de vloer overeind komen, gefolterd door het venijnige droge kokhalzen dat zijn ribben leek te verscheuren ook al werden zijn organen samengeknepen, en de hoofdpijn ging nu over in crescendo en zijn vaste voornemen werd een herinnering.

De visioenen waren erg, ja, maar deze ontwenningsverschijnselen waren dódelijk.

Terwijl hij zo op de vloer lag, dacht hij aan Kellens idee, vloeiden de woorden door zijn door pijn vertroebelde hoofd: als het vanavond erger wordt, kun je haar fles proberen voordat je uit die van jou drinkt.

Annes fles stond op het bureau, hij zag er zo normaal uit als wat. De laatste keer dat hij hem had gezien was dat althans zo geweest, toen hij op weg was naar de badkamer, en wie wist hoeveel tijd er sindsdien was verstreken. Misschien vijf uur, het kon ook een kwartier zijn geweest. Hij wist het werkelijk niet.

Hij kon niet opstaan. Hij wist zich alleen op handen en knieën te werken, wankelde en stootte tegen de deurpost, spuug hing uit zijn mond, een menselijk pantomime van een dolle hond. Hij kroop naar voren, voelde met zijn handen dat de tegels in tapijt overgingen, en sloeg links af, naar het bureau. Hij knipperde hevig met zijn ogen, zijn gezichtsvermogen klaarde op en hij werd zich bewust van een glans boven op het bureau, een bleekwitte weerschijn dat op een lichtbaken leek.

Hij hees zich overeind en bleef abrupt waar hij was, de dolle hond zei hem zich gedeisd te houden.

Het licht kwam uit de fles. Alyssa Bradfords fles. Die straalde een zachte gloed uit die niet zozeer van binnenuit leek te komen maar eerder door elektriciteit werd veroorzaakt die zich aan de buitenkant vastklampte, een soort sint-elmusvuur.

Drink op.

Nee, nee. Niet opdrinken. Daar ging het nou juist om, de reden van deze absurde lijdensweg was juist om níét meer van dat water te drinken.

Als het vanavond erger wordt, kun je voordat je uit die van jou drinkt haar fles proberen.

Ja, haar fles. Die gloeide niet, zat niet onder de rijp, zag er volkomen normaal uit. Hij sleurde zich naar het bureau en reikte ernaar, en tegelijkertijd ging zijn hand eerst naar de lichtgevende fles, en een deel van hem wilde wanhopig graag die. Maar hij weerhield zich ervan, hij bracht zijn hand naar Anne McKinneys fles, kreeg zijn vingers eromheen en pakte hem op. Opnieuw ging zijn ademhaling snel en horkerig, en hij opende de fles, bracht hem naar zijn mond en dronk.

Het was afschuwelijk spul. De zwavelsmaak en stank waren overweldigend en hij kreeg slechts twee slokken naar binnen voordat hij hem moest weghalen. Hij kokhalsde nogmaals, zakte tegen de poten van het bureau onderuit en wachtte af.

'Doe het,' mompelde hij terwijl hij met het puntje van zijn tong over zijn inmiddels droge en gebarsten lippen streek. 'Dóé het.'

Maar hij wist zeker dat het niet zou werken. Het water waar zijn lichaam zo wanhopig naar verlangde zat in de andere fles, die met die vaag stralende gloed, waarop in een kamer waar het ruim twintig graden was ijs ontstond. Deze variant, deze gezónde variant, deed niets.

Hij ging rustiger ademhalen. Dat was de eerst waarneembare verandering, hij kon zijn longen weer voelen. Een paar minuten later voelde hij de misselijkheid wegtrekken, en daarna minderde de hoofdpijn en kon hij weer opstaan om boven de badkamerwastafel zijn gezicht met koud water af te spoelen. Hij bleef staan terwijl hij zich met zijn handen aan de wastafel vastklemde, tilde zijn gezicht op en keek in de spiegel.

Het werkte. Annes water. Wat betekende dat? Nou, om te beginnen had het Plutowater iets te maken met wat hem overkwam, het maakte er deel van uit. Déél van uit. Hij kon niet geloven dat dat de enige reden was, want Annes water had niets van die bizarre kenmerken als dat van Alyssa Bradford. Wat er ook in zijn systeem terecht was gekomen, het was nu tevredengesteld. Voldaan.

Alsof het zojuist was gevoed.

Josiah kon zich niet voorstellen dat hij zo lang op een rots had gelegen. Hij had zelfs geen kussen en toch wist hij tot na zonsondergang door te slapen. Toen hij zijn ogen opende, waren de boomtoppen boven hem ruisende, wanordelijke schaduwen en nadat hij met een grom overeind was gekomen, was de waterpoel ver onder hem niet langer te zien. Het was nacht.

Naast hem stonden nog twee biertjes, warm en onaangeroerd. Daar beneden murmelde de kolk en hij stond stijf op, dacht aan de droom en was er door van zijn stuk gebracht. Josiah droomde niet vaak in zijn slaap en hij kon zich niet herinneren dat hij ooit dezelfde droom twee keer had gehad, of zelfs maar een variant ervan.

Maar deze was teruggekomen, deze droom van de man op de trein. Merkwaardig.

Normaal gesproken zou hij teruggaan langs de weg die hij gekomen was, maar hij had geen zaklantaarn en lopen in het donker was lastig, zelfs als je wist waar je liep. Te veel wortels om over te struikelen en gaten waarin je je enkel kon verzwikken. Over de weg duurde langer, maar was wel gemakkelijker.

Hij verliet de uitstekende rots, klom naar de top van de richel en vond het pad dat naar de grindweg leidde die de staat daar had aangelegd. Daarna kwam hij uit op de provinciale weg terwijl een hond in de verte blafte en de maan en sterren met een fletse witte gloed op het plaveisel schitterden. Rechts van hem zag hij de witte muren van de Wesley Chapel in het donker oplichten, omringd door een paar bleke ronde vormen, en ook de stenen grafzerkfaçades op de oude begraafplaats vingen het maanlicht op. Hij sloeg links af, huiswaarts.

Er kwam geen enkele auto langs. Hij liep naar het zuiden, een poosje tussen de open velden, daarna het bos van Toliver Hollow in. Daar maakte de weg een bocht en een tijdje vervolgde hij zijn weg naar het oosten, waarna hij een andere weg insloeg en weer zuidwaarts ging. Nog een kleine kilometer verder verruilde hij de asfaltweg voor een grindpad. Bijna thuis. Hij hoefde nog maar twintig stappen over de kiezels te doen toen hij plotseling bleef staan en keek.

De maan was driekwart vol, tussen de wolken door scheen hij zo nu en dan helder en weerkaatste op iets op de weg vlak bij Josiahs huis.

Een voorruit.

Een auto.

Geparkeerd op het terrein van de Amish. Bij Josiahs weten hadden zijn Amish-buren geen auto's.

Hij aarzelde even, ging van de weg af en liep door het struikgewas verder. Toen hij dichterbij kwam, zag hij dat het een bestelbusje was. Wat een vreemde plek om een auto achter te laten, en het was nog vreemder dat die stond geparkeerd op een van de weinige plekken vanwaar je Josiahs huis tussen de bomen door kon zien. Van daaruit zag hij de contouren van zijn huis. De schuren van de Amish waren zichtbaar, maar hun huis niet. Alleen dat van Josiah.

Iemand was vast zonder benzine komen te staan of had ongetwijfeld motorpech gehad, had het ding van de weg geduwd en daar laten staan tot het weer licht werd. Niets om je het hoofd over te breken; het interesseerde

Josiah geen barst wiens auto het was. Die had met hem niets te maken.

Dat dacht hij althans gedurende de volgende vijftig stappen, tot hij de gloed zag.

Ongeveer vijf seconden lang zag hij achter in de bestelbus even een vier-kantje blauw lichtje en toen was het weer weg. Een mobieltje. Er zat iemand in die bestelbus. Achterin.

Toen ging er iets duisters door hem heen, een gevoel dat hij goed kende, zijn drift steeg hem zo naar het hoofd dat hij die niet kon negeren; er zou absoluut met vuisten gezwaaid worden en er zou bloed vloeien.

Iemand hield zijn huis in de gaten.

Vanaf die plek was er niets anders te zien. Niets dan velden, bomen en Josiah Bradfords huis.

Toen moest hij plotseling aan iets denken, wat hij in een flits had gezien maar had genegeerd: het blauwe bestelbusje dat vlak bij Edgars huis stond nadat de man uit Chicago en de zwarte jongen waren vertrokken. Josiah was er pal langsgereden, had gezien dat hij in de berm in het gras gepar-keerd stond. Net zoals deze nu.

De klootzak volgde hem.

Dat kon hij niet toestaan.

Hij liet de bierblikjes die hij bij zich had in het gras vallen, glipte de weg af in de met onkruid overwoekerde greppel en vervolgde kruipend zijn weg. De bestelbus stond met zijn neus naar het veehek, zodat beide zijkan-ten vanaf de weg te zien waren, maar zijn passagier zat achterin en de kans was groot dat die het huis in de gaten hield en niet de weg.

Het duurde lang voordat hij zich een weg had gebaand tot pal tegenover de bestelbus. Twee keer flakkerde het blauwe licht op en doofde weer, en Josiah concludeerde dat degene daarbinnen keek hoe laat het was. Zich ongeduldig afvroeg waar Josiah verdomme bleef. Hij wachtte op hem.

De ideeën tuimelden door zijn hoofd, de mogelijkheden waren einde-loos. Hij kon er rechtstreeks naartoe lopen en op de deur bonzen, die klootzak naar buiten roepen. Hij kon ook een grote losse steen uit de grep-pel pakken en daarmee de voorruit inslaan. Hij kon naar zijn huis glippen en zijn geweer halen. Hoe dan ook, hij moest die klootzak naar buiten wer-ken en antwoorden op zijn vragen zien te krijgen.

Zo zou het althans moeten zijn. Uitzoeken wie dat was en wat hij ver-domme wel niet dacht om achter Josiah aan te zitten. Het gekke was dat het Josiah moeite kostte om zichzelf in het gareel te houden. De vragen die hij zou moeten stellen leken er niet meer toe te doen. Het enige wat ertoe deed was het feit dat iemand zijn huis in de gaten hield. Naar de hel met die antwoorden, Josiah wilde een afstraffing. Wilde onder de auto kruipen, de gastank lekprikken, het ding in de fik steken. Toekijken hoe die anonieme klootzak in een wolk van oranje vlammen hoog de lucht in werd geblazen, hem leren dat er mensen waren met wie je kon sollen en mensen met wie je niet kon sollen, en Josiah Bradford behoorde absoluut tot de laatste soort.

Bij die gedachte stak hij zijn hand in zijn zak en omklemde met zijn vingers de aansteker, even kwam hij werkelijk in de verleiding. Maar nee, die antwoorden waren belangrijk, en als hij de bestelbus opblies voordat de vragen waren gesteld, zou hij er zonder meer spijt van krijgen. Dus stond hij voor het dilemma hoe hij de man uit de bestelbus en aan het praten kon krijgen. Nou, daarmee kon de aansteker wellicht toch een handje helpen.

Hij trok zijn t-shirt uit en voelde langs de onderkant tot hij een gat vond. Hij werkte zijn vingers erin, trok eraan en scheurde het goedkope katoen stuk, wat aardig wat lawaai maakte. Hij ging langzamer, stiller te werk, scheurde net zo lang tot hij vijf repen stof had. Nadat hij het shirt had verscheurd, propte hij de repen in zijn zakken, tastte in de greppel rond tot hij een grote steen vond – die voelde als een afgebroken hoek van een stuk lava – liet zich toen op zijn buik zakken en kroop de weg op in de richting van de bestelbus, terwijl het onkruid en grind zijn huid schaafden.

Hij vorderde langzaam, was geduldig, stopte zo nu en dan om op adem te komen en zijn positie aan te passen. Aan de overkant van de weg was de greppel dieper en eindigde precies op het punt waar de bestelbus geparkeerd stond, en waar dwars over de boerenlandweg een stalen kabelgoot liep, die vol droge bladeren zat. Josiah wachtte even, hoorde niets, en gleed toen onder de bestelbus.

Hij liet het stuk lava achter, duwde zich op zijn buik over het grind tot hij onder de voorkant van de wagen was, stak zijn hand weer in zijn zak en haalde de repen t-shirt en de aansteker tevoorschijn. Hij draaide aan het wieltje van de aansteker tot die vonkte en er een vlammetje brandde, dat hij bij het uiteinde van een reep stof hield en daarna bij de volgende.

Toen ze beide brandden, rekte hij zich uit en gooide ze in de greppel, die vol lag met bladeren en gras en door dagen zon en wind gortdroog waren. Die zouden alleen maar opbranden, maar meer hoefden ze ook niet te doen.

Hij haalde een derde reep stof tevoorschijn, klaar om die ook aan te steken, maar het vuur in de greppel had al wat brandstof gevonden, dus hij liet de stof vallen en glipte weer naar achteren, onder de bestelbus.

Het was maar goed dat hij zich had teruggetrokken, want de man in de bus kreeg het vuur al snel in de gaten. Josiah hoorde geruis binnenin, de deur schoof open, iemand stapte uit en zei binnensmonds: 'Wat krijgen we verdomme nou?' Daarna liep hij naar de greppel en begon het vuur uit te stampen. Intussen glipte Josiah uit het zicht aan de andere kant onder de wagen uit, kroop om de achterkant heen, knielde en greep het stuk lavasteen.

Hij ging rechtop staan toen hij om de achterkant heen was, op misschien drie meter van de man af, die nog altijd op het gras stond te stampen, hoewel het vuur al uit was. Josiah was van plan om het stuk steen in zijn hand te laten stuiteren en deze kerel te vertellen dat het tijd werd om te praten. Maar toen hij om de bestelbus heen was, zag hij dat de man een pistool in zijn hand had en dacht: nou, maar goed dat ik niet gewoon op de deur heb geklopt. Toen sprong hij in de greppel en haalde met het stuk lavarots uit.

De man was snel, draaide zich om en had het pistool al half opgeheven toen de steen hem pal op zijn slaap trof, hem met zo'n klap raakte dat Josiahs schouder schokte en in de stille nacht vochtig kraakte. De knieën van de man knikten en hij viel in de greppel terwijl donker bloed in het gras druppelde en zijn pistool op de grond naast hem lag. Toen was het voorbij, gedaan, en Josiah wist het, maar om de een of andere reden sprong hij eropaf en sloeg hem nogmaals, deze keer zelfs nog harder, en het geluid van de steen op de schedel van de man klonk verschrikkelijk, een uitbarsting van hard op zacht.

Even bleef Josiah waar hij was, kroop naar de man toe, die zich nauwelijks had bewogen. Toen stak hij zijn hand uit en legde zijn vingertoppen tegen de kin van de man, draaide zijn hoofd naar een kant, en hij siste tussen zijn tanden bij wat hij zelf in de schaduwen kon zien. Hij haalde de aansteker uit zijn zak, stak hem aan en lichtte met de vlam het hoofd van de man bij, en zei 'O, shit, Josiah, o, shit' en hij deed de aansteker uit omdat hij er niet meer naar wilde kijken.

30

Eric viel kort nadat hij van Anne McKinneys water had gedronken in slaap. Een diepe, rustgevende slaap, languit boven op de dekens. Toen hij wakker werd, was hij allereerst opgelucht, hij wist onmiddellijk dat de verschrikkelijke pijn weg was, dat hij weer heel was.

Het was koud in de kamer – hij had frisse lucht binnengelaten om de zwetende koorts het hoofd te bieden – en hij had op de dekens en onder de ventilator gelegen. Te koud om te slapen.

Hij zwaaide zijn voeten naar de vloer en bleef even op bed zitten, haalde diep adem en testte zijn fysieke zintuigen, op zoek naar een scheurtje in het harnas. Niets. Hij had een rauwe keel en droge lippen, maar verder voelde hij zich bijna normaal.

Op de tafel stond de Bradford-fles nog altijd te gloeien, maar de gloed scheen hem nu vager toe, bijna als een weerschijn van een onzichtbare lichtbron. Hij stond op, liep naar de thermostaat en zette die hoger, daarna bukte hij zich, raakte zijn tenen aan en strekte zijn armen hoog boven zijn hoofd, en voelde zich bevrijd omdat hij zich weer zonder pijn kon bewegen.

De zware gordijnen waren dichtgetrokken om elk spoortje licht uit te bannen dat zijn hoofdpijn verergerde, maar nu liep hij de kamer door, schoof ze open en keek over de ronde zaal uit. Schitterend. 's Avonds zaten in de reusachtige slinger die vanuit het midden van de koepel omlaag hing gekleurde lampjes die om beurten oplichtten. Hij maakte de deur naar het balkon open en stapte naar buiten, zette zijn handen op de leuning en keek naar beneden.

Leeg en stil. Er was niemand in het atrium of op een van de andere balkons. Dit was op dit moment zijn wereld, alleen van hem.

Hij wist dat hij weer naar bed zou moeten, dat zijn lichaam heel veel slaap nodig had na de beproeving die het zojuist had doorstaan, maar dat wilde hij niet. In plaats daarvan zette hij de balkondeur helemaal open en sleepte de bureaustoel het balkon op, ging zitten en zette zijn voeten op de leuning terwijl hij naar de wisselende kleuren op dat ongelooflijke plafond keek. Paars, groen, rood, paars, groen, rood, paars, groen…

Daarop vervaagden de kleuren, gingen over in een duisternis die door spikkeltjes wit licht werd onderbroken, en toen waren het plafond en het hotel weg en was hij heel ergens anders.

Het was een wolkeloze nacht, de lucht was één sterrenpracht en onder een glanzende halvemaan stond een zo te zien onbewoonbare keet. In gaten in de dakspanen waren stukken stof gestopt, van de voordeur was de scharnier aan de onderkant losgeraakt, hij hing alleen nog aan het bovenste hengsel. In de drie ramen aan de voorkant van het huis zaten nog maar twee glaspanelen. Voorbij het huis stonden een scheefgezakte schuur en een bijgebouw zonder deur.

Ergens in het donker speelde een viool, zacht maar lieflijk. Er was geen leven te bekennen, man noch schepsel, alleen dat droevige, huiveringwekkende lied.

Een ander geluid viel de viool bij en overstemde die, het krachtige zoemen van een motor, koplampen verlichtten de smerige, grijze voorkant van het huis toen een sportwagen met brede spatborden opdook en recht op de verzakte veranda af reed. De deur van de schuur sloeg met een klap open, een man stapte naar buiten en tuurde naar de auto. Hij was lang, maar krom, onder zijn open overhemd was een blote borst zichtbaar, geklit haar hing over zijn oren en in zijn nek. Er stak een sigaar uit een mondhoek.

'Ben jij dat, Campbell?' riep hij, terwijl hij zijn ogen tot spleetjes kneep en ze afschermde.

'Komt er dan wel eens iemand anders op bezoek?' antwoordde een kille stem.

De oude man gromde en deed nog een stap bij de schuur vandaan, terwijl Campbell Bradford op hem toe liep en zijn bolhoed omhoog schoof. Hij had de motor laten lopen en de koplampen laten branden; het licht bescheen hem van achteren en wierp zijn lange schaduw over de voorkant van de schuur.

'Je bent laat,' mopperde de oude man, maar hij stak vriendelijk zijn hand uit.

Campbell haalde zijn handen niet uit zijn zakken.

'Ik wil je handdruk niet, ik wil je drank. Schiet op. Ik wil niet langer in dit hol blijven dan nodig.'

De oude man schuifelde achteruit, gromde, maar tilde zijn hoofd niet op. Misschien omdat hij niet in de lichten wilde kijken; misschien omdat hij Campbell niet in de ogen wilde kijken. Hij draaide zich om en liep de schuur in. Daarbinnen flakkerde een lantaarn die goudkleurige strepen op de muren wierp. In het midden van de schuur stond een verroeste tank. Toen zwaaide de deur dicht en werd die aan het zicht onttrokken.

Campbell Bradford bleef buiten, midden in de lichtstralen van de koplampen, verplaatste ongeduldig zijn gewicht en keek met weerzin om zich heen naar de beboste heuvel. Hij nam zijn bolhoed af, krabde op zijn hoofd en zette hem weer op. Hij haalde een zakhorloge uit de binnenzak van zijn pak, klapte dat open, draaide hem zo dat het licht erop viel, haalde zuchtend zijn schouders op en klapte het horloge weer dicht.

Sinds zijn komst was het stil geweest, maar nu begon de viool weer te spelen. Zelfs nog zachter dan voorheen. Campbell keek één keer naar het huis en wendde zich ongeïnteresseerd af. Maar de muziek speelde door en uiteindelijk hield hij zijn hoofd schuin en stond hij doodstil te luisteren.

De oude man kwam weer tevoorschijn, met in elke hand een kruik. Hij zette ze aan Campbells voeten en draaide zich om om weer naar binnen te gaan, maar Campbell greep hem bij de arm.

'Wie is daar aan het spelen?'

'O, dat is de zoon van mijn zus. Zij is vorig jaar aan de koorts bezweken en sindsdien zit ik verdomme met hem opgezadeld.'

'Haal hem hier.'

De oude man aarzelde, maar knikte toen, schoof langs Campbell heen en liep door het onkruid naar het donkere huis. Even later hield de muziek op, de kapotte deur werd weer opengeduwd en de oude man kwam terug, met een lange, magere jongen achter zich aan. Die had lichtblond haar dat het maanlicht opving en hield in zijn hand een viool.

'Hoe heet je, jongen?' zei Campbell.

'Lucas.' De jongen keek niet op.

'Hoe lang speel je al?'

'Kan ik me niet herinneren, meneer. M'n hele leven al.'

'Hoe oud ben je?'

'Veertien, meneer.'

'Wat voor liedje speelde je?'

De jongen, Lucas, waagde heel even een blik te werpen op Campbell en sloeg snel zijn ogen weer neer.

'Nou, het heeft geen naam. Ik heb het gewoon zelf bedacht.'

Campbell Bradford boog zich naar achteren en hield verbaasd zijn hoofd schuin. Daardoor schenen de koplampen hem vol in het gezicht en zijn donkere ogen leken in het felle schijnsel te draaien als water dat naar een afvoer werd getrokken.

'Heb jij dat liedje geschreven?'

'Hij heb niks geschreven,' zei de oude man. 'Hij kan geen noten lezen, hij speelt alleen maar.'

'Ik had het niet tegen jou,' zei Campbell en Lucas verstrakte. 'Wat is dat voor lied? Zoiets heb ik nog nooit gehoord, jongen.'

'Ze noemen het een klaaglied,' zei hij.

'Wat betekent dat?'

'Het is een lied voor de doden.'

Even viel er een stilte, terwijl zij drieën daar in het licht van de koplampen stonden, als silhouetten die op de verweerde planken van de whiskystokerij waren geschilderd, en een milde bries beroerde de boomtoppen om hen heen.

'Speel het nu voor me,' zei Campbell.

'Hij speelt voor niemand,' zei de oude man en Campbell draaide zich met een ruk naar hem toe.

'Heb ik het tegen jou?'

De oude man deed een paar passen naar achteren en stak zijn handen omhoog. 'Ik wilde je niet onderbreken, Campbell, ik waarschuw je alleen maar. Hij speelt voor niemand. Hij wil helemaal niet spelen, alleen maar voor zichzelf.'

'Voor mij zal hij spelen,' zei Campbell en zijn stem klonk duisterder dan het nachtelijk bos.

De oude man zei zenuwachtig: 'Speel wat, Luke,'

De jongen zei niets. Hij frummelde wat met de viool maar tilde hem niet op.

'Luister naar je oom,' zei Campbell. 'Als ik zeg dat je moet spelen, dan kun je dat maar beter doen. Begrepen?'

De jongen verroerde zich nog steeds niet. Er viel een stilte die op z'n hoogst vijf seconden duurde, toen deed Campbell een stap naar voren en sloeg hem in het gezicht.

De oude man schreeuwde en kwam naar voren om tussenbeide te komen, maar Campbell draaide zich met een ruk om en sloeg opnieuw, en toen lag de oude man op zijn rug op het vertrapte onkruid. Campbell boog zich naar de jongen toe, die nu een druppel bloed op zijn lip had, en zei: 'Laten we het nog een keer proberen.'

In het gras zei de oude man: 'Luke, doe gewoon je ogen dicht. Dan is het net alsof je in het donker speelt, er is niets aan. Doe je ogen dicht en speel!'

Lucas sloot zijn ogen. Hij legde de viool tegen zijn schouder, tilde de strijkstok op, die hevig in zijn hand trilde, en begon over de snaren te strijken. Eerst was het een verschrikkelijk geluid, geen noot klonk zuiver omdat hij zo beefde, maar toen wist hij zijn hand in bedwang te krijgen en kwam de melodie tevoorschijn die schalde door de nacht.

Hij speelde een hele tijd en niemand zei een woord. De oude man kwam op handen en knieën in het zand overeind, werkte zich toen aarzelend op zijn voeten terwijl hij naar Campbell keek, die een hoofdbeweging in de richting van de schuur maakte. De oude man ging naar binnen en kwam met nog meer kruiken naar buiten, acht in totaal, en droeg ze daarna naar de auto waar hij ze inlaadde. Al die tijd speelde de jongen door, met zijn ogen dicht, het gezicht van het licht afgewend.

Toen de oude man zijn laatste loopje had gedaan, zei Campbell 'Klaar' en de jongen hield op met spelen en liet het instrument zakken.

'Wat dacht je ervan om daar een paar centen mee te verdienen?' vroeg Campbell.

'Ai, Campbell,' zei de oude man, 'dat lijkt me echt geen goed idee.'

Campbell draaide zich om en keek de oude man aan, en wat hij er ook tegen in wilde brengen, het stierf een snelle en trillende dood.

'Dat liedje bevalt me wel,' zei Campbell, 'en hij gaat met me mee naar het dal om het daar te spelen.'

Hij stak zijn hand in zijn vestzakje, haalde er een handvol geld uit en gaf dat aan de oude man.

'Kijk eens aan. Vijf extra dollar voor jou. Tevreden?'

De oude man wreef met een vettige duim over het geld, knikte en stopte het in zijn zak.

'Jij speelt dat liedje,' zei Campbell tegen de jongen, 'en je speelt het goed, dan krijg jij ook een paar dollar. Schiet op, stap in de auto.'

'Wanneer breng je hem terug?' zei de oude man.

'Als ik het liedje zat ben,' zei Campbell. 'Waarom staat hij daar nog?'

'Luister naar meneer Bradford,' zei de oom van de jongen. 'Stap in de auto.'

De jongen liep zonder een woord te zeggen van hen weg naar de auto. Toen hij door het licht van de koplampen liep, straalde hij een vreemde, glinsterende gloed uit, en nu waren er kleuren in het licht, paars en dan groen en toen rood en...

Het plafond van de koepel verscheen weer voor Erics ogen en hij bevond zich op het balkon. Er was geen auto meer, geen huis in de bossen of jongen met een viool. Geen boze klappen van een man van wie hij zojuist had gehoord dat hij Campbell heette. Het verleden was weer verdwenen. Hij stond langzaam op en keek om zich heen. Hij draaide zijn hoofd naar links en naar rechts, en zag opnieuw dat de hele ruimte leeg was, en rustig, en boven hem de wisselende kleuren in de koepel, als een prachtige, stille wachter over dat alles.

31

De wind trok aan terwijl Josiah in de greppel naast een man knielde van wie hij wist dat hij dood was. Hij keek naar het bloed dat uit de wond stroomde en nu een diepe poel vormde, die zich zo ver verspreidde dat Josiah achteruit moest stappen om te voorkomen dat het op zijn schoenen zou komen.

Het was donker en stil, en op dit uur zouden er op de weg geen auto's langskomen, maar evengoed moest hij beslissingen nemen, en snel ook, want deze man was dood.

De steen zou een probleem gaan vormen. Daar zat vast bloed op en misschien haar en huid, en je kon er donder op zeggen dat Josiahs vingerafdrukken erop zaten. Hij tastte in de greppel rond tot hij het stuk lavasteen had gevonden, hield het vast en aarzelde even, overwoog om het in het veld te gooien, maar bedacht zich toen. Ze zouden er honden op afsturen die het zonder problemen zouden vinden, en dan hadden ze zijn vingerafdrukken; en Josiah was wel zo vaak gearresteerd dat ze die afdrukken probleemloos konden vergelijken.

Wat dan te doen? Wat te doen?

Nu hij erover nadacht, zat deze hele greppel vol bewijsmateriaal – er lagen flarden van Josiahs shirt naast de dode man – en dat kon hij met alle hulp van de hel niet allemaal opruimen. Hij kon de man in de bestelbus sjorren en hem ergens naartoe rijden, maar daarmee was hij niet van dat bloed in de greppel af, en de kans bestond trouwens dat iemand wist waar de man was.

De kans bestond dat iemand wist dat hij Josiah in de gaten hield.

Hij kon deze bende dus met geen mogelijkheid opruimen, maar hij kon meer dan één bewijsstuk achterlaten. Deze plek verbranden, helemaal verschroeien en ze in de as naar bewijsmateriaal laten wroeten.

Hij veegde de steen zorgvuldig aan zijn broek af, legde hem aan de kant van de weg, liet zich vervolgens op zijn rug vallen, glipte onder de bestelbus, vond de benzineleiding en stak er met zijn zakmes in. De eerste paar keren gleed dat van het metaal af en een keer haalde hij zijn hand open omdat die langs het lemmet slipte. Eerst zijn vingerafdrukken en nu zijn bloed. Hij dreef razend van angst en woede het mes opnieuw in de benzineleiding. Deze keer schoot het lemmet erdoorheen en stroomde er benzine op zijn blote borst.

Even speelde het idee door zijn hoofd om de bestelbus in de greppel te kantelen en het op een ongeval te laten lijken, maar dat verwierp hij weer. Daar was geen tijd voor en waarschijnlijk zou het toch geen zoden aan de dijk zetten. Hij omwikkelde zijn hand met een overgebleven afgescheurde reep van zijn shirt, opende de bestuurdersdeur en stapte in. Er stond een leren koffer op de passagiersstoel, en helemaal achterin vond hij een digitale camera. Hij pakte ze allebei, na al dat risico kon hij er net zo goed zijn voordeel mee doen, en misschien hielp het als het tafereel op een beroving leek. Toen ging hij de greppel in, doorzocht de zakken van de dode man, vond een portefeuille, die hij ook pakte en in de leren koffer liet vallen terwijl de benzine over het grind stroomde en in de greppel achter hem drupte.

Hij stopte de camera in de koffer, zette die opzij, trok twee van de laatste stofrepen uit zijn zak en hield ze in de plas benzine die zich bij de auto aan het vormen was. Toen ze vochtig waren, haalde hij de aansteker tevoorschijn en stak ze een voor een aan. De eerste vlamde te heet op en hij verbrandde zijn hand, de hand die al bloedde, en daarna gooide hij de reep op het lichaam van de dode man. Even leek het of de vlammen doofden, dus wrong hij de laatste stofreep erboven uit en door de benzinedruppels wakkerde de vlam weer aan. Deze keer ging het shirt van de dode man in de fik en ontbrandde het lijk ook.

Josiah stak de laatste stofreep aan en gooide die in de plas benzine op het grind, die als een beest vlam vatte, wel een meter hoog oplaaide en nog voordat hij maar de kans had in beweging te komen al fel brandde. Hij moest maken dat hij wegkwam, griste met zijn bebloede hand de leren koffer mee en rende naar zijn huis terwijl het vuur zich achter hem verspreidde. Hij was er nog geen dertig meter vandaan of de benzinetank explodeerde, hij voelde de schok ervan in de grond, en daarna was de hele nacht een en al oranje licht en wist hij dat hij maar weinig tijd had.

Hij dook met een noodsprong de veranda op, liet de koffer in het gras vallen, haalde zijn sleutels uit zijn zak, deed de deur van het slot en rende in het donker naar binnen naar zijn slaapkamer. Hij trok een schoon shirt aan en opende daarna de kast. Er lag een twaalf kaliber jachtgeweer in, dat pakte hij evenals een doos hulzen en rende de tuin in. Hij gooide het geweer en de hulzen in de laadbak van de truck en trok er een plastic zeil overheen, greep daarna de leren koffer en gooide die op de passagiersstoel. Zijn voortuin was felverlicht door de brand, maar het ergste was al voorbij. Hij dacht dat hij bij de boerderij van de Amish stemmen hoorde, maar misschien verbeeldde hij zich dat maar.

Hij stapte in de truck en startte hem, overwoog om met gedoofde koplampen weg te rijden, maar realiseerde zich dat dat vragen om moeilijkheden was en deed ze aan, reed van zijn oprit weg, schoot over het grindpad en sloeg links af de provinciale weg op. Tegen de tijd dat hij bij het eerste stopbord kwam, hoorde hij sirenes. Hij reed verder de nacht in.

Eric verwachtte niet dat hij weer zou slapen, maar dat gebeurde toch. Lang nadat het visioen voorbij was, had hij stilletjes op het balkon zitten wachten, wensend dat het weer terugkwam.

Maar dat deed het niet.

Uiteindelijk stond hij op, nam de stoel mee de kamer in, keek op de klok en zag dat het vier uur in de ochtend was. Claire zat in de centrale tijdzone, daar was het een uur eerder, dus het was nog te vroeg om te bellen. Kellen zou slapen. Iedereen met een beetje gezond verstand zou slapen.

Hij ging op bed liggen en staarde naar de flessen op het bureau terwijl in het hotel om hem heen de geluiden van de voorbereidingen in de vroege ochtend weerklonken.

Campbell, zo had de oude man degene met de bolhoed genoemd. Campbell.

Dat wist Eric al, hij had dat geweten sinds hij in Josiah Bradfords ogen had gekeken en de gelijkenis had gezien. De man met de bolhoed was Campbell Bradford, en hij was gisteren met een geheel zwarte trein aangekomen. Maar de jongen? De jongen die met dichtgeknepen ogen viool speelde om zijn verschrikkelijke plankenkoorts uit te bannen?

Hij was Alyssa Bradfords schoonvader, daar was Eric net zo zeker van, net zo zeker als hij was geweest van Eve Harrelsons liefdesaffaire in het rode huis, en het kamp in Nez Percé in dat dal in de Bear Paws. Maar de jongen heette Lucas, en hij was geen familie van de Campbell geweest. Dus waarom had hij dan de naam van de man aangenomen? Was hij geadopteerd, bij zijn oom weggehaald en onder de hoede van Campbell gebracht? Maar waarom gebruikte hij dan die naam?

Te midden van al die vragen waren er twee andere dingen bevestigd: door Anne McKinneys water waren zijn ontwenningsverschijnselen verminderd en de visioenen teruggekeerd. Alleen leek het bij dit visioen of hij naar een film stond te kijken. Van een afstandje. De vorige keer had Campbell hem recht aangekeken en tegen hem gepraat. Hij had er deel van uitgemaakt en was geen toeschouwer geweest. Met Annes water had hij voor zijn gevoel werkelijk een visioen uit het verleden ervaren, een glimp opgevangen van iets wat lang geleden was gebeurd en geen invloed had op deze wereld. Wat hij door de Bradford-fles had gezien was bepaald niet zo geruststellend. Op die momenten was Campbell bíj hem geweest.

Hij viel rond zessen in slaap en werd om half tien wakker van de telefoon. Hij tastte er met dichte ogen naar, sloeg het ding van zijn sokkel, kreeg het te pakken en sputterde er een geluid uit dat nog niet in de buurt kwam van 'hallo'.

'Je hebt 't overleefd,' zei Kellen.

'Ja.' Hij ging rechtop zitten en wreef in zijn ogen.

'Geen problemen?'

'Zo zou ik het niet willen noemen.'

'O-o.'

Eric vertelde hem alles, bekende hem hoe diep de fysieke pijn die hij had geleden was gegaan, dat hij van het water had gedronken en het daaropvolgende visioen. Het was merkwaardig dat hij deze vreemde zo veel wilde vertellen, maar hij was dankbaar dat Kellen ernaar wilde luisteren. Hij rende niet heel hard weg, versleet Eric niet voor gek. Dat was belangrijk.

'Dat verandert de zaak,' zei Kellen. 'Het overkomt je niet zozeer door het water uit die specifieke fles, als wel door Plutowater in het algemeen.'

'Volgens mij klopt dat niet helemaal. Ik krijg inderdaad van allebei visioenen, maar iets aan die eerste fles, waarmee het allemaal is begonnen, is nog altijd anders. Nadat ik gisteravond van Annes water had gedronken, was het alsof ik naar iets uit het verleden keek. Toen ik het Bradford-water dronk, maakte ik alles wat ik zag rechtstreeks mee.'

'Dus je wilt het toch laten testen.'

'Absoluut.'

'Nou, dan kom ik langs en haal de flessen op om ze naar Bloomington te brengen.'

Eric opende zijn mond om te zeggen dat dat fantastisch was, maar weerhield zich daarvan, zich realiserend wat dat betekende. Als Kellen beide flessen naar Bloomington zou brengen, zou Eric niets meer in voorraad hebben. En bij die gedachte kreeg hij de rillingen.

'Weet je ook hoe snel ze het kunnen testen?' vroeg hij.

'Geen idee. Maar het is zondag, weet je, dus vandaag waarschijnlijk niet.'

'Als ze het op een of andere manier vandaag kunnen testen... of in elk geval morgen... Hoe eerder hoe liever, denk ik. Het maakt me niet uit wat het kost.'

'Nou, dan heb je het tegen de verkeerde, vriend. Ik heb geen idee hoe dat allemaal in z'n werk gaat. Maar als ik daar eenmaal ben, zal ik kijken wat ik kan doen.'

Kellen zei dat hij over een paar minuten bij het hotel was en ze hingen

op. Eric bestudeerde de beide flessen nog even en toen, en hij verafschuw-
de zichzelf erom, liep hij naar de badkamer, pakte een plastic bekertje en
schonk daar een paar centiliter uit Anne McKinneys fles in. Hij nam er een
slokje van. Nog even smerig als een paar uur eerder, geen spoor van zoe-
tigheid of honing. Mooi zo. Dit water veranderde dus niet.

Hij pakte het bekertje en zette het op zijn nachtkastje. Voor het geval hij
het nodig had. Hij zou proberen het niet nodig te hebben, maar dan was
het er tenminste.

De Bradford-fles raakte hij niet aan.

Hij nam een douche en was nog maar net klaar toen Kellen vanuit de
hotelhal belde. Hij schoot wat kleren aan en griste de flessen weg waarbij
hij de Bradford-fles bijna liet vallen.

Kou was niet langer een juiste omschrijving. Het ding was bevróren, het
soort kou waaraan je je hand kon branden, zoals wanneer je op een win-
teravond in Chicago een metalen leuning aanraakte. Er zat nu een droog
laagje ijs op, hij moest het er met zijn vingernagel afkrabben.

'Ik ga ontdekken wat er in jou zit,' zei hij. Hij nam de flessen mee de lift
in en naar de hal, terwijl hij ze van de ene hand naar de andere overpakte
omdat de Bradford-fles te koud was om al te lang vast te houden. Kellen
wachtte bij de voordeuren. Hij bekeek Eric met kritische blik toen die op
hem toe liep.

'Je ziet eruit alsof je inderdaad een heftige nacht achter de rug hebt.'
Kellen wees met een vinger naar zijn eigen oog. 'Er zijn een paar adertjes
gesprongen, man. En ook op de brug van je neus.'

Dat had Eric in de spiegel al gezien.

'Zoals ik al zei, leuk was het niet.'

'Nee, zo ziet het er inderdaad niet uit.' Kellen stak zijn hand uit en nam
de flessen van hem over, en zei 'Verdómme!' toen hij de Bradford-fles aanraakte.

'Hij wordt steeds kouder,' zei Eric.

'Je meent 't. Dat is een heel verschil met gisteren.'

Eric zag dat Kellen de fles nauwlettend bekeek, las het ontzag in zijn
ogen, en dacht: daarom gelooft hij me. Die fles was zo waanzinnig dat
Erics verhaal aannemelijk werd.

'Ik heb Daniëlle gebeld,' zei Kellen.

'Daniëlle?'

'Mijn meisje, ja. Heb tegen haar gezegd dat iemand hier snel naar moet kijken. Ze zei dat ze wat rond zou bellen en kijken wat ze kon doen. Maar ze kon niets beloven.'

'Dat waardeer ik. Zeg maar tegen haar dat geld…'

'Daar maakt niemand zich druk om.' Kellen was nu net zo met de flessen aan het goochelen als Eric had gedaan. 'Ze kent iemand die het kan, meer niet.'

'Zei je dat ze medicijnen ging studeren?'

'Ja.'

Eric knikte, voelde een steek schuldgevoel. Claire studeerde rechten toen ze elkaar leerden kennen. Was ermee opgehouden toen ze trouwden en ze met hem meeging naar Los Angeles. Ze had nu een goede baan, werkte voor de burgemeester, maar dat was niet de carrière die ze voor zichzelf had uitgestippeld. Die had ze voor hem opgegeven.

'Nou, misschien moet je haar vragen een specifieke test uit te voeren,' zei hij. 'Als dat tenminste kan. Ik heb zo'n idee wat erin kan zitten. We weten dat Campbell betrokken was bij smokkel en illegale drankstokerij, en in dat visioen van gisteravond zag die whiskydistill…'

'Illegale drankstokerij in vroeger tijden,' zei Kellen en hij knikte even. 'Dat klinkt logisch. Joost mag weten wat ze er destijds in hebben gestopt of hoe sterk het was, laat staan hoe het nu is. Daar kun je zonder twijfel de stuipen van krijgen. Volgens mij is het nog steeds de moeite waard om naar een dokter te gaan.'

'Als het nodig is, doe ik dat wel,' zei Eric. 'Maar nu voel ik me prima.'

'Oké. Ik kom vanmiddag weer terug, dan haal ik je wel op.'

Eric liep met Kellen mee het bordes op dat over het terrein uitkeek. Aan het einde van de geplaveide oprijlaan stond een tv-busje geparkeerd.

'Staat er iets op het programma vandaag?' vroeg Eric.

'Dat weet ik niet. Onderweg hierheen kwam ik er nog een tegen, iemand stond op de stoep een smeris te interviewen. Misschien is er gisteravond iets gebeurd.'

'Overval op het casino. *Ocean's Eleven*-shit.'

'Dat zal het zijn.' Kellen lachte en stak toen de fles naar de zon omhoog. Het ijslaagje schitterde. 'Oké, ik vertrek naar Bloomington.'

'Hé, bedankt dat je me met dat water uit de brand helpt. Ik waardeer het meer dan je beseft.'

Kellen keek hem ernstig aan en zei: 'Pas vandaag goed op jezelf, oké?'

'Natuurlijk.'

Hij ging weg en toen stond Eric in zijn eentje op het bordes, met zijn gezicht in een warme, van vocht doortrokken ochtendwind. Het was nu al vochtig, en hoewel de hemel blauw was, was die wat nevelig. Misschien had Anne McKinney gelijk gehad. Was er storm op til.

32

Ook al had Josiah nog zo genoeg van zijn stad, in deze situatie was hij toch dankbaar dat hij hem goed kende. Hij had bedacht dat hij snel ergens onder moest duiken, want over niet al te lange tijd zou de politie op zoek gaan naar zijn truck. Verdomme, dat zouden ze sowieso al doen, omdat het vlak bij zijn huis was gebeurd. Maar hij stond niet te popelen om de kwestie met hen te bespreken.

Tijd dus om van de weg af te gaan en uit het zicht te verdwijnen, en hoewel het hem aanlokkelijk toescheen om op de vlucht te slaan, het gaspedaal van de truck in te trappen, de Ohio-rivier over te steken en nog verder te rijden, was hij niet zo stom om dat te doen. In zijn portemonnee zat het riante bedrag van vierentwintig dollar en hij had misschien nog vierhonderd op de bank, en daar zou hij niet ver mee komen.

Vanaf zijn huis reed hij ongeveer vijf kilometer naar het westen, de bossen in waarmee de heuvels tussen Martin en Orange-county bedekt waren, en draaide een grindpad op waar een stuk of zes VERBODEN-TOEGANG-bordjes stonden. Ooit, jaren geleden, was dat een houthakkerskamp geweest, en nu stond er nog een bouwvallige schuur en lag er wat afgedankt gereedschap. Maar het was afgelegen. Josiah had de plek ontdekt toen hij een keer op herten jaagde – op het landgoed mocht niet gejaagd worden, maar wat kon hem dat verdomme schelen – en had hem in zijn achterhoofd gehouden, in de wetenschap dat zo'n plek handig van pas kon komen bij de handvol illegale praktijken waarmee hij van tijd tot tijd experimenteerde. Hij had hem liever niet in deze situatie nodig gehad, maar nu was hij blij dat hij er indertijd op was gestuit.

Hij zette de motor uit, viste zijn gereedschapskist uit de truck en vond een stevige kniptang. Hij had eraan moeten denken om een ijzerzaag mee te nemen, maar hij had niet bepaald zeeën van tijd gehad toen hij van huis wegging. Hij liet de lichten van de truck aan, zodat die de verzakte deuren van de schuur verlichtten. Precies zoals hij zich herinnerde zaten die met een verroest hangslot op slot, en de ketting was niet dik. Het kostte hem een paar minuten grommen en vloeken – elke keer dat hij de kniptang samenkneep ging hij door de grond van de pijn aan zijn verbrande en bloedende hand – maar uiteindelijk bezweek de helft van een schakel, waarna hij de ketting weghaalde en het slot aan zijn voeten liet vallen.

De deuren gingen krakend en kreunend open, maar ze schoven tenminste weg en binnen was er meer dan genoeg ruimte voor een truck. Hij reed die naar binnen, hoorde een scherp schrapen toen hij langs de deur schampte, zette de motor af en bleef daar in het donker zitten.

Wat had hij in godsnaam gedaan? Wat had hij in gódsnaam net gedaan?

Het afgelopen kwartier had hij het te druk gehad om veel na te kunnen denken, maar nu, hier in de donkere schuur, terwijl hij zijn truck voor de politie verstopte die daar al snel naar zou gaan zoeken, werd hij gedwongen om na te denken over wat zich net had afgespeeld. Die man was dood en Josiah had hem vermoord. Hem vermoord en toen z'n reet in de fik gestoken. Dat was niet alleen moord, dit was nog veel erger. Het soort waarvoor je de doodstraf kreeg.

Niet dat Josiah er nooit eerder aan had gedacht om een man te vermoorden, hij had alleen niet verwacht dat hij het ook echt zou doen. Hij had gedacht dat als het ooit zover kwam, hij langzaam en berekenend te werk zou gaan, nadat hij tot het uiterste was getergd. Wraak vanwege een zware overtreding. Maar vanavond… vanavond was het zo verdomd snel gegaan.

'Dat pistool was de druppel,' zei hij. 'Het was zijn eigen schuld omdat hij dat pistool trok.'

Natuurlijk was dat het geweest. Zelfverdediging, meer niet. Als je een man met een pistool jouw kant op ziet zwaaien, wat kon je verdomme dan anders?

Het probleem was dat hij niet door de eerste klap dood was. Daar was Josiah bijna zeker van. O, hij was zonder meer buiten westen geweest, maar de tweede klap had hem gedood, toen de man al voor pampus in de greppel lag. Josiah was op hem af gesprongen en had met elk laatste flintertje kracht dat hij in zich had het stuk lavasteen op zijn hoofd laten neerkomen. Dat was niets voor Josiah; hij was nooit iemand geweest die een al neergeslagen man natrapte. Maar vanavond had hij dat wel gedaan, en nog een beetje meer ook. Op dat moment, in die fractie van een seconde, was hij zichzelf niet geweest. Hij had het gevoel gehad dat hij een compleet andere man was, een man die met volle teugen van die doodsklap genoot.

Shit, wat een puinhoop. Als je iemand vermoordde, kon je er maar beter een goede reden voor hebben en een goed plan om het aan te pakken, en Josiah had geen van beide. Hij wist niet eens wie die klootzak was, alleen dat hij zijn huis in de gaten hield. Waarom had hij het huis in de gaten gehouden?

Hij reikte naar de passagiersstoel en pakte de aktetas die hij had gestolen, een grote leren tas met schouderriem, en tastte zoekend naar de portefeuille. Toen hij hem te pakken had, deed hij het cabinelichtje aan en maakte hem open. Het eerste wat hij zag was een ID met foto. Erkend privédetective.

Een detective. Hij begreep er totaal niets van, en de naam – Gavin Murray – zei Josiah ook helemaal niets. Hij bestudeerde de foto, er zeker van dat hij deze man niet kende. Het adres op zowel de vergunning als het rijbewijs, die in hetzelfde vakje zaten, was in Chicago.

Dezelfde stad als waar de man vandaan kwam die bij Edgar op bezoek was geweest, die deed alsof hij een film maakte. Beiden op dezelfde dag in French Lick, de een stelde vragen over Campbell, de ander hield Josiahs huis met een camera in de gaten. Wat voerden die klootzakken in hun schild? Verdomme, dat hoefde Josiah toch zeker niet te pikken.

Hij haalde het geld uit de portefeuille en stopte dat in zijn zak, voelde in de koffer rond en stuitte op een chique leren map. Die haalde hij eruit, opende hem en keek naar een vel papier met zijn eigen naam, geboortedatum en sofinummer. Plus een lijst adressen die bijna vijftien jaar teruggingen, plekken die híj bijna was vergeten. Hij sloeg het vel papier om en zag dat op het volgende de details van zijn arrestatiegeschiedenis stonden, compleet met dossiernummers, arrestatiedatums en aanklachten. Hij sloeg nog een paar vellen om en vond er toen een waarop KLANTENCONTACT stond. Er stonden twee telefoonnummers, een faxnummer en een

e-mailadres bij, maar Josiah was veel geïnteresseerder in de naam zelf.
Lucas G. Bradford.

Deze ochtend was het al vochtig voordat de hitte begon. Bij dageraad
kwam er een waterige bries door de hordeur heen en Anne, die toen ze uit
bed stapte en door het raam keek zware bewolking verwachtte te zien, zag
tot haar verbazing dat de zon scheen.

Ze nam een douche, een karweitje dat haar tegenwoordig te veel tijd en
energie kostte omdat ze zich de hele tijd met een hand aan de stalen hand-
greep vasthield, trok daarna een lange broek en een lichte katoenen bloes
aan, evenals de stevige witte tennisschoenen die ze elke dag droeg. Die
moest ze wel dragen; haar evenwicht bewaren was alles, wilde ze niet in
een ziekenhuis of verpleeghuis belanden. Maar wat had ze een bloedhekel
aan die schoenen. Zo'n diepe afkeer had ze zelden voor iets gevoeld. In
haar jonge jaren was ze dol op schoenen geweest. Oké, dat was meer dan
een understatement: ze was stapelgek op schoenen geweest. En vooral op
schoenen met hakken. Die waren hoog en elegant, en je moest weten hoe
je erop liep, je kon er niet zomaar wat mee rondklossen, je moest er als een
dáme op lopen. Anne McKinney had altijd geweten hoe ze moest lopen.
Door de jaren heen had ze met die manier van lopen haar portie starende
blikken wel gehad, had gezien hoe mannenogen voortdurend naar haar
heupen afzakten, zelfs nog lang nadat ze kinderen had gekregen.

In haar flat zette ze nu korte, gestage stappen, op stevige schoenen. Ze
vond het vreselijk dat ze zo moest lopen, vond de schoenen vreselijk. Met
elke stap werd het verleden besmeurd.

Eenmaal aangekleed ging ze naar de veranda om de eerste standen van
de dag op te nemen. De barometer was tot 29,80 gezakt. Voor één nacht een
behoorlijke daling. De zon scheen, maar het gras glinsterde niet, er had zich
's nachts geen zware dauw gevormd zoals de laatste tijd het geval was geweest. Ze boog zich onder het afdak van de veranda naar voren, keek naar
de lucht en zag een cluster dikke wolken in het westen, aan de bovenkant
licht, maar grijs aan de onderkant. Cumulonimbus. Stormwolken.

Alle voortekenen, van de wolken tot het droge gras tot aan de lage luchtdruk, wezen op een storm. Wat ze gisteren al had vermoed, werd hiermee
bevestigd, maar ze was vagelijk teleurgesteld toen ze de wolken bestudeerde.
Dat waren zonder meer stormwolken, maar op de een of andere manier had

ze er meer van verwacht. Maar het was nog vroeg. Lentestormen ontwikkelden zich snel en waren vaak onvoorspelbaar, en het was moeilijk te zeggen wat tegen het einde van de dag zijn weg hierheen zou weten te vinden.

Ze noteerde alle metingen in haar logboek. Normaal gesproken beleefde ze plezier aan dit ritueel, maar vandaag was dat om de een of andere reden niet het geval. Ze was prikkelbaar, humeurig. Dat kreeg ze als er iets belangrijks gebeurde, zoals het bezoek van Eric Shaw, en ze dat aan niemand kon vertellen. Op die momenten drukte de eenzaamheid zwaar op haar, op die momenten kwamen de spotternijen van het lege huis en de zwijgende telefoon extra op haar af. Al die jaren had ze haar verstand bij elkaar gehouden, haar geheugen en logica, daar was ze trots op. Maar op ochtenden als deze vroeg ze zich af of dat wel het beste was. Misschien was het gemakkelijker om een voortschuifelende bejaarde te zijn, misschien sleet dat de scherpe randen van de lege kamers om je heen af.

'O, hou toch op, Annabelle,' zei ze hardop. 'Hou er gewoon mee op.'

Ze ging hier niet in zelfmedelijden zitten zwelgen. Je moest voor elke dag dankbaar zijn, dankbaar voor elk moment dat onze lieve Heer je op deze rare, woeste aarde gunde. Dat wist ze. Daar geloofde ze in.

Maar soms was dat geloven gemakkelijker dan anders.

Ze ging weer naar binnen en maakte toast voor het ontbijt klaar, ging op haar stoel in de woonkamer zitten en probeerde de krant te lezen. Ze kon zich maar moeilijk concentreren. Deze ochtend staken herinneringen de kop op, knabbelden aan de wortels van haar geest. Ze wilde met iemand praten. De telefoon was de hele week niet gegaan, maar dat was gedeeltelijk haar eigen schuld: ze had er alles aan gedaan om iedereen in de kerk en de stad ervan te overtuigen dat ze het best alleen afkon, zodat zij zich om haar niet veel zorgen hoefden te maken. En dat was natuurlijk prima, ze wilde niemand aanleiding geven om ongerust te zijn, maar... maar het kon geen kwaad als iemand zo nu en dan even kwam buurten. Gewoon om gedag te zeggen. Om een praatje te maken.

Mijn hemel, maar Harold babbelde altijd honderduit. Ze had vaak genoeg tegen hem gezegd: Harold, ga naar buiten geef mijn oren wat rust, alleen maar omdat ze niet tegen dat aanhoudende gekwebbel kon. En de kinderen... O, dat waren absoluut zíjn kinderen, want ze hadden beiden zijn snatertalent geërfd, het leek wel een koorts. In dit huis werd er van zonsopgang tot zonsondergang gepraat.

Ze legde de krant neer, stond op en liep naar de telefoon, waarbij ze zo-als altijd het draadloze toestel naast zich negeerde, want het was goed om te bewegen, goed om actief te blijven. Ze belde het hotel en vroeg doorver-bonden te worden met Eric Shaw. Gisteravond was het bij haar opgeko-men dat ze hem nooit had gevraagd naar welke familie hij eigenlijk onder-zoek deed. Misschien kon ze helpen. Als hij haar de familienaam vertelde, kon ze zich misschien sommige dingen van hen herinneren, wellicht kon ze hem een paar verhalen vertellen.

Maar hij ging naar de voicemail en dus liet ze een bericht achter. Met Anne McKinney, niets dringends. Gewoon even horen hoe het is.

33

Eric liep naar de eetzaal en bestelde een ontbijt, terwijl hij zich opgelucht realiseerde dat hij weer echt trek had; hij nipte een beetje ongeduldig van zijn koffie, keek halsreikend uit naar het eten dat hem gebracht zou wor-den. Dat moest wel een goed teken zijn.

Hij dacht voortdurend aan de uitwerking van Annes water. Dat had net als het water uit de Bradford-fles zijn fysieke lijdensweg beëindigd, maar het ermee gepaard gaande visioen was zo anders, zo veel vriendelijker ge-weest. Net alsof je naar een film keek. Er was een afstand geweest, een scheiding van ruimte en tijd. Als alles wat hij had gezien echt was…

De daarin besloten mogelijkheden hielden hem op een vreemde ma-nier bezig. Misschien was een hallucinatie hetzelfde als die welke dagelijks door drugsgebruikers werden ervaren. Maar als dat niet zo was, als hij werkelijk een kijkje in het verleden nam, dan bood het water hem nog iets heel anders dan pijn. Dan gaf het hem in feite macht. Een gave.

'Wentelteefjes met bacon,' zei een vrouwenstem achter hem en de ser-veerster zette een bord voor zijn neus waardoor hij nog meer honger kreeg. 'En u bent aan nog een koffie toe. Wacht even, dan schenk ik u bij. Sorry, hoor. Ik heb even naar die lui van de tv staan kijken.'

'Uh-huh,' mompelde Eric terwijl hij nog voor ze weg was de eerste vork vol wentelteefje in zijn mond stopte. Het was verrukkelijk.

'Ze waren in de hal aan het filmen,' zei ze. 'Ik hoopte dat ze binnen zouden komen en ik op het nieuws zou komen. U weet wel, vijftien seconden beroemd.'

Eric slikte, veegde zijn mond met het servet af en zei: 'O, oké, ik heb de tv-busjes al gezien. Waar gaat het over?'

'Er is iemand vermóórd,' zei ze, en ze ging op fluistertoon verder terwijl ze zich over hem heen boog om zijn koffiekop bij te schenken. 'Opgeblazen in zijn bestelbus, niet te geloven, toch?'

'Echt? Daar ga je dan met je rustige plek. Als de mensen ontdekken dat de plaatselijke bevolking elkaar opblaast, doet dat de zaken bepaald geen goed.'

'O, hij was niet vanhier. Hij kwam uit Chicago. En hij was ook nog een detective. Dat is des te interessanter, vindt u niet? Want Joost mag weten wat hij hier te zoeken had. Ik herinner me zijn naam niet, maar ze zeiden dat...'

'Gavin,' zei Eric, en hij voelde dat zijn lichaamstemperatuur zakte en hij langzamer ging ademen; het eten voor zijn neus was lang niet meer zo aanlokkelijk. 'Hij heette Gavin Murray.'

Het was een verdomd lange wandeling, vooral omdat hij de wegen moest mijden en door de bossen moest, en Josiah vertrouwde zijn mobieltje niet, bedacht dat ze dat konden opsporen. Hij zette het uit en haalde de accu eruit om er zeker van te zijn dat het geen signaal uitzond, en ging toen door de bossen op weg naar de stad. Hij vond het verschrikkelijk om Danny bij deze puinhoop te betrekken, maar er was nu werk te doen dat hij niet in zijn eentje afkon en Danny was de enige van wie hij wist dat die zijn mond dicht zou houden, wat er ook gebeurde. O, Danny liep grote kans om opgepakt te worden, maar de smerissen zouden geen woord uit hem krijgen. Ze hadden door de jaren heen al zo veel aanvaringen met de politie gehad, en als er iets was wat Danny wist wat hem in dit soort situaties te doen stond, was het wel zijn mond houden.

Het kostte hem meer dan een uur lopen naar de stad en daar liep hij het risico gezien te worden omdat hij sowieso een tijdje door het open veld moest. Bij het benzinestation was een telefooncel, een van de laatste in de stad, en hij belde Danny om hem te vertellen waar hij hem moest ontmoeten. Hij voelde voortdurend zijn nek prikken, verwachtte elk moment dat er een politieauto de hoek om zou zwenken, waar de smerissen met getrokken wapens uit zouden zwermen. Maar er gebeurde niets. Niemand keurde hem ook maar een blik waardig.

Zodra hij had opgehangen, liep hij weer naar het bos en bleef uit het zicht. Hij klom op een overhangende tak en wachtte. Een kwartier later dook Danny's Oldsmobile op, die reed langzaam terwijl Danny halsreikend naar hem uitkeek. Shit, ook een manier om geen aandacht te trekken.

Josiah haastte zich de heuvel af, liep het bos uit en stak een hand op. Hij rukte de passagiersdeur open toen de auto bij hem was en zei: 'Rijden, verdomme.'

Danny reed met tussengas schommelend de heuvel op.

'Wat is er in godsnaam aan de hand, Josiah?'

'Ik zit tot m'n nek in de problemen, dat is er aan de hand. Wil je een vriend uit de brand helpen?'

'Nou, natuurlijk, maar ik wil wel graag weten waar ik in verzeild raak.'

'Dat is niet best,' zei Josiah en toen, zachter, 'en ik zal proberen om je er zo veel mogelijk buiten te laten. Echt waar.'

En die opmerking, het laten zien dat hij om iemand anders gaf dan om zichzelf, leek Danny duidelijk te maken hoe ernstig de situatie was. Hij wendde zich naar Josiah toe, fronste zijn wenkbrauwen en wachtte af.

'Ik ben vannacht in een vechtpartij beland,' zei Josiah. 'Een man trok een pistool. Ik had een steen in mijn hand en die heb ik gebruikt. Ik heb hem één keer vaker geraakt dan nodig was.'

'O, shit,' zei Danny. 'Ik ga je niet helpen een lijk te begraven, Josiah. Dat doe ik echt niet.'

'Je hoeft geen lijk te begraven.'

'Dus je hebt hem niet vermoord?'

Josiah zweeg.

'Je hebt 'm echt gedood?' Danny vloog bijna uit de bocht. 'Heb je iemand vermóórd?'

'Het was zelfverdediging,' zei Josiah. 'Maar hij is wel dood, ja. En je weet wat de politie hier in zo'n geval doet met iemand zoals ik. Zelfverdediging betekent helemaal niets. De aanklager zal al mijn oude aanklachten erbij halen en de jury vertellen dat ik niet meer dan vullis ben, geváárlijk vullis, en dan eindig ik in Terre Haute of Pendleton.'

Danny stak zijn tong uit, bevochtigde zijn lippen. 'Het was toch niet die vent in de bestelbus, hè?'

'Hoe weet jij dat nou?'

'De hele stad weet ervan, Josiah! Opa heeft me vandaag bij m'n lurven naar de kerk gesleurd, het was het gesprek van de dag. O, verdomme, was jij dat?'

'Hij trok een pistool, verdomme! Dat heb ik al gezegd.'

Ze kwamen bij het houthakkerspad en Josiah zei dat hij dat moest nemen. Hij legde alles uit, behalve de vreemde dromen over de zwarte trein en de man met de bolhoed.

'Ik begrijp niet waarom iedereen zo in Campbell geïnteresseerd is,' zei Danny.

'Ik ook niet. Maar ene Lucas Bradford heeft deze kerel uit Chicago hierheen gestuurd om me in de gaten te houden, en de oude Lucas heeft zelf wel een paar centen. Ik vond een rekening tussen de papieren van die dode kerel, Danny… Hij heeft vijftienduizend dollar als vóórschot betaald. En er zit een brief bij waarin staat dat hij tot honderdduizend mag gaan om de situatie op te lossen. Dat staat er: de situatie op te lossen. Honderdduizend dollar.'

Danny krabde zich in de nek. Hij had zijn kerkkleren nog aan, droeg een gesteven wit overhemd dat zweetplekken onder de armen vertoonde.

'Er is iets aan de hand, dat is zo zeker als wat,' zei hij. 'Maar je hebt het verkeerd aangepakt. Je maakt alles alleen maar erger. Je zei dat hij een pistool trok? Shit, bel de politie en zeg dat tegen ze. Zorg voor een advocaat…'

'Danny,' zei Josiah, 'ik heb de man in brand gestoken. Begrijp je dat? Denk daar eens over na, en over mijn reputatie in deze stad, vertel jij me dan maar wat er gaat gebeuren.'

Danny verstarde even, maar uiteindelijk knikte hij even. Toen zei hij fluisterend: 'Waarom heb je hem verdomme in brand gestoken?'

'Dat weet ik niet,' zei Josiah. 'Ik weet niet eens waarom ik hem een tweede keer heb geslagen. Ik was mezelf niet. Maar ik heb het gedaan en nu moet ik snel iets zien te verzinnen.'

'Waar denk je aan?'

'Die Lucas Bradford heeft wel wat centen te spenderen. En die heb ik nodig. Maar eerst moet ik een paar dingen gaan begrijpen: wie hij is en waarom hij over me laat rondvragen. Daar heb ik jou voor nodig. Ik vraag je om me alsjeblieft te helpen.'

Danny zuchtte, greep het stuur vast en kneep er stevig in.

'Danny?'

Hij knikte. 'Ik zal doen wat ik kan.'

'Goed zo. Dank je. Allereerst moet je die klootzak opzoeken die bij Edgar is geweest en ons die bullshit over een film aan de neus heeft gehangen. Hij logeert in een van de hotels. Je moet hem opzoeken en volgen.'

34

Alyssa Bradford nam haar telefoon niet op. Eric belde haar zonder zelfs maar van tafel op te staan, sprak op zachte, maar vijandige toon het zoveelste bericht in en eiste dat ze hem terug zou bellen, dat hij deze keer zeer zéker met haar man wilde praten, dank je wel. Er was iemand dood, verdomme, en hij moest weten wat er in godsnaam aan de hand was.

Zijn telefoon ging niet. Hij bleef een tijdje zitten wachten en dacht aan Gavin Murray met zijn zonnebril, sigaretten en zelfvoldane stem. In een bestelbus opgeblazen.

De serveerster kwam bij hem en toen ze zijn praktisch onaangeroerde bord zag, vroeg ze: 'Zijn er problemen met het eten?'

'Nee,' zei hij. 'Geen problemen. Ik zat alleen... na te denken.'

Hij at de maaltijd zonder iets te proeven op, betaalde en ging weer naar zijn kamer. Hij had zijn deur nog niet open of de telefoon ging. Alyssa, dacht hij, zorg verdomme maar dat jij het bent.

Zij was het niet. Het was de hotelmanager die hem ervan op de hoogte wilde stellen dat de politie naar hem op zoek was.

'Zeg tegen ze dat ik over vijf minuten beneden ben,' zei hij, daarna hing hij op en belde Claire.

'Ben je thuis?' vroeg hij toen ze opnam.

'Ja. Hoezo?'

'Ik wil graag dat je daar weggaat.'

'Sorry?'

'Ik wil dat je een minuutje geduld met me hebt en dat je gelooft dat ik niet gek ben. Geloof je dat nog steeds?'

'Eric, wat is er aan de hand?'

'Iemand heeft me vanuit Chicago naar hier gevolgd,' zei hij. 'Ene Gavin Murray. Schrijf die naam op of onthoud hem in elk geval, wil je dat? Gavin Murray. Deze man was een privédetective uit Chicago en werkte voor een groep die Corporate Crisis Solutions heet.'

'Oké.'

Hij hoorde dat ze een vel papier losscheurde en toen het rammelende geluid van het zoeken naar een pen.

'Hij dook gisteren bij het hotel op,' zei Eric, 'en hij wist alles van me. Hij noemde jou met naam en toenaam. Hij wist dat we uit elkaar waren en dat de scheiding er nog niet door was.'

'Wat?'

'Ja... behoorlijk gedetailleerde info, hè? Hij heeft zijn huiswerk gedaan, maar daar draaien dat soort jongens hun hand niet voor om. Dus ik maakte me niet al te bezorgd. Maar dat begint nu te komen.'

'Denk je dat ik bang voor hem moet zijn?'

'O, niet voor hem. Hij is dood.'

'Hij is wát?'

'Iemand heeft hem gisternacht vermoord,' zei Eric. 'Hem vermoord, zijn bestelbus opgeblazen. Ik weet nog geen bijzonderheden. Ik moet zo met de politie praten. Wat ik wel weet is dat die kerel me naar hier is gevolgd, dat hij me vijfenzeventigduizend dollar heeft geboden als ik ophield met rondvragen over Campbell Bradford, en nu is hij vermoord. Ik heb geen idee wat dat betekent, maar ik moet je wel vertellen dat hij me gister-avond feitelijk heeft bedreigd. Hij zei dat er andere middelen waren als ik het geld niet aanpakte.'

'Eric...'

'Ik weet zeker dat het een overdreven voorzorgsmaatregel is,' zei hij, 'maar toch, ik wil dat je een tijdje uit dat huis wegblijft. Tot we hier wat meer van begrijpen; volgens mij is dat een goed plan. Het geeft mij in elk geval geestelijke rust.'

'Eric,' herhaalde ze met zachtere stem, 'heb je nog meer van dat water gedronken?'

'Dat doet er nu niet toe, want we hebben…'

'Ja dus.'

'Wat dan nog?'

'Ik vraag me alleen af… weet je zeker dat dit is gebeurd? Weet je zeker dat die man…'

'Wel echt was?' zei hij en hij lachte hysterisch. 'Bedoel je dat soms? Shit, Claire, dit had ik nou net nodig, dat jij aan mijn gezonde verstand twijfelt. Já, de man was echt en hij is écht dood, nou goed? Hij is dood. Iemand heeft hem vermoord, en ik ga daar nu met de politie over praten en als je dat niet gelooft, zet dan je computer aan en zoek het op internet op, zoek hem op, doe verdomme alles wat nodig is om jezelf ervan te overtuigen…'

'Oké,' zei ze, 'oké, oké, bedaar een beetje. Ik moest het gewoon vragen, dat is alles.'

Er viel een korte stilte.

'Ik ga wel weg,' zei ze. 'Als je dat wilt. Ik ga weg. Oké?'

'Dank je.'

'Schiet nou niet in de stress als ik je dit vraag, maar waarom heb je weer van dat water gedronken?'

Dus gaf hij antwoord toen de huistelefoon opnieuw rinkelde – waarschijnlijk de politie die wilde weten waar hij verdomme bleef – en vertelde haar over de verschrikkelijke nacht die hij had gehad en dat Anne McKinneys water dat de kop had ingedrukt, en over het visioen van Campbell Bradford en de jongen met de viool.

'Het enige waar ik me nu zorgen over maak,' zei ze, 'is wat dat water met je doet. Fysiek gesproken, niet mentaal. De rest van dit alles… Dat is angstaanjagend en raar, maar daar valt wat aan te doen. Maar dat water… dat is enger, Eric. Je lichaam is er nu van afhankelijk. Je hersens ook. Dat is geen veilige toestand.'

'We weten nog niet of ik ervan afhankelijk ben,' zei hij, maar de hoofdpijn was terug en hij had een droge mond.

'Je hebt medicijnen nodig,' zei ze, maar toen werd er op de deur geklopt en hij wist dat de politie had besloten niet te wachten tot hij beneden zou komen.

'Ik moet gaan, Claire. Ik moet met de smerissen praten. Ga je alsjeblieft een tijdje het huis uit? In elk geval tot ik weet wat er allemaal aan de hand is.'

Ze zei dat ze dat zou doen. Ze zei tegen hem voorzichtig te zijn. Ze zei tegen hem niet meer van dat water te drinken.

35

De politieman die met hem wilde praten was van de Indiana staatspolitie, ene Roger Brewer. Hij reed Eric naar het kleine politiestation midden in French Lick, zei onderweg weinig, zei eigenlijk helemaal niets tot ze binnen zaten en hij een taperecorder had aangezet. Hij was een ernstige man met een indringende blik.

'Op dit moment kan ik u niet veel vertellen,' zei hij, 'of u althans kan onthúllen, dat is een beter woord, maar voorlopig is het genoeg te zeggen dat Gavin Murray vannacht is vermoord. Ik vroeg me af wat u me daarover kan vertellen.'

'Wat ik u kan vertellen?' echode Eric. Zodra ze onder de fluorescerende lichten hadden plaatsgenomen, was de hoofdpijn nog een graadje erger geworden. Naast de taperecorder die op de tafel tussen hen stond, hing er vlak bij de hoek een camera aan het plafond. 'Ik kan u daar niets over vertellen.'

'Vertel me dan over hem,' zei Brewer, 'en over uzelf. Ik ben benieuwd waardoor iedereen naar Indiana is gelokt.'

Eric begon te praten, onderbrak zichzelf en aarzelde even terwijl Brewer een vragende wenkbrauw optrok.

'Is er iets mis?'

'Ik bedacht alleen dat het wellicht betamelijk is om te vragen of u me als een verdachte beschouwt.'

'Betámelijk?' Brewers gezicht leek verdwaald te zijn tussen woede en geamuseerdheid.

'Inderdaad.' Misschien had hij dat niet moeten vragen – Eric was niet vaak met de politie in aanraking geweest en was zich als vanzelf naar Brewers gezag gaan voegen – maar door de suizendspoelen van de taperecorder was hij op zijn hoede. Eric begreep als geen ander hoe je met film en tape kon manipuleren.

'Nou, meneer Shaw, zoals meestal het geval is wanneer we een moord-slachtoffer aantreffen, is de vijver van verdachten in het begin diep en breed. Of u daarbij hoort? Absoluut. Maar er zijn meer dan genoeg anderen. Op dit moment ziet het ernaar uit dat u misschien met wat antwoorden op de proppen kunt komen. Ik zou het vreselijk vinden als u dat niet zou willen.'

'Het is niet een kwestie van wel of niet willen, ik probeer alleen maar de situatie te begrijpen. Ik wil graag weten hoe u aan mijn naam komt.'

Brewer zweeg.

'Moet u horen,' zei Eric, 'ik wil graag met u praten. Ik doe zelfs niets liever. Maar ik vind ook dat dit geen eenrichtingsverkeer moet zijn. Ik maak me bezorgd, en ik heb het gevoel dat ik het recht heb om een paar dingen te weten. Als u een gesprek wilt, geweldig. Maar als dit een ondervraging is, dan verzoek ik u ermee te stoppen tot ik er een advocaat bij kan roepen.'

Brewer zuchtte toen hij dat woord uitsprak.

'Hé,' zei Eric, 'aan u de keus.'

'We moeten een moord oplossen,' zei Brewer ten slotte, 'en tenzij u daar direct bij betrokken was, zou ik het heel vervelend vinden als u opzettelijk ons onderzoek hindert.'

'Inspecteur, gisteren werd ik door die man op een parkeerterrein over-rompeld, hij wist details uit mijn persoonlijke leven en heeft me regelrecht bedreigd. Als u daar meer over wilt weten, wil ik u dat met alle liefde vertellen, maar zoals ik al zei, ik moet ook aan andere dingen denken. Zoals de veiligheid van mijn familie.'

Hij had gehoopt dat een klein tipje informatie Brewer tot meer medewerking zou aanzetten, en dat leek te lukken. De ogen van de agent lichtten bij die onthulling op en hij schoof zijn stoel dichterbij.

'Binnen redelijke grenzen zal ik u ter wille zijn, mits u datzelfde voor mij doet, meneer Shaw. En dat vereist een volledige verklaring, en snel ook.'

'Die zal ik u geven. Maar vertel me alstublieft hoe u aan mijn naam komt. Dat moet ik weten.'

'Gavin Murrays bedrijf.'

'Hebben ze verteld dat hij me hiernaartoe is gevolgd?'

Brewer knikte. 'Daar zeiden ze dat hij onderzoek naar u deed.'

'Nou, wie heeft hem dan ingehuurd?'

'Dat weten we niet.'

Nu was het Erics beurt om een zucht te slaken, maar Brewer stak een hand op.

'Nee, echt, meneer Shaw, dat weten we niet. Dit was het enige wat het bedrijf ons wilde vertellen. Ze weigeren op dit moment meer informatie te verschaffen, en gooien het op het beroepsgeheim van een advocaat tegenover een cliënt.'

'Hebben privédetectives een beroepsgeheim?'

'Wel wanneer ze door een advocaat zijn ingehuurd. Vanaf dat moment maken ze deel uit van het juridische team van de advocaat. Het is legitiem, ook al is het knap lastig. Ze willen wel graag meewerken, maar weigeren met de naam van de cliënt op de proppen te komen. Daar werken we aan, maar voorlopig staan de zaken er zo voor.'

Brewer leunde achterover en spreidde zijn handen. 'Dus u kunt zich voorstellen dat wat u te vertellen hebt verdomd belangrijk voor ons is, meneer Shaw. Het enige wat we nu weten is dat de man uit Chicago hiernaartoe is gekomen om u te volgen. Of, klaarblijkelijk, om met u te praten. Hij is nog dezelfde nacht na zijn komst vermoord. We willen graag weten waarom.'

'Anders ik wel,' zei Eric, en toen aarzelde hij even en vroeg zich opnieuw af of een advocaat het beste zou zijn, want in het scenario dat Brewer net had geschetst, leek Eric niet alleen een verdachte, maar nog een verdomd goede ook.

'Hoe sneller we hiermee aan de slag gaan,' zei Brewer, 'hoe sneller we u gerust kunnen stellen, in het belang van uw familie en uzelf.'

'Oké,' zei Eric. 'Oké.'

Hij haalde Murrays visitekaartje uit zijn portefeuille en overhandigde dat aan Brewer, gaf hem daarna Kellens naam en telefoonnummer en legde uit dat die getuige was geweest van de eerste ontmoeting.

'Maar niet van het gesprek,' zei Brewer. Hij sprak zacht en niet uitdagend, maar toch zweeg Eric plotseling, er ging een waarschuwende tinteling door hem heen.

'Nee,' zei hij. 'Er waren geen getuigen van het gesprek. Maar na afloop heb ik Kellen meteen verteld wat er gezegd is. Meer kan ik er niet van maken.'

Brewer knikte vergoelijkend en vroeg hem verder te gaan. Eric verklaarde alles wat er te verklaren viel en Brewer zat er rustig bij, terwijl hij Eric recht aankeek en de spoelen van de taperecorder gestaag doordraaiden. Brewers gezicht veranderde geen moment, reageerde zelfs niet toen Eric het had over het geldaanbod of de suggestie dat als hij het geld niet wilde aannemen, hij er via andere middelen van overtuigd kon worden om naar huis te gaan.

'Hij was aan de telefoon toen we wegreden. Als u wilt weten wie zijn cliënt is, kunt u dat waarschijnlijk via de telefoongegevens wel ontdekken.'

'Die controleren we heus wel, maakt u zich geen zorgen.' Brewer keek bedachtzaam naar de recorder en zei: 'En dit was zowel de eerste als de laatste keer dat u Gavin Murray hebt gezien?'

'Ja. En als ik u was, zou ik op zoek gaan naar Josiah Bradford. Hij was de laatste naar wie Murray bij mij informeerde, en volgens mij is hij de eigenlijke reden waarom Murray hierheen is gekomen.'

'Kunt u me meer over die theorie vertellen?'

'Hebt u met Josiah gepraat?'

Brewer keek pijnlijk, maar zei: 'Dat gaan we doen, maakt u zich geen zorgen. Het is een kwestie van hem zien te vinden, net als met u.'

'Dus hij wordt vermist?'

'Hij is niet thuis, dat is alles, meneer Shaw. Ik zou hem nu nog niet als vermist willen beschouwen.' Maar er was iets in Brewers blik wat erop duidde dat hij verre van tevreden was, iets waaruit Eric las dat Josiah Bradford inderdaad hun belangstelling had. 'Nou, kunt u nu alstublieft de suggestie die u zojuist maakte toelichten?'

'Nou, het idee is eigenlijk heel simpel. Ik ben hier om een film te maken over een rijke kerel in Chicago, over zijn jeugd hier. Zodra ik hier ben, biedt iemand me een aanzienlijk bedrag aan om naar huis te gaan. In mijn ogen was dat een zet uit zelfbescherming, iemand probeert een probleem in de kiem te smoren.'

Een plausibele verklaring, maar de details die hij eruit wegliet, zoals het feit dat Eric er steeds zekerder van werd dat de oude man in het ziekenhuis niet dezelfde plaatselijke, beruchte Campbell Bradford was, waren bepaald niet gering. Maar hoe kon van hem worden verwacht dat hij dat alles kon uitleggen? Het was verdomd vreemd. Hij zou als een idioot klinken.

'U zei dat u een film maakte,' zei Brewer. 'Een documentaire.'

'Ja.'

'Fascinerend. Dus u neemt interviews op, dat soort dingen.'

'Ja.'

'Prachtig. Als we de opnamen kunnen bekijken die u gisteren hebt gemaakt…'

'Die heb ik niet. Nou ja, ik heb wel audiomateriaal. Dat kan ik u wel geven.'

Maar de audiotapes zouden een nieuw element in dit alles inbrengen. De gedachte dat Brewer en een kamer vol andere smerissen meeluisterden terwijl hij Anne McKinney over zijn visioenen vertelde, stond hem niet aan. Nee, dat leek hem helemaal geen goed idee.

'Gebruikt u dan geen camera? Lijkt me knap lastig om een film te maken zonder een camera.'

'Die gebruik ik wel.'

'Dus u hebt er een bij u?'

'Nee. Ik bedoel. Ik had er wel een, ja. Maar… die is stuk.'

Verdomme, dat klonk eerder als een leugen. Misschien kon hij nog wat brokstukken van de camera terugvinden om zijn bewering te staven, maar dan zou hij ook moeten uitleggen waarom hij een dure camera op een hotelbureau aan stukken had geslagen. Niet het soort verhaal dat je een smeris wilde vertellen die een wrede moord onderzocht.

'Hij is stuk,' zei Brewer poeslief. 'Ik begrijp het. Nou, kunt u beschrijven hoe uw avond eruitzag nadat u met Gavin Murray had gepraat?'

'Hoe die eruitzag?' echode Eric terwijl hij zich probeerde te concentreren. Zijn hoofd bonsde nu gestaag en zijn maag trok zich met tussenpozen samen. Hij probeerde het uit zijn hoofd te zetten, of in elk geval af te zwakken. Dit was geen goed moment om weer in katzwijm te vallen.

'Ja, wat u hebt gedaan, door wie u bent gezien, dat soort dingen.'

Hij moest natuurlijk de waarheid vertellen. Maar als hij de waarheid vertelde, zouden ze bij Anne McKinney terechtkomen en daarmee ook bij het feit dat hij over zijn visioenen en hoofdpijnen had gepraat. Natuurlijk had hij Kellen al genoemd, die zou hetzelfde moeten zeggen…

'Meneer Shaw?' drong Brewer aan, en Eric hief zijn hoofd op om hem aan te kijken, en toen kon hij het verticale beeld in zijn ogen niet meer stilzetten. Het was alsof hij naar een oude, beschadigde film zat te kijken, het tafereel vóór hem begon op en neer te schudden, alsof Brewer op een springstok zat in plaats van op een stoel. Hij moest zich aan de onderkant van zijn stoel vastgrijpen om zijn evenwicht te bewaren.

O, shit, dacht hij, het komt terug. Het komt nu al terug, en deze keer heeft het nog geen dag geduurd.

Toen hield het schudden op, maar daarvoor in de plaats ging hij dubbelzien; nu zaten er twee Brewers tegenover hem aan tafel, twee paar sceptische ogen keken hem aan en zijn oren begonnen te suizen.

'Ik denk,' zei Eric, 'dat ik even een pauze moet nemen.'

'Sorry?'

'Ik voel me niet goed. Het werkt me op de zenuwen. Ik maak me ongerust over mijn vrouw.'

'Meneer Shaw, ik verzeker u dat er geen reden is om aan te nemen dat uw vrouw in gevaar is. Tenzij ú een reden weet die verdergaat dan wat u hebt verteld…'

'Ik moet gewoon even pauzeren,' zei Eric.

Ja, respijt. Dat had hij nodig. Zo'n lang respijt dat hij naar zijn hotelkamer terug kon, terug kon naar dat plastic bekertje dat hij met het water uit Anne McKinneys fles had gevuld. Het was het enige wat hem nu kon redden.

'Ik wil best wat water voor u laten halen,' zei Brewer en daardoor kreeg hij een bijna hysterische aandrang om in lachen uit te barsten. Ja, water, dat was nou precies wat hij nodig had!

'Eigenlijk… moet ik even naar buiten,' zei Eric en er trok een vlaag achterdocht over Brewers gezicht.

'Nou, ga dan naar buiten,' zei Brewer. 'Maar we moeten dit gesprek wel afmaken.'

'Nee. Ik moet gaan. Ik kan later terugkomen. Maar nu moet ik even gaan liggen.'

'Sorry?'

'Tenzij u me gaat arresteren, moet ik gaan liggen. Even maar.'

Hij had tegenstand verwacht, maar in plaats daarvan schonk Brewer hem een heel koel, sceptisch knikje en hij zei: 'Nou, u moet doen wat u niet laten kunt, meneer Shaw. Maar we moeten opnieuw met elkaar spreken.'

'Natuurlijk.' Eric kwam wankelend overeind terwijl hij steeds duizeliger werd. Toen hij naar de deur liep, had hij het gevoel alsof hij zich door water bewoog. 'Het spijt me echt, maar ik voel me plotseling heel beroerd.'

Brewer stond op en het geluid van zijn over de vloer terug schuivende stoel sneed door Erics hersens als een slijpmachine die het uiteinde van een lemmet sleep en waar de vonken van afspatten.

'Ik breng u wel naar het hotel terug,' zei de inspecteur terwijl hij om de tafel heen liep, en Eric stak een afwerende hand op.

'Nee, nee. Het gaat wel. De beweging is goed voor me. Bedankt.'

'U ziet er echt niet goed uit, meneer Shaw. Misschien is het toch beter dat ik u breng.'

'Het gaat wel.'

'Dat hoop ik maar,' zei Brewer. 'En ik hoop dat u snel herstelt. Want we zijn nog niet uitgepraat.'

'Juist,' zei Eric, maar hij had zijn rug nu naar Brewer toegekeerd. Hij zag nu steeds sterker dubbel en vóór hem dreven twee deuren met twee handkrukken. Het beste was maar om de rechter te pakken. Hij stak zijn hand uit en tastte rond, zijn hand gleed over de deur en toen had hij de kruk te pakken, drukte die omlaag en stapte de gang in, liep door de voorkant van het politiebureau en wist de volgende paar deuren te bereiken; en toen was hij buiten.

De frisse lucht omarmde hem en was aangenaam, maar die ging gepaard met een felle zonneschijn die hem bijna op zijn knieën dwong. Hij wankelde als een dronkenman, stak een hand op om zijn ogen af te schermen en liep door, ploeterde over de weg zoals hij de avond tevoren door de eetzaal had gedaan, in de hoop dat zijn wandeling deze keer beter zou eindigen.

Hij bereikte de stoep en wendde zich in de richting van het hotel. Aan de rand van zijn gezichtsveld zag hij nu witte vierkanten, en hij wist zeker dat hij niet verder kon, maar toen verdween de zon achter een wolkenbank. Ze pakten zich snel samen, voortgestuwd door een krachtige, warme wind en de witte vierkanten werden grijs, vervaagden en de hoofdpijn leek zijn scherpte te verliezen.

Hij liep verder, haalde diep en dankbaar adem als een man die zojuist aan de verdrinkingsdood was ontsnapt. Toen hij de straat overstak, keek hij achterom naar het politiebureau, zag dat Brewer hem voor het gebouw met de handen in zijn zakken nakeek.

Dit kon niet slechter uitkomen. De laatste plek waar hij mocht instorten was wel op een politiebureau waar hij vragen moest beantwoorden over waar hij was op het moment van een moord. Hij kon waarschijnlijk niet schuldiger hebben geleken dan wanneer hij drie leugendetectors tegelijk alarm had laten slaan. Maar wat kon hij eraan doen? Het was al heel wat dat hij zo kalm naar buiten had weten te komen. Hij kon niet anders dan teruggaan naar het hotel, het restje water opdrinken, dan Brewer bellen en zijn verontschuldigingen aanbieden, hem vertellen dat hij zich beter voelde en klaar was om het gesprek af te maken. Misschien kon hij zelfs het hele krankzinnige verhaal uitleggen. Dat kwam later allemaal wel, maar nu had hij het Plutowater nodig.

Toen hij halverwege het hotel was, kwam de zon weer van achter de wolken tevoorschijn en was het felle witte licht weer terug, het stuiterde van het asfalt in zijn ogen, een verschroeiende, doorborende felheid waardoor zijn hoofdpijn tot een vrolijk gebrul aanzwol. Hij hield zijn handen voor zijn ogen en strompelde verder, liep snel maar onregelmatig, zich bewust van nu en dan vaart minderende auto's naast hem terwijl voorbijgangers hem aanstaarden.

Hij was vergeten over het casinoparkeerterrein door te steken en zo de weg naar het West Baden-hotel terug te nemen, en in plaats daarvan was hij de hele stad door gelopen. Een hele tijd concentreerde hij zich op zijn ademhaling, probeerde een gestaag ritme aan te houden, maar dan roerde zijn maag zich, die ronddraaiende misselijkheid, en raakte hij de tel kwijt. Hij was doordrenkt van het zweet, maar op zijn huid voelde dat koud aan. Op een bepaald moment merkte hij dat zijn knieën knikten en hij viel bijna, moest even blijven staan om zich voorover te buigen en met zijn handen op zijn knieën te steunen. Toen hij dat deed, reed een witte Oldsmobile langzaam naar hem toe, en hij was bang dat de bestuurder hem hulp aan zou bieden, maar toen reed de auto weer weg. Niemand wilde uitstappen voor een vreemde die als een soort zwerver op de stoep voorovergebogen stond.

Terwijl hij daar zo stond, verdween de zon en even later stond hij weer steviger op zijn benen, kon hij overeind komen en verder lopen. Na ongeveer twintig stappen wakkerde de wind snel aan en er vielen een paar druppels naar beneden.

Hij werd gered door de regen. Toen die begon, het harder ging regenen en de wind achter hem floot, werd zijn hoofd helderder en week de misselijkheid terug. Niet veel, het werd maar een heel klein beetje minder, maar het was genoeg om overeind te blijven, hem gaande te houden. Toen de grijze wolken overgingen in een donkere massa die de straat in schaduwen hulde, hief hij zijn hoofd op en liet de regen over zijn gezicht vallen, het water in zijn ogen en mond stromen.

Zo lang het blijft regenen, blijf je doorlopen. Als je doorloopt, kom je er wel en kun je bij het water. Het is niet ver meer.

Tegen de tijd dat hij bij het hotel aankwam, regende het hard en klonken er een paar rollende donderslagen. De geplaveide oprijlaan leek onmogelijk lang, kilometers en kilometers, maar hij hield zijn hoofd omlaag, maakte zijn passen zo groot mogelijk en uiteindelijk was hij er.

Gehaald. Ik heb het echt gehaald.

Maar het was te vroeg om te juichen, want zodra hij vanuit de koele regen naar binnen stapte waar de hotellichten op hun plek hingen, galoppeerde de misselijkheid weer de poorten uit en gaf de sporen. Hij strompelde naar de lift, hoofden draaiden zich om en in de hal viel een groep pratende vrouwen stil. Toen hij eenmaal in de lift stond, wilde het verdomde ding niet omhoog en het duurde een minuut voor hij zich eindelijk herinnerde dat hij daar een keycard voor nodig had. Door de snelle opwaartse beweging moest hij vooroverbuigen en de muur vastgrijpen, maar toen gingen de deuren weer open en was hij in de gang, slechts een paar passen van zijn kamer vandaan, van zijn bevrijding.

Hij opende de deur en stapte naar binnen, overspoeld door een hartstochtelijke opluchting, en hij wist het tot halverwege de tafel te redden voor zijn hersens ten slotte oppikten wat zijn ogen zagen.

De kamer was grondig en zorgvuldig schoongemaakt. En naast het pas opgemaakte bed stond een leeg kastje, het halfvolle plastic bekertje water was weggegooid.

36

Dit was pure verschrikking, zo waarachtig en diep had hij het nog nooit gevoeld.

Hij viel op zijn knieën, niet zozeer door fysieke pijn maar door angst.

'Krengen die jullie zijn,' zei hij, en hij had het tegen de al lang vertrokken ploeg schoonmaaksters die het water had weggehaald. 'Weet je wel wat jullie hebben gedaan? Weet je dat wel?'

Hij wist het wel. De ontwenningsverschijnselen kwamen nu in volle glorie terug, en deze keer was er niets waarmee hij ze kon tegenhouden, kon hij niets innemen.

Bel Kellen. Zorg dat hij het terugbrengt.

Ja, Kellen. Dat was zijn beste kans. Hij haalde de telefoon uit zijn zak, en terwijl hij nog altijd op de grond zat, belde hij het nummer terwijl hij zijn adem inhield toen de telefoon overging.

En overging. En overging.

De voicemail klonk en een paar seconden kon hij geen enkel woord uitbrengen, te overspoeld door het misselijkmakende gevoel dat hij verslagen was. Uiteindelijk wist hij zijn naam te mompelen en te vragen of hij terug wilde bellen. Maar hij had geen idee waar Kellen uithing, en ook niet of hij de fles nog had. Inmiddels had hij hem wellicht al aan iemand afgegeven.

Hij had maar één slokje nodig, verdomme. Gewoon een paar teugen, genoeg om het monster op afstand te houden, maar zelfs zo weinig was nergens te vinden, omdat hij zowel de Bradford-fles als die van Anne McKinney...

Anne McKinney. Ze woonde even verderop in de straat, met flessen vol van dat water... oude, ongeopende flessen.

Het enige wat hij hoefde te doen was het daarheen zien te redden.

Hij stond weer op, beverig, liet een hand op het bed vallen om zichzelf staande te houden. Hij haalde een paar keer adem, kromp ineen van de pijn en misselijkheid, en liep daarna naar de deur, maakte die open en ging de gang in. Hij stond opnieuw alleen in de lift, en dat was mooi, maar deze keer was het niet genoeg om zich aan de muur vast te houden, hij moest knielen, één knie op de vloer van de lift; hij leunde met zijn schouder en de zijkant van zijn hoofd tegen de muur. Het was een glazen lift, die aan de achterkant open was en over het hotel en het atrium uitkeek, en hij zag dat een jong meisje met vlechten hem in de gaten kreeg, haar vader aan de mouw trok en wees. Op de begane grond gleden de deuren open. Hij werkte zich overeind, stapte uit, draaide zich naar de hoek om en zette het op een weifelend drafje. Snelheid was nu alles. Dat wist hij wel.

Hij had de Acura op het onderste parkeerterrein neergezet, het dichtst bij het hotel, en hij rende er nu door de regen naartoe, die bij vlagen in slagregens omlaag viel; in de lucht was geen spoortje van de zon te zien. Achter het hotel schudden en trilden de bomen.

Toen hij bij zijn auto aankwam, had hij zijn sleutels al tevoorschijn gehaald, en hij opende de deur en liet zich op de stoel vallen. Door de warmte in de auto werd hij nog misselijker, dus draaide hij de raampjes omlaag en liet het inregenen, waardoor de leren bekleding doorweekt raakte. Hij reed in een mist van pijn, realiseerde zich pas toen hij het parkeerterrein af reed dat de ruitenwissers niet aan waren. Hij zette ze aan, maar door de hevige beweging werd hij duizelig en werd zijn gezichtsveld nog slechter dan door de regen zelf, dus zette hij ze weer uit en reed alleen met zijn rechterhand, terwijl hij uit het raampje leunde en de regen in tuurde.

Toen hij over het casinoterrein zigzagde en French Lick in reed, leek elke langsrijdende auto drie ruitenwissers en zes koplampen te hebben. Op een bepaald moment moest hij de middenberm hebben geschampt, want hij hoorde iemand toeteren. Hij gaf een ruk aan het stuur naar rechts en raakte de stoeprand, voelde dat het rechtervoorwiel ertegenop reed en met een knarsende klap weer op de weg terugviel. Het onweer was nu pal boven de stad, donderslagen kraakten en voor hem uit bliksemde het zo nu en dan, wat een kortstondig wit waas op zijn netvliezen achterliet.

De banden slipten toen hij de weg heuvelopwaarts nam die naar Anne McKinneys huis leidde, maar toen trok de auto weer recht en was hij er bijna. Even later kon hij zien dat er achter de ramen licht brandde en in de tuin draaiden de windmolens in zilveren flitsen.

Bij het aankomen miste hij de oprit, voelde hoe de banden zich in plaats daarvan in de natte aarde groeven. Hij trapte op de rem en bracht de auto tot stilstand, zette hem in de parkeerstand en met nog draaiende motor sloeg hij het portier open. Hij rende door de regen naar de voordeur, bij de trap bleef zijn schoen haken en hij viel op handen en knieën op de veranda. Toen ging de deur open en keek Anne McKinney hem aan, haar gezicht vertrokken van angst, en ze zei: 'Wat is er aan de hand?'

'Ik heb water nodig,' zei hij. 'Ik heb wat van uw water nodig.'

'Plutowater?' zei ze en ze duwde de deur tot op een paar centimeter dicht, zodat ze daardoorheen kon turen, alsof ze bang voor hem was.

'Alstublieft. Het spijt me, maar ik heb het nodig. Ik word ziek. Ik word heel ziek.'

Ze aarzelde slechts een moment, zwaaide toen de deur open, en met haar ogen knipperend tegen de in haar gezicht striemende regen zei ze: 'Kom dan maar binnen.'

Meestal zou ze op dit tijdstip in het hotel zijn, maar het was zondag, en op zondagmiddag bleef ze altijd thuis. Door de naar binnen slaande regen was ze daar blij om, want het kwam in harde vlagen omlaag, en ze hield er niet meer van om bij slecht weer te rijden.

Toen hij aankwam, had ze de lucht bestudeerd. Dit onweer was bemoedigend en de bliksemflitsen waren schitterend, maar los van de hoeveelheid regen leek het een heel gewone storm, die haar zowel verbaasde als in zeker opzicht ook teleurstelde. De weerradio – of de weerbox, zoals haar man hem altijd noemde, een kleine bruine kubus die alleen de meest recente nationale weerberichten uitzond – bracht krakend de gebruikelijke waarschuwingen, maar er werd niet gerept van tornado's of zelfs maar van zware stormen of orkanen, en er waren nog geen weerwachters uitgezet. Maar evengoed hield ze de wolken in de gaten – ze had nog nooit een weerwachter nodig gehad, dank u – en ze had niets opmerkelijks bespeurd.

Ze had meer verwacht, en dat was waarschijnlijk de reden waarom de verpletterende komst van Eric Shaw op haar veranda haar minder verbaasde dan zou moeten.

Ze liet hem op de grond achter en liep naar de trap, en toen ze een voet op de eerste tree zette, vlamde de pijn in haar rug en heup op. Toen keek ze achter zich naar Eric Shaw en zag de gekweldheid in zijn ogen, een mengeling van pijn en doodsangst; ze verbeet haar eigen pijn en liep zo snel ze kon de trap op.

De doos met de waterflessen stond nog altijd midden op de grond, omdat ze niet sterk genoeg was om die terug te zetten, en daar was ze nu dankbaar voor. Binnen een paar tellen had ze een volle fles te pakken, haalde hem uit de verpakking en liep weer naar de trap, greep met haar vrije hand de leuning vast terwijl ze voorzichtige stapjes deed en elke keer haar voet stevig en vlak neerzette. Eric was weer naar de deur gekropen, zat er met zijn rug tegenaan met zijn hoofd in zijn handen.

'Alsjeblieft,' zei ze en ze was bijna bang om hem de fles te geven, bang om hem aan te raken. Wat er ook in zijn lijf en hoofd aan de hand was, het was niet best. Dat was niet natuurlijk.

Hij pakte de fles van haar aan en opende zijn ogen tot kleine spleetjes, zo ver dat hij de bovenkant nog kon zien. Hij mompelde iets, maar ze kon hem niet verstaan.

'Wat zei je?'

'Lichten,' zei hij.

'Sorry?'

'Doe ze uit, alstublieft.'

Ze boog zich naar voren en sloeg tegen de muurschakelaar, waardoor de kamer in duisternis werd gehuld. Dat leek hem op te luchten en hij dronk uit de fles. Jarenlang had ze die flessen bewaard, niet geopend, een kleine hoeveelheid van het enige originele Plutowater uit het dal, en nu had hij er in twee dagen twee doorheen gejaagd. Ach, nou ja, het was niet christelijk om je over zulke dingen druk te maken, niet met de toestand waarin hij verkeerde.

In de keuken brandde ook nog licht, dus liep ze ernaartoe en deed dat ook uit, en nu was het hele huis donker. Ze kwam weer in de woonkamer en bleef met haar hand op de rugleuning van een stoel naar hem kijken terwijl de regen tegen de ramen roffelde en een volgende bliksemflits de kamer even oplichtte. Hij zat met opgetrokken knieën en gebogen hoofd, en na een poosje dronk hij nogmaals, slechts een paar slokjes.

Ik zou een dokter moeten bellen, dacht ze. Hij is flink ziek, en het laatste wat hem beter maakt is Plutowater. Ik moet een dokter voor hem bellen.

Maar hij kwam weer bij. Het was werkelijk verbazingwekkend hoe snel dat ging. Onder haar ogen herstelde hij, zijn ademhaling kalmeerde tot een normaal ritme, de kleur kwam in zijn gezicht terug en zijn handen en benen trilden niet langer. Tegenover het raam begon de staande klok, die Harold in negenenvijftig had gemaakt, te slaan, en Eric Shaw tilde zijn hoofd op om te kijken waar het geluid vandaan kwam, daarna keek hij haar aan. Glimlachte. Zwak, maar het was een glimlach.

'Dank u wel,' zei hij.

'Je voelt je beter,' zei ze. 'Dat is ook snel.'

Hij knikte.

'Ik bedoel, zoiets heb ik nog nooit meegemaakt,' zei ze. 'Zoals je eraan toe was… Toen ik daar stond dacht ik dat je een ambulance nodig had, en binnen een oogwenk zag je er beter uit.'

'Zodra ik het binnen heb, werkt het snel.'

'En zo niet?'

Hij sloot zijn ogen weer. 'Dan wordt het behoorlijk ernstig.'

'Dat heb ik gezien. Drink 'm maar leeg.'

'Dat hoeft niet,' zei hij. 'Ik heb niet veel nodig.'

Hij deed de dop weer op de fles, die nu ongeveer voor twee derde vol was, en voegde eraan toe: 'Het spijt me. Om te beginnen dat ik in de regen zo uw huis kwam binnenvallen en ten tweede omdat ik nog meer van uw water heb verspild.'

'Maak je daarover maar geen zorgen.' Ze liep naar de kast in de hal en haalde er een paar keukendoeken uit, bracht ze naar hem en gaf hem die. 'Droog je maar af.'

Hij droogde zijn gezicht, nek en armen, en dweilde daarna met de handdoeken wat van het water op de vloer op. Terwijl hij daarmee bezig was, merkte ze dat in de tuin zijn motor nog draaide, de lichten nog brandden en zijn portier openstond. Ze liep naar buiten, de trap af en de natte tuin in. De storm ging nu wat liggen, maar de donderslagen kraakten nog steeds, als een grauwende hond die tijdens de aftocht met zijn kaken hapt. Maar zo'n hond kwam altijd weer terug.

Toen ze bij de auto was, boog ze zich naar binnen, draaide de motor uit en pakte de sleutels. De binnenkant was doorweekt, water vormde plasjes op de leren bekleding. Ze deed de deur dicht, liep het huis weer in en gaf hem de sleutels. Toen hij eindelijk opstond, leek hij stevig op zijn benen te staan. Anne zei hem op de houten schommelstoel te gaan zitten en nam zelf plaats op de bank.

'Ik ben een hoop verhalen over dat water tegengekomen,' zei ze, 'maar heb er nog nooit van gehoord dat iemand het zo hard nodig had als jij. Het lijkt bijna alsof je eraan verslaafd bent.'

'Heel erg.'

'Nou, dat slaat nergens op. Ik weet niet wat daarin zit, waardoor je…'

Ze hield op met praten toen ze zijn ogen zag. Die waren plotseling op iets anders gericht, teruggeworpen naar iets vlaks en onscherps.

'Meneer Shaw? Eric?' vroeg ze.

Hij gaf geen antwoord. Klaarblijkelijk had hij haar niet eens gehoord, hij staarde naar de oude staande klok, maar ze wist niet zeker of hij die wel zag.

'Gaat het wel?' vroeg ze, nu fluisterend. Hij was in een soort trance. Het kon een aanval zijn, of iets voor die ambulance waar ze een paar minuten geleden nog aan had gedacht, maar om een of andere reden dacht ze niet dat dat het was, vond ze niet dat ze de telefoon moest grijpen.

Laat hem maar even, dacht ze.

En terwijl de donder bleef rollen, nu wat zachter, wegdreef naar het oosten, en een lichte, wegtrekkende regen op de veranda en tegen de ramen tikte, bleef ze daar in de donkere woonkamer zitten terwijl ze hem naar een plek zag wegglijden waar zij hem niet kon volgen.

37

Het schemerde, de boomtoppen lichtten op in een grijze schemering, daaronder waren lange schaduwen en de schuur op de heuveltop kraakte onder de kracht van een sterke wind. Verspreide regendruppels spetterden tegen de haveloze vloerdelen op de veranda en spatten lukraak op de grote sportwagen die daarvoor was geparkeerd. Beide deuren gingen open en de twee passagiers stapten uit, Campbell Bradford en de jongen.

'Blijf daar staan,' snauwde Campbell, en hij pakte de vioolkist uit de handen van de jongen, klikte de veersloten los, maakte de kist open en haalde de viool eruit. Hij ging ruw met het instrument om en de jongen kromp ineen. In de kist lag een handvol bankbiljetten en munten. Campbell nam alle biljetten eruit, vouwde ze op en stopte ze in zijn zak. Toen liet hij de viool op de munten vallen en klikte de kist weer dicht.

'Zo. De rest is voor jou. Ga nu je oom halen. Ik moet met hem praten.'

Lucas pakte de kist op en liep naar de voordeur, waarbij hij zorgvuldig om een gapend gat in de verandavloer heen liep. Hij stapte naar binnen; even later ging de deur weer open en kwam de oude man naar buiten, gekleed in dezelfde smerige overall en met een hoed op zijn hoofd. De rand van de hoed vertoonde gaten.

'Vanavond heb ik geen drank voor je,' zei hij.

'Dat weet ik. Kom nou maar hier, dan hoef ik niet tegen je te schreeuwen.'

Dat leek de man niet aan te staan, maar na enige aarzeling liep hij langzaam de trap af de tuin in.

'Ik wou dat je de jongen niet met zijn fiedel daarheen sleurde,' zei hij. 'Hij speelt niet graag voor mensen.'

'Hij verdient er wat geld mee, en jij ook,' zei Campbell. 'Dus houd dat soort gedachten verder maar voor je. Ik hoor hem graag spelen.'

De oude man fronste zijn wenkbrauwen en verplaatste zijn gewicht, maar gaf geen antwoord.

'Ik heb een zakelijk dilemma,' zei Campbell, 'en jij bent daarvan de oorzaak. 'Ik krijg maar acht kruiken per maand van je. Dat is niet genoeg.'

'Het is alles wat ik heb.'

'Dat is het probleem. Wat je hebt is niet genoeg.'

'Je kunt ook ergens anders aan je jajem komen, Campbell. Lars heeft op nog geen drie kilometer vanhier een stokerij. En dan heb je nog de jongens uit Chicago, zij slepen 't spul in vaten aan als je dat wilt.'

'Ik moet hun verdomde slootwater niet,' zei Campbell. 'Da's niet hetzelfde als jouw spul en dat weet je best.'

De oude man bevochtigde zijn lippen en keek de andere kant uit.

'Hoe maak je 't?' zei Campbell, nu met zachtere stem. 'Wat is het verschil?'

'Ik maak het net als iedereen, neem ik aan.'

Campbell schudde zijn hoofd. 'Er zit een verschil in en jij weet wat het is.'

'Misschien komt 't door het bronwater,' zei de oude man, en bij Campbells indringende blik keek hij de andere kant uit. 'Ik heb een goede bron gevonden. Klein, maar goed. En vreemd. Het water dat eruit komt ziet er niet goed uit, ruikt ook niet goed, maar het... hééft iets.'

'Nou, ik wil er meer van. En snel ook, gesnapt?'

'Het punt is,' – de oude man verschoof weer, bewoog zich bij Campbell vandaan – 'ik kan je niet veel langer meer helpen.'

'Wat?'

'Ik ga verhuizen. De jongen moet ergens anders naartoe. Ik heb een zus – niet zijn moeder, maar een andere – die is getrouwd en naar het oosten verhuisd. Pennsylvania. Ze heeft me geschreven en zei dat hij ergens naartoe moest waar hij muziekles kan krijgen. Daar weet ik niets van, maar hier... hier is het niet goed om een kind op te voeden. Niet goed.'

Campbell zei niets. De nacht viel nu snel in, de schaduwen werden langer, de wind huilde om het huis en de schuur met de whiskystokerij.

'Dit dal droogt op,' zei de oude man. 'Ik heb de mensen horen praten, iedereen verliest zijn spaargeld, de banken gaan dicht. Straks is er niemand meer over om hier zijn geld te spenderen aan gokken en drank, Campbell. Je zou erover moeten nadenken om er zelf uit te stappen.'

'Ik zou erover moeten nadenken om eruit te stappen,' echode Campbell, zijn stem klonk als een loodzwaar gefluister.

'Nou, ik weet niet wat jouw plannen zijn, maar ik ga die jongen naar het oosten brengen. Ik zorg nu meteen dat hij ergens terechtkomt waar voor hem gezorgd wordt. Ik zal waarschijnlijk wel weer terugkomen, dit is het enige thuis dat ik ken. Maar...'

'Dit is míjn dal,' zei Campbell. 'Begrijp je dat, ouwe lulhannes? Wat er met banken en aandelen gebeurt kan me geen donder schelen, en het kan me geen donder schelen wat er met die klootzak van een neef van je gebeurt en die hoerenzus van je. Dit hier is van míj, en als ik je zeg dat je drank moet stoken, dan heb je daar verdomme maar voor te zorgen.'

De oude man schuifelde steeds verder achteruit, maar hief zijn hoofd op en waagde het Campbell in de ogen te kijken.

'Zo werkt dat niet,' zei hij. 'Jij bent niet de baas over me, Campbell. Je mag de mensen dan naar je pijpen laten dansen, maar in werkelijkheid ben je gewoon de zoveelste hebzuchtige klootzak. Ik mag dan een paar centen hebben verdiend door mijn drank aan je te verkopen, maar jij hebt daarmee minstens het tienvoudige gevangen, dus ga me niet vertellen dat ik je iets verschuldigd ben.'

'Zie je dat zo?' zei Campbell.

'Zo ís het.'

Campbell reikte in zijn zak, haalde een revolver tevoorschijn, spande de haan en schoot de oude man in de borst.

Het was een klein wapen, maar het geluid was enorm, en de man sperde zijn ogen open, bracht zijn handen naar zijn maag, ook al was de kogel hoog in zijn borst ingetreden. Zijn mottige hoed viel van zijn hoofd en landde een halve tel eerder in het gras dan hij. Dik en donker bloed stroomde uit de wond en bedekte de rug van zijn handen.

Campbell verplaatste het pistool naar zijn linkerhand en liep met verende tred naar hem toe. Hij keek op het lichaam neer en spuugde een fluim tabakspruim op de wond. De oude man gorgelde en staarde voor zich uit.

'Veel mensen bezwijken in deze wereld,' zei Campbell. 'Maar daar hoor ik niet bij, ouwe. Het is een kwestie van wilskracht. En er bestaat geen grotere wilskracht dan die van mij.'

De deur van de schuur sloeg open en daar stond de jongen, de handen langs zijn zijden, het haar in de war. De jongen keek naar het lichaam en toen naar het wapen in Campbells hand, en verroerde zich niet.

'Kom hier,' riep Campbell.

De jongen reageerde niet.

'Jongen,' zei Campbell, 'je kunt nu maar beter aan je toekomst denken. Denk daar maar snel en diep over na. Je krijgt maar één kans om je beslissing te nemen.'

De jongen, Lucas, kwam langzaam de trap af. Hij liep over het gras naar het lichaam van zijn oom. Dat bewoog nu niet meer, hij was opgehouden met ademen. Bij het lijk aangekomen, keek hij op naar Campbell. Hij zei geen woord.

'Je staat op een kruispunt in je leven, jongen,' zei Campbell. 'Een vruchtbaar moment, dat is het juiste woord. Kijk nu maar naar je oom.'

Lucas wierp een snelle blik op het lijk. Zijn knieën knikten en hij drukte zijn vingernagels in zijn handpalmen.

'Kijk,' zei Campbell.

Deze keer boog hij zijn hoofd en staarde regelrecht naar het lijk. Er lag nu aan weerskanten bloed en de spieren op het gezicht van de dode man zagen er bedroefd en vertrokken uit.

'Wat je daar ziet,' zei Campbell, 'is een man die kracht niet op waarde kon schatten. Macht niet op waarde kon schatten. Een man die ambitie in de wind sloeg. Jij moet nu beslissen of jij ook zo'n man bent.'

Lucas keek op. De wind waaide hard en gestaag, waardoor de boomtoppen ombogen en het haar van zijn voorhoofd naar achteren werd gezwiept. Hij keek Campbell niet aan, maar schudde traag en begrijpend zijn hoofd.

'Dat dacht ik al,' zei Campbell. 'Je hebt hier nu al een tijdje gezeten. Je hebt hem aan het werk gezien. Weet je hoe je dat spul stookt?'

Lucas knikte, maar weifelend.

'Wat je er ook van bent vergeten,' zei Campbell, 'ik raad je aan je dat nu weer te herinneren.'

Hij borg het pistool weg, stopte zijn handen in zijn zakken en trok een kromme rug tegen de wind.

'Tijd om een schep te gaan zoeken, jongen. En snel ook. Volgens mij gaat het regenen.'

Erics gehoor kwam eerder terug dan zijn gezichtsvermogen. Hij was zich er vagelijk van bewust dat opa's klok sloeg toen de kamer weer om hem heen tevoorschijn kwam, eerst mistig en toen scherp, en hij merkte dat hij in Anne McKinneys geboeide en angstige ogen keek.

'Je ziet me weer,' zei ze. Het was geen vraag.

'Ja.' Zijn stem klonk schor. Ze liep naar de keuken en schonk een glas ijsthee voor hem in, nam dat mee terug en keek stilletjes toe hoe hij het hele glas leegdronk.

'Ik werd een beetje zenuwachtig van je,' zei ze.

Hij stiet een lachje uit. 'Sorry.'

'Het was overduidelijk dat je ergens anders naartoe was gegaan,' zei ze. Ze boog zich naar voren en voegde eraan toe: 'Vertel me eens, wat zag je?'

'Het verleden,' zei hij.

'Het verleden?'

Hij knikte. 'Zo kan ik het 't beste omschrijven. Ik zie dingen uit een andere tijd... Ze spelen zich hier af, maar ze zijn niet uit deze tijd.'

'Hier,' zei ze. 'Bedoel je in mijn huis?'

Er klonk opwinding in haar stem door, zo hóópvol dat hij van zijn stuk gebracht was.

'Nee, ik bedoel de stad. De streek, vermoed ik. Maar niet uw huis.'

'O,' zei ze, duidelijk teleurgesteld. 'Is wat je ziet angstaanjagend?'

'Soms. Andere keren... is het net alsof je naar een film kijkt.'

'Heb je altijd visioenen als je van het water drinkt?'

'Kennelijk wel,' zei hij. 'Als ik van uw water drink, zijn ze anders. Dan ben ik slechts een toeschouwer. Toen ik uit de andere fles had gedronken... was het eerder alsof ik een geest pal bij me zag. Ik zag niet het verleden, maar iets uit het verleden wat naar het heden was gekomen.'

Ze zweeg, dacht na over wat hij had gezegd.

'Zegt de naam Campbell Bradford u iets?' vroeg hij.

Ze deinsde achteruit. 'Hém zie je toch zeker niet?'

Hij knikte.

'O jeetje. Ja, ik ken de naam. Heb die in jaren niet gehoord, maar in mijn jonge jaren had iedereen het over hem. Er waren veel mensen die dachten dat hij slecht was, weet je. Of slecht is geworden, zo praatte mijn vader over hem. Hij zei dat Campbell eerst de zoveelste akelige man was, maar toen kwam er iets duisters over hem wat hem nog een stukje verder opschoof. Hem zover opschoof dat hij zichzelf niet meer was.'

'Iets duisters?'

'Je weet wel, een geest. In die tijd geloofden veel mensen daarin.'

'U kent Kellen nog wel, de jongen die ik had meegenomen?' zei Eric, en ze knikte. 'Nou, zijn grootvader heeft hier in de jaren twintig gewerkt en hij had het idee dat er in de streek… nou ja, niet iets rondspookte, maar een…'

'Lading.' Ze zeiden het tegelijk en Eric trok zijn hoofd terug en staarde haar aan.

'Heeft hij er met u over gepraat?'

'Nee,' zei ze zachtjes, 'het is gewoon het juiste woord.'

'Dus u gelooft dat hier geesten rondwaren?'

Ze fronste haar voorhoofd en keek naar het raam. 'Persoonlijk heb ik het altijd meer in verband gebracht met het weer. Dat bestudeer ik, weet je. En in dit dal is het anders… Je merkt het zo nu en dan aan de wind, en vlak voor een zomerstorm, of misschien in de winter, vlak voordat het gaat vriezen. Er is iets mee. En láding is daar het beste woord voor. Er hangt hier inderdaad een geladen sfeer.'

'Gelooft u nou wel of niet in geesten?'

'Er heerst iets in deze streek wat in de buurt komt van magie,' zei ze. 'Je kunt het bovennatuurlijk noemen, als je wilt, ik heb het altijd magie genoemd. Maar er is ook iets met de plek zelf – in de grond, in het water, in de wind – wat macht uitoefent. Weet je, met het weer heb je kou- en warmtefronten, en wanneer ze tegen elkaar aanbotsen, gaat er iets bijzonders gebeuren. Ik denk dat er in Springs Valley net zoiets aan de hand is. Voor mij voelt het in de lucht net zo, vlak voor zo'n botsing tussen fronten. Waarschijnlijk begrijp je daar niets van, maar dat is de enige manier waarop ik het kan uitleggen. Een bijzonder soort energie in de lucht, misschien een bovennatuurlijke energie. Zouden hier geesten kunnen zijn? Absoluut. Maar niet iedereen ziet ze. Daar ben ik zeker van. Maar degenen die dat wel doen, nou ja, ik stel me zo voor dat dat een krachtige invloed heeft.'

Eric staarde haar zwijgend aan.

'Weet je wat je moet onthouden?' zei ze. 'Dat je nooit weet wat zich achter de wind schuilhoudt.'

'Ik weet niet wat dat betekent.'

Ze glimlachte. 'Je bent te druk bezig uit te zoeken wat je van dit alles moet geloven, en daarna om uit te zoeken hoe je er controle over kunt krijgen. Zo leiden de meeste mensen hun leven. Maar zoals ik het zie, na al die jaren die ik achter de rug heb? Er is niet veel wat er in de wereld toe doet waar je iets aan kunt doen. Je dicteert niet, je past je aan. Meer niet. Dus je moet er geen controle meer over willen hebben, probeer te luisteren naar wat het je wil zeggen.'

Ze fronste haar wenkbrauwen en hield haar hoofd schuin toen ze zag hoe hij daarop reageerde. 'Wat is er?'

'Als deze visioenen ook maar enige zin hebben,' zei hij langzaam, 'dan heb ik die nog niet kunnen ontdekken. Behalve dat eerste, met de trein, toen hij zijn hoed naar me aantikte. Dat begreep ik. Campbell bedankte me.'

'Bedankte je? Waarvoor?'

'Omdat ik hem thuis heb gebracht.'

38

Toen Danny eenmaal was vertrokken en Josiah in zijn eentje in het oude houthakkerskamp zat, ging de tijd zo traag als een kruipende lamme. Buiten de oude schuur werd hij verschroeid door de hitte terwijl hij de muggen, die wel zin hadden in een feestmaal en hem bestookten, van zich afsloeg.

Hij wilde dat hij eraan had gedacht Danny te vragen wat eten en water voor hem mee te nemen, maar dat had hij niet gedaan en nu was zijn tong dik van de dorst en zijn maag verkrampte van de honger. Uiteindelijk dreven de hitte en de muskieten hem de schuur in.

Het was een stoffige bouwval; aan de zijkanten lagen afgedankt gereedschap, kapotte kratten en pallets, twee wangzakeekhoorns schoten in en uit een gat in een vloerplank. Het zou er donker moeten zijn, maar het licht sijpelde door wel duizend kieren, gaten en spleten, en wierp kriskras stralen door het glinsterende stof in de lucht, wat hem deed denken aan de laserbeveiligingssystemen die je wel in misdaadfilms zag.

Hij liep wat rond, verschoof pallets en vaten, onderzocht de plek omdat het hem afleidde van het pijnlijk traag verstrijken van de tijd. In een hoek lag een kettingzaag, maar die was verroest en onbruikbaar. Ernaast lag een lange, metalen kist die met een hangslot op slot zat. Dat wekte zijn nieuwsgierigheid; alles wat in een afgesloten kist zat kon waardevol zijn. Hij rukte aan het slot, maar dat hield het. Het beslag eromheen was echter verroest en het metaal zag er dun uit.

In de laadbak van zijn truck lag een breekijzer, dat ging hij nu halen; hij keerde naar de kist terug en sloeg niet al te hard naast de grendel. Het geluid van metaal op metaal klonk luid in de schuur en de kist bleef dicht. Het was oerstom om erop los te timmeren, daarmee zou hij de aandacht trekken, maar hij was nieuwsgierig, dus hij sloeg er nogmaals op, deze keer harder. Toen een derde en een vierde keer, en bij de vijfde klap beet het breekijzer in het metaal boven de grendel. Hij rook dat het ging lukken en haalde opnieuw uit, stootte een gat in de kist, gebruikte vervolgens het breekijzer als hefboom, wrikte ermee als een hendel van een pomp tot de grendel van de kist het begaf en het slot waardeloos was. Hij liet het breekijzer op de stoffige vloer vallen en tilde de klep op.

Wat daar verdomme in zat, was al die moeite niet waard geweest. Een vreemde wirwar aan rubberslangen, allemaal met elkaar verbonden, maar waarin om de veertig of vijfenveertig centimeter plooien zaten. Het zag eruit als iets wat je wel in een slagerij tegenkwam, een lange sliert worsten die wachtte om in partjes gesneden te worden.

Hij pakte een uiteinde en trok het spul eruit om het in het donker beter te kunnen bekijken. Op het omhulsel stond iets in kleine lettertjes, en hij tuurde om het te lezen: *Dynosplit*.

'Shít!'

Hij liet het spul in de kist terugvallen en deed struikelend een stap achteruit. Het was dynamiet, in elk geval een soort springstof. Hij was zo hier en daar wel in een bouwput geweest, had een half jaar in een steengroeve in de buurt van Bedford gewerkt, en hij wist er wel zo veel van om te begrijpen dat dynamiet niet van rode staven was gemaakt met een kousje aan het uiteinde, zoals je in sommige stripboeken wel zag. Maar zo'n lange, ononderbroken slang had hij ook nog nooit gezien. En wat had hij gedaan? Hij had met een breekijzer op die kist los getimmerd… Misschien kon je die shit niet zonder een ontsteking laten ontploffen, maar aan dat experiment waagde hij zich niet.

Hij deed de klep voorzichtig dicht en stapte bij de kist vandaan terwijl hij het zweet van zijn gezicht veegde. Hij kon hier maar beter geen sigaret opsteken, dat was een ding dat zeker was. Hij vroeg zich af hoe oud dat spul was. Tien jaar? Vijftien? Ouder? Misschien kon je het nu niet meer gebruiken. Explosieven hadden een houdbaarheidsperiode en wat hij zich ervan herinnerde was die niet lang. Maar nogmaals, daar hoefde hij zelf niet achter te komen.

Hij liep weer naar de truck, gooide het breekijzer in de laadbak en leunde er met zijn onderarmen op, terwijl hij in de schemerige, bedompte schuur rondkeek en het zweet over zijn gezicht en langs zijn ruggengraat voelde druppelen. Hij voelde zich alleen, zo alleen als hij zich van zijn leven nog niet had gevoeld. Hij wilde met Danny praten, horen wat er in de stad werd verteld, maar hij vertrouwde de mobiele telefoon niet meer. Misschien kon hij via de radio iets over de situatie te weten komen. Hij stapte in, draaide de contactsleutel een slag om, maar had geen zin om de auto te starten met op nog geen vijf meter achter zich een kist vol oud dynamiet.

Half en half verwachtte hij een algemeen nieuwsbericht te horen, iets uit een oude gangsterfilm, waarin ze hem gewapend en gevaarlijk noemden. In plaats daarvan luisterde hij een kwartier naar waardeloze countrymuziek en er werd zelfs met geen woord van de moord gerept. Toen gaf hij het op en wachtte tot het hele uur, wanneer er altijd een korte nieuwsuitzending was, en probeerde het opnieuw. Deze keer hadden ze het er wel over, maar werd alleen gezegd dat een man uit Chicago was omgekomen bij de ontploffing van een bestelbus in French Lick en dat het vermoeden bestond dat het om moord ging.

Het was zo benauwd als de pest, zelfs met de raampjes omlaag, en hij werd loom van de hitte. Na een tijdje voelde hij zijn kin zakken, zijn oog-leden werden zwaar en hij ging langzamer ademhalen.

Mooi zo, dacht hij, je moet wat slapen. Dat is alweer een tijdje geleden. De laatste keer was je bij de kolk, waar je op de rots lag zonder dat je je voor de politie hoefde te verstoppen, je geen bloed aan je handen had...

De van schaduwen doortrokken schuur vervaagde uit het zicht en er kwam duisternis voor in de plaats, en dankbaar bereidde hij zich voor op een slaapje. Maar net toen het zover was, hield iets hem tegen. Een waar-schuwing prikkelde zijn brein. Een vaag gevoel van ongemak glipte door hem heen en schudde de sluier van slaap van hem af. Hij tilde zijn hoofd op en opende zijn ogen. Voor hem uit zagen de dichte schuurdeuren er net zo uit als daarstraks, maar toen hij uitademde, vormde zijn adem een witte mist. Het was hierbinnen bijna tweeëndertig graden; het zweet droop langs zijn ruggengraat, maar zijn adem kwam in wolkjes naar buiten alsof het een ochtend in februari was. Waar sloeg dat in godsnaam op?

De man met de bolhoed zat naast hem, in zijn gekreukte pak, en hij keek Josiah met een strak glimlachje aan.

'We komen er wel,' zei hij.

Josiah zei geen woord. Dat ging niet.

'We zijn nog niet thuis,' zei de man, 'maar we komen in de buurt, maak je geen zorgen. Ik heb je al verteld dat we eerst nog een klus moeten klaren. En jij hebt gezegd dat je dat zou doen. Je hebt een overeenkomst gesloten.'

Josiah keek naar de deur omlaag, maar durfde de kruk niet aan te raken, wist ergens intuïtief dat hij nu niet uit zijn truck kon komen en dat het niet eens iets zou uitmaken als dat wel het geval was. Hij wendde zich weer tot de man met de hoed, wiens gezicht overdekt leek te zijn met dezelfde glin-stering die Josiah had gezien op de stofdeeltjes in de strepen zonlicht in de schuur. Alleen waren de ogen van de man donker.

'Je ziet er niet dankbaar uit,' zei de man. 'Dat zou je wel moeten zijn, jon-gen. Ik had jou niet voor die taak hoeven uitkiezen. Dat is helemaal niet no-dig. Ik ben niet aan wetten gebonden, niet gebonden aan wat je pathetische geest ook mag bevatten. Maar ik ben naar je teruggekomen, hè? Omdat je mijn eigen vlees en bloed bent. Alles wat ervan over is. Dit dal was ooit van mij, en dat zal het weer worden. En jij bent degene die daarvoor gaat zor-gen. Je zou eens wat dankbaarheid moeten tonen, want er is geen levende ziel die je nu kan helpen, behalve ik.'

De man wendde zich van Josiah af en keek de schuur rond, schudde zijn hoofd en stiet een lang, zacht fluitje uit.

'Je hebt je wel in de penarie gewerkt, hè? Maar er is een uitweg. Het enige wat je hoeft te doen is luisteren, Josiah. Het enige wat je hoeft te doen is naar mij luisteren. Je kunt op me rekenen, echt waar. Vraag het maar in het dal, dan zullen ze je hetzelfde vertellen. Zij zullen je zeggen dat je op Campbell kunt rekenen. Dat staat als een paal boven water. Zo ben ik.'

Hij draaide zijn hoofd weer om, zijn donkere ogen haakten zich vast aan die van Josiah.

'Wil je luisteren?'

Josiah kon alleen maar knikken.

Toen Eric van Anne McKinneys huis vertrok om naar het hotel terug te keren, was het opgehouden met regenen maar de wolken wonnen nog altijd de strijd met de zon, stonden zo nu en dan een tegenslag toe, maar sloegen dan weer snel terug. Ze liep tot op de veranda met hem mee en drukte de fles Plutowater in zijn hand.

'Dank u wel,' zei hij.

'Geen punt. Je hoeft geen genie te zijn om te zien dat je het hard nodig hebt. Maar dit zal niet eeuwig werken. Dus…'

'Voordat uw flessen op zijn moet ik het een en ander uitzoeken. Want dan is er niets meer van over.'

'Natuurlijk wel,' zei ze. 'In het hotel komt het via leidingen binnen.'

'Wat? Ik dacht dat ze het spul al tientallen jaren niet meer maakten.'

'Ze bóttelen het niet meer, maar het is er nog wel. Verdikkie, zoiets máák je niet. Het komt uit de grond, niets bijzonders aan. Er zijn nog steeds overal in de streek bronnen. Er loopt een leiding naar het hotel, ze gebruiken het voor de mineraalbaden.'

'Kun je nog steeds een mineraalbad nemen?'

Ze knikte. 'Honderd procent puur Plutowater.'

'Misschien jat ik daar wel een paar liter van, doe ik het in kruiken en maak ik verdomme dat ik thuiskom. Sorry dat ik het zo zeg.'

'Jongen,' zei ze, 'als ik zo'n week had gehad als jij, zou ik heel wat ergere dingen zeggen.'

'Vandaag hebt u me gered,' zei hij.

'Iets afgewend. Gered ben je nog niet.'

Dat was zo waar als wat. Hij bedankte haar nogmaals, liep naar de auto en voelde zodra hij ging zitten dat zijn broek doorweekt raakte. De zitting en het dashboard waren kletsnat, maar zijn mobieltje, dat hij op de passagiersstoel had gegooid en was vergeten, was droog. Hij pakte het op en zag dat hij negen gemiste oproepen had; hij negeerde ze allemaal en belde Alyssa Bradford. Geen antwoord. Hij hing op en belde nogmaals, en toen een derde keer, en deze keer nam ze bij de eerste keer dat hij overging op.

'Het spijt me,' zei ze. Ze sprak met gedempte stem en hij was zo verbaasd dat ze werkelijk had opgenomen dat hij even niets zei.

'Spijt,' wist hij uiteindelijk uit te brengen. 'Het spijt je. Begrijp je dan niet dat ik de hele dag bij de politie heb gezeten omdat er een man dóód is?'

'Daar weet ik niets van,' zei ze, en nu was het duidelijk dat ze opzettelijk fluisterde. Er was kennelijk iemand in de kamer of in de buurt en ze wilde niet dat diegene dit gesprek hoorde. 'Luister, ik kan niet met je praten. Maar het spijt me en ik weet niet wat ik moet zeggen, behalve dat je daar weg moet…'

'Waarom heb je me ingehuurd?'

'Wat?'

'Je hebt me niet hierheen gestuurd om een gelukkig in-memoriamfilmpje te maken, verdomme. Die fles maakte er deel van uit, maar ik wil weten wat je werkelijk hoopte te ontdekken.'

'Ik was de geheimen beu,' siste ze.

'Wat bedoel je? Welke geheimen?'

'Dat doet er niet meer toe. Niet voor jou. Alleen…'

'Ga me niet vertellen dat het er voor mij niet toe doet! Ik ben degene die hier met moorden te maken heeft, om nog maar te zwijgen van de effecten van dat klotewater! Iemand in jouw familie weet de waarheid, en daar moet je achter zien te komen. Het kan me niet schelen als je dat ziekenhuis in moet en je schoonvader een elektroshock moet geven om hem weer iets zinnigs te laten zeggen, ik wil weten…'

'Mijn schoonvader is dood.'

Hij onderbrak zichzelf. 'Wat?'

'Vanochtend, Eric. Ongeveer vier uur geleden. Hij is dood en ik moet bij mijn familie zijn. Ik weet niet wat ik je verder nog moet vertellen. Het spijt me van alles, maar laat het los. Ga daar weg, gooi die fles weg en veel succes.'

Ze verbrak de verbinding, hij zat met een dode lijn aan zijn oor en Anne McKinney sloeg hem vanaf de deur gade. Hij liet de telefoon zakken, startte de auto en zwaaide naar haar, probeerde dat een beetje opgewekt te doen.

De oude man was dood. Niet dat het er iets toe deed... Hij was toch al zo goed als dood geweest, maar toch...

Hij dacht aan Annes woorden, dat het bovennatuurlijke net zoiets was als het weer, dat wegebde en weer opkwam, botsende fronten, één kant kon tenminste tijdelijk victorie kraaien. Wat betekende het dat de oude man in het ziekenhuis was gestorven, degene die al die jaren die verdomde bizarre fles had bewaard? Zou er iets van te merken zijn? Deed het ertoe?

Je moet niet meer zo denken, dacht Eric. Houd ermee op te geloven dat alles wat hier gebeurt echt is. Je ziet visioenen, maar de mensen die erin voorkomen hebben geen invloed op deze wereld. Dat kan gewoon niet.

'Dat kan gewoon niet.' Hij zei het nu hardop, in de hoop dat het geluid van zijn stem zijn geest kon overtuigen. Dat lukte niet.

39

De man met de bolhoed verdween in een oogwenk. Zomaar. Eerst zat hij op de passagiersstoel naast Josiah, zo echt als de truck waarin hij zat, en daarna was hij een herinnering. Een herinnering waardoor elke spier in Josiahs rug zo strakgespannen stond als takelkabels.

Hij stak daadwerkelijk zijn hand uit en zwaaide ermee in de cabine rond. Ving niets anders dan lucht. Toen ademde hij heel lang uit en wachtte om te kijken of er wolkjes kwamen. Dat gebeurde niet.

De man met de hoed, zo dacht Josiah nog steeds aan hem. Maar deze keer had hij gezegd wie hij was. Had zichzelf Campbell genoemd, had tegen Josiah gezegd dat hij het enig overgebleven familielid was.

Ik had jou niet hoeven uitkiezen... Dat is helemaal niet nodig... Het enige wat je hoeft te doen is luisteren, Josiah. Het enige wat je hoeft te doen is naar mij luisteren.

Het was weer een droom, meer niet. Gisteren nog had Josiah zich afgevraagd of de man in de droom Campbell kon zijn, en zijn door de hitte benevelde hersens hadden dat aangegrepen en daar deze laatste droom van gefabriceerd. Het rare was dat Josiah zijn hele leven al diep, droomloos sliep. Wat was er veranderd?

Er was helemaal niets raars aan de hand geweest, totdat de mannen uit Chicago in de stad waren opgedoken. Het eerste vreemde moment was de droom die hij gisterochtend had gehad, na de vechtpartij van de avond daarvoor...

Nee, dat was niet zo. Het échte eerste merkwaardige voorval was toen hij Eric Shaws bloed van zijn hand afveegde. Zoals het warme water ijskoud werd toen het in aanraking kwam met het bloed. Hij had nog nooit zoiets gevoeld. Het huis stond nog altijd op een bron, had een elektrische pomp die het water uit dezelfde grond omhooghaalde als de grond waarin zich de bronnen, de Lost River en de Wesley Chapel-kolk bevonden. Hij had geen aangepast stadswater nodig.

Maar toch... het was vreemd geweest. Toen waren de dromen begonnen, en die waren geculmineerd in deze laatste ervaring, die een droom geweest had moeten zijn maar die absoluut níét was. Het leek wel alsof de man met de bolhoed hem alleen besloop wanneer Josiah wat minder bij zijn positieven was, wanneer hij in slaap was of op het randje zat. En hoe merkwaardig het ook was, maar de man kwam hem vertrouwd voor. Hij voelde een band, zoals dat met oude vrienden het geval was. Zoals met familie.

Hij trok aan de deurhendel en kroop omlaag, zijn benen waren verdoofd door de lange zit, hij keek de hele donkere schuur rond en zag niets dan schaduwen. Zelfs de strepen zonlicht waren weg, en door dat besef raakte hij van slag en hij liep naar de deuren. Die schoof hij opzij en hij zag dat de lucht zo zwart was als kool en dat het was gaan regenen. Het onweerde zelfs en hij kon er niet bij dat hem dat was ontgaan. Misschien was dat het bewijs dat hij in slaap was gevallen, dat het weer een droom was geweest.

Maar terwijl hij in de deuropening van de schuur stond en de regen over zijn gezicht liet glijden, wist hij dat het niet zo was. Hij had al eerder over de man gedroomd, en daar hoorde deze niet bij. Deze keer was de man hier geweest. Hij was echt geweest.

Hij stapte de regen in, lette niet op de storm en liep naar de bomen. Hij voelde zich vreemd, in de war. Alsof hij van een paar zorgen af was, ze waren niet uit zijn geheugen gewist, maar ze deerden hem niet langer. De regen, de gehavende bomen en de bliksem deden hem bijvoorbeeld niets. En ook niet het aanhoudingsbevel wegens moord dat ze op dit moment uitvaardigden. Dat was vreemd. Daar zou hij zich verdomd druk over moeten maken.

Maar dat deed hij niet.

De regen doorweekte zijn kleren en maakte een plat, nat scherm van zijn haren, maar hij dacht, wat kan mij het verdomme, hij moest toch al onder de douche. Hij liep het bos in, bewoog zich langs de top van de richel terwijl de verzadigde grond aan zijn laarzen zoog. Hij was uit het zicht van het houthakkerskamp en Danny kon elk moment terugkomen, maar Danny kon naar de hel lopen. Hij wachtte maar op Josiah.

Hij verliet de rand van de richel en stond in het open veld, keek uit over de beboste heuvels die zich ervandaan uitstrekten, in de verte een paar gemaaide velden, de steden French Lick en West Baden ergens daarachter. Aan de steile kant stond een stevige zaailing, hij sloeg zijn hand eromheen en boog zich over de steilte voorover.

'Mijn dal,' zei hij. Zijn stem klonk vreemd.

Nog maar een paar uur geleden had hij alleen maar willen ontsnappen. Daar had hij wat geld voor nodig gehad, maar als hij dat had opgelost, zou hij maken dat hij uit Dodge wegkwam. Maar nu, nu hij zo boven dat stormachtige landschap hing, wilde hij niet weg. Dit was zijn thuis. Dit was van hem.

Maar dat betekende niet dat hij van plan was het geld te laten zitten. Lucas G. Bradfords geld, een man die Josiahs naam droeg en zelf een band had met de oude Campbell. Het kon zijn dat Campbell uit het dal was vertrokken, een paar centen had verdiend en die daarna aan Lucas G. had nagelaten; het kon zijn dat Lucas G. zelf een paar centen had verdiend. Josiah bedacht dat het eerste het geval was. Hij had een merkwaardig loyaliteitsgevoel jegens Campbell, de overgrootvader die hij nooit had gekend. De arme ouwe klootzak was door de jaren heen berucht geworden, maar er was ook een tijd dat hij hier de scepter zwaaide. Ooit was hij een groot man geweest, en de mensen vergaten dat maar wat graag. Het zou mooi zijn als hij ze eraan hielp herinneren.

De regen gutste in zijn gezicht, er waren nu geen bomen die hem tegen de westenwind beschermden, maar hij genoot van het water. Het voelde goed om erin te staan. Grapppig, want meestal had hij er een bloedhekel aan om door de regen te worden overvallen.

Nee, hij was helemaal zichzelf niet.

Er waren vijf berichten op Erics telefoon. Eén van inspecteur Roger Brewer, die zich afvroeg wanneer ze hun gesprek konden afmaken. Zijn stem klonk niet zo achteloos als de woorden deden vermoeden. Drie berichten van Claire, elke keer steeds dringender. Een van Kellen. 'Heb het gehoord van de politie,' zei hij. 'Dat is niet best, hè? Ben benieuwd wat jij ervan vindt.'

Klonk er wantrouwen in zijn stem door? Hij kon het hem niet kwalijk nemen als dat zo was. Eric belde Claire eerst, en gek genoeg vond hij het fijn te horen dat toen ze opnam er opluchting in haar woede doorklonk.

'Waar zit je? Ik heb dat hotel wel vijftien keer gebeld. Ze gooien je er waarschijnlijk uit als ik nog een keer bel.'

'Ik heb met de politie gepraat,' zei hij. 'En toen, eh, kreeg ik een zware aanval.'

Ze ging zachter praten, vriendelijker. 'Zware aanval?'

'Ja.' Hij praatte haar bij.

'Ben je het politiebureau uit gelopen? Midden in een verhoor?'

'Ik kon weinig anders, Claire. Je hebt geen idee hoe die aanvallen zijn. Ik haalde amper de deur.'

'Je had het kunnen uitleggen...'

'Dat ik ontwenningsverschijnselen heb van mineráálwater? Dat ik dode ménsen zie? Moet ik die dingen aan een smeris uitleggen die me over een moord ondervraagt?'

Hij kreeg een verschrikkelijk déjà vu, al die keren in de laatste jaren dat hij tegen haar schreeuwde omdat ze het niet kon begrijpen, dat ze het gewoon niet snápte, en dat ze met stilte antwoordde.

Een paar seconden gingen voorbij, en toen ze opnieuw sprak, koos ze haar woorden zorgvuldig, praatte op de afgemeten toon, die hem altijd razend maakte omdat hij zich er zo klein door voelde. Naar de hel met haar zelfbeheersing, haar voortdurende controle.

'Ik begrijp dat dat wat lastig kan zijn,' zei ze. 'Maar ik vind het zorgelijk dat je helemaal níéts hebt uitgelegd, op die manier werk je je in de nesten.'

'Ik heb geen tekort aan problemen, Claire. Er kan heus nog wel meer bij, wat maakt 't uit.'

'Oké,' zei ze. 'Dat is één benadering.'

Hij wreef weer over zijn slapen, maar nu had hij geen hoofdpijn. Waarom snauwde hij tegen haar? Waarom zocht hij daarin altijd zijn toevlucht, in welke situatie dan ook?

'Waar ben je?' vroeg hij.

'Bij mijn ouders.'

O, wat had hij graag gewild dat ze een hotel had gezegd. Nu kon Paulie tussenbeide komen en haar beschermen, de zoveelste puinhoop van Eric opruimen. Waarschijnlijk genoot hij er ook nog van.

'Ik weet niet of dat wel zo'n goed idee is. Als iemand naar je op zoek is, staan zij boven aan de lijst.'

'De beveiliging is hier goed.'

Dat was inderdaad zo. Ze woonden op de zesentwintigste verdieping op een afgesloten terrein, een luxecondo in een gebouw dat over Lake Michigan uitkeek. Je had een verdomd lange enterhaak nodig om zo hoog te komen.

'Pap belt wat rond,' zei ze.

'Wat? Waarom belt híj wat rond?'

'Om meer te weten te komen over de vermoorde man. Gavin Murray.'

'Verdomme, Claire, het laatste wat ik nodig heb is wel dat je vader nog meer problemen oprakelt.'

'O ja? Want volgens mij heb je húlp nodig, Eric. Volgens mij heb je antwoorden nodig. Wie heeft deze vent ingehuurd en waarom?'

Knarsetandende stilte. Ze had volkomen gelijk dat hij antwoorden nodig had, en Paul had goede banden met de juridische gemeenschap in Chicago. Misschien lukte het hem ook nog.

'Zeg tegen hem dat hij bij de familie Bradford moet beginnen,' zei hij ten slotte. 'Begin met Alyssa en kijk dan naar haar omgeving. Ze heeft me vandaag de zak gegeven, en dat was niet haar beslissing. Ze volgde instructies op. Ze raadde me slechts aan om te vertrekken. Wat een inzicht, hè? O, en ze zei dat de oude man dood is. Campbell. Of een versie of personificatie van Campbell. Wat hij verdomme ook was, hij is dood.'

'Wat? Hoe dan?'

'Hij is vandaag in het ziekenhuis gestorven, denk ik. Ze hing zonder verdere details op.'

'Fantastisch. Weer iemand die niet kan verifiëren wat je aan de politie hebt verteld.'

'Hij kon toch al niet meer praten,' zei Eric. Hij dacht: behalve tegen mij. Hij kon tegen mij praten, probleemloos. Maar dáár laten we de politie nog maar even buiten.

'Heb je al iets gehoord van de watertest?' zei ze.

'Nog niet. Ik moet Kellen terugbellen. En dan de politie.'

'Volgens mij moet je dat niet doen. Mijn vader zei althans van niet.'

'Ik kan ze niet afzeiken, Claire, dat zei je net zelf.'

'Ik zei niet dat je ze moest afzeiken. Maar pap zei dat je gezien de omstandigheden absoluut niet nogmaals met ze moet praten zonder een advocaat.'

'Maar ik ben gewoon een getuige.'

'Je hebt ze verteld wat je weet, oké?'

'Maar hij zei dat hij meer vragen had en ik…'

'Hier zijn een paar vragen, Eric… hij wil weten of je een geschiedenis hebt met drugs- of alcoholmisbruik, of gewelddadige periodes hebt gehad.'

'Wát?'

'Deze stonden hoog op zijn vragenlijstje toen hij mij belde, wat ik je al eerder had willen uitleggen, maar toen verbrak je de verbinding. Hij leek teleurgesteld toen ik hem vertelde dat we nog steeds op goede voet met elkaar staan. Met andere woorden, zeg nooit meer dat ik niet voor je kan liegen.'

In de roos.

'Niet te geloven dat hij jou heeft gebeld,' zei Eric.

'Nou, dat heeft hij dus gedaan. En toen ik mijn vader vertelde wat hij had gezegd, zei hij dat je een advocaat moet hebben. Je achtergrond is niet relevant, tenzij ze je als verdachte beschouwen.'

'Hij vindt dat ik helemaal niet met ze moet praten?' zei Eric, en hij vond het onverteerbaar dat hij Paul Porters advies heel aannemelijk vond, maar wist maar al te goed dat de man vele jaren strafpleiter was geweest.

'Niet als je al een verklaring hebt afgelegd. Hij zei dat hij wel voor een advocaat kan zorgen als je…

'Ik zoek zelf wel een advocaat.'

'Oké. Geweldig. Dat moet je doen en je moet naar huis toe komen. Je kunt daar niet langer blijven. Dat kán gewoon niet.'

Zonder erbij na te denken antwoordde hij: 'Maar het water is hier.'

'Het wáter? Nou, neem die fles van je mee, kom naar huis en ga naar de dokter! Dat moet je doen.'

'Ik weet het niet,' zei hij, nog altijd van streek door zijn eigen merkwaardige reactie. Het water is hier? Het was er helemaal vanzelf uitgeflapt.

'Wat weet je niet? Je had jezelf moeten horen toen je me vertelde wat er is gebeurd! Je bent ziek. Dat water maakt je heel, heel ziek.'

Dat was natuurlijk zo logisch als wat, maar het voelde verkeerd. Weggaan voelde verkeerd.

'Annes water is anders,' zei hij. 'Toen ik daarvan dronk, bleef Campbell in het verleden. Bleef hij waar hij hoorde. Zo lang ik niet meer van die eerste fles drink – die ik trouwens nu niet hier heb – komt het best in orde met me.'

'Luister,' zei Claire, 'of je komt hierheen, of ik kom daarheen.'

'Dat lijkt me geen goed idee.'

'Dat is een heel stuk beter dan wanneer je daar in je eentje blijft, Eric. Wil je dat echt? Met alles wat er in je lijf en hoofd gebeurt, wil je daar dan alleen blijven?'

Nee, dat wilde hij niet. En het idee dat hij haar zou zien... Dat idee had hij al weken uit zijn hoofd proberen te zetten. Houd op naar haar te verlangen, had hij tegen zichzelf gezegd, je mag haar niet meer nodig hebben.

'Ik kom naar je toe,' zei ze resoluut en overtuigd. 'Ik rij er morgenochtend naartoe en we gaan samen terug.'

Hij dacht aan de weken vol stilte, zoals hij altijd op haar wachtte, het net zo lang liet duren tot zij hem belde zodat hij haar niet hoefde te laten zien hoezeer hij haar nodig had en naar haar verlangde. Nu kwam ze opnieuw, bereid in de auto te stappen en achter hem aan te gaan terwijl de ongetekende scheidingspapieren, die híj had aangevraagd, tussen hen in dwarrelden. Waarom, wilde hij haar vragen, waarom doe je dit nog steeds? Waarom wil je dat?

'Ik weet niet of je hier wel moet zijn,' zei hij. 'Tot we begrijpen...'

'Ik vertrek morgenochtend,' zei ze. 'En tot die tijd maakt het me geen donder uit wat we begrijpen.'

Daar moest hij werkelijk om glimlachen. Ze vloekte zelden, alleen wanneer ze zich opwond, en hij lachte haar altijd uit omdat ze zo terughoudend was, maar ook tijdens de keren dat ze dat overboord gooide. Tijdens de Super Bowl toen de Bears van de Colts hadden verloren, bijvoorbeeld.

'Ik bel je als ik in de buurt ben,' zei ze. 'En wil je tot die tijd in de buurt van het hotel blijven? Alsjeblieft?'

'Goed dan,' zei hij en hij was geboeid en beschaamd tegelijk door het feit dat hun aankomende scheiding zelfs geen schaduw had geworpen over hun gesprek van vandaag, omdat ze zo gemakkelijk en compleet terugleed in de rol van zijn echtgenote. Ze was er als hij haar nodig had. Waarom?

'Mooi zo,' zei ze. 'Blijf daar en blijf veilig.'

40

Hij volgde Claires raad op, negeerde Brewers berichten en belde in plaats daarvan Kellen.

'Ben je in de stad?' vroeg hij.

'Ja. Kun je me hierover bijpraten? De politie heeft me gebeld.'

'Ik blijf in dit hotel gekluisterd,' zei Eric. 'Bij voorkeur met een getuige in de buurt.'

Het was een grap, maar Kellen zweeg, een teken dat die niet aankwam.

'Kom hiernaartoe en tref me in de bar,' zei Eric.

Hij stemde daarmee in en twintig minuten later zat Eric in de donkere, rustige kant van de hotelbar toen Kellen binnenkwam.

'Mijn broer speelt nu,' zei hij terwijl hij naar de tafel liep, 'en die wedstrijden mis ik nooit. Maar dit is een unieke omstandigheid.'

'Sorry. Als het wat helpt, het is hier ook op tv. Heb je al iets over het water gehoord?'

Kellen schudde zijn hoofd, glipte op de stoel tegenover Eric en draaide die om om tv te kunnen kijken. Het eerste kwartier was bijna om en Minnesota stond zes punten achter. Darnell Cage zat op de bank. Eric had hem nog geen punt zien maken.

'Dus die smeris wilde meer over jou weten en over die kerel die ons op het parkeerterrein aansprak,' zei Kellen. 'Je kunt je mijn verbazing voorstellen toen ze me vertelden dat hij dood was.'

'Wat dacht je hoe verbaasd ík was,' zei Eric.

Kellen knikte, hield zijn ogen op Eric gericht en zei toen: 'Heb jij hem vermoord?'

'Nee. Je kent me niet goed, hebt geen enkele reden om dat te geloven, maar ik verzeker je dat het antwoord nee is.'

'Dat dacht ik al.'

'Maar ik heb vandaag wel een moord zien plegen.'

Kellen trok zijn wenkbrauwen op.

'Door Campbell Bradford,' zei Eric. 'Hij heeft de oom van de jongen vermoord. De jongen met de viool. Zijn oom was een drankstoker en Campbell heeft hem vermoord.'

'Dat weet je allemaal door je visioenen.'

'Ik weet dat het krankzinnig klinkt, maar je hebt die fles gezien, je hebt alles wat er gebeurd is meegemaakt en…'

'Wow,' zei Kellen. 'Kalm, man. Kalm. Ik stelde alleen maar een vraag. Volgens mij heb ik je nergens van beschuldigd.'

'Oké,' zei Eric. 'Sorry. Ik hoor alleen hoe het klinkt als het uit mijn mond komt, en ik weet wat je daarvan wel niet moet denken.'

'Heel veel van wat ik normaal gesproken wel niet denk is in de afgelopen paar dagen veranderd, sinds ik in de buurt ben van zo'n rare snuiter als jij. Dus ik veeg niets van wat je zegt van tafel, en tegelijk wil ik je maar wat graag horen vertellen wat er in godsnaam gaande is.'

Het kostte hem bijna een uur waarin Eric uitlegde wat hij wist en Kellen hetzelfde deed, waarna ze op een optelsom uitkwamen die net zo weinig opleverde als de afzonderlijke delen. Kellen zei dat Brewer hem had verteld dat hoewel Josiah Bradford 'in het verleden altijd dol op rotzooi was geweest, het moordende soort rotzooi daar echter niet onder viel', en dat de smerissen inderdaad naar hem op zoek waren. Eric wist dat hem dat meer zou moeten raken, maar dat lukte niet erg. Sterker nog, sinds het laatste visioen was het knap lastig om zijn aandacht bij het heden te houden. Vreemd.

'Ik wil je iets vragen,' zei Eric.

'Vraag maar raak.'

'Jij bent de student van deze streek, jij bent degene die zo veel over de geschiedenis van deze plek weet. Geloof je dat de momenten die ik heb gezien, nadat ik van Annes water had gedronken, waar gebeurd zijn? Die taferelen met Campbell en de jongen?'

Kellen dacht daar lang over na, en knikte toen. 'Ja,' zei hij. 'Dat doe ik. Uiteraard heb ik het niet over de details die je ziet. Maar in algemene termen passen ze in de geschiedenis. Het kan natuurlijk ook zijn dat je de hele zaak uit je duim zuigt. Maar ik kan me niet voorstellen waarom je dat zou doen, en nadat ik je van de week in de eetzaal heb zien instorten, ben ik er verdomd redelijk van overtuigd dat wat jou overkomt ook echt gebeurt.'

'Oké,' zei Eric. 'Dat denk ik ook. Dat de momenten die ik heb gezien echt zijn. En ik ben gaan nadenken over een manier om ze te benutten.'

'Te benutten?'

'Denk na, Kellen. Ik zie een niet-verteld, maar waar gebeurd verhaal. Als ik dat kan blijven zien... als ik een idee heb van het geheel, dan kunnen we dat proberen vast te leggen, oké? Vastleggen en vertellen.'

'Juist,' zei Kellen langzaam.

'Jij denkt dat een doorsnee-mens het als waanzin zou afdoen,' zei Eric. 'Maar mensen zijn dol op deze shit. Als ik hier nou een film van kon maken? O, man. Met dit verhaal zouden we in elke talkshow kunnen komen die er is.'

Kellen knikte hem traag toe, toonde geen reactie en Eric moest zijn ergernis inslikken. Word nou een beetje enthousiast, wilde hij uitroepen, zie je dan niet wat je hiermee kunt doen? Ik kan hierdoor terugkomen, Kellen. Hierdoor kan ik mijn carrière terugkrijgen.

Maar hij hoefde dat idee ook weer niet aan hem op te dringen. Hij kon het geleidelijk aan doen. Er was meer dan genoeg water.

'Hoe dan ook,' zei hij. 'Ik denk gewoon hardop, sorry. Maar ik wil dolgraag die bron proberen te vinden. Die ze voor de alcohol hebben gebruikt. Als de oom van de jongen echt was vermoord, moet daar iets van terug te vinden zijn, toch? Zodat we op een of andere manier een naam op hem kunnen plakken, hem kunnen identificeren.'

'Waarschijnlijk. Maar ik heb over die bron zitten nadenken. Je zei dat Campbell beweerde dat die anders was dan de rest, en datzelfde zei Edgar over Campbells drank. Weet je nog? Hij zei dat een man dan het gevoel kreeg dat hij de hele wereld aankon.'

'Denk je dat dat in mijn fles zit?' vroeg Eric.

'Zou kunnen.'

'En ergens in de bossen in deze buurt bevindt zich misschien een hele bron van die rommel?' Eric lachte. 'Wie weet wat er gebeurt als ik daar een slokje van neem.'

'Ja,' zei Kellen. 'Wie weet.'

Een uur nadat Eric Shaw bij Annes huis was vertrokken, ging het weer regenen, maar rustiger en zonder al dat theater. Bijna geen wind, maar ze herinnerde zich het wegtrekkende onweer dat haar had doen denken aan een zich terugtrekkende hond, en ze wist dat het terug zou komen. Waarschijnlijk kwam dit soort stormen van de laagvlakten, als een voorspel op een koufront. Maar zij vond het geen onaangenaam voorspel. Hier had ze naar uitgekeken. Nu ze geen werk had en er geen kinderen op te voeden waren, er geen man was om voor te zorgen, deed ze dat. In plaats daarvan waakte ze over het dal. Ze wisten niet dat ze er was, wellicht, schonken geen aandacht aan haar zoals ze hier naar de lucht zat te kijken, maar toch waakte ze over hen.

Ze had een kaart op de koelkast geplakt met een paar handgeschreven fragmenten uit de spottersveldgids voor gevorderden van de National Weather Service.

Als ervaren spotter bent u van onschatbare waarde voor de NWS. Uw persoonlijke observaties van tornado's, hagelstormen, wind en opmerkelijke wolkenformaties geven een waarachtig betrouwbare informatieve basis voor het waarnemen en verifiëren van zwaar weer. Door deze observaties helpt u het personeel van de NWS bij hun beslissingen wanneer ze een weerwaarschuwing moeten afgeven en stelt u de NWS in staat zijn missie uit te voeren om leven en bezit te beschermen. Met de mogelijk levensreddende informatie die u verstrekt, helpt u de bewoners in uw gemeenschap.

En daaronder stond in grotere letters en onderstreept:

Het belangrijkste instrument bij het observeren van onweersstormen is het getrainde oog van een stormspotter.

Deze verklaring was afgegeven in een tijdperk van de Doppler-radars en hightechsatellieten. Zij waren ook de deskundigen. Dus als zij het zeiden, moest het wel waar zijn, dacht ze. Bovendien had ze deze verklaring altijd logisch gevonden. Die gaf de wetenschap wat haar toekwam, maar waarschuwde tegelijk dat de mensheid nog altijd geen wetenschap had ontwikkeld waardoor ze alle trucs van deze woeste wereld kon begrijpen, omvatten of voorspellen. En dat, zo wist ze, zou ook nooit gebeuren.

Ze zette de televisie aan en zag dat er nog altijd een onweerswaarschuwing gold voor Orange County. Nou, die konden ze intrekken. De storm was nu weg en zou wel een tijdje wegblijven ook. Maar misschien kwamen de vloedgolfwaarschuwingen wel van pas, want als het de hele nacht zo bleef regenen, zou morgen het water in de kreken hoog staan, wanneer de onweersstormen zouden terugkeren.

Op tv was er verder niets de moeite van het kijken waard. Een basketbalwedstrijd, maar hoewel ze met basketbal was opgegroeid, gaf ze niet veel om de profsport. Ze volgde natuurlijk de Hoosiers nog wel, en ging naar de middelbareschoolwedstrijden in de buurt, maar die waren nooit meer hetzelfde geweest toen ze het legendarische toernooi eenmaal in klassen opdeelden. Goddank had Harold dat niet meer hoeven meemaken.

De telefoon ging precies op het moment dat ze eten aan het klaarmaken was en ze schrok ervan. Ze liep erheen, vroeg zich af of het Eric Shaw was, bang dat hij weer last had. Maar het was Molly Thurman, een jonge vrouw – nou ja, ze was veertig – van de kerk die belde om te zeggen dat Anne het met het weer opnieuw bij het rechte eind had gehad. Anne had haar er na de dienst van vanochtend van verzekerd dat er storm zou komen, en het was leuk te merken dat iemand zich dat had herinnerd en erover belde. Molly had twee jongens van vijf en zeven, en ze was nog geen minuut aan de telefoon of ze moest ophangen om een crisis tussen hen te bezweren.

Toen bleef de telefoon stil, evenals het huis om haar heen, alleen de sissende gasvlam op het fornuis en het uit de goten en van het verandadak druppende water hielden haar gezelschap. Ze was blij dat het niet Eric Shaw was die had gebeld, met een volgende aanval, maar ze wilde ook graag weten wat er met hem aan de hand was. Als ze hem mocht geloven, zouden de zaken minstens een paar uur normaal blijven. Dan zou de pijn terugkomen, en dan zou hij meer van haar water nodig hebben, en dan zou hij dingen gaan zien… uit het verleden.

Dat zei hij vanmiddag tenminste. Ze had gevraagd wat hij zag, en hij had gezegd: het verleden. Momenten uit de geschiedenis van het dal. En de mensen. Hij had het hotel in zijn hoogtijdagen gezien, en toen een oude whiskystokerij die nog in de heuvels was, hij had ze net zo levendig gezien alsof ze echt waren, had de mensen gezien alsof ze in dezelfde ruimte waren als hij.

Ze dacht daar onder het eten aan en ruimde af, en toen ze klaar was, liep ze weer naar de trap, zuchtte, pakte de leuning vast en begon aan de klim.

In de lege slaapkamer haalde ze nog een fles uit de verpakking – haar voorraad slonk dit weekend snel – en hield die in haar hand. Ze had het spul in geen jaren geproefd. In geen tientallen jaren. Maar er zou vast niets gebeuren. Wat Eric Shaw meemaakte moest wel uniek zijn, of had niets met het water te maken.

Maar ze had hem erop zíén reageren. Ze had daar in de woonkamer gezeten en gezien hoe zijn ogen deze wereld verlieten en een andere aantroffen, en in die wereld zag deze stad eruit zoals zij hem zo dolgraag wilde zien, met de mensen die ze miste, mensen van wie ze hield.

Hij had haar gezegd dat zijn visioenen zich ergens in de jaren twintig moesten afspelen. Haar vader en moeder waren toen nog jong geweest. Haar grootmoeder zou nog leven. Nou, het zou wat zijn om die nog eens terug te zien.

Maar ze wist niet of ze door het water op dezelfde plek zou belanden als hij. Misschien kwam ze wel vijftig jaar geleden terecht, in de tijd met Harold en haar kinderen…

'Waarom niet, Annie,' zei ze. Niemand had haar sinds haar jeugd zo genoemd, maar soms zei ze het hardop voor zichzelf. Nu maakte ze het draad los, haalde de kurk van de fles en rook onmiddellijk de zwavel. Wat ze Eric Shaw tijdens zijn eerste bezoek had verteld, was maar al te waar: dit water was waarschijnlijk gevaarlijk. Maar aan de andere kant had hij er maar weinig van gedronken. Een slokje maar. En dat slokje had hem naar het verleden gebracht.

Ze nam een nipje. Afschuwelijk spul, haar hoofd ging ervan bonzen en haar maag draaide zich om, maar ze slikte het door. Aan wilskracht had het haar nooit ontbroken. Ze liet zich even tot zichzelf komen en probeerde weer een slokje, deze keer nog kleiner, en toen deed ze de kurk terug, pakte de fles weer in en zette hem weg.

Nu zou ze wachten. Wachten en, hopelijk, iets zien.

41

De tijd glipte door Josiahs vingers heen terwijl hij door de natte bossen dwaalde. Hij was helemaal naar het uiteinde van de richel gelopen en toen de heuvel af, zwierf doelloos rond maar genoot van het gevoel van het water dat over zijn huid stroomde en zijn kleren doorweekte, koesterde de momenten dat hij het uit zijn ogen moest wegknipperen om alleen al iets te kunnen zien. De bliksem hield op, het onweer nam af en dreef over, en tot zijn verbazing realiseerde hij zich dat de westelijke hemel niet langer werd verduisterd door de stormwolken maar door de zonsondergang.

Daarop klom hij weer naar de richel, modder en natte bladeren bleven aan zijn laarzen kleven, alles rook naar vochtig hout. Hij merkte dat hij vaak moest spugen, wat raar was, want dat deed hij vroeger nooit. Nog vreemder was dat hij een vage smaak van pruimtabak in zijn mond had.

De zomerse schemering die hem op de terugweg zou moeten begeleiden, was er met de bewolkte hemel van vandaag niet. Het was bijna donker toen hij in het houthakkerskamp terug was en zag de contouren van de auto pas toen hij er bijna tegenaan liep. Hij schrok eerst en trok zich in het bos terug, tot hij zich realiseerde dat het Danny's Oldsmobile was. Toen hij erachter vandaan kwam, zwaaide het portier aan de bestuurderskant open en stapte Danny met een van ontzetting vertrokken gezicht uit.

'Waar heb jij verdomme uitgehangen? Ik zweer 't, Josiah, nog een paar minuten en ik had 'm gesmeerd.'

'Mijn truck stond in de schuur.'

'Dat heb ik gezien, anders was ik een uur geleden al weggeweest.' Hij fronste zijn wenkbrauwen. 'Heb je in de regen gelopen?'

'Ja.' Josiah boog zich langs hem heen en keek in de auto. 'Is dat een pizza?'

'Dacht dat je wel wat te bikken wilde. Nu is-ie natuurlijk koud.'

'Kan mij wat schelen.'

Ze schoven de schuurdeuren een meter open en gingen net over de drempel zitten, terwijl Josiah wat pizza at en een fles water opdronk.

Die leste de ergste dorst die hij inmiddels had gekregen, maar die vage tabakssmaak ging noch door het eten, noch door het water weg.

Terwijl hij at, praatte Danny hem bij over de stad. De moord was het gesprek van de dag, maar er waren nog geen aannemelijke theorieën.

'Heb je ontdekt of diegene die zichzelf Shaw noemt nog in de stad is?' vroeg Josiah.

'Ja. Het was een hele toer om hem te vinden, maar ik had mazzel.'

'O ja?'

'Ik heb beide hotels gebeld en naar hem gevraagd. French Lake zei dat hij daar niet bekend was, maar West Baden verbond me met zijn kamer door. Zodra hij overging, heb ik opgehangen.'

'Noem je dat een hele toer?'

'Nee. Maar het feit dat hij daar een kamer heeft, wil nog niet zeggen dat hij er ook is, en bovendien heb je gezegd dat ik hem moest volgen. Maar ik weet niet wat voor auto hij heeft. De auto waarmee ze gisteren waren was van die zwarte jongen.'

'Oké.' Josiah betrapte Danny erop dat hij naar hem fronste. 'Waar staar je naar?'

'Waarom spuug je de hele tijd?' zei Danny. Josiah was verbaasd; hij had niet eens gemerkt dat hij dat weer deed.

'Zomaar,' zei hij. 'Ga verder met je verhaal.'

'Nou, ik ben het parkeerterrein over gegaan, op zoek naar kentekenplaten uit Illinois, maar daar waren er heel wat van, dus ik wist niet waar ik op moest blijven wachten. Toen begon het te regenen en ik besloot naar hier terug te gaan om te vragen wat jij vond. Ik was halverwege de stad toen ik hem op de stoep zag lopen.'

'O.'

'Ja. Ik had hem niet eens opgemerkt als hij niet helemaal voorgebogen liep, alsof hij op het punt stond over te geven. Hij liep helemaal terug naar het hotel, strompelde als een dronkenman. Nog geen vijf minuten later kwam hij weer naar buiten stapte in een auto. Een Acura suv. Toen reed hij naar Anne McKinneys huis.'

'Anne McKinney?' zei Josiah ongelovig.

'Je weet toch wie ze is?'

'Ze heeft dat huis met al die windmolens en rommel. Komt elk dag in het hotel.'

'Ja.'

'Wat zou hij daar te zoeken hebben?'

'Dat weet ik niet,' zei Danny, 'maar hij zag er ongelooflijk raar uit toen hij naar binnen ging. Liet het portier open en de motor draaien. Zij moest naar buiten lopen om hem af te zetten.'

'O ja? Hoe lang is hij daar gebleven?'

'Een hele tijd. Toen ging hij weer naar het hotel terug. Heb hem niet meer naar buiten zien komen, dus ben ik hierheen gegaan. En nog iets… hij had opa verteld dat hij door een vrouw uit Chicago was ingehuurd.'

'Een vróúw?'

'Dat zei hij.'

'Gelul. Hij werkt voor Lucas.'

'Ik moet je wel zeggen dat ik niet snap waarom we die kerel overal volgen,' zei Danny. 'Je zit behoorlijk in de stront. Als je het mij vraagt…'

'Ik vraag het je niet.'

Danny hield zijn mond en staarde Josiah aan, toen sprak hij opnieuw, zachter.

'Misschien niet. Maar áls je het mij vraagt, zou ik zeggen dat je slechts twee opties hebt. De eerste is dat je jezelf aangeeft. Ik weet dat je dat niet wilt, maar volgens mij is dat wel het slimste. Die kerel trok een pistool, toch? Je kon niet anders.'

'Gaat niet gebeuren,' zei Josiah. 'Geen haar op m'n hoofd die de plaatselijke politie gaat vertrouwen.'

'Prima,' zei Danny. 'Dan moet je de stad uit. Je zei dat je daar geld voor nodig had, maar ik weet niet hoe je dat van die mensen uit Chicago los moet zien te krijgen. Ik geef je wel wat ik van het casino overheb, dat is in elk geval genoeg om hier weg te komen.'

Josiah schudde zijn hoofd. 'Nogmaals, dat vind ik geen aantrekkelijke optie. Het staat me tegen om een plek te verlaten die zo lang mijn thuis is geweest. Die is meer van mij dan van hen, Danny, meer van mij dan van hen.'

Danny hield zijn hoofd schuin en tuurde naar hem. 'Waarom praat je zo?'

'Zoals ik altijd praat.'

'Niet waar.'

Josiah haalde zijn schouders op. 'Nou, je weet maar nooit hoe een man zich ontwikkelt, Danny, zowel in gesprekken als in gedrag.'

'Ik heb geen idee waar je het over hebt.'

'Dit is alles wat je hoeft te weten; ze gaan me dit dal niet nog een keer afpakken, ze gaan me mijn huis niet nogmaals afnemen.'

'Nogmaals?'

'Mijn bloedverwant, Danny. Campbell.'

'Cámpbell? Wat krijgen we nou? De man is al tachtig jaar dood! Als opa er niet was geweest, had je niet eens geweten hoe hij heette.'

'En daar zit het dilemma, Danny, jongen. Bijna niemand herinnert zich zijn naam nog, en degenen die dat wel doen, nou, die praten alleen maar slecht over hem. In zijn tijd heeft Campbell heel wat voor de mensen gedaan. Waarom zou die man fout zijn, alleen maar omdat hij een beetje ambitieus is? Heb jij daar een antwoord op?'

'Hij heeft zijn familie in de steek gelaten. Wat bazel je nou, ambitieus?'

'Dat is het 'm nou juist, hij is niet uit vrije wil weggegaan. Dat is hij nooit van plan geweest.'

Danny staarde hem aan. Achter de schuur zwaaiden de donkere bomen opnieuw in de milde bries.

'Waarom zet je zo'n stem op?'

'Het is de enige die ik heb.'

'Je klinkt niet normaal. Zo klink je anders nooit.'

'Jongen, je bent een klootzak die overal wat op aan te merken heeft, weet je dat? Sorry voor m'n stem, Danny, sorry voor mijn manier van praten, sorry dat ik zo nu en dan wens te spugen. Sorry dat je vanavond geen prijs stelt op die eigenschappen.'

'Wat jij wilt, man.'

'Ben je het beu om me te helpen? Laat je me dit in m'n eentje opknappen?'

'Dat heb ik niet gezegd. Ik weet alleen niet wat ik moet doen om te helpen.'

'Gelukkig maar dat ik dat wel weet. Ik heb een duidelijke rol voor je in gedachten, Danny, en het is geen moeilijke taak. Je hoeft alleen maar bij het benzinestation twee van die prepaid telefoons te halen. Ik geef je wel geld. Dan breng je die hier. Ik wacht tot ik mijn telefoontje ga plegen. Kennelijk is dit zo'n soort telefoontje dat je midden in de nacht pleegt.'

De pijn hield zich tot de avond gedeisd. Eric hing met Kellen aan de bar, dronk nog een paar biertjes, at zelfs wat en voelde zich daar prima bij, dacht feitelijk dat hij er misschien wel vanaf was.

Dat was niet zo.

De eerste hoofdpijn diende zich ongeveer een uur nadat hij had gegeten aan. Vlak na de hoofdpijn begon hij misselijk te worden en toen hij naar de barman keek en zag dat het verticale beeld weer tekeerging, dat hevig trillende tafereel vóór hem, wist Eric dat het tijd was om te gaan.

'Voel je je weer beroerd?' zei Kellen toen Eric overeind kwam.

'Geweldig is het niet. Ik moet gewoon even gaan liggen.'

Hij wist niet precies waarom hij dat zei, ze wisten allebei dat het nergens op sloeg.

'Wil je dat ik in de buurt blijf, of…?'

Eric schudde zijn hoofd. 'Nee, nee. Maak je over mij geen zorgen, man. Als het echt erg wordt, doe ik wat ik moet doen.'

'En zie je wat je moet zien,' zei Kellen, terwijl hij hem met een ernstig gezicht nauwlettend aankeek. Hij stak zijn hand uit. 'Oké, vriend. Veel succes. Ik ben vanavond in de stad. Dus als er iets met je op de loop gaat…'

'Het komt best in orde met me. Hand erop. Je zult het zien als we elkaar morgen weer spreken.'

Toen hij uit de bar wegliep, zag de deur er vreemd spookachtig uit, een aanwijzing dat het dubbelzien terugkwam, en de lichten in de gang brandden op zijn schedel, maar op de een of andere manier sloeg bij geen van beide verschijnselen hem de angst zo erg om het hart als dat eerder het geval was geweest. Er lagen kwaaie dingen voor hem in het verschiet, ja, maar hij kon ze nu op afstand houden. Zo veel wist hij wel.

Hij hoefde alleen maar nog een beetje van het water te drinken, dat was alles. Elke dag. Hij zou een paar akelige ogenblikken krijgen, moest bepaald geen ideale bijwerkingen het hoofd bieden, maar het zou de echte demonen op afstand houden. Ook al had het water die tot leven gewekt, het kon ze nu ook weghouden. Was dat niet idioot? Dus zat hij gevangen in de vicieuze cirkel, dat was alles, hij moest hetgeen hem bedreigde met dezelfde wapens bestrijden.

Op naar de vierde verdieping, hand tegen de liftmuur om in evenwicht te blijven, dan de gang in, met een glimlach en een knikje een ouder echtpaar passerend, dat zonder hem een tweede blik te gunnen doorliep. Hij begon nu de slag te pakken te krijgen, leerde hoe hij de symptomen kon verhullen, wist dat hij die niet meer hoefde te ondergaan, daar zorgde het water wel voor.

Hij begon nu diep vanbinnen hevig te beven, zijn gezichtsvermogen vertroebelde en werd onzeker, maar hij merkte dat hij lachend zijn keycard uit zijn zak tevoorschijn haalde en fluitend de deur openmaakte, zo opgewekt als wat. Doet me niets, doet me niets, doet me niets. Niet meer. Hij had het tegengif, en wie maalde erom dat dat ook de oorzaak was? Het belangrijkste was dat het werkte. Hij had het weer onder controle.

Hij had de fles in de kamer gelaten, maar nu had hij voorzorgsmaatregelen genomen. In de kast zat een kluis voor de gasten, voor het soort mensen met juwelen of dikke portefeuilles. Daar had hij zijn fles water in gezet. Nu toetste hij de code in – het nummer van Claires vroegere appartement in Evanston – het deurtje sprong open en hij vond de fles.

Koel maar niet koud, feitelijk volkomen normaal, en hij merkte dat hij de Bradford-fles bijna miste toen hij deze openmaakte en eruit dronk. Annes water smaakte zo smerig en wrang, en stonk, niets van die honingsmaak die zich gaandeweg in de Bradford-fles had ontwikkeld. Maar het werkte, en dat was genoeg.

Alleen werkte het deze keer niet. Althans niet zo snel. Vijf minuten later was hij nog misselijker en had hij nog steeds hoofdpijn. Vreemd. Hij wachtte nog eens vijf minuten en dronk toen nogmaals. Deze keer met volle teugen terwijl hij zich schrap zette tegen de zwavelsmaak.

Eindelijk lukte het. Een paar minuten na deze tweede dosis nam het kloppen in zijn slapen af, zijn maag kalmeerde en zijn gezichtsvermogen stabiliseerde zich. Zijn oude vriend had het weer gered. Deze keer had hij alleen een tikkeltje meer nodig gehad, dat was alles.

Hij zat nog steeds in de stoel toen de viool hem riep. Eerst fluisterzacht, maar hij spitste zijn oren als een hond die een fluitje hoort. Man, wat was dat mooi. Een klaagzang, zo had de jongen het genoemd. Een lied voor de doden. Hoe vaker Eric het hoorde, hoe mooier hij het vond.

Hij stond op en liep naar het balkon, waar de muziek vandaan leek te komen. Hij opende zachtjes de deuren, stapte naar buiten en de ronde zaal was verdwenen; in plaats daarvan strekte zich onder het balkon een grijze ruimte uit, die als een peilloos ravijn wegviel. Zelfs de geuren van het hotel waren verdwenen, vervangen door die van dode bladeren en rook van een houtvuur. In het schemerige ravijn waren twee lichtpunten te zien en hij draaide zich om om ernaar te kijken.

Hij was nu bij de lichten en zag dat het de kille, witte ogen van Campbells sportwagen waren, die stilstond bij een langwerpig houten gebouw met een brede veranda aan de voorkant. Het stroomde van de regen, die hier en daar gaten in het verandadak vond. Een paar zwarte mannen zaten op het droge gedeelte van de veranda te roken en te praten, en verstomden toen het autoportier openging en Campbell in de plassen naast de auto uitstapte. Even later ging de passagiersdeur open en daar was Lucas, met de vioolkist in de hand. Die scheen hij altijd bij zich te hebben.

'Heren,' zei Campbell. 'Genieten van een regenachtig avondje op de veranda, zie ik.'

Geen van de zwarte mannen zei iets.

'Is Shadrach binnen?' vroeg Campbell onaangedaan.

'Beneden,' zei een van hen na een lange stilte. Campbell tikte tegen zijn hoed, liep naar de deur en hield die voor de jongen open zodat die naar binnen kon lopen. Nu waren ze in een donker vertrek met ronde tafels en een lange houten bar met koperen stang. De bar en de tafeltjes waren leeg. Op een van de tafels lagen stapeltjes kaarten en fiches. Alles was bedekt met een fijn laagje stof.

Ze liepen beiden door de lege kamer naar een donker trapgat achterin en daalden de steile, schemerige trap af. Onder aan de trap was een dichte deur, Campbell maakte die zonder kloppen open en ging naar binnen.

'Rustig aan,' zei hij. Een korte, maar gespierde zwarte man stond vlak bij de deur en hield een pistool in de aanslag toen Campbell naar binnen stapte. Er was nog een man, veel groter, waarschijnlijk zo'n honderdvijftig kilo, die van een kruk opstond, en een derde, graatmager met een heel donkere huid, zat achter een houten bureau. Hij leunde in de stoel achterover en had zijn voeten op het bureau, enorme voeten, en hij had net zulke grote handen over zijn buik gevouwen. Hij zei niets en verroerde zich niet toen Campbell en de jongen binnenkwamen, keek ze alleen even aan en bestudeerde ze ongeïnteresseerd. De man met het pistool liet het pistool langzaam zakken en deed een stap bij Campbell vandaan.

'Shadrach,' zei Campbell.

'Als ze geen vriend van me zijn, noemen ze me meneer Hunter,' zei de man achter het bureau.

'Shadrach,' zei Campbell nogmaals, op dezelfde toon.

Shadrach Hunter krulde meesmuilend de lippen, wat kennelijk voor geamuseerdheid moest doorgaan, en keek langs Campbell naar Lucas.

'Is dat Thomas Grangers jongen?'

'Zijn neef.'

'Waarom draagt hij in godsnaam die viool?'

'Die heeft hij graag bij zich,' zei Campbell. 'Je hebt hem horen spelen.'

'Inderdaad.' Shadrach Hunter bekeek Lucas met wantrouwig toege-knepen ogen. 'Een jongen hoort zo niet te spelen.'

Het klonk als een uitbrander. Lucas hield in de kamer steeds zijn blik op de grond gericht, en die bleef daar nu ook.

'De auto staat voor,' zei Campbell, 'en het regent erg hard. We moeten voortmaken.'

'Het is misschien geen beste avond om een lange rit te maken.'

'Het is niet ver. Even voorbij de kolk. Je bent daar al eens geweest, en maak me niets anders wijs, leugenachtige klootzak. Je bent daar op eigen houtje wezen kijken. Ik ben hier om je te vertellen dat die bron van nu af aan van míj is. Als jij een deel wilt, zul je door mij heen moeten om het te krijgen.'

Shadrach staarde hem stug aan. 'Ik weet nog steeds niet waarom je denkt dat ik zo stom ben om met jou samen te werken, Bradford.'

'Tuurlijk wil je dat. Er valt geld te verdienen. Jij bent net als ik een man die weet wat zijn geld waard is.'

'Dat heb je me verteld, ja. Maar ik ben ook een man die zijn geld heeft verdiend door zo ver mogelijk bij jouw soort uit de buurt te blijven.'

'Verdomme, Shadrach, het maakt me niet uit welke huidskleur je hebt, mij gaat het om de hoeveelheid geld die je hebt.'

'Jij bent de enige die het hier over kleur heeft,' zei Shadrach Hunter met zachte stem.

Campbell zweeg en staarde hem aan. Even buiten de muur liep water door een goot dat er luidruchtig spetterend uitstroomde. Er stond een harde wind.

'Je mag dan misschien een paar dollars gespaard hebben,' zei Campbell, 'maar er komt niets meer jouw kant op, Shadrach. De blanken hier in de buurt worden al hard genoeg getroffen; hoe denk je dat het jouw mensen dan zal vergaan? Nou, mij is een aanbod gedaan, en dat kun je aannemen of niet. Je hebt de whisky geproefd. Je weet wat die waard is.'

'Het stikt hier van de whisky.'

'Van deze kwaliteit? Shit, Old Number Seven is daarbij vergeleken slootwater. Ik heb connecties in Chicago die bereid zijn daar een prijs voor te betalen die je je niet eens kunt voorstellen.'

'Waarom kom je dan naar mij toe?'

'Omdat,' zei Campbell Bradford, 'sommige projecten een beetje hulp nodig hebben. En mij is verteld dat jij de enige man in dit dal bent die net zo'n zwart hart heeft als ik.'

Shadrach liet in een grijns zijn tanden zien en zei toen zachtjes: 'O, daar komt niemand in dit dal bij in de buurt, Bradford. En dat is een algemeen bekend feit.'

Campbell spreidde zijn handen. 'De auto staat voor, Shadrach. Ik stap weer in.'

Shadrach Hunter aarzelde even, knikte toen, liet zijn voeten op de grond vallen en stond op. Zijn twee kompanen liepen met hem mee naar de deur, maar Campbell schudde zijn hoofd.

'Nee. Als je met mij meegaat, dan ga je in je eentje, Shadrach.'

Shadrach bleef stokstijf staan, keek ontstemd, maar na een lang ogenblik knikte hij. Hij opende een bureaula, haalde er een pistool uit en hing dat aan zijn riem. Hij pakte van een haak aan de muur een lange jas, waar de strepen regen nog op zaten, en trok die aan, reikte toen nogmaals in de bureaula en haalde er een ander wapen uit, een klein automatisch pistool, en stopte dat in zijn jaszak. Hij hield zijn hand op de zak.

Campbell glimlachte. 'Genoeg moed gevat?'

Shadrach gaf geen antwoord en liep naar de deur. Hij ging de trap op, gevolgd door Campbell met daarachter Lucas. Boven aan de trap was het stikdonker, en toen Shadrach Hunter daar instapte, verdween hij. Daarna deed Campbell hetzelfde en ten slotte was er niets anders meer dan het fletse vierkant van de rug van Lucas' shirt. Toen die ook was verdwenen, klonken er stemmen en geluiden van mensen die zich door het hotel bewogen en Eric besefte dat hij op het balkon zat met een lege waterfles in zijn hand.

Leeg.

Hij had alles opgedronken.

42

Voor het eerst voelde hij zich niet opgelucht toen het visioen was afgelopen. In plaats daarvan was hij bijna teleurgesteld. Voelde zich bedrogen.

Het was te abrupt geweest, alsof een film midden in een scène werd afgebroken. Ja, zo was het precies, steevast voordat hij het hele plaatje had gezien, en deze keer had het een open einde.

'Ik weet hoe hij heet,' zei hij hardop, terugdenkend aan wat hij had gezien. 'Hij heeft verdomme gezegd hoe hij heet. Granger. Thomas Granger. Lucas is zijn neef.'

Hij was opgetogen toen hij dat besefte, het was daarentegen een teleurstelling dat hij het visioen was kwijtgeraakt toen de mannen op weg gingen naar de bron. Als hij nog wat langer had kunnen blijven, in het verleden had kunnen blijven, had hij de weg erheen misschien gezien. Hij zag het verháál, niet alleen maar willekeurige beelden, maar nu was dat weg. Lucas, Campbell en Shadrach Hunter hadden opnieuw plaatsgemaakt voor de werkelijkheid van het hotel, en hij hield een lege fles in zijn hand, wat verbijsterend was, want hij herinnerde zich niet dat hij het had opgedronken. En verontrustend, want dat betekende dat hij nu zonder zat.

In een tijdsbestek van achtenveertig uur was de effectieve dosis dramatisch verhoogd.

'Resistent,' zei hij. 'Je wordt resistent.'

Zorgwekkend misschien, maar niet echt ernstig. Hij moest er gewoon aan blijven trekken, dat was alles. Natuurlijk zou hij op een bepaald moment liters van het spul nodig hebben. Maar zonder zou hij niet komen te zitten. Bronnen in overvloed in de streek, die leidingen vulden en uit kranen in de spa stroomden.

Uit kranen stroomden. Inderdaad.

Hij had geen behoefte aan nog een slok. Nu niet. Zijn hoofdpijn was weg, hij had de misselijkheid weten te omzeilen.

Maar als hij meer water had, zou hij zien hoe het verhaal verderging.

Hij keek naar de lege fles in zijn hand en dacht aan zijn gesprek met Claire, dat ze had benadrukt dat hij altijd al paranormale neigingen had gehad. Verdomme, dat wist hij wel. Hij had tenslotte die momenten doorleefd, vanaf het dal in de Bear Paws tot de Infiniti tot aan het kiekje van het rode huis voor de Harrelson-video.

Dat vermogen had hij altijd gehad. De gave, als je het zo wilde noemen. Het verschil was nu dat hij er door het water enige controle over had. Aanvankelijk was hij bang voor het spul geweest, maar klopte dat eigenlijk wel? Moest hij er bang voor zijn of het juist omarmen?

'Je moet hier een film van maken,' zei hij zachtjes. 'Vastleggen en filmen.'

Kellen had bepaald niet enthousiast op dat idee gereageerd. Zoals hij naar Eric had gekeken, met een vertwijfelder blik dan welke blik hij hem ook had toegeworpen na hun discussies over de geesten, visioenen en de rest, en wat moest hij verdomme daar nu weer van denken? O, nou ja, hij hoefde Kellen er niet bij te betrekken. Hij zag gewoon de mogelijkheden niet waar Eric die wel zag. Dit soort dingen was zo verdomd vreemd dat mensen er niet genoeg van konden krijgen. Hij kon zich de interviews nu al voorstellen; Larry Kings mond zou openvallen als Eric daar kalm de omstandigheden zou uitleggen waaruit de film was voortgekomen. Die gave was er altijd geweest... was altijd bij me. Het heeft alleen heel lang geduurd voordat ik daar handen en voeten aan kon geven. Voordat ik die leerde gebruiken.

Hij stond op en liep zijn kamer weer in. Op de kaart naast de telefoon stond een doorkiesnummer voor de spa. Dat belde hij.

Het meisje dat de telefoon opnam, vertelde hem dat de spa over een half uur zou sluiten. Dat was te kort voor een sessie, legde ze uit. Een sessie? Hij wilde alleen maar dat verdomde mineraalwaterbad zien. Dat zei hij tegen haar en hij stuitte op beleefde, maar besliste tegenstand.

'Sessies in het mineraalbad duren een half uur of een uur. Daar is nu niet genoeg tijd voor, sorry. We kunnen morgen een afspraak voor u maken.'

'Moet je horen,' zei hij. 'Ik betaal voor een hele sessie.'

'Sorry, meneer, we kunnen gewoon niet...'

'En een fooi van honderd dollar voor jou,' zei hij, terwijl de situatie naar zijn gevoel plotseling dringend werd toen hij naar de lege fles in zijn hand keek. 'Ik ben om negen uur weer weg, met sluitingstijd.'

'Oké,' zei ze na een lange stilte. 'Maar dan moet u wel voortmaken, anders hebt u helemaal geen tijd meer.'

'Dat is goed. Zeg, hebben jullie ook plastic waterflessen?'

'Eh, ja.'

Hij zei dat hij daar blij om was.

De spa was schitterend, met hoogwaardig natuursteen, verfijnde decoraties en knapperende open haarden. Hij had zijn kennissen uit Californië die zulke plekken frequenteerden altijd bespot, er zat nog te veel van dat Missouri boerenjongensbloed in hem om die lifestyle uit te proberen. Maar daar stond hij nu, in een witte badjas en slippers, en liep achter een aantrekkelijk blond meisje aan dat een melkglazen deur opende die naar het mineraalbad leidde.

'Het is hier volledig in originele staat hersteld,' zei ze, terwijl ze met de deur halfopen bleef staan. 'De meeste mensen nemen er een aromatherapie bij. Weet u zeker dat u niet…'

'Ik wil het natuurlijke water,' zei hij. 'Niets anders.'

'Oké,' zei ze en ze deed de deur open. Hij rook onmiddellijk de sterke geur van zwavel, en het blonde meisje grimaste, duidelijk ontsteld dat hij niet had gekozen voor de geur van vanille, lavendel, vlindervleugels of wat hij ook verdomme zou moeten gebruiken.

'In het begin voelt u zich misschien wat licht in het hoofd,' zei ze. 'Een beetje duizelig. Dat komt door alle gassen die door het water vrijkomen, lithium en zo. Op de balie ligt een complete lijst van de chemische samenstelling, als u daarin geïnter…'

'Bedankt,' zei hij. 'Ik vind het allemaal wel.'

Hij zag zo dat ze op het punt stond een complete introductiespeech af te steken en hij wilde geen tijd verspillen. Hij wilde die twee plastic waterflessen leeggooien en ze met Plutowater vullen.

Toen vertrok ze en was hij alleen in het groen betegelde vertrek dat naar zwavel stonk. Het bad was nog aan het vollopen, alleen de warmwaterkraan stond open. Er waren twee kranen, had het meisje hem verteld, uit beide stroomde mineraalwater direct uit de bron, met het enige verschil dat het water uit de ene kraan tot achtendertig graden was verwarmd.

Aan de overkant van het bad was een wastafel, daarin goot hij het water uit zijn flessen, schudde ze even zodat ze zo droog mogelijk waren en keerde naar het bad terug. Hij draaide de koudwaterkraan open, maakte een kopje van zijn hand en ving wat van het water op. Hij bracht het naar zijn mond en proefde ervan, fronste zijn voorhoofd en likte als een of andere idiote wijnkenner langs zijn lippen. Het smaakte anders dan dat van Anne McKinney, sprankelender en schoner. Natuurlijk had het niet tachtig jaar lang in een glazen fles gezeten. Omdat het anders smaakte, hoefde dat nog niet te betekenen dat het niet zou werken. Hoopte hij.

Hij vulde een fles voor ongeveer een derde, haalde hem onder de kraan vandaan en staarde ernaar, dacht aan het laatste visioen dat hij had gehad, aan de jongen die achter Campbell Bradford en Shadrach Hunter boven aan de trap was verdwenen. Waar waren ze naartoe gegaan? Wat was er daarna gebeurd?

Het idee dat bij hem was opgekomen begon nu vorm te krijgen: als hij dit kon documenteren, als hij een voor historici verborgen gebleven verhaal kon vertellen, nou, dan zou dat een buitengewoon resultaat opleveren. Vroeger had hij het nooit met iemand over zijn zeldzaam voorkomende en korte flitsen gehad, behalve met Claire, want een man die beweerde paranormale neigingen te hebben, werd al snel als krankjorum weggezet. Zo ging dat in de wereld. Maar stel dat hij kon bewíjzen wat hij naar zijn gevoel echt had gezien. En stel dat hij het, met behulp van het water, nogmaals kon doen, met een ander verhaal. Een zogenaamd paranormaal medium was een mikpunt van spot; maar een bewezen feit, een filmregisseur die door zijn exclusieve gave geheimen kon ontrafelen en het onbekende onthullen, was iets heel anders. Hij zou een ster worden. Meer dan dat. Een legende. Zo beroemd als je maar beroemd kon zijn.

Het was een fantasie. Maar de kans bestond ook, misschien was die groter dan hij waagde toe te geven, dat het werkelijkheid kon worden. Het verhaal zien, het opschrijven en dan de relaties die hij in Hollywood had achtergelaten inschakelen. Er waren journalisten en agenten die alleen al bij het idee zouden kwijlen. En als het eenmaal ging rondzoemen...

Maar eerst moest hij de rest zien. Eerst moest hij weten wat er was gebeurd. Daar zou het water voor zorgen.

'Laat het me zien,' zei hij zachtjes. 'Laat me zien wat er is gebeurd,' en hij dronk. Hij dronk alles op. Daarna boog hij zich weer over de kraan.

De volle flessen stopte hij in de zak van zijn grote badjas, daarna keek hij het vertrek rond en naar de waterval in die ouderwetse badkuip. Wat kon hem 't ook schelen, hij was er nu eenmaal en had ervoor betaald.

Hij deed de kamerjas en zijn ondergoed uit en stapte in het water, merkte dat de temperatuur perfect was om pijnlijke spieren in los te weken. Hij had misschien nog maar tien minuten, maar meer had hij niet nodig. Eigenlijk was een heet bad niets voor hem.

Maar dit voelde goed. Ongelooflijk zelfs, alsof het de krampen en knopen in zijn spieren opzocht en ze weg tilde, en hem ook een beetje optilde. Dat moest het gas uit het mineralenmengsel zijn. Hij werd er inderdaad een beetje draaierig van.

Hij sloeg zijn ogen op en haalde diep adem, zoog die milde dampen in. Het plafond leek anders. Even was hij in de war, niet zeker of er iets was veranderd, maar toen realiseerde hij zich dat er nu een ventilator boven zijn hoofd hing, brede bladen peddelden loom door de lucht. Die was er daarstraks toch niet geweest? Hij rolde zijn hoofd naar opzij, toen weer terug naar de deur en zag dat hij niet langer alleen was.

Er stond nu een tweede bad in het vertrek. Een langwerpige, smalle witte kuip op klauwpoten. Er zat een man in. Hij hield zijn hoofd naar achteren, net als Eric een minuut geleden had gedaan, zijn gezicht naar het plafond, zijn ogen dicht. Hij was gladgeschoren en had dik donker haar, dat vochtig was en glinsterde. Zijn borst ging in het trage ritme van de slaap op en neer.

Dit is weer een visioen, dacht Eric, die geen vin verroerde, bang dat de man bij een enkele rimpeling in het water zijn hoofd zou optillen. Dit is net als de andere.

Maar het was niet zoals de andere. Niet alsof je van een afstandje naar een film keek. Deze keer was hij hier bij hem. Net zoals het geval was geweest met Campbell in de treinwagon.

Toen hoorde hij een klik en de deur ging open, aan de andere kant was niets dan duisternis, en Campbell Bradford kwam het vertrek binnen.

Zijn ogen waren recht naar voren gericht, naar Eric. Misschien wás het wel net zoals in de treinwagon, toen Campbell hem rechtstreeks had aangesproken, toen hij naar de deur was gerend omdat Campbell overeind was gekomen en naar hem toe kwam lopen…

Maar Campbell wendde zich af. Hij verplaatste zijn blik van Eric naar de slapende man in de andere badkuip en liep ernaartoe. Hij bewoog zich rustig, zijn schoenen gleden over de tegelvloer, zijn pak ruiste nauwelijks. Toen hij bij de man in de badkuip was, bleef hij zwijgend staan en keek op hem neer. Toen liet hij zijn colbertje van zijn schouders afglijden en legde dat over de rugleuning van een stoel. Vervolgens maakte Campbell zijn manchetknopen los en legde die boven op het jasje. Daarna rolde hij beide mouwen tot boven de ellebogen op. De man in de badkuip bewoog nog altijd niet, verloren in zijn slaap.

Je moet hem waarschuwen, dacht Eric. Iets zeggen.

Maar dat kon hij natuurlijk niet. Hij maakte geen deel uit van dit tafereel, dat voelde alleen maar zo. Campbell kon hem niet zien, Campbell was niet echt. Eric had niets van het Bradford-water gedronken, niets van dat gevaarlijke spul dat Campbell uit het verleden naar het heden had gebracht. Het enige wat hij moest doen was toekijken en wachten tot het voorbij was. Uiteindelijk zou er een eind aan komen. Hij wist dat er een keer een einde aan zou komen.

Campbell stond heel lang naar de man in de badkuip te kijken, bijna sereen. Toen hij zich ten slotte bewoog, was dat met een plotselinge en heftige uithaal. Hij viel uit, liet een hand op het hoofd van de man vallen, legde de andere vlak onder het sleutelbeen op zijn borst, drukte er met zijn hele gewicht op en duwde de man onder water.

De badkuip explodeerde in een razernij van water en beide voeten van de man schoten wild zwaaiend in de lucht. Hij klemde zich eerst aan de randen van de kuip vast en graaide daarna naar achteren naar zijn tegenstander. Campbell leek het niet te merken.

Hij hield hem lange tijd onder, ging rechtop staan en trok hem toen omhoog. Hij had nu met zijn rechtervuist het haar van de man vast. Nadat die eenmaal gorgelend en naar adem snakkend boven was gekomen, duwde Campbell hem weer onder. Deze keer hield hij hem nog langer vast. Net zo lang tot de heftige bewegingen afnamen en bijna ophielden. Toen de man zijn greep op Campbells vest losliet en in het water teruggleed, haalde Campbell hem weer omhoog.

Ze zien je niet, dacht Eric. Kunnen je niet zien. Het was een uitzinnige mantra, als van iemand die in een vliegtuig naar de aarde neerstort en zichzelf wanhopig graag wil geruststellen; de piloot regelt dit wel.

Campbell liet de man in de badkuip los, deed een stap opzij en was nu nog slechts een meter bij Eric vandaan. De man hing tegen de zijkant van het bad, hijgend naar adem happend; het water stroomde van zijn haar op de tegelvloer.

'Er moeten wat schulden betaald worden,' zei Campbell. Zijn stem klonk angstaanjagend kalm. 'Dat heb ik in het verleden al met je vastgesteld. Maar ze zijn nog steeds niet betaald.'

De man keek hem met ongelovige ogen aan, zijn borst ging op en neer. Zijn gezicht was nat van het water en tranen, en een veeg van met bloed doortrokken slijm kleefde onder zijn neus.

'Ik heb geen geld!' snikte hij, terwijl hij zich van de badrand terugtrok en zijn knieën optrok alsof hij zich wilde beschermen. 'Wie heeft dat momenteel wel, Campbell? Ik ben mijn spaargeld kwijt. Zie je niet hoe leeg dit hotel is? Dat komt doordat niemand geld heeft!'

'Je lijkt te denken dat je omstandigheden iets te maken hebben met je schuld,' zei Campbell. 'Die gedachte deel ik niet.'

'Je bent gestoord als je nu je geld wilt innen. Niet alleen van mij, van wie dan ook. Er is geen geld meer in dit dal. Alles hier verdwijnt in rap tempo. Heb je de kranten niet gelezen? Naar de radio geluisterd? Dit land gaat naar de verdommenis, man.'

'Dit land is mijn zorg niet,' zei Campbell. 'Mijn zorg is wat me verschuldigd is.'

'Ze kunnen dit hotel niet eens openhouden, dat geef ik je op een briefje.' De man was nu aan het wauwelen, zijn stem zat tegen het hysterische aan. 'Ballard mag nog zo hard zijn best doen, maar het gaat dicht en dan zitten zij ook aan de grond. Dat geldt voor iedereen. Iedereen in dit hele land zit straks aan de grond, daar kun je op wachten. We zijn allemaal de klos.'

Campbell duwde met zijn wijsvinger zijn hoed omhoog, reikte toen in zijn zak en haalde een tabakspruim tevoorschijn die hij achter zijn onderlip stopte. De man in de kuip keek behoedzaam toe, maar door Campbells zwijgen en koele voorkomen leek zijn paniek wat weg te ebben. Daarop sprak de man opnieuw, deze keer met vastere stem.

'Geef me die badjas even aan, wil je? Je had me daarstraks wel kunnen vermoorden. Alleen maar om geld van me te krijgen dat ik niet heb. Wat had je daar nou mee opgeschoten?'

'Mee opgeschoten?' zei Campbell. 'Ik begrijp je verwarring niet. Er is niets ingewikkelds aan deze toestand. De wereld brengt een paar mensen op de knieën. En anderen worden ingezet om dat te bewerkstelligen.'

Hij hield zijn hoofd schuin en glimlachte. 'Aan welke kant sta ik, denk je?'

De man in de badkuip gaf geen antwoord. Toen Campbell naar hem toe liep zei de man niets en sloeg ook geen alarm. In plaats daarvan keek hij zwijgend toe, tot hij zag dat Campbell zijn hand in zijn zak liet glijden en een mes tevoorschijn haalde. Daarop kwamen de woorden in een rauwe fluistering van doodsangst over zijn lippen, twee slechts: 'Campbell, nee...'

Campbell haalde razendsnel uit. Met een hand greep hij de man bij zijn doorweekte haar en rukte zijn hoofd naar achteren, waardoor de keel bloot kwam te liggen; met de ander stootte hij toe en sneed er een lint doorheen. Bloed stroomde in het water.

Bij de aanblik ervan schoot Erics lichaam in een kramp. Hij kon geen adem krijgen, kon niets doen behalve toekijken hoe het bloed in de badkuip sijpelde, het geluid was als een waterglas dat uit een kan werd bijgevuld. Ze kunnen me niet zien, dacht hij. Daar moest hij aan blijven denken. Daar moest hij aan blijven...

Campbell draaide zich om en keek hem aan. Die vochtige bruine ogen vonden die van hem en op dat moment stierven de wilde gedachten in Erics hoofd weg en zelfs het geluid van het bloed leek te verdwijnen.

'Je wilde dat ik het je liet zien,' zei Campbell. 'Nu heb je het gezien. En er ligt nog meer dan genoeg voor je in het verschiet. Ik word sterker en je kunt het niet tegenhouden. Al het water in de wereld kan me nu niet meer tegenhouden.'

Toen trok hij zijn lippen op, de beweging was een kruising tussen een glimlach en de waarschuwing van een hond die zijn tanden liet zien, en hij spoog tussen zijn tanden door. Een fluim tabaksvocht belandde in het bad met mineraalwater, de bruine druppels spatten op Erics maag en borst.

Eric schreeuwde, want op dit moment verloor hij elk sprankje geloof dat wat er gebeurde in dit vertrek niet echt was. Hij krabbelde overeind om uit de badkuip te komen, bewoog zich naar het uiteinde, ver weg van Campbell, en toen hij zijn hoofd omdraaide, lachte Campbell, een zacht, fluisterend hinniken van verrukking. Eric stootte zijn knie tegen de kraan en schampte met zijn scheen over de keramische rand van het bad, en toen viel hij over de rand en op de tegelvloer. Daar lag hij, naakt, druipend en hulpeloos terwijl Campbell op hem af kwam. Eric draaide zich om om hem aan te kijken, dacht na over het weinige wat hij kon doen om zich te verdedigen.

Campbell was weg. De tweede badkuip was weg, evenals de bloedende man.

Eric zat daar op de vloer in een plasje water naar adem te happen toen de deur opnieuw opensloeg. Hij probeerde overeind te springen, maar gleed met zijn voeten over het water uit, zijn hielen glipten onder hem vandaan en hij viel met een pijnlijke klap tegen de badrand terug terwijl een vrouwenstem hem van achter de deur toeriep.

'Meneer Shaw? Bent u...'

'Prima in orde!' riep hij. 'Het gaat goed.'

'Ik dacht dat ik u hoorde schreeuwen,' zei ze.

Hij reikte naar zijn badjas en sloeg die om zich heen om zich te bedekken.

'Nee, nee. Maar ik ben klaar. Ik kom naar buiten.'

Hij kwam wankelend overeind en trok zijn badjas aan. De zakken stootten tegen zijn heupen, omlaag getrokken door de twee volle plastic waterflessen.

'Gewoon weer een visioen,' zei hij tegen zichzelf. 'Net zo onschuldig als de andere. Je raakt er wel aan gewend.'

Hij draaide zich om om de stop uit het bad te halen en bleef verstard met een uitgestoken arm staan.

Daar, op het oppervlak, dreef een wolk bruine vloeistof. Tabakssap.

Hij staarde er lange tijd naar. Deed zijn ogen dicht en opende ze weer, het was er nog steeds. Hij rechtte zijn rug, bleef bij het bad staan en bestudeerde het vanuit een hoek, draaide zich toen helemaal om, om er zeker van te zijn dat de rest van het vertrek hetzelfde was als toen hij het betrad, en keek opnieuw naar het tabakssap. Het was er nog steeds. Het raakte nu in het water los, werd dunner en viel uit elkaar, maar het was er nog altijd.

Hoe kon dat?

Het was uit Campbells mond gekomen, en Campbell was een visioen geweest, die was nu helemaal weg, net als na de vorige visioenen. Nooit eerder was er een spoortje achtergebleven, nooit eerder had het visioen een afdruk op de werkelijkheid achtergelaten.

'Meneer Shaw?'

'Ik kom eraan!' riep hij en hij haalde de stop eruit en liet het bad met mineraalwater leeglopen. Hij bleef daar staan tot het tabakssap in het putje terechtkwam, en op dat moment voer er een huivering langs het bovenste deel van zijn ruggengraat.

Heel even, net toen het uit het zicht kolkte, had het precies op bloed geleken.

Deel 4

Een koude, donkere wolk

43

Het duurde ongeveer veertig minuten voordat Danny met de mobieltjes terug was. Eerst zat Josiah op de vloer van de schuur vlak bij de open deur te wachten. Maar na een tijdje ging hij buiten in de regen staan en leunde tegen de wand van de schuur; de verweerde planken voelden ruw tegen zijn rug. Aan deze kant hing een boom over de schuur die hem tegen de regen afschermde. Het regende nu zachtjes, wat aangenaam aanvoelde op zijn huid, dus hij liep onder de boom vandaan en vond een plek waar hij tegen de muur van de schuur kon zitten en de regen ongehinderd kon neerdalen. Van daaruit zag hij de koplampen van een naderende auto aankomen, en hoewel hij wist dat hij zich naar het bos moest begeven tot hij zeker wist dat het Danny was, deed hij dat niet. Om de een of andere reden maakte het hem niet zo veel uit wie het was.

Maar het was de Oldsmobile; Danny reed tot vlak bij de schuur en duwde het portier open terwijl hij de motor liet draaien.

'Waarom zit je in de regen?'

'Om de tijd te doden,' zei Josiah, en zowel de vraag als Danny's gezichtsuitdrukking zat hem dwars; Danny staarde Josiah aan alsof die gek was. 'Heb je de telefoons?'

'Ja.'

'Nou, breng ze hier. En doe die verdomde koplampen uit.'

Ze liepen de schuur weer in en Danny deed een acculantaarn aan, die de ruimte met een wit licht bescheen.

'Ik dacht dat je deze wel kon gebruiken,' zei hij. Hij had ook een paar flessen water en een pakje gedroogd vlees meegenomen, en Josiah gromde slechts een dankjewel, maar die lantaarn beviel hem niets. Hij was gewend geraakt aan het donker, sterker nog, hij was er bijna verzot op geraakt.

Danny had, zoals hem was opgedragen, twee prepaid mobieltjes gekocht en een oplader die Josiah in de sigarettenaansteker van de truck kon pluggen. Hij haalde nu de eerste telefoon uit de verpakking en zette hem aan de oplader.

'Ik begrijp niet waarom je er twee nodig hebt.'

'Als ik die mensen in Chicago ga bellen, denk je dat het dan een goed idee is om jou vanaf hetzelfde nummer te bellen?'

'O,' zei Danny. 'Goed bedacht. Het nummer van die kerel die je gaat bellen, zat dat in de koffer die je hebt gestolen?'

'Ja.'

'Ik begrijp nog steeds niet hoe je hem geld gaat aftroggelen.'

'Punt is,' zei Josiah, 'een man kan zich hopeloos in details verliezen als hij daar te lang bij stilstaat. Ik ben niet van plan me door zoiets te laten dwarsbomen. De man heeft duizenden dollars betaald gekregen om hierheen te rijden en bij mijn huis te zitten wachten, Danny. Hij heeft een andere man betaald om hierheen te komen en met Edgar te praten. Verdomme hij heeft misschien die kerel wel betaald die tegen mij beweerde dat hij een student was. Maar uit de papieren die ik heb, komt naar voren dat er iets met mij was wat die ouwe kerel wel een paar centen waard was. En als dat gisteravond iets waard was, dan is dat vanavond nog steeds zo.'

'Gisteravond was zijn detective nog niet dood.'

'Nou, dat is nog eens een rake observatie.'

'Josiah, waarom pak je niet gewoon mijn geld aan en ga je…'

'Ben je naar het hotel geweest om te kijken waar Shaw uithangt?'

'Nee. Je zei dat ik eerst de telefoons moest halen.'

'Oké. Nou, die heb ik nu.'

Danny fronste zijn wenkbrauwen. 'Goed dan. Ik ga wel. Wil je alleen weten of hij er nog is?'

'En waar hij naartoe gaat als hij vertrekt, ja. Je hebt de nummers van de telefoons die je hebt gekocht, hè?'

'Ja.'

'Nou, gebruik het eerste. Haal het niet in je hoofd om het tweede te gebruiken. Alleen het eerste, begrepen? Bel me zodra hij in beweging komt.'

Danny aarzelde, knikte toen even en liep naar de deur. Aan de andere kant van de drempel bleef hij staan, draaide zich weer om en keek Josiah aan; zijn gezicht was een bleke maan in het lantaarnlicht.

'Dus je gaat die vent bellen en om geld vragen? Zomaar?'

'Dit is nog maar het begin,' zie Josiah. 'Ik verwacht dat er onderweg nog wel een paar bochten te nemen zijn.'

De avond viel in en het regende geluidloos maar onafgebroken. Anne zat in de woonkamer met een boek op haar schoot, maar las niet. Het verbaasde haar dat ze zo'n diep verlangen had, dat gevoel van een hardnekkige hoop terwijl ze op de klok de minuten van de dag zag wegtikken en wachtte tot het water zou gaan werken.

Kom op, dacht ze, laat me zien wat hij ziet. Laat me terugkeren naar de tijd waar ik nooit genoeg van heb genoten toen ik er middenin zat, laat me die gezichten zien en die stemmen weer horen.

Er gebeurde niets. De korte wijzer vond de zeven en de acht, en daarna de negen, en ze zag niets anders dan de pijnlijk bekende muren van het huis. Ze overwoog om meer water te nemen, maar de trap leek te steil en de uitkomst was zo onzeker dat ze op haar stoel bleef zitten. Ze had gezien hoeveel Eric Shaw moest drinken voor bij hem de visioenen kwamen en ze wist zeker dat ze minstens net zo veel had genomen. Waarom was het hem dan wel vergund een kijkje in het verleden te nemen en haar niet?

Ze ging naar bed nadat ze haar laatste controleronde had gedaan, deed het licht uit en keek naar de verschuivende schaduwen terwijl de maan vocht om een plekje tussen de wolken. Het water had op haar geen effect. Ze had zich een beetje misselijk gevoeld nadat ze ervan had gedronken, maar niets gezien. Ze had voor niets een risico genomen. Hoe was ze ertoe gekomen om zoiets te doen? Het water had haar wel kunnen vergiftigen. Of, erger nog, het soort ravage kunnen aanrichten zoals dat bij Eric Shaw woekerde, haar pijnlijke stuiptrekkingen en een verslaving kunnen bezorgen.

Zo logisch als die gedachten ook mochten klinken, ze kon zich er niet erg druk om maken. Ze had het risico vanaf het begin goed begrepen, maar de beloning had haar zo verleidelijk toegeschenen… en dat deed die nog steeds.

Misschien was het met zijn fles begonnen, de fles waarvan hij beweerde dat die van Campbell Bradford was. Misschien zag je niets tenzij je daar iets uit had gehad. Ze moest hem de volgende ochtend bellen, vragen of hij de Bradford-fles alweer terug had; ze hoopte dat die bij haar net zo zou werken als bij hem. Het leek de moeite van het proberen waard.

Maar ze had zo'n gevoel dat het niet zou lukken. Ze kon zijn water wel opdrinken, maar toch nog steeds niets zien, nog altijd in het heden gevangenzitten, eenzaam in dit lege huis, en haar dierbaren zouden slechts blijven voortbestaan als een herinnering en vervagende foto's. Waarom mocht Eric Shaw wel het verleden zien en zij niet? Waarom werden sommige dingen van de wereldse magie aan slechts weinigen geopenbaard en voor anderen verborgen gehouden?

De visioenen zouden niet komen, hoeveel water ze ook dronk. Ze zou er zonder beloond te worden op wachten, zoals ze op de grote storm had gewacht, gewacht met het geloof, geduld en een rotsvast vertrouwen dat ze nodig zou zijn, dat er een reden was waarom ze hier nog was. Op een dag zouden ze haar nodig hebben, dan hadden ze haar kennis, geoefend oog en kortegolfradio nodig. Daar was ze zeker van geweest.

Maar misschien ook niet. Misschien was het allemaal een farce, een idee van een mal klein meisje dat ze nooit had laten sterven. Misschien kwam de storm wel nooit.

'Klaar,' fluisterde ze tegen zichzelf. 'Wees er klaar mee, Annie.'

Daarop werd ze door slaap overmand, die daalde op haar neer met de snelheid en het gewicht van een lange dag vol buitengewone gebeurtenissen. Vlak voordat ze in slaap viel, had ze een vaag besef van een zacht fluitend geluid.

De wind kwam terug.

44

Ik word sterker en je kunt het niet tegenhouden. Al het water van de wereld kan me nu niet meer tegenhouden.

De herinnering joeg achter Eric aan, op de trap en weer in zijn kamer, de woorden weergalmden door zijn hoofd.

Hij was weer echt geweest. Zonder dat Eric een druppel Bradford-water over zijn lippen had gekregen, was Campbell weer echt geweest. Deze keer was het visioen eigenlijk min of meer tweeslachtig geweest; ja, het was opnieuw een moment uit het verleden geweest, maar deze keer was Eric zowel toeschouwer als deelnemer geweest.

Wat was er in godsnaam gebeurd? Wat was er veranderd?

Hij belde Kellen. Het eerste wat hij zei was: 'Hij heeft weer tegen me gepraat.'

'Campbell?'

'Ja.'

'Heeft hij in een visioen tegen je gepraat?'

'Nou, het was niet in de lift.'

Opnieuw stilte. 'Sorry, man,' zei Eric. 'Ik ben gewoon een beetje…'

'Maakt niet uit. Wat heb je gezien?'

Eric vertelde hem over de moord van de onbekende man in het mineraalwaterbad. Hij zat op de bureaustoel in de kamer, zijn haar nog steeds vochtig, de spieren nog altijd gespannen en zijn maag van slag door wat hij had gezien.

'Eerst leek het alsof het net zo was als de laatste paar keer, weet je wel, een tafereel uit het verleden. Alleen was er nu geen afstand; ik was er gewoon bij. Maar ik werd er niet in betrokken. In het begin niet. Toen het voorbij was, toen hij die man had vermoord… draaide hij zich om en sprak mij aan. Hij praatte rechtstreeks tegen mij en spuugde tabakssap in het water, en dat tabakssap was er nog nadat hij weg was. Het was echt, verdomme. Het was…'

'Oké,' zei Kellen op zachte, kalmerende toon. 'Ik snap het.'

'Ik weet niet waarom het veranderd is,' zei Eric. 'Ik kom er maar niet achter waarom het kon veranderen. Misschien omdat ik in het water zat, je weet wel, ondergedompeld. Maar de enige keren dat ik hem eerder zo heb gezien was nadat ik uit de originele fles had gedronken, en dat ding is nu ver uit m'n buurt.'

'Hij zei dat hij sterker werd?'

'Ja. En dat al het water in de wereld hem niet zou tegenhouden.'

'Dus het water helpt je.'

'Helpt me?'

'Je weet wel, beschermt je.'

Waartegen? dacht Eric. Wat gaat er verdomme gebeuren als ik dat water niet meer drink? En stel dat hij niet loog, stel dat hij inderdaad sterker wordt? Betekent dat dat het water dan geen effect meer heeft?'

'Je zei dat dit je tweede visioen was,' zei Kellen. 'Hoe was het eerste?'

Dus hij vertelde over het visioen met Shadrach, zich halverwege realiserend dat hij compleet was vergeten dat de oom van de jongen met naam en toenaam was genoemd. Op een of andere manier leken zulke details minder van belang na het tafereel in de spa.

'Hoe zag Shadrach Hunter eruit?' vroeg Kellen.

Eric gaf hem zo veel bijzonderheden als hij kon en beschreef daarna de bar.

'Krijg nou de klere,' zei Kellen zachtjes. 'Het ís echt. Wat je ziet is de werkelijkheid.'

'O ja?'

'Ik heb een paar foto's van Shadrach gevonden. Heel weinig maar. Er is niet meer zo veel van over. Maar je hebt hem tot in de puntjes beschreven. En die bar, dat is een van de oude zwarte clubs, deze noemden ze Whiskytown. Dat was Shadrachs club.'

'Ik moet die bron zien te vinden, Kellen.'

'Waarom?'

'Ik denk dat die ertoe doet,' zei Eric. 'Herstel, ik wéét dat die ertoe doet. Je had gelijk over wat je eerder zei. Annes water heeft geen problemen veroorzaakt, het heeft ze juist voorkomen. Het heeft me de waarheid laten zien, maar Campbell op afstand gehouden. Maar ik moet die bron vinden die voor hen allemaal zo belangrijk is. Die visioenen duiden ergens op, Kellen, en ze wijzen allemaal die kant op. Die moet ik volgen.'

Kellen zweeg.

'Is hij te vinden?' vroeg Eric.

'De naam van de oom is een begin, maar ik weet niet of we er veel mee opschieten. Is er geen enkele andere aanwijzing? Heb je niets anders gehoord of gezien?'

'Nee,' zei Eric. 'Alleen dat hij Thomas Granger heette en... Wacht. Er was nog niets. Campbell zei tegen Shadrach dat hij wist dat hij al in de heuvels was geweest om naar de bron te zoeken. Hij zei dat het bij de kolk was. Maar wat betekent dat in godsnaam? De enige kolken die ik ken zitten in de zee.'

'Wesley Chapel-kolk,' zei Kellen. 'Je neemt me zeker in de maling.'

'Wat?'

'Die maakt deel uit van de Lost River. Daar komt hij uit de ondergrond omhoog, vult dat merkwaardige stenen bekken en zakt dan weer terug. Een kant van het bekken is net een klif, moet minstens dertig meter hoog zijn. Ik ben daar een keer geweest. Het is een heel vreemde plek. Het is ook de plek waar Shadrach Hunters lijk is gevonden.'

'Je meent het niet.'

'Zeker wel. Zijn lijk was in de bossen op de richel boven de kolk gevonden. Daarom ben ik ernaartoe gegaan. Ik wilde de plek zien en, zoals ik al zei, het is er vreemd.'

'Nou, misschien moet ik het dan ook zien.'

'Ja,' zei Kellen en zijn stem klonk onverholen gefascineerd. 'Je ziet het echt, man. De waarheid. Iedereen dacht al dat Campbell Shadrach had vermoord, maar dat is nooit bewezen, weet je? Wat jij daarstraks hebt gezien, terwijl zij tweeën daarheen gingen… dat is waargebeurd, Eric.'

Dat wist ik al, dacht hij, en misschien ga jij nu ook de mogelijkheden ervan inzien.

'Kun je me daarheen brengen?'

'Zonder meer.'

'We gaan morgen,' zei Eric. 'Morgenvroeg.'

'Oké,' zei Kellen. 'Maar voor je ophangt, wil ik je nog wat vertellen. Ik heb Daniëlle gesproken en zij zei dat de fles warmer wordt.'

'Warmer?'

'Ja. De Bradford-fles, het origineel. Ik dacht al dat hij tijdens de rit was opgewarmd, maar zij zei dat hij nu bijna normaal is.'

'Wat raar,' zei Eric. Hij wist niets anders te zeggen.

'Ja. Ik dacht alleen dat wat er nu ook gebeurt, dat erop duidt dat het vooral te maken heeft met het feit of de fles op deze plek is.'

'Misschien,' zei Eric, terwijl hij bedacht dat hij in Chicago ook koud was geweest, en dat was kilometers verder weg. 'Ik bel je morgen, oké?'

Hij hing op, liep het balkon op en keek over de ronde zaal van het hotel uit. De fles kon inderdaad door het dal beïnvloed worden. Eric had van de inhoud gedronken, en de effecten ervan waren dramatisch veranderd toen hij eenmaal uit Chicago was vertrokken en hier was gekomen. Misschien zou het minder worden als hij vertrok. Zelfs helemaal ophouden.

Maar dan zou hij het niet kunnen zien, dacht hij. En hij wilde het zien.

Hij zou dus blijven. Er was geen andere keus. Hij kon nu niet weggaan.

Ik word sterker, had Campbell gezegd.

Let daar maar niet op. Hij was een hersenspinsel, meer niet. In deze wereld had hij geen echte macht.

Geen enkele.

Josiah wachtte tot middernacht met zijn telefoontje. Oorspronkelijk was hij van plan geweest het later te doen, maar hij was ongeduldig en het feit dat het middernacht was, vond hij wel iets hebben.

Beide telefoons waren inmiddels volledig opgeladen en hij gebruikte de tweede, waarbij hij niet de moeite nam om het nummer af te schermen. Het was een anonieme telefoon, contant betaald, en ook al konden ze het benzinestation traceren waar Danny ze had gekocht, dat kon Josiah niets schelen. Alles wat dat soort recherchewerk opleverde, kostte tijd en hij maakte zich niet al te veel zorgen over langetermijnplannen. Het ging hem vooral om wat hem toekwam. Hij wist nog niet wat dat was, maar hij voelde aan zijn water dat Lucas G. Bradford dat wel wist.

Hij belde het nummer dat achter het woonadres stond in de papieren die hij van de detective had afgenomen, en hoorde dat hij overging. Na vijf keer kwam er een bericht. Hij verbrak de verbinding, wachtte een paar minuten en probeerde het opnieuw. Deze keer werd er opgenomen. Een man met een hese stem sprak zachtjes, alsof hij niet wilde dat iemand hem hoorde.

'Lucas, jongen,' zei Josiah.

'Sorry?'

'Ik weet zeker dat je het onfortuinlijke nieuws over je vriend in French Lick al hebt gehoord.'

Door de stilte die daarop volgde krulde er een glimlach om Josiahs lippen.

'Met wie spreek ik?' zei Lucas Bradford.

'Campbell Bradford,' zei Josiah. Dat was hij helemaal niet van plan geweest, het flapte er gewoon uit, zo natuurlijk als een ademhaling. Toen het er eenmaal uit was, vond hij het wel mooi. Campbell. Dat voelde goed. Verdomme, het voelde bijna alsof het ook werkelijk zo was. Hij was Campbell natuurlijk niet, maar wel een vertegenwoordiger van hem. Ja, vandaag de dag was hij de op een na beste.

'Denk je soms dat je grappig bent?'

'Ik denk dat het de waarheid is.'

'Is dit Eric Shaw? Geloof maar dat ik de politie bel en dit rapporteer.'

Eric Shaw? Wat had dat verdomme nou weer te betekenen? Shaw werkte voor die vent… tenzij het verhaal dat hij Edgar had verteld, dat hij voor een vrouw in Chicago werkte, waar was geweest. Maar wie was de vrouw dan?

'Ik bel de politie…'

'O ja?' zei Josiah. 'Wil je dat echt? Want ik heb een paar interessante documenten in mijn bezit, Lucas. En jouw detective had een paar belangwekkende dingen te zeggen voor hij stierf.'

Dit laatste stukje improviseerde hij erbij, maar het bracht de tirade van de klootzak tot zwijgen, leek zijn woede wat te temperen.

'Daar maar ik me geen zorgen over,' zei hij, maar hij klonk niet overtuigend.

'Ik heb er het volgende uit begrepen,' zei Josiah. 'Hij was gemachtigd om fondsen in te zetten om iets te bezweren wat jij als een crisis beschouwt. Honderdduizend dollar, geloof ik.'

'Als je denkt dat je dat nu krijgt, ben je gestoord.'

'Ik krijg wat me toekomt.'

'Jou komt niets toe.'

'Daar ben ik het niet mee eens, Lucas. Daar ben ik het resoluut en hartstochtelijk niet mee eens.'

Toen hij die woorden over zijn lippen hoorde komen, fronste Josiah zijn wenkbrauwen. Danny had gelijk… hij was raar gaan praten. Helemaal niet als zichzelf. Dat was tijdens zo'n telefoontje waarschijnlijk zo slecht nog niet. Een soort vermomming, ook al was het onbedoeld.

'Ik ben niet geïnteresseerd in die honderdduizend,' zei hij. 'Ik vind dat geen bevredigende som gelds. Ik ben er nog over na aan het denken.'

'Als je denkt dat je kunt onderhandelen, vergis je je. Ik weet dat mijn vrouw geen idee had wat ze deed toen ze jou inhuurde, maar ze heeft er nu spijt van en elk toekomstig contact met deze familie zal via advocaten gaan. Ik raad je aan een goeie te zoeken. Ik beveel je zelfs aan er een te nemen die bovendien ervaring heeft in strafpleiten.'

Toen mijn vrouw je inhuurde? Dat was interessant. Dat veranderde de zaak, dacht Josiah.

'Bel dit huis nooit meer,' zei Lucas Bradford.

'Nou, Lucas,' begon Josiah, maar er had een klik geklonken en de lijn was dood. Hij pakte de andere telefoon en belde Danny.

'Wat is er gebeurd?' vroeg Danny, zijn stem klonk verstikt door alcohol, slaap of beide. Klote als je met zo'n kerel moest werken die voor je op de uitkijk zat. 'Wat is er aan de hand?'

'Als ik jou was zou ik m'n ogen maar openhouden,' zei Josiah. 'Volgens mij kon binnenkort de politie wel eens bij het hotel opduiken.'

'Waarom? Waar heb je het over?'

'Eric Shaw krijgt waarschijnlijk bezoek,' zei Josiah. Hij hing op en bleef met een brede grijns op zijn gezicht in het donker zitten. Door Shaw zou hij wat meer tijd hebben, en dat was mooi, maar hij had vooral genoten van de eerste schrobbering die hij Lucas G. Bradford had gegeven. Hij mocht de toon van die rijke klootzak wel, die het gevoel had alles onder controle hebben, de overtuiging dat hij de wereld met iedereen erbij naar zijn hand kon zetten. Hij dacht dat hij sterk was, en dat stond Josiah wel aan. Laat het maar een strijd worden om wie de sterkste wil heeft, Lucas, we zullen zien wie het eerste breekt.

45

Eric zat lange tijd op het balkon, nipte van het water dat hij uit de kraan in de spa had getapt en wachtte op een visioen, maar er kwam er geen. Uiteindelijk ging hij weer naar binnen, trok de gordijnen dicht en deed alle lichten uit voor hij in bed stapte. Het vertrek om hem heen bestond uit schaduwen en silhouetten, er veranderde niets en niemand kwam binnen. Op een bepaald moment glipte zijn bewustzijn weg, vouwde zich onder de slaap op.

Hij werd wakker doordat er op zijn deur werd gebonsd.

Hij gromde en richtte zich op, knipperde met zijn ogen tegen de donkere kamer en probeerde zijn gedachten te ordenen. Net toen hij dacht dat hij zich het geluid had ingebeeld, hoorde hij het opnieuw. Een klop.

Op de klok naast het bed was het tien voor half twee.

Hij ging rechtop in bed zitten, steunde op de muis van zijn handen en staarde naar de deur. Het is Campbell, dacht hij, en hij draaide zich om om naar de balkondeur te kijken, alsof hij naar buiten kon rennen en zich als een kind kon verstoppen, of zich eroverheen kon gooien en naar de vloer eronder zeilen en ontsnappen.

Opnieuw een klop, deze keer luider.

'Shit,' zei hij binnensmonds, en hij stond op, wilde dat hij een wapen had. Als volwassene hadden wapens hem nooit geïnteresseerd, hoewel hij als jongen wel had gejaagd, maar nu wilde hij dat hij er een had. Hij negeerde het kijkgaatje omdat hij bang was erdoorheen te kijken en te zien wat daar wachtte, haalde in plaats daarvan de deur snel van het slot en deed hem met een ruk open.

Daar stond Claire.

'Ik vond het geen goed idee om tot morgen te wachten,' zei ze, en ze stapte langs hem heen de kamer in.

Hij sloot de deur, deed hem op slot, trok een broek en T-shirt aan, terwijl zij op de rand van het bed ging zitten. Ze bekeek hem als een ingenieur die inspecteerde of de constructie van een gebouw wel deugde, op zoek naar scheuren. Hij had haar ruim een maand niet gezien. Hij werd nu net zo door haar schoonheid getroffen als altijd, of misschien nog wel meer, omdat het zo lang geleden was. Ze droeg een spijkerbroek en een zwarte tanktop over een wit shirt, geen sieraden en geen make-up, en haar haar was in de war zoals dat zo vaak het geval was na een autorit, omdat ze graag met de raampjes open reed. Dat had hij altijd geweldig van haar gevonden, had altijd gehouden van een vrouw die niet beducht was voor een beetje wind. Er zaten lachrimpeltjes om haar mond, en hij wist nog dat toen ze ontstonden hij tegen haar zei dat hij daar zo trots op was omdat hij daar voor een groot deel de oorzaak van was. Ze had nu ook lijnen in haar voorhoofd, rimpels, van verdriet en pijn. Daar was hij net zo goed de oorzaak van.

'Wat doe je hier, Claire?'

'Zoals ik al zei, ik vond het geen goed idee om tot morgen te wachten. De gesprekken die we vandaag hebben gehad werden steeds erger. Angstaanjagender.'

'Wat heb je gedaan, ben je uit het raam geklommen en uit Pauls penthouse afgedaald? Hij zou absoluut niet willen dat je hierbij betrokken raakt.'

'Eigenlijk,' zei ze, 'heeft hij het aangemoedigd. Hij dacht dat het gevaarlijk was om je alleen te laten. Medisch gesproken, en juridisch gesproken.'

Hij gromde.

'Mag ik hem zien?' vroeg ze.

'Wat zien?'

'De fles.'

'Die heb ik niet, weet je nog? Kellen heeft hem naar Bloomington gebracht om het water te laten testen.'

'Ik realiseerde me niet dat je de hele fles had meegegeven. Ik dacht dat hij alleen een monster had meegenomen. Ik wilde hem zien.'

'Nou, hij is weg.'

Ze had hem bevreemd aangekeken toen hij haar zei dat de fles weg was, en hij vroeg zich af of ze naar bewijzen daarvan zocht, of ze als het ware testte of hij nog wel bij zijn volle verstand was.

'Ben je de hele avond hier geweest?' zei ze. 'Ben je het hotel niet uit geweest?'

'Nee.'

'Ik heb op het parkeerterrein naar je auto gezocht. Als je weg was geweest, had ik je opgespoord en je op je donder gegeven.'

Hij wist niets te zeggen. Het was zo misplaatst om met haar in de kamer te zijn, haar weer in de ogen te kijken. Ze bespeurde zijn reactie.

'Misschien wil je niet dat ik hier ben. Dat kan ik wel begrijpen. Maar ik maak me zorgen. Als je mee teruggaat naar Chicago, als je nou maar naar een dokter ging en naar een advocaat en mensen die konden helpen, zou ik wel een stap terugdoen. Maar ik wil er zeker van zijn dat je dat doet.'

'Dank je wel.'

'Hé, maak je geen zorgen. Ik bescherm alleen mijn reputatie. Ik sta er mooi op als mijn man voor moord wordt gearresteerd of in een gekkenhuis wordt opgesloten.'

Hij glimlachte. 'Mensen zouden over je gaan roddelen.'

'Met hun vinger wijzen en fluisteren. Ik zou de schaamte niet kunnen verdragen. Ik neem alleen een paar sociale voorzorgsmaatregelen, dat is alles.'

Zeg nou dat je haar mist, dacht hij. Zeg het, stomme klootzak, dat is het enige wat je haar wil zeggen, dus stop die woorden in je mond en spreek ze uit.

'Hoe lang heb je over de rit gedaan?' vroeg hij.

Ze keek hem aan met een blik waaruit zowel verdriet als geamuseerdheid sprak. 'Moeten we het daarover hebben?'

'Sorry.'

'Nee, ik begrijp het wel. Het is vreemd om me te zien, en eigenlijk wil je niet eens dat ik hier ben, maar er zijn dingen…'

'Wacht nou even,' zei hij. 'Het is fijn om je te zien. Dat je hierheen bent gekomen… Dat waardeer ik meer dan je beseft.'

'Je mag me volgende week een formeel bedankbriefje sturen. Op mooi briefpapier. Maar tot die tijd moeten we bedenken wat we moeten doen. Ik vind nog steeds dat je naar huis moet gaan. Daarom ben ik gekomen. Om je naar huis te brengen.'

'Juist,' zei hij. 'Naar huis.' Huis. Weg vanhier, weg van het verhaal dat hem in zijn spookachtige greep houdt. Weg van het water.

'Dus je stemt ermee in? Kunnen we morgen vertrekken?'

Hij stond op, liep naar de balkondeur, schoof de zware gordijnen opzij en maakte een weids handgebaar naar de koepel en de grootse ronde hal.

'Wat een plek, hè?'

'Schitterend,' zei ze. 'Dus we vertrekken morgenochtend?'

Hij keek lange tijd zwijgend het hotel in en wendde toen zijn gezicht naar haar toe.

'Claire, de dingen die ik zie… Daar zit een ijzersterk verhaal in.'

'Wat heeft dat te maken met blijven of weggaan?'

'Het verhaal wordt me duidelijk omdat ik híér ben, Claire. Omdat ik hier, bij het water ben. Ik zie het nu bijna als een vertelling, ik zie hoe zich een verhaal ontvouwt, en…'

'Waar heb je het over?'

'Ik begin te beseffen dat er een bedoeling achter zit, dat ik dit verhaal moet vertéllen. Dit is de film, Claire, waar ik op heb gewacht, die ik maar niet kon vinden. Als ik hier nog een tijdje blijf – lang genoeg om het hele plaatje te krijgen – kan ik hier iets bijzonders van maken, ik kan dit gebruiken om weer mee te gaan tellen. Zou dat niet geweldig zijn? Om met behulp hiervan weer terug te krijgen wat ik kwijt ben geraakt? Want ik begin het gevoel te krijgen dat het hier allemaal om ging, alsof ik hier een kans heb gekregen, een mogelijkheid om verlost te worden en gewoon moest zien dat het er was.'

Ze keek hem ongelovig aan, met haar lippen iets van elkaar. Nu zei ze: 'Neem je me soms in de maling? Wil je dat die visioenen blijven doorgaan? Dat water blijven drinken? Dat water is bijna je dóód…'

'Dat gebeurde toen ik het níét nam. Dat water is alleen maar goed voor me.'

'Alleen maar goed voor je?! Eric, hoor je jezelf eigenlijk wel?'

'Dit verhaal moet verteld worden, en ik ben wanhopig op zoek geweest naar een kans om weer terug te komen. Dit gebeurt niet voor níéts, Claire.'

Ze schudde geërgerd haar hoofd en wendde zich van hem af.

'Je kunt hier bij me blijven,' zei hij. 'Geef me nog wat tijd.'

'Nee. Ik wil niet blíjven. Ik ben gekomen om je op te halen, Eric, verdomme, ik ben hier om je naar huis te brengen omdat ik bang voor je was. Maar ik blijf niet hier bij jou!'

Ze schreeuwde zo zelden – dat was altijd zijn taak geweest, uiteraard een zelf opgelegde taak – dat haar uitbarsting hem de mond snoerde. Na een ogenblik knikte hij en stak zijn handen omhoog.

'Geloof me, Claire, niemand is bezorgder dan ik. Ik ben degene die erdoorheen moet. Maar ik doe ook mijn uiterste best om niet in paniek te raken. Kun je me daarin dan niet steunen? Kunnen we niet rustig aan doen met de planning en wachten wat de dag van morgen brengt?'

'Maar hoe lang dan, Eric? Hoe lang laten we het duren?'

Het kwam hem angstaanjagend bekend voor om die vraag uit haar mond te horen. In de afgelopen twee jaar had ze daarmee zo vaak op zijn verklaringen en rationalisaties gereageerd. Hij zou weer werk krijgen, hij had gewoon tijd nodig. Hij zou een script schrijven, hij moest alleen een tijdje over het idee nadenken. Hij zou wel weer opknappen, hij had alleen een paar dagen de tijd nodig om deze nare bezwering van zich af te schudden… Hoe lang, Eric? Hoeveel tijd?

'Laten we er morgen over praten,' zei hij. 'Dan zien we wel waar we staan, oké? We gaan nu slapen en zien dan hoe het ervoor staat.'

Ze knikte. Het was een wrokkig, vermoeid gebaar. Alsof iemand haar een poets bakte en ze erin meeging, ook al wist ze dat zij het doelwit was, ook al had ze de grap al eerder gehoord en wist ze dat die verdomme helemaal niet leuk was.

Hij liep naar het bed. Hij wilde zijn armen naar haar uitsteken, haar op dat zachte matras duwen en haar lichaam met dat van hem bedekken, maar in plaats daarvan pakte hij een van de kussens en deed een stap opzij.

'Wat doe je?' vroeg ze.

'Ik val wel op de vloer neer. Neem jij het bed maar.'

Ze schonk hem een verdrietig glimlachje en schudde haar hoofd. 'We kunnen toch zeker wel zonder elkaar aan te raken in hetzelfde bed slapen? Sterker nog, volgens mij hebben we dat kunstje nu wel geperfectioneerd.'

Daar zei hij niets op, hij deed alleen het licht uit. Hij hoorde twee zachte ploffen toen ze haar schoenen uitschopte, daarna glipte ze weer op het bed, rekte zich uit en legde haar hoofd op een kussen. Hij kroop stijfjes naar de andere kant en ging op zijn rug naast haar liggen, raakte haar met geen vinger aan.

Het bleef een tijdje stil en toen zei hij: 'Dank je wel dat je bent gekomen.'

Ze antwoordde met verstikte stem, en het enige wat ze zei was: 'O, Eric.'

Ergens na middernacht hield het op met regenen en losten de wolken op, de maan kwam weer tevoorschijn. Josiah liep bij de oude schuur vandaan en beende het bos in, wachtte af. Zo nu en dan controleerde hij het mobieltje of er bereik was. Zo te zien was dat er wel, maar hij was verbaasd dat Danny nog niet had gebeld. Verbaasd dat hij nog niets had gehoord.

Hij maakte een fles water soldaat, spoelde en spuugde er eerder mee dan dat hij ervan dronk, kon nog altijd niet van die vreemde tabakssmaak afkomen die zich in zijn mond had genesteld. Maar de smaak was niet onaangenaam. Sterker nog, hij begon het wel lekker te vinden.

Hij vroeg zich af hoe de zaken er in het hotel voor stonden. Danny had nog geen verslag gedaan, dus het duurde vast een tijdje. Zouden de smerissen ter plekke met Shaw praten of hem meesleuren naar het politiebureau? Ze konden hem nergens voor arresteren, maar misschien zouden ze hem voor verhoor meenemen. Misschien wás hij daar al verhoord, als Lucas Bradford zo overtuigd was dat hij Josiahs moord had gepleegd. Het was ongetwijfeld een merkwaardige omstandigheid, die erom smeekte er meer mee te doen.

Tegen half twee was zijn enthousiasme bekoeld. Hij had nu toch iets moeten horen. Josiah belde, bang dat het feit dat hij niets hoorde betekende dat Danny in de nesten zat en Josiah het nu helemaal zonder hulp moest stellen.

Maar Danny nam op. Fluisterde: 'Josiah? Ben jij dat?'

'Ja, ik ben het, maar als je het niet zeker weet, noem dan verdomme mijn naam niet als je de telefoon opneemt, lulhannes. Stel dat het een smeris was geweest?'

'Sorry.'

'Waarom heb je goddomme niet gebeld? Hoe zit het met de politie?'

'Er is helemaal geen politie geweest.'

'Wat?'

'Niet eentje, Josiah. Vanwaar ik geparkeerd sta kan ik de achterkant van het hotel en de oprit ervoor zien, en tot nu toe is er geen politiewagen in de buurt geweest.'

Er was meer dan een uur verstreken sinds hij met Lucas Bradford had gebeld. Als de man de politie zou bellen, had hij dat nu wel gedaan. Dat was zowel verbazingwekkend als bemoedigend. Wat Lucas er één keer van had weerhouden om de politie te bellen, zou ook voor een volgende keer gelden. Nu moest hij er gewoon voor zorgen dat hij met die nitwit in gesprek kon blijven, ervoor zorgen dat die klootzak niet zou ophangen en doen alsof hij de hellestorm kon afweren die op zijn leven af kwam.

'Josiah? Ben je er nog?'

'Ja, ik ben er. Ik denk na.'

'Nou, er zijn geen smerissen geweest. Maar volgens mij is er iemand bij Shaw op bezoek.'

'Wie?'

'Een vrouw. Zie je, ik sta op een plek vanwaar ik zijn auto kan zien, die Acura. Nou, nog geen kwartier geleden rijdt een vrouw heel langzaam het parkeerterrein op, alsof ze op zoek is naar een auto. Daarna parkeert ze pal naast die van hem. Toen ze uitstapte, legde ze haar hand op de motorkap. Alsof ze wilde voelen of hij warm was, of ermee gereden was.'

'Kan toeval zijn.'

'Kan zijn. Maar de auto heeft een kenteken uit Illinois.'

Geen toeval. De vrouw was er voor hem, een vrouw uit Illinois. Toen mijn vrouw je had ingehuurd...

'O, Lucas,' zei Josiah hijgend. 'Stomme klootzak die je bent, nou zit je pas echt in de nesten.'

46

Hij lag in het donker in bed met de vrouw met wie hij veertien jaar getrouwd was en kon niet slapen. Ze hadden nu al ruim een uur niets gezegd. Hij wist niet meer of ze nog wakker was. Haar borst ging langzaam op en neer alsof ze sliep, maar er was een zekere gespannenheid in haar lichaam die erop duidde dat dat niet zo was.

Zes weken geleden had hij haar voor het laatst gezien. En toen was het een geagiteerde en boze bedoening geweest, zoals steeds sinds ze uit elkaar waren; sinds hij was vertrokken uit het huis dat ze samen hadden gedeeld, omdat ze het waagde kritiek te hebben op het feit dat hij zich na twee jaar nog steeds aan zelfmedelijden overgaf.

Je bent een kind, dacht Eric, een nukkige jongen, geen man. En daar is ze dan. Ze komt nog steeds naar je toe.

Maar hij was er ook niet verbaasd over. Ondanks alles wat er was gebeurd, was hij ervan overtuigd geweest dat ze er zou zijn als hij haar nodig had. Ze was in de auto gestapt en had 's avonds een rit van zes uur gemaakt, en het feit dat ze dat had gedaan bepaalde de vraag die hij nooit had kunnen beantwoorden, een vraag die al jaren in zijn hoofd had gezeten: waarom was ze nog steeds bij hem?

Hij begreep de kansen die ze aanvankelijk had bespeurd; vanaf het begin hadden ze een waarachtig hartstochtelijke romance gehad en de toekomst die ze voor hen beiden hadden uitgestippeld was veelbelovend. Geweest, althans, totdat hij had gefaald.

En zo was het ook – gefaald – een ander woord was er niet voor, hoewel Claire uit alle macht had geprobeerd het zo niet te noemen. Ze hadden het gehad over obstakels, terugslagen, hindernissen, vertragingen, tests, onderbrekingen en oponthoud, maar nooit gepraat over die ene kille waarheid. Eric had gefaald. Was naar Californië gegaan met de verwachting dat hij binnen een paar jaar films zou regisseren, met de verwachting een beroemde figuur te worden en kort daarna zou worden toegejuicht. Dat was niet gebeurd. De doelstelling was duidelijk geweest, de resultaten evenzeer en over het oordeel kon niet worden getwist: gefaald.

Doordat ze dat met haar halsstarrige geduld zo kalm had geaccepteerd, was Erics frustratie alleen maar toegenomen. Begrijp je het dan niet? had hij haar willen toeschreeuwen, het is voorbij. Ik heb het niet gered. Wat doe je hier nog? Waarom ben je nog niet weg?

Hij zou het haar niet kwalijk hebben genomen. Verdomme, hij verwáchtte het. Nadat zijn dromen in Californië aan scherven lagen, gevolgd door die woedende twee jaar in Chicago, waarom was ze dan níet bij hem weggegaan? Dat had ze moeten doen, dus wachtte hij tot ze zou gaan, hij wachtte en wachtte maar, en ze was er nog steeds, dus was hij uiteindelijk zelf weggegaan. Dat was onvermijdelijk. De cirkel moest rond komen, het hele pakket van Erics ooit zo schitterende toekomst, zowel professioneel als persoonlijk, kon niet anders dan in hoofdletters worden bekrachtigd en bestempeld: GEFAALD.

Hij probeerde de neergang alleen maar compleet te maken, ze bleef echter steeds tussenbeide komen, bleef maar proberen hem weer overeind te hijsen. Waarom?

Omdat ze van je houdt. En jij houdt van haar, meer dan je ooit van iets in deze wereld hebt gehouden, behalve van jezelf, stomkop, egoïstische klootzak, en als je daar nou eens iets aan deed, dan is dat misschien een begin.

Nu sliep ze. Ze had zich niet bewogen en ademde al een hele tijd onveranderlijk regelmatig, en hij dacht dat hij haar nu veilig kon aanraken, heel lichtjes. Hij wilde haar voelen. Hij draaide zich op een schouder, stak zijn linkerhand uit en liet die zo zachtjes als hij kon op haar buik zakken. Hij voelde de stof van haar shirt onder zijn handpalm, haar warmte en het lichte op en neer gaan bij elke ademhaling. Hij wist zeker dat ze sliep, tot ze haar hand optilde en die over de zijne legde. Toen ze dat deed, hield hij om een of andere reden zijn adem in.

Geen van hen zei iets. Ze lagen een hele poos alleen maar in het donker met hun handen op elkaar op haar platte buik.

'Ik zou je voor klootzak moeten uitfoeteren,' fluisterde ze. 'Weet je dat?'

'Ja.'

'Maar dat zou ik juist niet tegen je moeten zeggen. Want dat is het enige waarin je echt gelooft.'

'Ik hou van je,' zei hij.

Het was stil. Na een hele tijd pakte ze zijn hand en bracht die naar haar gezicht, hield zijn handpalm over haar ogen. Ze zei niets. Al snel voelde hij zijn hand vochtig worden. Tranen. Ze maakte geen geluid.

'Ik hou van je,' zei hij nogmaals terwijl hij naar haar toe schoof. 'Het spijt me en ik hou...'

'Hou je mond,' zei ze. Ze liet zijn hand los, greep hem bij zijn achterhoofd, trok hem ruw naar zich toe en kuste hem hard op de mond. Ze klauwde met haar vingers ruw door zijn haar terwijl ze hem bleef kussen en zijn schedel brandde van een verrukkelijke pijn.

Ze trokken hun kleren in een onhandige, uitzinnige kluwen uit, probeerden elkaar te helpen, maar moesten het toen zelf afmaken, onbeschaamd, haastig en hunkerend. Toen ze naakt was, rolde hij boven op haar, terwijl hij zijn onderbroek nog van zijn voet schudde en zijn best deed zich tot kalmte te dwingen; hij streelde opzettelijk en afgemeten met een hand langs haar zij naar haar bovendij, terwijl hij zijn mond op haar borst liet zakken.

'Nee,' fluisterde ze en een verschrikkelijk ogenblik dacht hij dat ze hem compleet afwees, maar toen rukte ze aan zijn schouder en trok hem naar boven, en hij begreep dat ze het snel wilde, misschien omdat ze dacht dat het een vergissing was. Daar was hij bang voor, maar toen lag haar hand op die van hem en begeleidde die, en alle gedachten in zijn hoofd vervaagden tot alleen zij er nog maar was. Toen hij bij haar binnendrong, slaakte ze een zuchtje en hij liet zijn gezicht tegen haar hals vallen, haar haar lag om hem heen, en even lag hij volkomen stil, ademde de geur in van haar haar. Daarop hief ze haar heupen op en spoorde hem aan verder te gaan, en hoewel hij in beweging kwam, hield hij zijn gezicht dicht bij het hare, waar hij haar kon horen, ruiken en proeven.

De eerste keer waren ze snel klaar, ze bleven hijgend liggen maar zeiden een tijdje niets, en begonnen toen opnieuw, deze keer in een ander tempo, de trage koestering van iemand die iets aantreft waarvan hij had gevreesd dat hij het kwijt was. Ze praatten door middel van kussen en hijgen, maar niet met woorden, en het duurde een hele poos voordat het voorbij was, de lakens vochtig van het zweet.

'Je handen trillen,' zei ze. Ze lag met haar wang op zijn borst en hield zijn rechterhand dicht tegen haar gezicht.

'Ik tril over m'n hele lijf,' zei hij. 'Dat is goed.'

In werkelijkheid leken de spieren in zijn handen een tremor te hebben ontwikkeld, en de hoofdpijn kwam alweer terug. Daar wilde hij niet aan denken.

'Zo gemakkelijk zal het niet altijd gaan,' zei ze.

'Dat weet ik.'

'O ja? Want als je weg wilt blijven lopen, moeten we daar nu maar duidelijkheid over krijgen, en je door vannacht niet laten tegenhouden.'

'Ik wil niet weglopen, Claire. Ik wil bij jou zijn.'

'En je wilt dat het gemakkelijk zal zijn,' zei ze. 'Gemakkelijk en volgens plan. Je wilt dat alles in het plan past, jóúw plan. Sommigen van ons doen zo hard hun best om zich naar jouw plan te voegen. Maar dat maakt niet uit. Je kunt nog steeds niet omgaan met het feit dat de rest van de wereld dat niet doet.'

Ze zei het met vermoeide stem, en hij tilde zijn hoofd op om haar aan te kijken.

'Zo te horen geef je het op,' zei hij.

'Jou? Ons? O, alsjeblieft, Eric. Ik ben de enige die dat nooit zal doen.'

'Dan moeten we zorgen dat het lukt. Ik weet dat het niet gemakkelijk zal zijn of volgens plan. Maar we kunnen het laten lukken.'

'Jij bent weggegaan,' zei ze. 'Jíj bent weggegaan. Weet je dat niet meer? En nu moet ik opgetogen zijn bij het idee dat je weer terugkomt?'

'Wil je dat dan niet?'

Ze lachte snuivend van ergernis. 'Ik wilde niet dat je wég was gegaan, Eric. Maar dat heb je wel gedaan. Dus als je zegt dat je dit wilt laten lukken, neem me dan niet kwalijk dat ik enigszins terughoudend ben.'

'Ik hou van je, Claire.'

'Dat weet ik,' zei ze. 'Het probleem is dat je erachter moet zien te komen hoe je ook een beetje van Eric kunt houden. Of in elk geval in het reine met hem kunt komen. Totdat jullie tweeën dat hebben uitgevogeld, vrees ik dat ik ergens in het midden verdwaald ben.'

Ze viel kort daarop in slaap, met haar hoofd op zijn borst en haar hand om zijn zij gekruld, en hij keek naar haar, voelde iets van hoop en kansen die er zo lang niet waren geweest. Ze zouden dit in orde maken. Ze zouden alles in orde maken.

Hoewel ze het nog niet wist, had het water hem gered. Door het water was ze naar hem teruggekomen, daardoor lag ze nu naast hem. Zonder het water was hij alleen geweest. Door dat water was ze hier. Het had hun huwelijk een nieuwe impuls gegeven en dat zou ook met zijn carrière gebeuren.

Zijn gedachten keerden terug naar Campbell, Lucas en Shadrach, naar het verhaal waarmee hij successen zou boeken. Het zat hem dwars dat het water uit de spa geen visioen had opgeleverd of een einde had gemaakt aan de ontwenningspijn, het hinderde hem dat hij zo veel van Annes laatste fles nodig had gehad en daar zo weinig mee had bereikt. Wat hij nodig had was de originele fles. De Bradford-fles. Daarmee was iets anders aan de hand geweest, en hoewel het normale Plutowater een tijdje in zijn behoefte had voorzien, was dat nu uitgewerkt.

Het is die bron, dacht hij, de bron die de oom van de jongen voor zijn drankstokerij gebruikte. Er was iets anders mee, en als ik die bron kon vinden…

Als hij die kon vinden, waren de mogelijkheden verdomme bijna eindeloos. Als hij die bron kon vinden, zou hij de wereld ongeveer in zijn hand hebben.

Maar deze nacht zou hij hem niet vinden, en de hoofdpijn kwam weer opzetten, zijn handen trilden en hij moest als het even kon de draak op afstand proberen te houden. Hij verschoof Claire voorzichtig, glipte onder haar vandaan en liep naar de fles die hij met water uit de spa had gevuld. Voor hij in slaap viel had hij er voor het eerst een beetje van gedronken, en dat was niet genoeg geweest. Dat moest hij aanpassen, meer niet. Terwijl de donkere uren langzaam overgingen in de lichte, dronk hij van het water en keek hij naar zijn prachtige vrouw.

De planning duurde langer dan nodig, Josiah verspilde meer tijd dan hij wilde. Maar hij wist dan ook niet veel van de vijand, moest het met beperkte informatie doen, en daardoor ging het langzamer.

Nadat hij Danny had geïnstrueerd dat hij het hotel in de gaten moest blijven houden, had hij opgehangen, was weer door het bos om het oude houthakkerskamp heen gelopen en dacht na.

Lucas had zelf bevestigd dat zijn vrouw Shaw had ingehuurd. Nu was er midden in de nacht een vrouw uit Illinois gearriveerd, en Lucas had niet de politie op Shaw af gestuurd. Waarom niet? Er waren verschillende antwoorden mogelijk, dat wist Josiah zeker, maar een ervan was zojuist in het West Baden Springs-hotel aangekomen, in het Karlsbad van Noord-Amerika, het achtste verdomde wereldwonder.

Wat moest hij daarmee aan? Het simpele antwoord was dat Josiah de situatie onder controle moest zien te krijgen, en dat betekende dat hij zowel Shaw als Lucas' vrouw eronder moest zien te krijgen. Hij ging weer naar de koffer van de dode detective en bladerde door de papieren tot hij een naam tegenkwam. Alyssa. Alyssa Bradford. Mooie naam. Waarschijnlijk een mooie meid. Volgens de gegevens van de detective was ze zesendertig en Lucas negenenvijftig. Een pronkvrouw.

De volgende stap was macht krijgen over Eric Shaw en Alyssa Bradford. Zo lang ze in dat hotel zaten, kreeg hij dat niet voor elkaar, maar het was geen sinecure om ze voor wat hij nodig had uit dat hotel naar een geschiktere plek te lokken. De enige van wie hij wist dat hij ze kende was die grote zwarte jongen.

Wacht eens even. Wacht nou eens even, Josiah, gebruik die hersens van je nou een keer.

Hij belde Danny terug.

'Gebeurt er iets?'

'Nee. Er is niemand gekomen. Ik heb het kenteken genoteerd van die…'

'Prachtig,' onderbrak Josiah hem. 'Zeg eens, Danny, je zei dat toen je hem eerder vandaag volgde, hij naar Anne McKinneys huis was geweest. Klopt dat?'

'Ja. Stapte uit zijn auto, liet de motor draaien en het portier open en…'

Josiah luisterde al niet meer, dacht nu aan het huis van de oude vrouw, die eenzame, afgelegen plek op de heuvel buiten de stad, in een kilometer omtrek geen buren te bekennen.

'Oké,' zei hij. 'Wilde het gewoon zeker weten. Jij blijft wakker en opletten, ja? Ik bel je nog.'

Hij hing opeens Danny op, voelde zijn ledematen tintelen, puzzelstukjes vielen op hun plek, hij zag nu het hele plaatje. Hij wist welke cruciale volgende stap hij moest zetten, het was tijd om in actie te komen. De zon zou al snel op zijn, en hoe minder daglicht hij zag, hoe beter.

Het was een lange wandeling, en hij kwam in de verleiding om die te omzeilen, maar uiteindelijk gaf Josiah zich gewonnen. Hij wilde niet het risico lopen met zijn truck de weg op te rijden, zelfs niet dat korte stukje. Hij vulde zijn zakken met hulzen en pakte zijn geweer, was net de schuur uit toen hij bleef staan, terugging en de deur van de truck opende om de bundel bankbiljetten die hij van de detective had gestolen op de voorbank te gooien. Die moest Danny maar ophalen, dat zou hij tegen hem zeggen. Dat verdiende Danny, zonder meer. Het was raar, maar hoe meer hij werd verteerd door het idee dat men hem iets verschuldigd was, hoe minder hij bezig was met het geld zelf. Waar sloeg dat nou eigenlijk op?

Toen hij het houthakkerskamp verliet en het bos in liep was het weer gaan regenen. Tot nu toe zachtjes, maar met dikke druppels en het was abnormaal vochtig voor deze paar uren vlak voor zonsopgang. Hij liep tot aan de snelweg, trok zich daarna tussen de bomen terug en bleef op een afstand van zo'n dertien meter van de weg. Alles bij elkaar was het naar Anne McKinney zo'n negen kilometer stevig doorwandelen, wat minstens twee uur lopen door het struikgewas betekende. Als hij bij dageraad bij haar huis was, was dat mooi.

Josiah wilde hier alleen maar uithalen wat hem toekwam. Er hing een prijskaartje aan en uiteindelijk zou hij wel tot overeenstemming komen, maar het begon met antwoorden. Hij was er verdomd zeker van dat hij recht had op antwoorden, en hij had een gevoel – nee, inmiddels was hij er zeker van – dat het niet het soort antwoorden zou zijn dat je in een gesprek te horen zou krijgen. Het was het soort antwoorden dat je met een geweer tegen iemands hoofd kreeg.

Hij ging met zijn tong door zijn mond en spuugde, de tabakssmaak werd sterker. Er reden geen auto's op de donkere, lege snelweg, en ook al had hij wat last van het onhandige geweer, hij schoot toch lekker op, liep zich in het zweet door het natte kreupelhout. Hij had jarenlang op deze plek rondgezworven, had zichzelf beloofd dat hij op een dag de stad uit zou gaan en niet achterom zou kijken. Maar hier in het bos, waar geen andere mensen in de buurt waren, geen gebouwen, huizen of hotels, genoot hij ervan. Het was echt een heel mooi land, vruchtbaar en vol merkwaardige geschenken. Het was zijn geboortedal, het dal van zijn voorouders. Zo verschrikkelijk was het niet als hij ook in dat dal zou sterven. Nee, dat zou helemaal niet zo erg zijn.

De hele streek zou weer tot leven komen, zou op de drempel staan van een grootse omwenteling. Er waren er die betwijfelden of dat zou gebeuren, maar de basis was gelegd en die twee hotels glansden naast hun casino, en bij dat alles dacht niemand aan de Bradfords, wist niemand meer dat Campbell de man was geweest die dat jarenlang aan de gang had gehouden. Naar de hel met Taggart, Ballard en Sinclair. Sommige mannen hadden een visie, andere pakten aan.

'Ze zijn je vergeten, Campbell,' fluisterde Josiah terwijl hij onder een tak door dook en een door de wind opgezweepte regenbui over zich heen kreeg. 'Je hield meer van dit dal dan wie ook. Nog steeds.'

Hij had het raar moeten vinden dat hij tegen zijn dode voorvader sprak, maar dat was niet zo. Hij had het gevoel dat hij dicht bij hem was, ervoer de betekenis van blóédverwantschap als nooit tevoren. Ze waren aan elkaar verwant, hij en Campbell. Verschillende versies van hetzelfde bloed. Nou, dat ging pas diep.

'Ik zal ervoor zorgen dat ze je weer zullen herinneren,' zei hij. 'Ook al moet ik de hele stad ervoor platbranden, maar ik zal ervoor zorgen dat ze zich je weer zullen herinneren, en ik krijg wat ons toekomt.'

Dat laatste idee – dat hij de hele stad zou platbranden om ervoor te zorgen dat Campbell kreeg waar hij recht op had – bleef in zijn hoofd hangen. Hij stelde zich die verdomde hotels voor zoals die de lucht in gingen, net als de bestelbus van die privédetective, een uitbarsting van een wit-oranje hitte, en hij glimlachte. Dat zou nog eens een schitterend spektakel zijn. Om te zien hoe de glanzende koepel van het West Baden-hotel in een vuurwolk explodeerde? Ja, dat zou het mooiste schouwspel zijn dat hij ooit had gezien. Maar het zou niet zo gemakkelijk gaan als het opblazen van die bestelbus. Daar was heel wat meer voor nodig dan een zakmes en een sigarettenaansteker, daarvoor had je tijd en hoogwaardige explosieven nodig…

Hij bleef abrupt staan. De wind was even gaan liggen, maar kwam nu in ergerlijke vlagen terug en striemde een plens regen in zijn gezicht. Die kwam hard aan, het water voelde als kiezels op zijn huid, maar het deerde hem nauwelijks. Hij stond daar alleen maar in de duisternis te staren.

Hoogwaardige explosieven.

Hij was net een paar kilometer uit een verlaten houthakkerskamp weggelopen, waar zich een kist explosieven bevond, die vreemde, op worstjes

lijkende dynamietstrengen. Het was oud spul, waarschijnlijk was de ont-
ploffingskracht ervan uitgewerkt. Zeker niet de moeite waard om ervoor
terug te lopen, want ook al had hij die rommel, wat moest hij er dan in
godsnaam mee? Het geweer was de enige hulp die hij nodig had. En toch…

Het had daar voor zijn neus gestaan. Een kist dynamiet, in een schuur
die al zo lang leegstond als hij zich kon herinneren. Het voelde bijna alsof
het gepland was, voelde bijna… als een belofte.

Het enige wat je hoeft te doen is luisteren, Josiah. Het enige wat je hoeft
te doen is naar mij luisteren.

Ja, het was een belofte. Op mij kun je rekenen, dat had Campbell over
zichzelf gezegd, en wie kon het wat schelen dat hij dood was; hij was een
grotere vriend dan Josiah onder de levenden had achtergelaten.

Hij veegde het regenwater van zijn gezicht, draaide zijn hoofd om, spuugde en keek tegen de heuvel op die hij net was afgedaald, een trage, moeilijke
klim. Geen sprake van dat hij die kist met explosieven helemaal naar het
huis van Anne Kinney zou dragen. Al had hij de hele dag, dan zou hij het
nog niet doen. Dat moest hij met de truck doen, en dat was een reusachtig
risico.

'Die rommel is toch niet meer goed,' zei hij. 'Kan gewoon niet goed
meer zijn.'

Maar het lag er wel. Alsof het op hem had liggen wachten. En het enige
dat hij hoefde te doen was luisteren…

Hij was halverwege de heuvel op de terugweg toen de hemelsluizen
opengingen.

47

Er kwamen geen visioenen.

Eric kon dat na het eerste uur – en een halve fles – niet geloven, hij liep
terug en dronk de rest op, wachtte nog een half uur en begon aan de tweede fles.

Niets.

De hoofdpijn was misschien wat weggeëbd. Misschíén. Die was niet erger geworden, maar was ook niet weg, en zijn handen trilden, tenzij hij ze stevig samenbalde. Nu was zijn linkerooglid ook gaan trillen, waardoor hij moeite had om naar Claire te kijken, het stomme ding fladderde voortdurend, maakte stuiptrekkingen. Dit was niet best.

Bij dageraad stapte hij weer naast Claires strak opgerolde lichaam in bed, streelde haar armen en rook aan haar haar. Het was vertroostend dat ze er was, maar het feit dat het water geen effect had gehad, knaagde aan hem. Over een paar uur zou hij Annes water kunnen halen. Misschien zou dat helpen. Maar daar was hij niet langer zeker van, en hij wist wél zeker dat het niet genoeg was. Niet na gisteravond.

Dus moest het de bron wel zijn. De oorsprong zelf. Hij moest hem vinden.

Hij sliep niet. Ongeveer een uur nadat hij in bed terug was, werd Claire langzaam wakker, ze kreunde zachtjes voordat ze zich uitrekte en zich naar hem toe rolde, en hij boog zich naar haar toe en kuste haar. Tegelijk deed ze haar ogen voor het eerst open en hij zag er even een flikkering in, een spoortje woede. Wat doe ik bij jou in bed? leken haar ogen te zeggen. Jij bent weggegaan. Waarom ben ik nu weer bij jou?

Maar zo zou het gaan. Dat was logisch. Hij kon niet zomaar terugkeren, daarvoor was er te veel gebeurd, er zouden onhandige, pijnlijke momenten komen, dat kon niet anders. Maar hij kon ze wel tot een minimum beperken. Daar kon hij zijn best voor doen.

'Goedemorgen,' zei ze, en hij had het idee dat hetzelfde door haar heen ging.

'Goedemorgen.'

Ze ging rechtop zitten, trok het laken over zich heen, woelde met beide handen door haar haar en legde ze toen tegen haar gezicht terwijl ze hem peinzend aankeek.

'Is dat een "wat-heb-ik-gedaan"-blik of een "wat-doen-we-nu"-blik?' zei Eric.

'Geen van beide,' zei ze, en toen: 'Allebei.'

Maar ze glimlachte, en dat was genoeg. Hij kuste haar nogmaals en deze keer kuste ze zonder die flakkering in haar ogen terug.

'Wat we nu gaan doen,' zei ze, 'is het gemakkelijke gedeelte. Vandaag, althans.'

'O ja?'

'We gaan naar huis.'

Hij keek een andere kant op.

'Eric?'

'Je zei dat we er vanochtend over zouden praten,' zei hij. Hij duwde hard met zijn handen tegen het matras, om het trillen tegen te gaan zodat ze het niet merkte.

'Ik heb ook gezegd dat ik níét zou blijven.'

'Er is iets wat ik moet doen,' zei hij. 'Iets wat ik eerst moet oplossen. Als dat is opgelost, ga ik met je mee. Ik beloof dat ik dan met je meega. Maar ik moet eerst een paar dingen weten. Uitzoeken wie de oom van de jongen was, bijvoorbeeld. Dat is legitíéme hulp, Claire, en misschien belangrijke hulp.'

Ze gaf geen antwoord. Hij voelde hoe de wanhoop hem bekroop.

'Je moet begrijpen, Claire, dat waar ik doorheen ga, wat er met me gebeurt, heel krachtig is. Het is stérk. Dus ik worstel gewoon om ermee om te gaan, het uit te zoeken.'

'Dat weet ik.'

'Twaalf uur, dan. Geef me zo veel tijd. Geef me één dag.'

'Wat kun je in hemelsnaam in een dag bereiken?'

'Ik kan proberen achter de antwoorden te komen die ik nodig heb, dat zei ik al,' zei hij. 'Als het me dan niet is gelukt, gaan we weg, naar huis, en zoeken we de rest van daaruit uit.'

Ik weet die bron best binnen twaalf uur te vinden, dacht Eric. Dat is me geraden. Dat is me verdomme zéker geraden.

'Liever,' zei ze langzaam, 'stap ik in de auto en rijd naar het noorden. Geen oponthoud vanwege losse eindjes, ontbijt of zelfs maar een douche. Gewoon gaan. Dat doe ik het liefst.'

Hij wachtte.

'Maar als je de dag nodig hebt, neem 'm dan maar,' zei ze. 'We vertrekken dus vanavond?'

'Ja. We vertrekken vanavond.'

Ze keek hem een hele poos in de ogen voordat ze knikte. 'Goed dan. In dat geval maak ik voort en ga douchen.'

Ze glipte naakt uit bed en liep naar de badkamer, ze bewoog zich prachtig en elegant in het schemerlicht, voelde zich als altijd goed in haar vel. Hij keek haar na, dacht: mijn vrouw, en koesterde de klank ervan.

Ze deed net de deur dicht toen de telefoon ging.

Hij rolde zich op zijn zij, pakte de telefoon en zei: 'Ja?'

'Eric. Hoe gaat het, jongen?'

'Hallo, Paul,' zei Eric op effen toon, en de badkamerdeur ging open en Claire gluurde naar buiten.

'Ik heb gehoord dat je nogal in de nesten zit daar.'

Nogal in de nesten zit, ja. Zoals dat in Californië het geval was en zoals dat vast en zeker weer zal gebeuren, en jij wilt nu de rol van beschermheer voor je dochter spelen, haar opnieuw bewijzen dat ik een vergissing was, passief-agressieve klootzak die je bent. Hij wilde het er allemaal uitschreeuwen, maar Claire stond daar bij de badkamerdeur en keek naar hem alsof hij examen deed, en hij zei slechts: 'Het is inderdaad geen beste week geweest.'

'Dat heb ik begrepen. Is Claire bij je?'

'Ja.' En ze blijft bij me, Paul, en ik blijf bij haar, bemoei je er verdomme niet mee.

'Mooi zo. Luister, ik heb geprobeerd je te helpen. Ik heb getracht uit te zoeken wie deze Murray had ingehuurd, de man die vermoord is.'

'Uh-huh.'

'Die onderzoeksfirma verschuilt zich tot nu toe achter het beroepsgeheim van de advocaat-cliëntrelatie, maar toen ik ze belde en zei dat ik namens jou optrad…'

'Wát heb je gedaan? Ik heb je niet gevraagd om…' Claire stapte de badkamer uit, had nu een handdoek om zich heen gewikkeld, en Eric stotterde heel even, werd onderbroken omdat ze terugkwam. Meer had Paul niet nodig en hij dook meteen in dat gat.

'Ik vond het noodzakelijk dat je wist wie die man had ingehuurd voordat je een besluit nam over je volgende stappen, dus ik legde ze uit dat hun cliënt weliswaar mocht worden beschermd door zijn advocaten, maar dat ze dan wel moesten vertellen welke advocaten dat waren. Als iemand dan zo nodig moest tegenwerken, dan was het de advocatenfirma wel. Dat vonden ze niet leuk, maar ik noemde een bevriende officier van justitie die ze met alle liefde wilde bellen om de kwestie op te helderen, evenals mogelijke repercussies, en zij gaven me de naam van de firma: Clemens en Cooper.'

'Geweldig,' zei Eric. 'Maar als ze volharden in hun beroepsgeheim…'

'Nou, punt is, ik heb een paar vriendjes bij Clemens en Cooper. Ik heb met een van hen gebeld en gezegd, zonder nadere uitleg, dat ik begreep dat ze ene Campbell Bradford vertegenwoordigen en dat ik moest weten welke partner zijn belangen behartigde. Hij heeft me vanochtend teruggebeld om te vertellen dat ik me vergiste; ze vertegenwoordigen Campbell niet, maar wel zijn zoon.'

Zijn zoon. Alyssa's man.

'Zijn volledige naam,' zei Paul, 'Is Lucas Granger Bradford. Doet dat een belletje bij je rinkelen?'

Claire stond nu naast Eric, had haar hand op zijn arm gelegd. Haar aanraking voelde warm aan op zijn huid en er ging een koude rilling door hem heen.

'Ja,' zei hij. 'Jazeker.'

'Hij is de echtgenoot van de vrouw die je heeft ingehuurd, klopt dat?'

'Ja,' zei Eric, maar dat was niet het belangrijkste, de eerste en middelste naam waren veel, veel boeiender.

'Oké. Nou, ik heb Lucas vanochtend gebeld. Hij zei me dat jij hem gisteravond hebt gebeld en hem hebt bedreigd?'

'Wat? Paul, dat is krankzinnig. Ik heb de man nog nooit gesproken. En Claire was bij me, zij was hier de hele…'

'Ik geloof je, jongen. Natuurlijk geloof ik je. Ik heb tegen Lucas gezegd dat hij op een aantal kwesties uitsluitsel moest geven, hem de aanklachten uitgelegd waar hij tegen aanloopt wanneer door enige nalatigheid van zijn kant jij of mijn dochter in gevaar mocht komen of jij onder buitensporige politiedruk komt te staan. Hij was weerspannig, ik halsstarrig.'

Ondanks zichzelf moest Eric bijna grinniken. Het werd verdomme tijd dat Pauls irritante persoonlijkheid eens in zijn voordeel werkte in plaats van tegen hem.

'Heeft hij je iets verteld?'

'Niet veel. Maar hij zei wel dat de reden waarom hij een detective in de arm had genomen een door zijn vader geschreven brief was, die nu is overleden. In de brief stonden nogal merkwaardige beweringen en hij wilde die controleren voordat ze in de juridische mallemolen terechtkwamen. Kennelijk wilde de oude man die brief aan zijn testament toevoegen, als aanhangsel van zijn nalatenschap.'

'Wat stond erin?'

'Dat wilde hij niet kwijt. Hij zei alleen dat hij ervan overtuigd was dat de brief het geraaskal van een seniele man was en dat wilde hij met de detective bewijzen. Hij vertelde me dat hij zijn vrouw niet van de toestand op de hoogte had gesteld, en dat ze er niet van wist toen ze jou in de arm nam. Toen hij daarachter kwam, heeft hij zijn detective gevraagd je terug te fluiten.'

'Er is anders heel wat meer aan de hand,' zei Eric. 'Hij probeerde me niet terug te fluiten, hij heeft me willen áfkopen. Zo onschuldig is dit niet, Paul.'

'Daar ben ik van overtuigd. Maar dit is alles wat ik tot nu toe heb. Ik probeer te helpen.'

'En je hebt geholpen,' zei Eric. 'Paul, je hebt me absoluut geholpen.'

Lucas Granger Bradford.

Ja, hier had hij pas wat aan. Paul was nog steeds aan het praten, maar Eric kon zich niet meer op de woorden concentreren. Hij ratelde maar door dat hij een advocaat nodig had en over de mensen die hij kon aanbevelen, en Eric onderbrak hem.

'Moet je horen, Claire wil dolgraag met je praten. Ik geef haar de telefoon. Maar Paul… ik waardeer dit echt. Oké? Ik wil dat je weet dat ik dit waardeer.'

'Natuurlijk,' zei Paul, en er klonk iets van oprechte verbazing in zijn stem door, alsof hij niet begreep waaraan hij dat te danken had. Alsof hij het conflict was vergeten dat ze al jaren met elkaar hadden. Hij en Claire waren goed in dat soort dingen.

Eric gaf de telefoon aan zijn vrouw, liep toen naar de badkamer en sloot de deur om het geluid van haar stem uit te bannen. De hoofdpijn duwde weer tegen hem aan en hij was zo misselijk dat hij geen eetlust had, maar op dit moment deden die dingen er niet toe. Hij had een geschenk gekregen, een stukje begrip. Hij belde Kellen met zijn mobieltje.

'Ik had gelijk,' zei hij. 'Wij hadden gelijk. De oude man in Chicago, die zichzelf Campbell Bradford noemde, heette eigenlijk Lucas. En hij was de neef van de illegale drankstoker, Thomas Granger.'

'Hoe kom je daarbij?'

'Mijn schoonvader belde net. Hij is erachter gekomen dat de privédetectivefirma in de arm was genomen door de echtgenoot van mijn cliënt en heeft me zijn naam doorgegeven. Hij heet Lucas Granger Brad-ford. Hij heeft zijn zoon naar zichzelf genoemd, en die middelste naam was de achternaam van zijn oom. Denk je dat we de plek kunnen vinden waar hij heeft gewoond?'

'Dat gaan we verdomme wel proberen, ja,' zei Kellen.

48

Anne McKinney werd vroeg wakker, daar was ze in de afgelopen paar jaar aan gewend geraakt. Haar lichaam stond lang doorslapen niet meer toe. Drie kwart van het jaar was dat niet zo'n probleem, maar op de winteroch-tenden, wanneer het na het opstaan nog zo lang donker bleef, ging ze daar zwaar onder gebukt.

Ze bleef langer in bed dan normaal, liet de klok de zeven passeren en tot acht uur doorlopen, toen zuchtte ze, stapte uit bed en ging naar de bad-kamer. Ze waste zich en kleedde zich aan, en kwam in een woonkamer vol vreemd grijs licht. Niet het licht van vlak voor een zonsopgang, maar het licht van een met wolken bezaaide lucht. De zon was al lang op, maar het huis was nog altijd met schaduwen en silhouetten beschilderd. Storm-achtig.

Het regende nu niet, maar die nacht was het duidelijk met bakken naar beneden gekomen, want haar tuin lag vol plassen en de boomtakken hin-gen zwaar over. De wind was nog niet afgenomen, zoals normaal gespro-ken het geval was nadat een front was gepasseerd, maar bleef door waaien, en op de veranda klonk een koor van mobiles toen ze naar de voordeur liep. Zodra ze die opendeed, voelde ze hoe sterk die was, een ongebruike-lijk warme, vochtige wind voor een dageraad. Waar kwam al die wind van-daan? Ze schatte hem op iets minder dan dertig kilometer per uur.

Ze had het mis. Volgens de windmeters was het drieëndertig, en dit na-dat de storm zijn klus had geklaard. De barometer zakte nog steeds, maar de temperatuur was 's nachts gestegen. Dat, en de natte, van regen verza-digde aarde, zou dit volgende front een nieuwe impuls geven. Meer dan genoeg stormen vandaag, en sommige daarvan konden wel eens heftig zijn.

Ze ving een witte flits op aan het eind van de veranda, en ze deed een paar schuifelende stappen, boog zich over de leuning en staarde haar achtertuin in. Helemaal bij de boskant, geparkeerd tegen het bos maar zorgvuldig achter haar huis gepositioneerd, stond een oude pick-uptruck. Van wie kon die nu in hemelsnaam zijn? Die was duidelijk vannacht gekomen, maar er zat niemand achter het stuur.

'Naar het kenteken kijken en de politie bellen,' zei ze zachtjes, maar de truck stond een eind bij de modderige tuin vandaan en plotseling wilde ze liever niet zo open en bloot naar buiten gaan, wilde weer naar binnen met de deuren op slot en de telefoon in haar hand.

Haar gehoor was niet meer wat het was geweest en met de wind en de mobiles was het lawaaiig in de tuin, maar de man moest zich toch zo stilletjes als een hert hebben bewogen, want ze was zich absoluut niet van zijn aanwezigheid bewust geweest, tot ze zich naar de deur omdraaide. Daar stond hij, met een geweer over zijn onderarm gehaakt. Hij kwam haar bekend voor, maar ze kon hem nog niet plaatsen. Ze schrok, zoals iedereen zou doen, deed een stapje achteruit. Hij schonk haar een kil glimlachje, en toen herkende ze hem.

Josiah Bradford.

Een plaatselijke nietsnut, niet iemand over wie ze zich vroeger het hoofd zou breken, maar nu was hij meer dan dat. Hij was Campbells laatste afstammeling, en er was iets allemachtig vreemds aan de hand met Campbell.

'Josiah,' zei ze en ze probeerde haar stem streng te laten klinken, ook al stond ze met haar hand op haar hart, 'waar ben jij in hemelsnaam mee bezig?'

'U hebt de reputatie ongeëvenaard gastvrij te zijn,' zei hij en ze kreeg de koude rillingen van zijn stem, want die paste niet bij de man, paste niet eens in deze tijd. 'Dat u onderdak en hulp aanbiedt. Ik ben op zoek naar beide.'

'Ik heb nog nooit mijn deur geopend voor een man met een geweer. En daar begin ik nu ook niet aan. Dus scheer je weg, Josiah. Scheer je weg.'

Hij schudde langzaam zijn hoofd. Toen verplaatste hij het geweer van de ene arm naar de andere. Tegelijkertijd ging de loop precies langs haar heen.

'Mevrouw McKinney,' zei hij. 'Anne. Ik wil dat je die deur opendoet.'

Ze zei niets. Hij stak zijn hand uit, draaide aan de knop en opende de deur.

'Wel heb ik ooit.' Hij draaide zich weer terug, de kunstmatige glimlach was van zijn gezicht verdwenen en hij wees met het geweer in haar richting. 'Na u, dame. Na u.'

Geen van de buren was in het zicht van het huis te bekennen, en in die wind zou Annes stem verloren zijn gegaan. Haar auto stond in de carport aan de andere kant van de veranda, en daarachter strekte de weg zich uit, met aan beide kanten aardige buren, maar de tijd dat Anne McKinney het op een lopen kon zetten, lag ver achter haar. Met die achterlijke, stevige tennisschoenen aan haar voeten kon ze dan de trap op komen, maar ze kwam er niet mee naar de weg. Ze keek nogmaals naar het geweer en liep toen langs Josiah Bradford haar lege huis in.

Hij liep achter haar aan naar binnen, sloot de deur en deed die op slot. Ze liep bij hem vandaan naar de woonkamer, maar hij zei 'Rustig aan' en ze bleef staan. Hij ging de keuken in, sneed de telefoondraad door, legde hem tegen zijn oor en glimlachte.

'Kennelijk hebt u problemen met de telefoon. Daar moet een monteur voor komen.'

'Wat wil je? Wat doe je in mijn huis?' vroeg ze.

Hij fronste zijn wenkbrauwen, dwaalde naar de keuken, toen naar de woonkamer en ging in haar schommelstoel zitten. Hij gebaarde naar de bank, daar liep ze naartoe en ze ging zitten. Vlak bij haar rechterhand lag een telefoon, maar daar had ze nu niet veel aan.

'Ik wenste niet hier terecht te komen,' zei hij, 'maar zo onfortuinlijk zit de wereld in elkaar. Omstandigheden, mevrouw McKinney. De omstandigheden hebben onder één hoedje gespeeld en me hierheen gebracht, en nu moet ik een paar maatregelen treffen om die omstandigheden onder controle te krijgen. Begrijpt u?'

Ze kon nauwelijks zijn woorden bevatten door puur en alleen het geluid van zijn stem, met die verwarrende klankkleur, alsof hij van iemand anders was.

'Gistermiddag,' zei hij, 'is een man bij u op bezoek geweest. Kwam uit een regenstorm aanstormen. Ik wil dat u me vertelt wat er is gezegd. Wat zich heeft voorgedaan.'

Ze vertelde het hem. Het leek haar onverstandig dat niet te doen, met dat geweer van hem. Ze begon met zijn eerste bezoek, legde uit dat hij een film maakte, wat Josiah Bradford met een kort handgebaar wegwuifde.

'Hoe heeft hij van mijn familie gehoord? Wat heeft hij u althans verteld?'

'Een vrouw in Chicago heeft hem in de arm genomen. En ze heeft hem een fles Plutowater gegeven. Daarom kwam hij bij mij.'

'Om daarnaar te vragen?'

Ze knikte.

'Waarom kwam hij gisteren dan terug?'

'Voor mijn water. Ik heb door de jaren heen een paar Plutoflessen bewaard. Hij had er een nodig.'

'Een nodig?'

'Om te drinken.'

'Te drínken?' zei hij en hij liet het geweer in zijn hand zakken terwijl hij zich naar voren boog.

'Inderdaad.'

'Hebt u hem die rommel laten drinken?'

'Hij zei dat hij het nodig had, en ik geloofde hem. Het heeft een... merkwaardig effect op hem.'

'Waar hebt u het in godsnaam over?'

Het stond haar wel aan dat hij zo in de war en van zijn stuk gebracht was. Dat temperde haar angst een beetje.

'Zijn hoofdpijn gaat ervan over, maar hij krijgt er visioenen van.'

'Visioenen? Ben je soms seniel, oud wijf?' Zijn stem klonk nu weer normaler, de driftige woede van een jonge man, niet die griezelige vormelijkheid die hij eerder had getoond.

'Hij ziet jouw overgrootvader,' zei ze. 'Hij ziet Campbell.'

Zijn voorhoofd plooide zich in rimpels boven die vreemde ogen van hem, olieachtige ogen.

'Heeft de man u verteld dat hij visioenen van Cámpbell heeft?'

'Ja.'

'Of u bent compleet gestoord of de zwendel waar die klootzak mee bezig is, is belangwekkender dan ik dacht. Maar zonder hem kom ik helemaal niks te weten, hè?'

Anne gaf geen antwoord.

'Dus moeten we een ontmoeting organiseren,' zei Josiah. 'Een *powwow*, zoals onze rode broeders dat noemen. U vindt het toch niet erg dat we die in uw huis houden, hè? Nee, vast niet.'

Hij keek naar de staande klok. 'Te vroeg om te bellen, dus moeten we een tijdje van elkaars gezelschap genieten.'

Ze bleef zwijgen en hij zei: 'Nou, er is geen reden om onvriendelijk te zijn, mevrouw McKinney. Ik ben tenslotte vanhier. Dit dal is mijn hele leven mijn thuis geweest. Als u me als een buurman beschouwt die even langskomt, dan komt het best goed.'

'Als je een buurman bent die even langskomt,' zei ze, 'dan wil je me vast wel een plezier doen.'

'Ik vermoed dat het een onredelijk verzoek zal zijn.'

'Ik wil alleen dat je de gordijnen opendoet. Ik kijk graag naar de lucht.'

Hij aarzelde, maar stond op en schoof ze open. Buiten zwaaiden de bomen nog altijd in de wind, en hoewel de zon nu op was, was de hemel een deken van grijze wolken. Het was een donker begin van de dag.

49

Claire wilde met hem mee. Ze zei dat hij niet alleen mocht zijn, en toen hij haar vertelde dat hij niet was, zei ze dat Kellen een vreemde was en dat je wat haar betrof in het gezelschap van een vreemde net zo goed alleen was.

'Moet je horen,' zei hij, 'hier ben je veilig, en bovendien ben je hier als ik je nodig heb.'

'Ja. Ik ben hier wanneer je me dáár nodig hebt. Waar dat ook mag zijn.'

'We gaan alleen maar op zoek naar een mineraalwaterbron. Dat is alles. Duurt misschien twee uur. Daar kom ik misschien iets te weten. Door er te zíjn, kom ik misschien iets te weten.'

'En als dat niet zo is?'

'Als dat niet zo is, gaan we naar huis,' zei hij, hoewel dat idee hem niet aanstond, want deze plek had hem nu in zijn greep, gaf hem het gevoel dat hij hier thuishoorde.

Ze keek hem nauwlettend aan en echode: 'Gaan we naar huis.'

'Ja. Alsjeblieft, Claire. Laat me alleen dit nog doen.'

'Goed,' zei ze. 'Niet dat ik er niet aan gewend ben dat je weggaat.'

Hij zweeg en zij zei zachtjes: 'Sorry.'

'Je bent eerlijk.'

Ze streek met haar handen over haar gezicht en door haar haar, en wendde zich van hem af. 'Ga dan maar. En schiet een beetje op, dan kunnen we naar huis.'

Hij kuste haar. Ze reageerde stijfjes, gaf een ongemakkelijke, vormelijke kus terug; gespannen omdat het haar zo'n moeite kostte om te verbergen wat ze zo goed verstopte: woede, verraad. Die voelde ze nu, dat wist hij, en toch liep hij naar de deur. Wat zei dat over hem?

'Ik ben zo terug,' zei hij. 'Sneller dan je denkt, dat beloof ik.'

Ze knikte en na een opgelaten stilte liep hij naar de deur, opende die en zei: 'Dag.' Ze gaf geen antwoord, en toen was hij in de gang, terwijl de deur zachtjes achter hem dichtging en zij uit het zicht was.

Kellen zat in zijn Porsche met draaiende motor op de parkeerplaats te wachten. Hij had de raampjes open en zijn ogen gingen schuil achter de zonnebril, ook al was het een bewolkte, donkere ochtend.

'Iets zegt me dat dat geen gewoon water is,' zei hij terwijl hij naar de fles water in Erics hand keek. Die was nog maar halfvol, misschien iets minder. De hoofdpijn fluisterde hem toe, de pijn was als een zacht, kwaadaardig gegniffel.

'Nee,' zei Eric, terwijl hij de fles in de bekerhouder zette. 'Het is geen gewoon water.'

Kellen knikte en zette de auto in de versnelling. 'Een waarschuwend woord, mijn vriend, waar we ons nu in begeven, zou wel eens op niets kunnen uitlopen.'

'Ik dacht dat je wist waar het was?'

'Ik weet waar de kólk is. Meer niet. Er zijn een hoop velden en bossen omheen, en hoe we daar in godsnaam een bron moeten vinden, weet ik niet.'

'Laten we het in elk geval proberen,' zei Eric. 'Denk je dat we de regen vóór kunnen blijven?' vroeg hij terwijl hij naar de donkere lucht keek.

'Ik trap 'm op z'n staart,' zei Kellen.

Ze waren op weg de stad uit toen Eric vroeg: 'Mag ik je wat vragen?'

'Ga je gang.'

'Waarom ben je nog steeds hier?'

'Wat bedoel je?'

'Als ik jou was, zou ik inmiddels alweer in Bloomington zitten en de telefoontjes van een krankzinnige blanke kerel negeren. Waarom heb je dat niet gedaan?'

Er viel een korte stilte en toen zei Kellen: 'Al die verhalen die mijn overgrootvader me over deze plek heeft verteld? Al die krankzinnig klinkende verhalen? Nou, Everett Cage was een prater, dat geef ik toe. Hij hield ervan om zijn publiek in de ban te houden. Maar weet je, hij was geen leugenaar. Hij was een eerlijk man en ik weet één ding zeker: wat hij ook heeft verteld, nou, dat geloofde hij. Volgens mij heb ik me altijd afgevraagd hoe hij zulke dingen kon geloven.'

Het was weer even stil en toen zei hij: 'En dat begin ik te begrijpen.'

Josiah merkte dat hij naar de wolken zat te kijken. Eerst zat hij alleen naar buiten te staren omdat hij er zeker van wilde zijn dat de oude vrouw niets in haar schild voerde, dat ze met de gordijnen open onmogelijk via gebaren om hulp kon roepen. Maar door het raam zag je alleen maar een veld en had je uitzicht op de lucht in het westen. De wolken pakten zich samen, wervelden ongedurig, de lagen leken van onder naar boven te verschuiven en vice versa. Boven de tuin was de lucht lichtgrijs, maar in het westen leken ze wel op een bloeduitstorting, de wind duwde hard tegen het huis en bij vlagen floot hij. De turbulente hemel stond hem eigenlijk wel aan, hij moest ervan glimlachen, trok zijn lippen op en spuugde tabakssap op het raam, zag hoe dat in een bruine vlek over het glas omlaag gleed. Grappig, hij kon zich niet eens herinneren dat hij er een pruim in had gestopt. Was er vroeger niet eens aan verslingerd geraakt, moest overgeven toen hij op z'n veertiende zijn eerste stukje uitprobeerde en was er nooit meer aan begonnen, maar daar was het.

Hij wachtte tot het bijna negen uur was, knielde naast Anne McKinney neer en gaf haar zijn mobieltje. Zo laat dat Shaw en de vrouw wakker zouden zijn, maar wel zo vroeg dat ze waarschijnlijk nog niet waren uitgecheckt. Danny zat voor hem op de uitkijk voor het geval ze dat deden en de telefoon had tot nu toe gezwegen.

'Tijd voor uw rol,' zei hij. 'Het is maar een klein rolletje, mevrouw

McKinney, maar niettemin cruciaal. Met andere woorden, het is een rol waarvan ik niet kan toestaan dat u die... hoe zal ik het formuleren? Verklóót. Dat is het. Ik kan niet toestaan dat u die verkloot.'

Ze hield zijn blik vast en knipperde geen moment met haar ogen. Ze was bang voor hem – dat kon niet anders – maar ze stond zichzelf niet toe hem dat te laten zien, en een deel van Josiah bewonderde dat. Maar ook weer niet zo veel dat hij het kon toleréren.

'Als je van plan bent mensen iets aan te doen,' zei ze, 'dan doe ik daar niet aan mee.'

'U hebt geen flauw idee wat ik van plan ben. Goed onthouden. Maar dit kan ik u wel vertellen: als dit telefoontje niet wordt gepleegd, dan zullen er zeker slachtoffers vallen. En er is slechts één persoon in de buurt die als eerste voor die rol in aanmerking komt.'

'Je bedreigt een vrouw van mijn leeftijd. Zo'n soort man...'

'U hebt in de verste verte geen idee van wat voor soort man ik ben. Maar ik geef u een beginnetje: stelt u zich eens de zwartste ziel voor die u ooit hebt gezien, en doe er dan, oude vrouw, nog maar een schepje bovenop.'

Hij boog zich met uitgestoken telefoon naar haar toe, zijn ogen haakten zich aan die van haar vast. 'Nou, het enige wat u hoeft te doen is een telefoontje plegen en een handvol woorden uitspreken, en ze op de juiste manier uitspreken. Als dat is gebeurd, heb ik zo'n gevoel dat ik mijn weg naar uw voordeur wel weet te vinden en mag u hier zo veel naar uw verdomde lucht zitten kijken als u wilt. Maar als dat níét gebeurt...' Hij tuitte zijn lippen en schudde zijn hoofd. 'Ik ben een man van ambities. Niet van geduld.'

Ze probeerde zijn blik vast te houden, maar haar mond trilde een beetje, en toen hij de telefoon in haar gerimpelde hand drukte, voelde ze een angstige steek door zich heen gaan.

'U belt dat hotel,' zei hij. 'U zei dat hij dat water wilde? Nou, vertel hem dan maar dat hij het kan komen ophalen. U geeft alles aan hem, maar hij moet opschieten en maken dat hij hier komt, want u gaat een paar dagen de stad uit.'

'Dat gelooft hij niet.'

'Nou, dan zórgt u maar dat hij het gelooft. Want als hij dat niet doet... Dan gaan we op zoek naar een heel andere tactiek. En ik ben in een zodanige stemming dat ik niet geloof dat iemand graag wil meemaken wat er gebeurt als ik creatief moet zijn.'

Hij pakte het geweer in zijn andere hand en leunde tegen de rand van de bank, zodat de loop op haar gezicht werd gericht.

'Anne, oud wijf dat je bent,' zei hij, 'het heeft niets met jou te maken. Verander mijn gevoel op dat front niet.'

'Goed dan,' zei ze, 'ik zal bellen. Maar wat er volgens jou ook gaat gebeuren, ik kan je verzekeren dat het niet zo uitpakt als je hebt bedacht. Dat gebeurt nooit.'

'Maak je over mij maar geen zorgen. Ik ben iemand die zich weet aan te passen.'

Ze belde, maar hij nam de telefoon uit haar hand en legde die tegen zijn oor, om er zeker van te zijn dat ze niet iemand anders belde. De stem aan de andere kant van de lijn zei: 'West Baden Springs,' en Josiah zei met een stem, doortrokken van achteloze charme: 'Ik bel voor een gast, meneer Eric Shaw, alstublieft.'

'Een ogenblik,' antwoordde de vrouw, en Josiah gaf de telefoon aan Anne McKinney terug. Toen liet hij zich op een knie op de vloer voor de bank vallen, bracht zijn hand om de kolf van het geweer en krulde een vinger om de trekker.

'Hallo,' zei Anne, en haar stem klonk te zenuwachtig. Hij schoof ter inspiratie met het geweer toen ze zei: 'Ik was, nou ja, ik probeer meneer Shaw te bereiken.'

'O,' zei ze. Ze zweeg terwijl Josiah een vrouwenstem hoorde praten en daarna zei Anne: 'O, ja. Nou… een bericht? Ik, eh…'

Josiah knikte meevoelend.

'Ja, ik wil wel een bericht achterlaten. Ik heet Anne McKinney. Ik heb hem nog maar onlangs ontmoet… O, heeft hij het over me gehad? Nou, weet u, hij wilde iets van me hebben. Een paar flessen Plutowater. En ik wil die aan hem geven maar dan moet hij ze snel komen halen, want ik ga de stad uit.'

Ze praatte te snel en Josiah verschoof het geweer zodat de loop slechts een paar centimeter van haar huid af was.

'Dat is alles. Zeg hem maar dat hij zodra hij kan naar Anne McKinney moet komen. Hij weet waar ik woon. Zeg hem dat alstublieft. Dank u wel.'

Ze schoof de telefoon weg, Josiah pakte hem en verbrak de verbinding terwijl hij haar met een nors gezicht aankeek. Dit was niet het optreden geweest dat hij zich had voorgesteld. Ze was te bibberig, te vreemd. Hij wilde wat van die woede kwijtraken, maar de angst was al zonneklaar van haar gerimpelde oude gezicht af te lezen en hij had de energie niet om te schreeuwen. In plaats daarvan wendde hij zich af, liep met het geweer in de hand naar het raam en keek naar buiten, naar de zich samenpakkende, donkere wolken.

'Zei ze dat hij weg was?' Hij zei het met zijn rug naar haar toe.

'Ja. Ze zei me dat ze ervoor zou zorgen dat hij de boodschap kreeg.'

'Is dat even patent nieuws,' zei Josiah en hij bedacht dat Danny zelfs nog waardelozer was dan hij al dacht, omdat hij Shaw zo dat hotel uit had laten lopen. De klootzak. Hij kon in de wereld ook op niemand anders rekenen dan op zichzelf…

Hij belde Danny. Begon hem nog voordat er een woord was gezegd uit te foeteren, wat hij verdomme daar deed, want Shaw was verdomme vertrokken en Danny had niets gezien omdat hij een waardeloos stuk vreten was…

'Ik vólg hem, Josiah! Laat me met rust, ja! Ik zit achter hem aan.'

'Waarom heb je me dan niet gebeld en dat aan me doorgegeven?'

'Hij is nog maar vijf minuten geleden weggegaan! Ik probeer hem alleen maar bij te houden, te kijken waar hij naartoe gaat.'

Josiah kneep in de brug van zijn neus en haalde adem. 'Nou, verdomme, de volgende keer vertel je me wanneer ze in beweging komen, en dan bel je me. Waar zíjn ze eigenlijk?'

'Ze zijn op weg naar Paoli. De zwarte jongen heeft hem met de Porsche opgepikt. Het was al heel wat dat ik Shaw zag weggaan, want hij ging niet met zijn eigen auto.'

'Blijf bij ze,' zei Josiah, niet in de stemming om Danny complimentjes te geven. 'Blijf zover achter ze dat ze je niet opmerken, maar verlies ze ook niet uit het oog.'

'Ik doe m'n uiterste best, maar die zwarte knul rijd als een…'

'Blijf gewoon achter ze en laat me weten waar ze uiteindelijk terechtkomen.'

Ze waren nog geen paar kilometer de stad uit of Erics mobieltje ging: Claire.

'Hé,' zei hij. 'Wat is er?'

'De oude mevrouw belde. Ze wil dat je haar Plutowater komt ophalen.'

'Oké. Ik bel haar straks wel terug. Ik heb geen tijd om…'

'Ze zei dat ze een paar dagen weggaat en dat als je die flessen wilt, je ze nu moet gaan halen. Ze klonk in de war.'

Een paar dagen weg? Vreemd, daar had ze niets over gezegd.

'Zei ze ook waar ze naartoe ging?'

'Nee. Alleen dat als je het water wilde hebben, je dat vandaag moest komen halen.'

Verdomme. Hij had geen tijd voor oponthoud, maar kon zich ook niet veroorloven de toegang tot het laatste beetje echt Plutowater af te snijden. Niet nu, niet nu zijn handen trilden, zijn hoofd bonsde en zelfs de volle flessen met hotelwater verdomme geen snars hielpen. Misschien hielp Annes water inmiddels ook niet meer, maar het was beter om ten minste de káns op een vangnet te hebben.

'Wacht even,' zei hij, en hij liet de telefoon zakken en zei tegen Kellen: 'Hé, komen we onderweg langs Anne McKinney?'

'Dat is precies de andere kant op. Maar we kunnen omdraaien.'

Hij wilde niet omdraaien. Hij wilde de plek zien waar de hut van de oude Granger was, en de lucht werd nu zo onheilspellend dat er zeker nog meer storm op til was. Maar als hij de hand op nog een paar flessen kon leggen, was het de vertraging waard…

'Ik ga wel naar haar toe,' zei Eric tegen Claire. 'Ik vind het oponthoud heel vervelend, want ik wil die plek vinden waarover ik je heb verteld en volgens mij gaat het regenen.'

'Ik had de tv aan. Ze voorspellen dat het de hele dag akelig gaat stormen.'

'Fantastisch. Heerlijk om daarin in de bossen in de val te zitten. Maar als ze weggaat…'

'Ik kan ze wel halen,' zei Claire.

Hij aarzelde. 'Nee. We hadden afgesproken dat je het veiligst bent in…'

'Ze is een bejaarde vrouw, Eric. Ik denk dat ik dat wel red.'

'Het idee staat me niet echt aan.'

'Nou, eerlijk gezegd wil ik zo'n fles wel eens zien.'

Hij herinnerde zich dat ze zodra ze in het hotel was aangekomen naar de fles had gevraagd, alsof ze hem uittestte, op zoek naar tastbaar bewijs van zijn wilde verhalen.

'Oké dan,' zei hij. 'Ik zal je vertellen hoe je bij haar huis kunt komen.'

50

Anne zat op de bank met haar handen samengevouwen in haar schoot, keek toe hoe Josiah Bradford liep te ijsberen en te mopperen, en bedacht dat hij duidelijk niet meer bij zijn verstand was. Zo nu en dan kon hij nog wel helder communiceren, maar elke keer dat hij afdwaalde, was hij met zijn hoofd heel ergens anders. Bijna zoals ze dat van de week bij Eric Shaw had gezien. Net zo, maar dan anders, want bij Eric was het duidelijk geweest dat zijn geest naar andere oorden reisde. Bij Josiah was het alsof iets naar hém toe kwam. Binnensmonds voerde hij hele gesprekken, gromde iets over een sterke rug en een dal dat aan een paar dingen herinnerd moest worden, en andere flarden die net zo onzinnig klonken. Zijn ogen waren bloeddoorlopen en omringd door opgezwollen, paarse kringen, een teken van uitputting. Ze vroeg zich af of hij soms die vreemde, verschrikkelijke drug gebruikte die zo huishield in de streek, speed. Ze had er alleen over gelezen, had geen idee van de symptomen, maar iets was ongetwijfeld zijn lichaam en geest binnengedrongen.

Wanneer hij niet tegen zichzelf fluisterde, spuugde hij tabakssap in een lege fruitcocktailkan die hij in de keuken had opgediept. Hij fluisterde een tijdje, staarde uit het raam, trok daarna zijn lippen van zijn tanden terug en – *ping* – spuugde in de kan. Dat deed hij steeds maar weer, en ze vond het weliswaar eerder weerzinwekkend dan fascinerend om naar een tabak spugende man te kijken, maar ze merkte dat ze ervan in de ban raakte. Want voor zover zij het kon zien, zat er geen tabak in zijn mond.

Hij had die in elk geval niet in zijn mond gestopt, en hoewel ze hem nauwlettend bestudeerde, zag ze geen bolling in zijn wang of onderlip. Wanneer hij sprak, tegen haar of tegen zichzelf, leek hij ook niet om iets heen te hoeven praten. En toch leek zijn voorraad van het amberkleurige goedje onuitputtelijk en vanaf de plek waar ze zat, kon ze de bruine en weeige tabakslucht ruiken.

Bizar. Maar daarmee werd hij tenminste van haar afgeleid. Wat hij ook voor Eric Shaw in petto had, het beloofde niet veel goeds, maar ze wist niet hoe ze dat kon voorkomen, ook al zou ze iets proberen. Misschien was het maar het beste om het uit te zitten. Misschien zou hij uiteindelijk wel vertrekken, of misschien putte hij zichzelf uit en viel hij in slaap. Als dat gebeurde, kon ze bij de R.L. Drake komen. Hij had zich een hele piet gevoeld omdat hij haar telefoonlijn had doorgesneden, maar hij had er niet op gerekend dat ze een kortegolfzender had. Ze hoefde alleen de kans maar te krijgen, want ze kon bepaald niet snel de steile keldertrap af komen. Zachtjes, misschien, maar niet snel.

Ze kon zich tenminste nog vrijelijk bewegen. Hij had een rol duct tape bij zich en ze had vanaf het begin verwacht dat hij daarmee haar handen zou vastbinden en, god verhoede, haar mond zou dichtplakken. Ze had nu al moeite met ademhalen. Ze rilde als ze eraan dacht hoe het zou zijn als haar mond zou worden afgeplakt. Maar die had hij niet gebruikt, had haar handen niet vastgebonden, alsof hij de situatie had ingeschat en had besloten dat ze te oud en te zwak was om kwaad te kunnen aanrichten.

Een krankzinnige man die door haar woonkamer ijsbeerde, zou haar bij de les moeten houden, maar na een poosje merkte ze dat haar aandacht van Josiah Bradford afdwaalde naar het raam, met het weidse uitzicht op de woelige wolken die uit het westen kwamen.

Dit zou een bijzondere dag worden. En niet alleen vanwege de man met het geweer in haar huis. Nee, deze dag zou zelfs zonder dat speciaal zijn. Er kwam een instabiele luchtmassa deze kant op, en de grond was vochtig en warm. Dat betekende dat als het gedurende de dag warmer werd, er iets ontstond wat ze differentiële warmte noemden. Een doodeenvoudige term, tenzij je begreep wat die inhield. Differentiële warmte steeg op, waardoor die vochtige, instabiele luchtmassa een opwaartse druk kon uitoefenen. En als dat eenmaal in gang was gezet... Dan ging het stormen. O ja.

Deze dag waren alle basiselementen al aanwezig, maar Anne zag aan de wolken dat er zich een andere variabele bij voegde: windschering. En, specifieker gezegd, van het verticale soort. Hoe sterker die was, hoe langer het stormfront toegang had tot de opwaartse druk, en dat betekende narigheid. De donkere wolkenvelden in het westen helden duidelijk over, leken van bovenaf naar voren te leunen, en dat duidde op een hoge windschering. Bijna iedereen zou dat overhellen opmerken, maar slechts weinigen konden de tweede beweging zien: een lichte, bijna onwaarneembare verschuiving van de wolkenlagen die met de klok meeging. Eerst was ze er niet zeker van geweest, omdat ze werd afgeleid door het gedoe van Josiah, maar toen ze goed keek en zich concentreerde, zag ze dat ze gelijk had. Op het laagste niveau van de atmosfeer bewogen de wolken zich in dezelfde richting als de wolken onder het hogere niveau, en die draaiden met de wijzers van de klok mee. Dat noemden ze een ruimende wind. En dat voorspelde weinig goeds.

Een ruimende wind was een rotatievorm en rotatie was het kenmerk van een wervelstorm, van het soort waar Anne jarenlang naar uitgekeken had. Ze wilde dat ze de tv of de weerberichten op de radio aan kon zetten. Normaal gesproken zou ze niet alleen verslagen van het omliggende gebied binnenkrijgen, maar ook de gegevens over luchtdruk en luchtvochtigheid. Nu had ze alleen de wolken maar. Maar dat was ook goed, die vertelden haar meer dan genoeg. Daaraan zag ze hoe de storm zich ontwikkelde, de bomen in de tuin gaven de windsnelheid aan, en alleen al daardoor kon ze beter dan de meesten voorspellen wat er ging gebeuren. Op dit moment waren de grote boomtakken in beweging en klonk er een duidelijk fluitend geluid tussen de takken en elektriciteitsdraden, wat betekende dat de windsnelheid ergens tussen de vijfendertig en veertig kilometer per uur was, iets harder dan vanochtend vroeg. En te oordelen naar dat wolkenfront, zou het daar niet bij blijven.

Ze reden langs veehouderijen en een groep mannen van de Amish die naast een schuur aan het werk waren. Het landschap glooide alsof het door de deining van een onzichtbare oceaan was veroorzaakt, geen vlakke akkers, zoals in Illinois en de noordelijke helft van Indiana. Hier leek het gebied eerder op wat je aan de zuidkant van de Ohio-rivier aantrof, waar de golvende beemdgrasvelden overgingen in uitlopers en daarna in bergen.

Kellen reed met ruim honderd kilometer over de landweg, draaide zijn hoofd met een ruk naar links en zei: 'Daar is je maatje vermoord.'

'Op deze weg?'

'Over de volgende heuvel, denk ik. Daar was zijn bestelbus in de fik gestoken. Ik ben er gisteren op de terugweg naar de stad langsgereden. Ik was… nieuwsgierig.'

Eric werd een beetje ongemakkelijk bij die wetenschap. Niet alleen in het licht van de dode man, maar dat het zo dicht in de buurt was gebeurd van waar zij nu naartoe gingen. Ze reden langs laaggelegen velden en hier en daar een paar huizen en caravans, maar in de verte rezen de heuvels met een deken van eeuwenoude bossen op. Ze kwamen in het zicht van een oude, witte kerk met een kerkhof ernaast, en Kellen trapte hard op de rem.

De Porsche slipte op het nauwelijks vochtige wegdek voorbij de afslag, dus Kellen moest achteruitrijden.

'Als je altijd zo rijdt, is het maar goed dat je vriendin dokter wordt,' zei Eric. 'Die zul je wel nodig hebben.'

Kellen glimlachte, reed achteruit in de richting van de kerk en sloeg daarna links af. Ze waren juist zo ver op weg dat hij alweer vaart maakte, toen aan hun linkerhand een bord en een grindpad opdook en hij opnieuw op de rem moest staan. Deze keer kon hij de bocht in één keer nemen en ze hotsten over de kiezels tot het pad bij een ronde keerplek eindigde.

'Vanaf hier moeten we lopen.'

'Waar zijn we in godsnaam?'

'Orangeville. Ongeveer elf inwoners, maar dat mag je verdubbelen als je de koeien meetelt. Dit is Wesley Chapel-kolk. We moeten erheen lopen.'

Ze stapten de auto uit en liepen het struikgewas in. Er was een soort spoor dat van het grindpad wegliep en dat volgden ze. Aan de hoge kant van de heuvelrug links van hen waren velden en rechts van hen, aan de lage kant, bevonden zich dichte bossen en staken stukken kalksteen uit de aarde omhoog. Het was duidelijk dat de bergrug vlak na de boskant plotseling steil omlaag viel, maar door al dat dichtbegroeide struikgewas kon Eric niet zien wat erachter lag. Hij probeerde de plek in te passen in wat hij in zijn visioenen had gezien, maar dat lukte tot nu toe niet.

Ze hadden ongeveer vijf minuten gelopen toen het pad op een tweesprong uitkwam en Kellen na enige aarzeling rechts afsloeg, waar het pad heuvelopwaarts leek te kronkelen. Ze verlieten de richel en liepen een verzonken dal in dat vol stond met halfhoog gras en riet.

'Zo te zien loopt het hier soms onder water,' zei Eric.

'Als de kolk hoog genoeg komt.'

Ze liepen over het pad dat verder omlaag slingerde. Hier beneden zou tussen de dichtbeboste richels elk flintertje zonlicht worden tegengehouden en op een ochtend als deze was het er door de schaduwen zo donker dat het er bijna als een schemering aandeed, alsof de dag ten einde liep in plaats van dat die nog maar net was begonnen. Uiteindelijk kwam het pad uit het onkruid en kreupelhout tevoorschijn en stonden ze boven op een zanderige, door bomen omzoomde heuvel. Ze zagen een waterpoel die aan de overkant werd begrensd door een kartelig rotsklif dat zo'n vijfentwintig à dertig meter boven het water oprees. De poel had een kleur die

Eric nog nooit had gezien: een bizar zeegroene mengeling van donker-groen met strepen blauw erdoorheen, water dat ergens in een junglerivier thuishoorde.

In de verste hoek klotste het water tegen de rotsen en daar voorbij leek het poelwater te kolken. Overal om hen heen was stromend water te horen, maar uit de poel stroomde niets.

'Jezus,' zei Eric. 'Wat een waanzinnige plek.'

'Ja,' zei Kellen. Hij stond stil en staarde gehypnotiseerd naar het water omlaag. 'Het water is vast aan het stijgen. Het kolkt alsof het na een zware regenval omhoogkomt. Gisteren is er genoeg gevallen, vermoed ik.'

Lange witte takken van omgevallen bomen glipten hier en daar in en uit het water, en onder aan de omliggende helling lagen andere bomen op hun kant, ontworteld, maar niet in de poel gevallen, alsof ze ergens achter waren blijven haken.

'Heeft hier soms een soort storm huisgehouden?' vroeg Eric.

Kellen schudde zijn hoofd. 'Dat komt door het water. Dat komt hele-maal tot aan de bomen, en wanneer het zich weer kolkend terugtrekt, gaat dat met zo'n kracht gepaard dat ze meegesleurd worden.'

Een paar van de omgevallen bomen bevonden zich ruim zeven meter boven de huidige waterlijn.

'Zie je die richel?' zei Kellen en hij wees naar de bossen ten westen van hen. 'Daar hebben ze Shadrachs lichaam gevonden.'

Ze waren weer gaan lopen, cirkelden naar de andere kant van de poel, waar de doorgang het makkelijkst leek te zijn, en Eric wees naar zijn voeten.

'Het is hier eerder zo hoog geweest. Dat is opgestuwd zand.'

Hij had gelijk. De grond bestond hier uit zacht slib dat duidelijk tijdens een of andere vloed hoog boven de waterlijn terecht was gekomen. Ze liepen eroverheen en baanden zich daarna een weg naar omlaag, waarbij ze zich aan bomen vasthielden en hun voeten dwarszetten om niet uit te glijden. Toen ze dichter bij de bodem kwamen, keek Eric naar de kliffen omhoog en zag dat aan de voorkant ervan de boomwortels bungelden als Spaans mos. De door de wind verspreide bladeren vielen ruisend om hen heen.

'Als daar beneden al geen geest is,' zei Kellen, 'dan zou die er wel moe-ten zijn.'

Hij lachte, maar Eric bedacht dat hij gelijk had. Er was iets vreemds aan deze plek, wat verderging dan wat je ervan zag, een griezelige vibratie die uit het water naar de wind leek op te stijgen. Die spanning waar Kellens overgrootvader en Anne McKinney het over eens waren.

'Je kunt het water ondergronds horen stromen,' zei Eric. 'De rivier is pal onder ons.'

Tussen hen en het water was een steile, modderige helling en geen goede weg om daaroverheen te komen. Daarachter rees een klif op waar hier en daar puntige, losliggende rotsen en donkere bergspleten zich aftekenden, een bewijs dat de grot daar was ingestort. Een aantal doorgangen was duidelijk intact gebleven.

Kellen bleef ongeveer drie meter boven de waterlijn staan, maar Eric liep door, probeerde voorzichtig af te dalen, maar dat ontaardde in een nauwelijks controleerbare glijpartij en zijn schoenen ploegden door de dikke, glibberige modder waarmee de heuvel boven het water bedekt was. In de verste hoek borrelde en kolkte de poel.

'Is dat een bron?' riep Eric achterom.

'Ik geloof het wel. Maar dat is een bekende bron. Volgens mij zijn wij op zoek naar eentje die niet zo bekend is, toch?'

'Dat weet ik wel zeker,' zei Eric, maar hij baande zich een weg over de glibberige rotsen in de richting van de bron. Toen hij erbij in de buurt kwam, spoot er wat water naar voren, spatte op de rots en doorweekte zijn broek. Hij knielde, stak een hand uit, nam een handvol water en bracht dat naar zijn lippen. Koel en modderig, en met een tikkeltje zwavel. Boven op de richel – die plotseling heel ver weg was – blies een windvlaag een lading bladeren tot een zachte neerwaartse spiraal, waar ze zich langzaam over het oppervlak van de traag kolkende poel verspreidden.

'Dus, eh, wat moet ik nu doen?' vroeg Kellen. Hij stond nog altijd op de heuvel boven Eric. 'Moet ik weggaan, of een geestelijk lied gaan neuriën, of...'

'Nee,' zei Eric, met nauwelijks hoorbare stem. 'Je hoeft niets te doen. Dit is niet de goede bron.'

'Weet je dat dan?' zei Kellen.

Nee, dat wist hij niet. Hij veronderstelde dat het water uit de juiste bron net zo zou smaken als het water uit de Bradford-fles, met dat vage spoortje honing erin. En Kellen had gelijk, Grangers bron zou niet algemeen bekend zijn. En toch was er iets aan deze plek waar macht van uitging. Alsof ze wel bij de verkeerde bron waren, maar niet op de verkeerde plek.

Hier is Shadrach aan zijn eind gekomen. Je bent warm.

'Gaan we dan door met zoeken?' zei Kellen.

Eric knikte afwezig, staarde in de poel. Een uit de rotsen komende rivier. Stroomde kilometers ver onder de grond, kwam vervolgens abrupt in een vreemde maalstroom boven en verdween dan weer. De Lost River, een ondergrondse rivier. Die liet je zien wat hij wilde, en niets meer. Een kwelgeest, een foltering. Zo ben ik er wel en zo ben ik er niet. De rest moet je zelf maar weten. Je moet graven, vriend, verder kijken, zoek naar de gedeelten die ik heb verstopt, want alleen die doen er werkelijk toe, en in dat opzicht ben ik verdomme bijna menselijk, vind je ook niet?

'Als we weer omhoog klimmen en de bossen in gaan krijg je misschien een idee, of zo,' zei Kellen. 'Ik heb nog nooit gehoord van een andere bron hier in de buurt, maar er zijn droge beddingen, plekken waar de Lost River tijdens het regenseizoen doorheen stroomt. Ik weet dat sommige bronnen afhankelijk zijn van een hoog grondwaterpeil.'

'Als we de plek kunnen vinden waar de oude hut stond, kunnen we misschien van daaruit terugwerken,' zei Eric.

'Denk je dat je die zult herkennen?'

Eric knikte. Hij probeerde zich een beeld te vormen van de hut, zoals hij die voor zich had gezien, zich voor te stellen hoe die in het vizier kwam van achter het stuur van een oude sportwagen met grote koplampen, maar zijn hoofd wilde niet meewerken, wilde hem dat plaatje niet voorschotelen. Zijn hoofdpijn was een voortdurende schrille dreiging en hij ging zitten met zijn handen tussen zijn benen gedrukt om het trillen te stoppen. Zijn linkerooglid begon weer met die verdomde tic, alsof het een zandkorreltje probeerde weg te knipperen, en hij had een droge, krijtachtige mond.

De bron onder hem was weer kolkend tot leven gekomen, spuugde nog meer water uit alsof hij er boos over was. Eric tilde zijn hoofd op en keek naar het diepe gedeelte van de poel, zag de langzame draaiing en merkte dat zijn ogen troebel werden. Op dat moment begonnen zijn handen hevig te trillen en deze keer merkte Kellen het op.

'Hé, man, gaat het wel?'

'Ja.' Eric kwam abrupt overeind, werd even door duizeligheid overmand maar die ging voorbij. 'Alleen een beetje… nerveus.'

Kellen deed met gefronst voorhoofd een paar stappen heuvelafwaarts.

'Misschien is het beter als je nu niet hier in het bos bent. Als er iets gebeurt – als je weer zo'n aanval krijgt of zoiets – is dit geen beste plek.'

'Het gaat wel. Laten we dat ding gaan zoeken voor de storm losbarst.'

Weer de heuvel op en weg van het klif, terug in de richting vanwaar ze gekomen waren. Vlak voordat ze weer tussen de bomen waren, keek Eric nog één keer heel lang naar de kolk, moest hevig met zijn ogen knipperen en staarde ernaar. Hij kon zweren dat het water nu alweer een stukje was gestegen.

51

Tijd en plaats speelden een spelletje met Josiahs geest, zoals dat een paar keer in het houthakkerskamp was gebeurd. Hij had een hele poos naar de opkomende stormwolken staan staren, toen het licht zo veranderde dat hij een glimp van zijn eigen schaduw in het raam opving en zag dat er een gedaante achter hem stond. Hij draaide zich met een ruk om en keek in het gezicht van de oude Anne McKinney. Natuurlijk was zij het. Maar even was hij helemaal kwijt geweest waar hij was en met wie. Even kon hij zweren dat hij muziek hoorde, een soort ouderwets strijknummer. Hij had aan een bar gezeten met een whiskyglas in zijn hand, lachte met een of andere dikke klootzak in een smoking, legde uit dat de economische verschuivingen in dit land niets met zich meebrachten wat niet met een beetje ambitie kon worden opgelost...

Een droom. Maar hij had rechtop gestaan. Was hij verdomme rechtop in slaap gevallen? Wat was er in godsnaam aan de hand? Hij zat hier op Eric Shaw te wachten. Shaw die uiteindelijk zijn water zou komen ophalen, en wanneer hij dat deed, zou Josiah hem te pakken nemen, en daarna de vrouw, en vervolgens zou hij zijn antwoorden krijgen. Daar moest hij zich op concentreren. Hij was hier om antwoorden te krijgen. Waarom was het zo moeilijk om dat te onthouden?

Hij schudde zijn hoofd, knipperde met zijn ogen, zette toen een norse blik op en hield die een paar tellen op Anne McKinney gericht, om haar te laten zien dat hij nog steeds de baas was. Hij had er niets aan als hij zijn gedachten weer zo liet afdwalen, niet nu hij zo veel beslissingen moest nemen.

Hij wendde zich weer van Anne af, bedacht dat hij nog een keer een glimp van die krankzinnige, verdomde wolk wilde opvangen, maar toen hij deze keer naar het raam keek, verstarde hij door wat hij zag.

Campbell zat op de plek waar Anne McKinney net was geweest. Hij staarde regelrecht in het raam, zijn gezicht werd zo helder als wat weerspiegeld, zijn donkere ogen glinsterden als de regen die tegen het glas spatte.

'Ik heb je verteld dat je moest luisteren, Josiah,' zei hij. 'Je hebt gezegd dat je naar huis wilde en wilde nemen wat je toekwam, en toen je een lift werd aangeboden in ruil voor een karweitje, ben je daarmee akkoord gegaan. Maar je hebt niet geluisterd, jongen. Het wordt tijd dat dit dal door een dag des oordeels wordt getroffen. Ooit was het van mij, en het zou van jou moeten zijn, en ze hebben het van ons afgenomen. Van mij afgenomen, van jou afgenomen. Laat je dat over je kant gaan jongen, jongen? Zul je dat over je kant laten gaan?'

Josiah gaf geen antwoord. Hij staarde alleen maar in het glas, in de weerspiegeling van Campbells ogen.

'Ik had iedereen voor deze taak kunnen kiezen,' zei Campbell. 'Ik had Eric Shaw, zijn zwarte vriend of Danny Hastings kunnen kiezen. Twijfel je aan mijn kracht, jongen, twijfel je aan de krachtige invloed die ik heb? Dat is stom. Jij had het niet hoeven zijn. Maar jij was hier, mijn eigen vlees en bloed, en dat betekent iets voor me. Maar voor jou betekent het verdomme niets.'

'Jawel,' zei Josiah. 'Dat doet het wel.'

'Lúíster dan, verdomme. Doe wat er gedaan moet worden.'

Josiah draaide zich daarop om, popelend om te zeggen dat hij meer dan bereid was om te doen wat er gedaan moest worden, dat hij alleen niet goed begreep wat dat dan verdomme precies was. Maar toen hij zich omdraaide, was Campbell weg, en in plaats daarvan zat de oude vrouw Josiah met angstige ogen aan te kijken.

Hij draaide zich naar het raam terug. En daar was Campbell opnieuw, maar hij zei niets.

'Ik zal je klus klaren,' zei Josiah. 'Ik zal het doen. Laat me alleen zien wat er gebeuren moet.'

Annes angst werd groter naarmate de ochtend vorderde en Josiah Bradfords geraaskal steeds erger en vreemder werd. Die gemompelde gesprekken waren in iets anders overgegaan, en nu zag ze dat Josiah zich niet langer verbeeldde dat hij met iemand praatte, maar dat hij feitelijk iemand zág, rechtstreeks met hem praatte alsof hij bij hem in de kamer was. Er was niemand anders in de buurt dan Anne, en hij was zeker niet tegen haar aan het praten.

Toen hij bij het laatste deel kwam en zei 'Ik zal je klus klaren' met een stem die niet bij deze persoon paste, kneep ze haar handen stijf samen en keek een andere kant op. Hij had zich al een keer met een ruk naar haar omgedraaid en ze was bang dat hij haar misschien iets zou aandoen, maar daarna had hij zich gewoon weer naar het raam teruggedraaid en zijn gesprek hervat.

Ze wilde niet meer naar hem kijken. Beter om te doen alsof ze niets van dit alles hoorde of zag, beter om te doen alsof ze zelfs niet in de kamer was.

Hij begon weer te ijsberen, kamer in, kamer uit, en steeds als hij terugkwam, keek hij wantrouwig van haar naar het raam, alsof hij haar wilde betrappen op iets wat hij haar in de reflectie zag doen. Daarna liep hij helemaal de keuken in en begon daar wat te rommelen, hij kwam weer in de woonkamer terug en toen ze hem een vluchtige blik toewierp voelde ze haar hart stokken.

Hij had een mes in zijn hand. Een van haar keukenmessen met een lemmet van ruim twaalf centimeter lang en vlijmscherp. Ze trok zich terug, bang dat haar iets werd aangedaan, maar hij liep langs haar heen alsof ze lucht was en keerde naar het raam terug.

Niet naar hem kijken, dacht ze, zelfs geen oogcontact met hem maken. Hij staat nu op het punt om een hondsdolle hond te worden, en het ergste wat je met zo'n hond kunt doen is hem in de ogen kijken.

Ze hield haar hoofd afgewend en deed haar best geen geluid te maken waarmee ze zijn aandacht trok, probeerde zelfs niet te hardop te ademen.

Ze keek niet meer naar hem tot ze een snerpend geluid hoorde. Zelfs toen aarzelde ze nog, maar het ging door, klonk alsof hij iets met een vochtige doek aan het poetsen was, en ten slotte draaide ze zich om om te kijken wat het was.

Hij was met zijn eigen bloed op het raam aan het tekenen.

Het mes lag op de tafel naast hem, ze zag dat hij zich in zijn rechterwijsvinger had gesneden, er bloed uit had geknepen en dat nu op het glas smeerde. Zijn gezicht was tot een intense frons vertrokken, niet door pijn maar door concentratie. Hij bewoog zijn vinger zorgvuldig, hield zijn hoofd zo nu en dan naar de ene en dan weer de andere kant schuin. Het leek alsof hij contouren tekende. Eén keer keek hij achterom en vloekte in zichzelf, hij wachtte een hele poos voor hij verderging, alsof zijn beeld was verstoord. Eerst kon ze niet zien wat hij tekende, maar toen deed hij een stap opzij en boog zich naar voren, en kon ze er een glimp van opvangen.

Het was de omtrek van een man. Het hoofd en de schouders van een man, in elk geval, in bloed gegrift op haar raam. De man droeg een hoed, en Josiah Bradford was kennelijk het langst met de hoed bezig geweest... En de ogen. De omtrek van het gezicht en de schouders leken op kinderlijk gekrabbel, maar de hoed en ogen waren scherp. Hij had mooie en gladde amandelvormige ogen getekend en nu, terwijl ze toekeek, haalde hij zijn vinger van het glas en kneep nog meer bloed uit zijn vinger. Hij had geduld, wachtte tot er een volle, dikke druppel uitkwam. Toen hij tevreden was, raakte hij oneindig zorgvuldig met zijn vingertop het midden van het oog aan en kleurde dat met bloed in.

Dat herhaalde hij voor het tweede oog. Anne kon nauwelijks ademhalen, keek alleen maar toe.

Toen hij het tweede oog met bloed had ingekleurd, deed hij een stap naar achteren als een schilder die zijn doek bestudeert, hield zijn hoofd schuin en keek kritisch naar het raam.

'Ziet u hem nu?' zei hij.

Anne zei niets, hield zich aan haar eed om te zwijgen die ze voor haar eigen veiligheid had gezworen. Maar hij draaide zich naar haar om, keek haar met een indringende blik aan en zei: 'Ziet u hem nu?' Ze wist dat ze antwoord moest geven.

'Ja,' zei ze. 'Nu kan ik hem zien.'

Hij knikte vergenoegd, wendde zich weer naar het raam en deed een stap bij de bloedtekening vandaan. Anne zat trillend op de bank naar de vochtige bloedrode ogen te staren, met daarachter de storm.

Op een kleine kilometer van de kolk vonden ze iets wat leek op een oude weg, overwoekerd met onkruid maar er stonden geen bomen, en hij was ongeveer drie meter breed. In de verte waren naar het oosten en westen toe boerderijen te zien, maar het oude spoor boog van de velden weg en slingerde naar de bomen terug. Langs de rand van het veld stond een oud prikkeldraadhek, en vanaf dat punt konden ze in drie richtingen mijlenver kijken. Alle kanten op, behalve die waar ze naartoe gekeerd stonden, naar het zuidoosten, naar de bomen.

Eric probeerde onder het prikkeldraad door te komen, maar bleef prompt haken en scheurde zijn shirt. Er ging een vlaag schaamte door hem heen toen hij zich omdraaide en Kellen met gemak via een stronk over het hek zag stappen. O, nou ja, als de stronk er niet had gestaan was hij er waarschijnlijk gewoon overheen gesprongen. Zulke grote kerels gingen er immers niet ónderdoor.

Aan de andere kant van het hek raakte het oude spoor zelfs nog meer overwoekerd, het was moeilijker te volgen en klom langzaam maar gestaag. Het was zo'n heuvel waarvan je niet in de gaten had dat je omhoogging, totdat je een heel eind had geklommen en je kuiten begonnen te branden. Na een minuut of tien viel de helling plotseling weg en ze liepen een poosje heuvelafwaarts, waarna ze bij een ronde greppel kwamen die volgepakt lag met dode bladeren en waar hier en daar stukken kalksteen uitstaken. Er liep water doorheen, niet meer dan dertig centimeter diep, maar het stroomde snel.

'Een van de droge greppels?' zei Eric.

'Lijkt me wel.'

Ze lieten zich in de greppel glijden, grepen zich aan een stuk kalksteen vast om het water over te steken en klommen verder. Na ongeveer vijf minuten kwamen ze op vlak terrein en het was duidelijk dat ze de top hadden bereikt. Eric hijgde nu – Kellen leek niet eens adem te halen – en als de heuvel niet zo plotseling was opgehouden, had het niet gevoeld alsof ze er waren. Hierboven zag alles er min of meer hetzelfde uit als op de heuvel zelf: dichtbegroeid met bomen, een wirwar aan struiken en onkruid, donkere schaduwen. Insecten zoemden om hen heen en een paar kraaien slaakten ontevreden kreten. De lucht leek nu wel dubbel zo vochtig als in het begin. Eric tilde zijn shirt op en droogde daarmee het zweet van zijn gezicht. Terwijl hij zijn shirt liet zakken, voelde hij een vreemde tinteling, als een schok statische elektriciteit. De kraaien slaakten opnieuw hun kreten en hij kromp ineen van het geluid.

'Ik heb het gevoel dat we nu maar een beetje ronddwalen,' zei Kellen. 'We hebben geen idee waar we moeten zoeken.'

'Ik weet het,' zei Eric. Een vlaag wind wakkerde aan en een dunne tak van een jonge boom sloeg in zijn gezicht. Toen hij zijn arm ophief om hem af te weren, ging hij met zijn hand door een spinnenweb, dat met kleverige draadslierten aan hem bleef plakken. Hij vloekte, veegde zijn hand aan zijn broek af en vervolgde zijn weg terwijl Kellen achter hem aan liep. Ze hadden nog geen zeven meter gelopen of Kellens telefoon ging. Eric draaide zich eerst niet om, maar toen Kellen begon te praten, deed hij dat met zo'n zachte en ernstige stem dat Eric bleef staan. Hij keek achterom en zag dat Kellens gezicht was vertrokken van ongeloof.

'Weet je het zeker?' zei hij fluisterend. Hij had zich afgewend, alsof hij zich van Eric terugtrok, wat privacy wilde. 'Bedankt. Ja, ik weet het. Krankzinnig. Oké, liefje. Ik spreek je… Hé, ja, ik moet hangen. Ik spreek je gauw. Dank je wel, hè? Dank je wel.'

Hij verbrak de verbinding en stopte met een bedachtzame uitdrukking op zijn gezicht de telefoon in zijn zak.

'Je vriendin?' vroeg Eric.

'Ja.' Hij keek Eric met een nauwlettende frons aan.

'Waarom kijk je naar me alsof ik een proefkonijn ben?'

'Danielle heeft net de resultaten van je water binnengekregen.'

'O ja.' Erics ooglid stuiptrekte en fladderde weer. 'Hadden we gelijk? Zit er behalve mineraalwater nog iets anders in?'

Kellen knikte.

'Alcohol?' vroeg Eric. 'Een soort whisky?'

Nu schudde Kellen zijn hoofd. 'Nog geen spoortje alcohol. Volgens Danielle was het een mengsel van mineraalwater en bloed.'

'Bloed?'

'Ja.'

'Gewoon… bloed. Ze heeft geen idee waar dat misschien…?'

'Mensenbloed,' zei Kellen. 'Menselijk bloed van groep A.'

Eric dacht aan de fles, en zijn zintuigen leken hem in één klap weer met de fles in contact te brengen; in een flits voelde hij de koude aanraking in zijn handpalm, rook hij de van honing doortrokken geur, proefde de misselijkmakende zoete smaak…

'Ik geloof dat ik beroerd word,' zei hij.

'Man,' zei Kellen, 'dat ben je al. En er is bovendien geen enkele dokter die zal weten hoe je behandeld moet worden.'

'Hoe zit het met de andere fles? Annes fles?'

'Alleen mineralen. Niets speciaals aan.'

'Althans niets wat in een labtest aan te tonen valt,' zei Eric.

Terwijl ze elkaar zo stonden aan te kijken, vielen er een paar regendruppels om hen heen.

'Ik vraag me af wiens bloed het was,' zei Eric.

'Ja,' zei Kellen. 'Daar ben ik zelf ook wel benieuwd naar.'

52

Josiah stond met zijn neus bijna tegen het glas, staarde als een kind naar de storm buiten. Als hij een stap achteruit deed en vanuit de juiste hoek keek, kon hij Campbell naar hem zien zitten kijken, zijn gezicht perfect in lijn met het silhouet dat Josiah met zijn bloed had getekend. Campbell had al een tijdje niets gezegd, maar Josiah hoopte dat hij blij was met het gebaar, het enige wat Josiah had kunnen bedenken om zijn loyaliteit te tonen, dat hij liet zien dat hij echt zou luisteren, dat hij het noodzakelijke werk zou verrichten. Hij had Campbell in deze wereld gebracht, in elk geval zo ver zodat de oude vrouw hem kon zien, en had dat met zijn eigen bloed gedaan. Campbell zag dat vast als een teken van respect. Van trouw.

Maar nu kon hij Campbell niet zien omdat hij te dicht bij het raam stond. Hij kon er niets aan doen, de storm deed iets vreemds. Verderop nam een reusachtige wolk een vorm aan, hij leek precies op een aambeeld. Hij kwam langzaam maar zeker naar voren en er ging zowel dreiging als rust van uit. Alsof je een munt opgooide en als het kop was, zou de wolk overdrijven, of misschien een regenbuitje produceren. Maar als het kruis was, dan mocht God je bijstaan. Dan mocht God je bijstaan.

'Zie je die uitstulping?'

Hij draaide zich om en staarde naar de oude vrouw, verbijsterd dat ze sowieso iets had gezegd en door wat ze had gezegd.

'Boven op die grote wolk,' zei ze, knikkend, 'die je voor je ziet en op een aambeeld lijkt? Bovenop is hij helemaal plat, op één gedeelte na. Zie je dat daar? Waar het lijkt alsof er een bobbel op zit?'

Hij wist niet waarom hij de moeite nam om hierover te praten, maar hij kon er niets aan doen. Hij zei: 'Ja, ik zie 'm.'

'Dat noemen ze een doorgeschoten top.'

Fantastisch, wilde hij zeggen, neem me niet kwalijk, oud mens, dat kan me geen donder schelen, maar de woorden kwamen niet over zijn lippen. Hij staarde naar de wolk en dacht dat ze zich vergiste. Die afwijking boven op het aanbeeld leek niet op een bobbel. Ze leek op een koepel.

'Wat betekent dat?' zei hij.

'Het duurt een paar minuten voor ik dat weet. Maar dat gedeelte vertelt het verhaal. Zie je dat de rest van die wolk overal scherpe randen heeft? Daar zou wel eens zwaar weer in kunnen zitten. Maar die uitstulping heeft zich nog maar net gevormd. Als die snel weggaat, dan is er niets aan de hand. Maar als die langer dan tien minuten aanhoudt, zouden de hemelsluizen wel eens stormachtig open kunnen gaan.'

'Hoeveel minuten zijn er al voorbij?'

'Zes,' zei ze. 'Tot nu toe zes.'

Anne wilde dat Josiah bij het raam wegging en haar uitzicht niet langer belemmerde. Het ding dat nu binnenrolde stond op het punt om tot iets bijzonders uit te groeien, iets gevaarlijks, en ze wilde het duidelijk zien. In plaats daarvan stond hij daar maar met zijn gezicht tegen het raam terwijl de minuten verstreken en het stormfront naderde.

Ze leunde naar links om langs hem heen te kijken, de wolk te bestuderen en zich alle tekenen voor de geest te halen die ze zich moest herinneren. De bobbel boven op de aambeeldformatie hield stand. Dat betekende dat er een sterke opwaartse druk heerste. De storm werd gevoed. De wolkenmassa leek een beetje op een bloemkool, maar de randen waren stevig en tekenden zich duidelijk af, en dat betekende...

Een schrille bel verbrak de stilte die in het huis was ontstaan en Josiah schokte verschrikt voor hij naar zijn zak reikte en zijn mobieltje tevoorschijn haalde.

'Ja, met mij,' zei hij. 'Een beetje harder, jongen. Waar ben je verdomme geweest? Je bent ze toch niet kwijtgeraakt, hè?'

Josiah ging rechtop staan bij het antwoord en zijn stem klonk zachter dan ooit toen hij zei: 'Neuzen ze op mijn terrein rond?' Er ging een koude rilling door Anne heen. Ze dwong zichzelf om de woorden te negeren en zich weer op de storm te concentreren.

Josiah schuifelde van zijn plek bij het raam weg en Anne zag wat ze had gemist, wist dat de wolkenranden niet belangrijk meer waren. Josiah had met zijn lichaam haar blikveld op de ontwikkeling van een nieuw element geblokkeerd. Er dreef nu een lagere formatie onder die uitstulping, lange, spits toelopende flarden als de baard van een oude man. Dat noemden ze een…

'Wat denken ze wel niet dat ze aan het doen zijn,' siste Josiah. 'Wat doen ze in die bossen?'

… muurwolk, die de door de regen afgekoelde oppervlaktelucht naar binnen trok, het vocht opzoog en daarmee de opwaartse druk opvoerde. De toppen draaiden rond, alsof onzichtbare handen aan het uiteinde van de baard draaiden. Achter de muurwolk…

'Heb je een mes bij je? Ga dan terug en snij de banden van de Porsche door, Danny. Allemaal. Dan blijf je waar je zit. Ik kom jouw kant op.'

… bevond zich te midden van al dat paars en grijs een helderwitte spleet. Neerwaartse druk. Die glipte uit de donkere wolken en viel op de aarde, sneed recht door het bloedsilhouet dat Josiah Bradford op haar raam had getekend. Het witte licht leek die donkerrode ogen in een glinsterend zwart te veranderen.

Josiah Bradford verbrak de verbinding, liet de telefoon langzaam zakken en stopte die weer in zijn zak. Hij had zijn hand er net weer uitgehaald, toen overal om hen heen de lucht werd verscheurd door een loeiend geluid. Hij maakte een snoekduik naar zijn geweer.

'Dat heb je niet nodig,' zei Anne. 'Dat is niet de politie. Het is de tornadosirene.'

Deel 5

De kolk

53

Eric stond zwijgend naar Kellen terug te staren toen de boomtoppen in de wind vooroverbogen, hun bladeren werden losgetrokken en in de lucht rondtolden.

'Als wat jou is overkomen meer te maken heeft met het bloed en niet zozeer met het water,' zei Kellen, 'verdoen we misschien onze tijd hier.'

Eric gaf geen antwoord.

'Wat ik bedoel,' vervolgde Kellen, 'is dat het misschien niet de moeite waard is om de bron te zoeken. Als het niet gaat om het water zelf…'

'Er is iets bijzonders met dat water,' zei Eric. 'Ik denk dat het een evenwicht vormde met zijn bloed. Een tegenwicht.'

De regen kwam nu gestaag naar beneden, hij veegde de nattigheid van zijn voorhoofd en wendde zich van Kellen af, keek naar de in de wind zwiepende bomen. Zijn hoofd bonsde en zijn handen beefden. Er kwam weer een aanval, de vrucht van vergiftigd water, van de toorn van een dode man, en hij had niets meer over om ertegen te vechten. Het allerergste was nog dat het treurige gevoel dat hij verslagen was weinig te maken had met een angst voor wat komen ging. Nee, het was juist het besef van wat níet komen ging: een vervolg op het verhaal, een griezelig kijkje in die verborgen wereld en de roem die hem dat zou opleveren. Hij zag nu wel in dat het een dwaas idee was geweest. Al die gedachten over de glorie rondom zijn vreemde gaven waren gelul; hij zou een freakshow van een kwartier zijn geweest, een gesjeesd succesnummer dat een fles met oud bloed had gedronken en dacht dat hij paranormaal begaafd was.

'Een tegenwicht?' zei Kellen.

Eric knikte. 'Alles veranderde met Annes water, daar zat geen bloed in.

Het verhaal dat ik daardoor zag was een waarschuwing.'

'Waarvoor?'

'Voor wat ik heb gedaan,' zei Eric. 'Ik heb hem teruggebracht.'

Campbell Bradford. Zijn geest, zijn spook, zijn kwaadaardigheid, hoe je het ook wilt noemen. Eric Shaw had hem in het dal teruggebracht en het water had het mogelijk gemaakt dat hij dat had kunnen zien. Het hield zijn lichaam gevangen in een folterende hunkering en had hem ertoe gebracht er meer van te drinken, zodat hij werd gedwongen er meer van te zien. Maar dat had hij niet op tijd begrepen. Ergens onderweg was hij alle gevoel over waar het om ging compleet kwijtgeraakt, en in plaats daarvan was hij gaan fantaseren over wat het water voor hem kon betekenen, was hij het gaan beschouwen als een gave in plaats van wat het werkelijk was: een waarschuwing.

'Nu zijn ze opgehouden,' zei Kellen. 'Toch? De visioenen zijn voorbij.'

'Ja. Ze zijn opgehouden.' Eric dacht aan het bloed in de fles, en aan hoe Campbell Bradford hem de avond tevoren recht had aangekeken en had gezegd: ik word sterker.

Dát was de reden waarom er geen visioenen meer kwamen. Het verleden was niet meer waar dat thuishoorde. Het verleden was hier.

Josiah wilde dat de sirene ophield. Het verdomde ding boorde zich in zijn hoofd, verscheurde zijn concentratie, terwijl hij die op Danny's bericht moest richten.

Wesley Chapel-kolk. Daar was Shaw op dit moment. Op de heilige plek uit Josiahs jongensjaren. Het sloeg helemaal nergens op, maar voor hem klopte het als een bus. Natuurlijk zijn ze daarheen gegaan. Logisch. Er was hier al een tijdje iets aan het werk geweest, iets waar hij met zijn hoofd niet bij kon komen, en nu begreep hij dat hij het ook maar niet meer moest proberen. Laat de fiches maar zitten. Doe geen poging om achter de huisregels te komen, want die waren er niet, in elk geval geen enkele die hij ooit zou begrijpen. Het was nu niet aan hem om plannen te maken, het was aan hem om te luisteren naar de plannen die voor hem waren ontvouwd.

Het enige wat je hoeft te doen is luisteren…

Ja, dat was het enige. Dat was hem uren geleden verteld en nog had hij ertegen gevochten, had zijn eigen plannen gemaakt, vertrouwde op zichzelf. Gewoon luisteren, meer hoefde hij niet te doen. Hij had nu een gids, een hand in de duisternis, en hij wílde luisteren, maar die klotesirene bleef maar doorgillen en schreeuwen…

'Kop dicht!' jankte hij en hij verstevigde zijn greep om het geweer alsof hij die met een paar kogels in de lucht tot zwijgen kon brengen, de hele verdomde wereld tot zwijgen kon brengen.

'Die houdt pas op als de wolk is overgedreven,' zei Anne McKinney. 'Er zit rotatie in die wolk; zou naar beneden kunnen komen.'

'Een tornado?' zei hij. 'Komt er híér een tornado?'

'Niet hier. Die is ons al voorbij wanneer die naar de grond komt. Maar misschien raakt-ie de steden wel. Misschien de hotels.'

Ze zei dit alsof het de ultieme definitie van verschrikking was.

'Ik hoop dat het kloteding dat doet,' zei Josiah. 'Ik hoop dat hij regelrecht in die verdomde koepel rolt en niets anders dan een berg glas en steen achterlaat.'

Hij raakte opgetogen bij dat idee, werd erdoor naar het raam getrokken. Hij keek naar het oosten alsof hij de plek werkelijk kon zien.

Ik zou degene moeten zijn die hem vernietigt, dacht hij. Geen verdomde storm… Ik.

'Je denkt zeker dat ik dat niet kan, hè?' zei hij. 'Nou, ik heb hierachter een truck vol dynamiet staan die dat karwei zal afmaken. Verwed je reet er maar onder dat ik de klus klaar.'

Anne gaf geen antwoord, en hij knipperde met zijn ogen, schudde zijn hoofd en probeerde zijn gedachten op de voorliggende taak te richten. Hij moest steeds weer zijn geest daarnaar terug dwingen, als een man die het dek van een schip probeert over te steken waarop hij voortdurend van de ene naar de andere kant wordt gesmeten. Naar de hel met dat klotewedstrijdje met die ouwe heks, hij moest in actie komen. Maar daarmee moest hij beslissen wat hij met haar aan moest. Hij staarde haar aan en dacht daarover na toen het raam naast hem in zijn kozijn rammelde. Hij kon haar maar het beste vastbinden. Het probleem was dat ze voor dat grote raam zat, voor iedereen zichtbaar die langskwam. Er was een kelder in het huis. Nu de telefoon uitgeschakeld was, kon ze haar longen uit haar lijf schreeuwen, maar daar zou niemand haar horen. Haar vastbinden en haar daarin gooien.

Hij liep de woonkamer door, trok een deur open en zag dat die op de badkamer uitkwam, trok een tweede open en zag de steile houten trap die in het donker verdween en waar het vochtig rook. Ja, dat was prima. Hij zou eerst zorgen dat ze naar beneden liep en haar dan vastbinden, dat maakte de zaken er eenvoudiger op.

Hij wilde net tegen haar zeggen dat ze moest opstaan toen hij een autoportier hoorde dichtslaan.

Hij snelde naar het raam, keek door de regen naar buiten en zag dat er een auto was gestopt. Geen politie, maar een Toyota sedan die hij niet kende. De bestuurdersdeur ging open en een lange, donkerharige vrouw stapte uit terwijl ze haar armen ter bescherming tegen de regen omhooghield. Ze rende uit het zicht, op weg naar de veranda. Naar de voordeur.

'Wie is daar?' vroeg Anne McKinney.

'Geen woord, kreng,' zei Josiah. 'Geen woord. Als je iets zegt, schiet ik je bezoeker neer. Aan jou de keus.' Toen pakte hij het geweer op, liep de woonkamer uit en naar de voordeur. Hij was er nog niet of er werd aangebeld. Hij trok de deur open, terwijl hij het geweer in zijn linkerhand achter de hordeur uit het zicht hield.

De vrouw schrok niet echt en gaf ook niet de indruk dat ze iemand anders dan Josiah had verwacht. Ze zei alleen: 'Ik hoop dat ik op het goede adres ben. Ik ben op zoek naar Anne McKinney.'

Van dichterbij was ze zelfs nog knapper, het soort vrouw dat Josiah niet kon versieren, tenzij hij minstens tien biertjes verder was omdat de kans zo groot was dat ze hem zou afschieten, en Josiah kon er niet goed tegen om afgewezen te worden. Ravenzwart, glanzend haar, een bijna smetteloos gezicht, een lijf als een blikvanger ook al was ze wat aan de magere kant. Terwijl Josiah haar nauwlettend opnam, keek ze over haar schouder achterom naar de huilende storm en zei: 'Is dat een tornadosirene?'

'Ja,' zei Josiah. 'Kom maar snel binnen.'

'Denk je niet dat als ik voortmaak ik het hotel nog haal? Ik kom alleen maar een paar flessen water van Anne halen.'

Een paar flessen water. Tot nu toe wist hij niet zeker of dat relevant was geweest, maar hierdoor moest hij glimlachen en deze keer was dat niet geforceerd, zo'n authentieke en oprechte grijns had hij in lange tijd niet gehad, en hij zei: 'O, voor meneer Shaw?'

'Inderdaad.'

'Ik zal ze voor je halen, maar kom binnen en blijf bij mevrouw McKinney tot de sirene ophoudt.'

Ze keek nog een laatste keer aarzelend naar haar auto, en op dat moment werd een ferme tak van een van de bomen in de tuin losgerukt en viel in stukken op de grond. Ze draaide zich om en zei: 'Dat lijkt me inderdaad beter,' en ze stapte naar binnen.

Hij deed de deur al dicht voor ze het geweer zag.

54

Anne kon vanwaar ze zat de voordeur niet zien en door de wind en sirene kon ze de woorden niet verstaan, maar bij het aardige en vriendelijke geluid van de onbekende vrouwenstem werd ze zo compleet beroerd, dat ze haar handen op haar buik legde. Dit gevoel had ze slechts een paar keer in haar leven gehad, de laatste keer toen de deur van de ambulance werd dichtgeslagen, waar Harold in lag en ze haar ervan verzekerden dat het nog niet voorbij was, terwijl iedereen wist dat dat wel zo was.

Even later stond de vreemdelinge in de woonkamer, een prachtige vrouw met donker haar en paniek in de ogen. Anne probeerde haar blik te vangen en een soort verontschuldiging over te brengen, maar Josiah schoof haar bij de stoel naast het raam en zei tegen haar dat het een dubbelloops geweer was, dus meer dan genoeg.

Hij liet haar op de rechte, oude naaistoel plaatsnemen, die Anne een paar jaar geleden zelf had bekleed, greep daarna de duct tape die hij vanaf het begin bij zich had gehad en scheurde er een reep af. Ze wilde zich verzetten, maar hij hief het geweer op, wees ermee naar Anne en zei: 'Als je tegenstribbelt, schiet ik dat ouwe kreng neer. Probeer het maar. Toe maar.'

De vrouw keek Anne lang aan, waardoor Anne tranen in de ogen kreeg, waarna ze Josiah haar polsen liet vastbinden. Anne staarde machteloos terug. De paniek, waartegen ze zo goed had weten te vechten toen ze alleen was met Josiah, kwam nu sterk terug, en dat voelde ze in haar hart, maag en zenuwen, alles ging nu razendsnel en ratelde om haar heen, zoals de wind in een zware storm door de mobiles blies.

'De oude Lucas zal nu mijn telefoontjes wel opnemen,' zei Josiah terwijl hij nog meer tape afscheurde waarmee hij haar onderarmen strak tegen elkaar vastbond. 'Ja, nu zal hij wel voorzichtiger zijn.'

Lucas? Wie was Lucas in hemelsnaam? 'Ik ken Lucas niet,' zei de nieuwe vrouw.

'Lulkoek! Je bent die hoer van een vrouw van hem, stuurt mensen hiernaartoe om mijn huis te bespioneren en stelt vragen over mijn familie...'

'Dat ben ik niet.'

Hij sloeg haar. Het was een klap met de vlakke hand waardoor een witte afdruk op haar wang achterbleef, maar geen bloed, en het geluid van vlees tegen vlees benam Anne de lucht uit haar longen en ze liet de tranen nu de vrije loop. Niet in mijn huis, dacht ze. O, nee, niet in mijn huis...

'Hou op met die leugens!' bulderde Josiah. Anne smeekte in haar hoofd dat de andere vrouw zou zwijgen – Josiah was kalm gebleven wanneer je hem naar de mond praatte – maar in plaats daarvan negeerde ze de klap en protesteerde opnieuw.

'Ik ben niet degene die je denkt...'

Een tweede klap en Anne slaakte een kreetje, maar de nieuwe vrouw liet zich niet tot zwijgen brengen.

'Ik ben Erics vrouw... Eric Shaw. Dat ben ik! Ik weet niets van Lucas Bradford. En hij ook niet. We proberen alleen maar...'

Deze keer liet hij de klap achterwege, in plaats daarvan greep hij haar met zijn vuist bij haar haar en trok haar opzij. Ze slaakte een kreet van pijn, de stoel helde over en even later lag ze op haar zij op de grond, maar praatte nog steeds door.

'We proberen hier alleen maar weg te komen terwijl de politie uitzoekt wat er aan de hand is. Ik kén geen Lucas Bradford. Begrijp je dat dan niet? Ik ken hem niet en hij kent mij niet. Hij maalt niet om me. Voor hem ben ik niets.'

Josiah schoot opzij naar Annes keukenmes, griste het van haar bijzettafel en hield het ter hoogte van zijn middel met het lemmet naar voren.

'Josiah, nee!' riep Anne. 'Niet in mijn huis, je doet in mijn huis niemand kwaad.'

Hij verstarde. Ze was verbijsterd, had geen enkele reactie van hem verwacht, maar hij hield midden in zijn aanval op en draaide zijn hoofd om haar aan te kijken.

'Ik wil u verzoeken me zo niet meer te noemen,' zei hij. 'Als u mijn aandacht wilt trekken, kunt u me Campbell noemen. Begrepen?'

Anne wist niet wat ze moest zeggen. Ze staarde hem alleen maar met open mond aan. Hij wendde zich van haar af, liet zich op een knie vallen en greep opnieuw een handvol van het haar van de vrouw. Hij trok haar hoofd omhoog, bracht het lemmet naar haar keel en Anne kon niet meer kijken, kneep haar ogen dicht terwijl warme tranen langs de rimpels op haar wangen omlaag biggelden.

'Kijk dan in m'n tas,' zei de vrouw op de grond met schorre stem. 'Als je me toch gaat vermoorden, zou je minstens moeten weten wie ik ben.'

Een lang ogenblik hoorde Anne geen geluid en ze was even bang dat hij zacht een messnede had gemaakt, zodat de arme vrouw op de grond van Annes woonkamer zou doodbloeden. Toen hoorde ze de planken kraken omdat hij opstond, ze opende haar ogen en zag hem door de kamer naar een leren tas lopen die op z'n kant lag en waar al een lippenstift en mobieltje uit waren gerold. Josiah griste hem van de vloer, hield hem op z'n kop en een wolk papieren, munten en cosmetica schoten eruit en vielen op de grond. In het midden landde met een doffe, zware klap een portefeuille. Josiah gooide de tas tegen de muur, pakte de portefeuille op, rukte hem open en keek erin. Hij bleef er een heel lange tijd zwijgend naar staan staren. Toen klapte hij de portefeuille dicht en staarde naar de vrouw in de omgevallen stoel.

'Claire Shaw,' zei hij.

'Dat zei ik al.'

Hij leek bijna kalm terwijl hij naar haar keek, maar op de een of andere manier was Anne nu banger dan ooit.

'Jij bent zijn vrouw,' zei hij. 'Eric Shaws vrouw.'

'Ja. En we kennen geen Lucas Bradford. We hebben niets met de Bradfords te maken. Als je geld wilt, kan ik daarvoor zorgen, maar je moet geloven dat we niets met de Bradfords te maken hebben!'

'Ik kan voor geld zorgen,' zei ze nogmaals. 'Mijn familie... mijn vader... Ik kan...'

Haar stem stierf weg toen hij naar haar terugliep. Hij had het mes nog steeds in zijn hand, maar nu knielde hij neer en pakte de rol duct tape, trok daar een korte reep van af en sneed het met het mes af. Ze probeerde nog iets te zeggen maar hij boog zich naar voren en plakte de tape ruw op haar mond, waarbij hij er met zijn vuist overheen streek om er zeker van te zijn dat het vastzat.

'Doe haar geen pijn,' zei Anne zachtjes. 'Josiah, alsjeblieft, er is geen reden om iemand pijn te doen. Je hebt gehoord wat ze zei, ze hebben geen idee…'

'Wat?' zei hij. 'Wat zei u nou net?'

Het duurde even voor ze zich realiseerde dat hij boos was omdat ze hem met zijn eigen naam had aangesproken. Hij wilde werkelijk Campbell genoemd worden. Hij stond vóór de bloederige tekening die hij op het raam had getekend en wilde met de naam van een dode man worden aangesproken. Ze had nog nooit zoiets krankzinnigs gehoord.

'Doe haar geen pijn,' fluisterde ze. 'Campbell? Doe haar alsjeblieft geen pijn.'

Hij grinnikte. Hij liet in een brede grijns zijn tanden zien, alsof hij het verrukkelijk vond dat ze hem Campbell noemde, en Anne voelde een druppel koud zweet over haar ruggengraat glijden.

Hij wendde zich nog altijd grijzend naar het raam en staarde naar buiten. Even later besefte Anne dat hij er niet zozeer doorheen keek, maar ernáár keek, naar het bloedsilhouet dat hij daar had getekend en dat nu op het glas was opgedroogd.

'Nou,' zei hij. 'Wat nu? Je zei tegen me dat ik moest luisteren. Dat heb ik geprobeerd. En aan deze bitch heb ik helemaal geen moer. Maar dan ook écht geen moer. Ik sta hier met een handvol niets, hetzelfde ouwe liedje. Maar ik ben bereid om te luisteren. Ik probeer te luisteren.'

De wind rammelde opnieuw aan het glas in de oude kozijnen terwijl hij ernaar stond te staren, ernaar staarde alsof daar iets was wat hem kon helpen. Op de vloer zweeg Claire Shaw, keek met duidelijke verbijstering en afgrijzen toe.

'Je hebt gelijk,' zei Josiah tegen het raam. 'Je hebt gelijk. Natuurlijk heb ik geen moer aan haar, ik heb nooit aan iemand een moer gehad. Maar daar gaat het niet om. Ik heb de dollars niet nodig. Ik heb het bloed nodig.'

Annes mond was nu krijtachtig geworden en haar hart sloeg weer een slag over.

'Ik reken eerst met hen af,' zei Josiah, nu met zachtere stem, bedachtzaam, mijmerend. 'Ik maak af wat afgemaakt moet worden en dan ga ik terug naar dat hotel. Als het achter de rug is, zullen zij me zich nog herinneren, nietwaar? Als het achter de rug is, zullen zij zich óns herinneren.'

Hij draaide zijn hoofd met een ruk terug en hield zijn blik op Anne gericht.

'Sta op.'

'Wat? Ik…'

'Sta op en ga naar de kelder. Nú.'

'Doe haar geen pijn,' zei Anne. 'Doe die vrouw geen pijn in mijn huis.'

Josiah liet het mes op de grond vallen, stapte eroverheen en pakte zijn geweer. Hij tilde hem op en zwaaide de loop in de richting van Anne.

'Ga die verdomde kelder in. Ik heb geen tijd om je verrimpelde ouwe reet vast te binden.'

Pas op dat moment, toen hij het voor de tweede keer zei, realiseerde ze zich precies wat hij voorstelde, de kortegolfzender, de dierbare ouwe R.L. Drake. Haar redding.

Ze stond op, had zo lang gezeten dat ze wankelde op haar benen en ging steunend met een hand tegen de muur naar de kelderdeur, opende die en begon de trap af te lopen. Er was een lichtknopje vlak naast de deur maar dat negeerde ze, ze liep liever in het donker dan het risico te lopen dat hij het oude bureau met de radio zou zien.

Hij wachtte niet eens tot ze helemaal beneden was of hij sloeg de deur al dicht. Daardoor werd het helemaal donker in de ruimte, en ze bleef staan en greep de leuning vast. Ze hoorde wat rondstampen, daarna dat er iets tegen de deur werd gegooid en dat de knop rammelde. Hij blokkeerde de deur, sloot haar in.

Ze gleed met haar hand langs de leuning en deed voorzichtig een stap in de duisternis omlaag, toen nog eentje. Een splinter stak haar in haar handpalm, ze hapte naar adem en bleef staan. Boven zei Josiah iets wat ze niet verstond en daarna hoorde ze voetstappen. Te veel voor hem alleen. De voordeur ging open en sloeg weer dicht. Ze bleef staan luisteren, hoorde de motor van zijn truck starten, en dacht: o nee.

Ze gingen weg. Hij vertrok en nam die vrouw mee.

Anne moest nu snel zijn.

Ze deed opnieuw een stap in het donker omlaag.

55

Kellen en Eric stonden nog op dezelfde plek in het bos toen ze de wolk zagen. De regen kwam in uitzinnige vlagen omlaag en de wind huilde nu, klonk alsof hij leefde, alsof hij gewond en woedend was, en het was Kellen die wees naar een paarse wolkenbank die uit elkaar ging, samenkwam en weer uit elkaar ging, als partners in een vreemde, turbulente dans.

'Dat staat me niet aan,' zei hij. 'We moeten maken dat we hier wegkomen, man.'

'Ik moet die bron zien te vinden,' zei Eric, die als verdoofd naar de wolken keek. 'Ik heb dat water nodig, Kellen. Dat is waarschijnlijk het enige wat werkt.'

'Dan komen we ervoor terug,' zei Kellen. 'Maar nu moeten we hier weg.'

Eric staarde naar de wolken, maar verroerde zich niet en zei ook niets.

'Kom mee,' zei Kellen en toen hij Eric bij de arm wegtrok, ging dat met het gemak van een volwassen man die een kind tot lopen aanspoorde. Pas toen hij er zeker van was dat Eric echt meewerkte en naast hem meeliep, liet hij zijn greep los.

'Het wordt glad!' schreeuwde hij in Erics oor. 'Pas op waar je loopt. Als we snel genoeg zijn, zijn we over een paar minuten bij de auto terug.'

Ze renden de heuvel af, vonden de droge greppel en plonsden erdoorheen. Die was niet langer droog, de steen waarmee ze waren overgestoken lag nu dertig centimeter onder water. De Lost River vulde hem van onderaf terwijl de regen datzelfde van bovenaf probeerde te doen.

Eric stond niet stevig op zijn benen, ze leken eerder met de beweging mee te gaan dan dat hij macht over zijn spieren had, maar hij hield Kellen naar beste kunnen bij en bleef doorlopen. Ten slotte kwam de rand van de bosrand in zicht, en daarvandaan was het misschien nog een kleine kilometer door een veld met kleine dwergdennen voor ze weer bij de auto waren.

Toen ze tussen de bomen uit waren, kwamen ze in een brullende wind terecht en ze renden regelrecht naar het prikkeldraadhek. Eric dook weer op handen en knieën, dacht: naar de hel met elegantie, hij wilde gewoon naar de andere kant, toen Kellen hem bij de achterkant van zijn shirt greep en sissend van ontzag iets zei.

'Moet je kijken. Moet je kíjken.'

Eric kwam overeind, volgde zijn blik en merkte dat zijn adem stokte.

Vanaf de plek waar ze stonden hadden ze uitzicht over de open velden, en in het westen, nog heel ver weg, maar ook weer niet zo ver om er gerust op te zijn, zakte een trechterwolk naar de aarde. Daarboven was de wolkenmassa zwart met paars, maar de trechterwolk was spierwit. Die ging bijna vredig naar de grond, alsof hij zich nestelde om uit te rusten, en toen veranderde hij van kleur, het wit werd grijs terwijl hij over de velden blies, rommel verzamelde, en aarde en puin in zijn maalstroom opzoog. De lucht om hen heen trilde van het geraas in de verte.

'Denk je dat hij deze kant op komt?' schreeuwde Eric.

'Volgens mij wel.'

Ze bleven even zonder iets te zeggen staan en zagen hoe de wolk over het veld kolkte. De strakke trechter werd onderweg iets vager van vorm, cirkels puin draaiden om de basis. Ogenschijnlijk stak hij het veld op z'n gemak over. Even verderop van de weg stond een rij elektriciteitspalen, en toen de tornado die bereikte, werden de palen van de grond opgetild en knapten de draden. Hij stak de weg over en vervolgde zijn weg naar het volgende veld; daar werd iets in de lucht getild, wat bijna stuiterde. Even leek de voet van de wolk te aarzelen, alsof hij zich helemaal zou terugtrekken, maar hij viel weer omlaag en scheurde opnieuw in een donkergrijze uitbarsting over het land.

'Hij komt absoluut deze kant op,' schreeuwde Kellen. 'We moeten rénnen!'

'Redden we het naar de auto?'

'God, nee. Aan een tornado valt niet te ontsnappen, man! We moeten weer naar die kolk. Dat is de enige plek waar het laag genoeg is!'

Hij bukte zich, greep de bovenste draad van het geroeste prikkeldraad, trok het omhoog en gebaarde naar Eric dat hij erdoorheen moest klimmen. Eric krabbelde eronderdoor, draaide zich daarna om om het draad voor Kellen op te houden, maar zag dat die er al overheen was. Hij kon écht over dat verdomde hek heen springen.

De kolk was dichtbij en ze moesten naar beneden rennen, maar het geraas om hen heen werd ook luider. Weg van de bomen waaide de wind harder en Eric realiseerde zich met een mengeling van verbijstering en angst dat die hem daadwerkelijk uit de koers blies. Ze renden nu in een uitzinnige spurt, en even besefte Eric niet eens dat Kellen zijn shirt weer had vastgegrepen en hem meesleurde. Tegen de tijd dat ze bij de richel boven de kolk waren, was de horizon tegenover hen een muur van zwarte lucht.

'We moeten benéden zien te komen!' schreeuwde Kellen, en hij legde zijn hand midden op Erics rug en duwde hem.

De helling was heel steil en omzoomd door bomen, het soort plek waar je op een normale dag al voorzichtig rondliep. Vandaag duwde Kellen Eric alleen maar pal over de rand en sprong achter hem aan.

Even zweefde Eric in de lucht. Toen kwam hij met zijn voeten op de heuvelrug terecht en door de vaart die hij had rolde hij verder de heuvel af terwijl takken tegen hem aan sloegen. Hij bedacht dat hij helemaal omlaag in het water zou vallen, maar hij tuimelde tegen de zijkant van een boom. Door de klap explodeerde zijn blikveld in een uitbarsting van wit licht, maar hij kwam ook tot stilstand. Hij hapte naar adem, knipperde met zijn ogen en zag waar hij was: hij had twee derde van de heuvel afgelegd, ruim achttien meter onder de top van de richel.

Hij keek of hij Kellen zag en vond hem vijf meter verder omlaag, onder de modder en bladeren. Hij kroop naar de stenen kliffen, bij de bomen vandaan, en probeerde lager te komen. Eric ging achter hem aan, probeerde niet eens overeind te komen, glibberde gewoon op zijn achterste verder en duwde zich met zijn handen en hakken verder.

Ze werkten zich het grootste deel van de helling omlaag, ongeveer anderhalve meter van de waterlijn af, en duwden zich tegen de vrije rotswand, waar een inham was waarin ze zich konden terugtrekken en ze meer bescherming vonden. Het had geen zin om nu te praten, het gebulder was tot een oorverdovende climax gekomen. Het klonk precies als de trein die langs Eric was gestoven op zijn eerste dag hier.

Ze hoefden niet lang te wachten. Een halve minuut, misschien een hele. Maar het léék langer, het leek verdomme wel een eeuwigheid, zoals de tijd verstreek wanneer je op de spoedeisende hulp in een ziekenhuis een chirurg door de hal op je toe zag lopen om te vertellen hoe een dierbare van je eraan toe is. Toen kreeg de storm ze eindelijk te pakken en verging de wereld.

Op de top van de richel werd een enorme berk, minstens vijftien meter hoog en met wijduitstaande takken, uit de grond gerukt en in de ruimte gelanceerd. Hij viel niet recht naar beneden, ook al was hij gebonden aan de wetten van de zwaartekracht, maar schoot naar voren voordat hij een andere boom raakte en in de kolkende, wervelende poel plonsde. Het water spoot op en sproeide over hen heen, en daarna gleed een andere boom langs het klif omlaag, met in zijn kielzog losse stenen die werden meegesleurd. Dikke, machtige takken kraakten in het bos en stronken werden in tweeën gespleten; de wind was zo hard dat Eric zijn ogen niet langer open kon houden. Hij bedekte zijn gezicht met zijn armen, perste zijn lichaam tegen de achterkant van de inham die Kellen in de kalkstenen wand had gevonden en boven hen schreeuwde de wereld het uit van woede.

Toen was het voorbij.

Het leek onmogelijk dat zoiets verschrikkelijks zo snel voorbij kon zijn. In de bossen rommelde het nog steeds omdat ontwortelde bomen en gevallen takken van de heuvelruggen omlaag gleden en ergens tot rust kwamen, maar de razende wind was weg en daarmee het gebulder ook. Eric liet zijn armen zakken en keek naar omlaag. Het water deinde en kolkte, en in het midden lagen nu een stuk of zes bomen. Hij keek omhoog en zag dat er aan de oostkant van de richel een streep door de boomtoppen was gesneden, alsof er snoeiers waren langs geweest, ze hadden afgetopt, weer verder waren getrokken en de stapels takken achteloos hadden laten liggen. Op vlak terrein was de ravage verbijsterend. Die zou dodelijk zijn geweest. Maar ze waren hier terechtgekomen, in iets wat in feite een put was, vijfentwintig tot dertig meter onder de oppervlakte, waar de tornado ze niet had kunnen vinden.

'We zouden dood zijn geweest,' zei hij. 'Als we op vlak terrein waren geweest, waren we dood geweest.'

Kellen knikte. 'Ja. Dan zouden we misschien nog in de lucht zitten. In stukken.'

Zijn stem klonk zo afgemeten alsof iemand hem bij de keel beet had en Eric draaide zich eindelijk om om naar hem te kijken. Kellens gezicht, nek en armen waren bezaaid met snijwondjes, en boven zijn linkeroog zat een diepe snee waar een dik lint bloed langs zijn kaak stroomde. Het krulde als een bakkebaard naar zijn kin en Eric wist dat hij er zelf niet veel beter uitzag. Maar Kellens gezicht was een grimassend masker en hij wiegde heen en weer terwijl hij zijn handen tot vuisten had gebald.

'Gaat het wel?' zei Eric en toen hij Kellens blik langs zijn been naar zijn voet volgde, fluisterde hij: 'O, shit.'

Kellens rechtervoet hing onnatuurlijk onder zijn been, bijna achterstevoren gedraaid, en vlak boven zijn schoen bevond zich een opgezwollen uitstulping die tegen zijn huid duwde. De enkel was duidelijk gebroken. Niet alleen gebroken, realiseerde hij zich bij nader inzien, maar vermorzeld. Het bot was geknakt, maar als zijn voet er zo bij hing, waren er duidelijk ook pezen doorgescheurd.

Kellens gezicht was nu ziekelijk bleek geworden en hij bleef maar zachtjes wiegen, maar hij kreunde of jammerde niet en hapte ook niet naar adem van de pijn.

'Je bent zwaargewond,' zei Eric. 'We moeten je hiervandaan zien te krijgen.'

'Schoen uit,' zei Kellen door opeengeklemde tanden.

'Wat?'

'Die schoen moet uit. Hij zwelt zo snel op... Volgens mij moet hij niet in die schoen blijven.'

Eric glibberde over de gladde rots en stak zijn hand uit naar de veters van Kellens schoen. Toen hij daar zacht aan trok, verschoof Kellens voet. Deze keer gilde hij het uit van de pijn. Eric liet de schoenveter los en trok zich terug, maar Kellen schudde zijn hoofd en zei: 'Doe 'm uit.'

Dus maakte hij de schoen los. Dat deed hij zo snel en voorzichtig als hij kon, maar Kellen siste het uit van de pijn en toen Eric de schoen weghaalde, zag hij het bot onder de huid bewegen en voelde hij zo'n golf misselijkheid door zich heen gaan, dat hij er duizelig van werd. Hij liet de schoen vallen, die langs de rots in het water gleed. Het leek Kellen niet te kunnen schelen.

Ze wachtten een ogenblik, terwijl Kellen met diepe uithalen lucht naar binnen zoog en naar de boomtoppen staarde. Hij stak zijn hand in zijn zak en haalde er zijn mobieltje uit, gaf dat aan Eric.

'Eens kijken of ze het doen?'

Dat van Kellen deed het niet, en zou het niet meer doen ook; de voorkant was gebroken en hij was doorweekt van het water, hij ging niet eens meer aan. Dat van Eric deed het wel, maar er was geen bereik. Niet verbazingwekkend hier beneden in dat gat, en het was maar de vraag of dat op hoger terrein anders zou zijn. De tornado had wellicht een toren of twee met zich meegenomen.

Erics linkerarm trilde nu en door de in zijn hoofd ingegraven pijn kon hij zich met moeite concentreren, zijn gezichtsveld begon te zwemmen.

Hij knipperde met zijn ogen en staarde naar de kolk omlaag.

'Volgens mij is hij aan het stijgen.'

'Komt snel omhoog,' zei Kellen zonder er zelfs maar naar te kijken. 'We moeten me aan de andere kant zien te krijgen.'

'Daar kun je met geen mogelijkheid op lopen,' zei Eric, terwijl hij naar Kellens enorme lijf keek en zich afvroeg of hij hem zou kunnen dragen.

'Nee, maar je kunt me overeind helpen, dan kan ik hinkelen.'

Het kostte drie pogingen en intense pijn om hem rechtop te krijgen. Toen nam Eric hem onder de arm en probeerde hem voort te slepen, maar Kellen was lang en zwaar, en het was een onbeholpen toestand. Bij elke stap stokte bij Kellen onwillekeurig de adem. Zijn rechtervoet bungelde onder de enkel. Ze wisten de rand van de kolk te bereiken en toen zei Kellen dat Eric moest stoppen.

'Enige kans dat we het tot de auto halen?' vroeg Eric.

'Misschien. Maar ik betwijfel of er veel van de auto over is.'

Shit, daar had hij waarschijnlijk gelijk in. Nu trilden Erics beide handen. Achter hen gorgelde en borrelde het water in de kolk om een van de gevallen bomen.

'Je moet naar de weg zien te komen,' zei Kellen. 'De politie en brandweer zijn daar vast de boerderijen aan het controleren. Zeg tegen iemand dat ik hier beneden zit.'

Hij liet zich op het gras zakken en leunde op zijn ellebogen achterover, terwijl hij grimassend zijn onwillige rechtervoet bestudeerde. Eric zag dat hij met zijn vingers in de modder groef. De pijn moest onmenselijk zijn.

'Als dat water veel hoger komt, verdrink je nog,' zei hij.

'Als het moet kan ik nog wel hoger komen. Maar ik haal het niet helemaal naar de weg.'

'Oké,' zei Eric. 'Ik ga hulp halen.'

En hij liep in zijn eentje de heuvel op.

56

Josiah trof de straten van de stad verdomme nagenoeg verlaten aan, iedereen had gereageerd op die stormsirene en zocht een goed heenkomen. Hij stoof door een rood verkeerslicht, wat hem geen donder kon schelen omdat er toch niemand was die het zag, gaf plankgas toen hij de stad uit was en schoot zonder er een blik op te werpen langs het West Baden-hotel. Daar zou hij nog voor terugkomen.

In Anne McKinneys huis waren Campbells instructies eindelijk duidelijk geworden; de werkelijkheid van deze hele verdomde puinhoop was nu glashelder: Josiah had niemands geld nodig. Hoefde ook geen verklaringen, had verdomme in dit hele dal, in de hele wereld, van geen levende ziel iets nodig.

Wat hij moest doen, was luisteren. En daar was hij eindelijk mee begonnen. Hij hoorde nu wat de bedoeling was, zo warm als een fluistering in zijn oor. Vernietig deze plek en kijk toe hoe hij in vlammen opgaat. Wanneer dat is gebeurd, zullen ze weten wie je bent, geloof dat maar. Ze zullen je naam onthouden.

Eric Shaws vrouw lag in de laadbak van de truck, vastgebonden met tape en gewikkeld in een zeil, vlak naast het dynamiet gepropt. Zoals de regen nu met bakken omlaag kwam, lag de bitch er waarschijnlijk een tikkeltje oncomfortabel bij. Hij had zo'n harde wind tegen dat hij met moeite de truck op de juiste rijbaan kon houden, en hij dacht dat het maar verdomd goed uitkwam dat de wegen kennelijk verlaten waren. Er leek inderdaad een ongelooflijke storm in aantocht. Hij zette de radio aan.

… Nogmaals, we hebben een bevestiging dat er even ten westen van Orleans een tornado woedt en er is aanzienlijke schade gemeld. Onbevestigde berichten van een andere tornado, even ten zuiden van Paoli, komen nu binnen. We waarschuwen met klem: dit is slechts de voorhoede van dit stormfront, die al tornado's in Missouri en het zuiden van Illinois heeft veroorzaakt. Er wordt meer activiteit verwacht en de National Weather Service heeft verklaard dat de tornadowaarschuwing nog minstens een uur van kracht blijft, zo niet langer. Ons is verteld dat dit front zeer waarschijnlijk gepaard gaat met meerdere tornado's. Zoek alstublieft onmiddellijk een veilig heenkomen.

Hij drukte op de knop en zette het ding uit. Naar de hel met die shit.

Tegen de avond was de storm wel het laatste waar iedereen het over zou hebben.

De snelste weg naar de kolk was de US 50, maar hij was nog niet op de snelweg of hij hoorde politiesirenes. Hij sloeg naar een van de achterafwegen af op het moment dat een paar patrouillewagens met zwaailichten langsschoten, die minstens honderdtwintig reden. Die waren vast ergens naartoe geroepen wat met de storm te maken had en niet op zoek naar zijn truck, maar het was beter om risico's te mijden wanneer je een ontvoerde vrouw en een stapel dynamiet onder een zeil in je laadbak had liggen.

Door deze noordelijke omweg raakte hij verder van het hotel verwijderd, maar hij wist dat het nodig was, voelde dat in zijn botten. Eric Shaw speelde hier een rol in, had dat vanaf het begin gedaan en er moest met hem afgerekend worden. Campbell had de vrouw van de man evenals het dynamiet in Josiahs schoot geworpen en wanneer de dag ten einde liep, zouden ze allebei een rol spelen. De koers was al uitgezet, en nu was het alleen nog een kwestie van luisteren naar de hem aangegeven richting.

Door de omweg waartoe hij bij het zien van de politie gedwongen was, zou hij de kolk nu vanuit het zuiden naderen, waardoor hij vlak langs zijn eigen huis zou komen. Hij gaf weer vol gas en slingerde over de weg door Pipher Hollow verder. De storm leek nu een beetje te zijn gaan liggen, in elk geval hier. In het noordoosten zag de lucht er nog woest uit, maar hier kwam alles weer tot bedaren.

Hij reed op zijn eigen weg en was nog een kleine kilometer van zijn huis vandaan toen hij de schade in de gaten kreeg. Het eerste waar zijn oog op viel was een enorme grijze spleet die verderop door de aarde in de velden was uitgebeiteld, en daarna zag hij aan de zijkant van de weg de omgevallen, vonkende elektriciteitsdraden en een stalen boerenhek dat even gemakkelijk was losgescheurd en verbogen als was het van aluminiumfolie gemaakt.

Hij minderde vaart en staarde om zich heen terwijl hij de truck in z'n vrij liet doorrijden. De rij bomen die hier had gestaan, was weg, vernietigd, de stammen waren doormidden en bij de voet uit de grond gerukt, hun met modder bedekte wortels staken in de lucht. Hij keek langs het struikgewas naar zijn huis omhoog, liet het gas nu helemaal los en trapte op de rem.

Zijn huis was weg. Elke aanwijzing dat hier een huis had gestaan, was weg. De fundering en twee stukken muur stonden er nog, maar de rest lag in puin in zijn tuin en het veld erachter. Verspreid door de tuin lagen brokstukken van het dak. Zijn bank lag ondersteboven op zo'n vijfentwintig meter afstand van de fundering, terwijl de regen erop roffelde. De oude antenne, die niet meer werd gebruikt maar nooit was weggehaald, hing in de bovenste takken van een boom in de achtertuin. De rest van de boom was getooid met roze stukken isolatiemateriaal. Te midden van het puin aan de overkant van de tuin zag hij iets helder, felwit opflitsen. Stukken van het door hem geschilderde verandahek.

Hij stond er midden op de weg naar te staren. Er kwam eigenlijk helemaal niets in hem op, hij kon alleen maar kijken. Deze plek zou er niet toe moeten doen – hij wist al dat hij er nooit meer naartoe terug kon – maar toch, het was zijn huis geweest. Dit was zijn huis geweest.

Uiteindelijk werd hij door de sirenes losgerukt. Ze gilden achter hem, naar het zuiden toe en kwamen zijn kant op. Ze kwamen kijken of er iemand gered moest worden.

Hij trapte het gaspedaal in en de achterkant van de truck slipte over het natte wegdek weg, kreeg grip en schoot vooruit. Hij zwenkte om een neergevallen tak op de weg en reed pal over een andere heen op weg naar de kolk. In de achteruitkijkspiegel wierp hij nog een laatste blik op zijn huis. Het was het enige in de omtrek, het enige fysieke bouwwerk binnen een cirkel van anderhalve kilometer, en het was verwoest. In de verte zag de boerderij van de Amish er stevig uit, alles stond nog overeind. Klaarblijkelijk had die verdomde storm het op hém voorzien gehad.

'Nou, wat denk je?' zei hij hardop. 'Ik was niet thuis. En zal ik je nog wat vertellen? Ik bén de storm.'

Zo mag ik 't horen, jongen. Zo mag ik 't horen.

De stem zweefde in de lucht naast hem en toen Josiah naar rechts keek, zag hij Campbell Bradford op de passagiersstoel zitten, zoals in het houthakkerskamp het geval was geweest. Campbell schonk hem een strak glimlachje en tikte tegen zijn hoed. Zijn pak leek doorweekt, plakte tegen zijn schouders alsof hij zojuist uit een zwembad was geklommen.

'Dat is niet jouw huis,' zei hij. 'Die plek komt voor jou nog niet eens in de buurt, Josiah, nooit geweest ook. Je verdiende beter, jongen, verdiende een deel van wat ik voor je heb uitgetekend. Ik was hier een koninkrijk aan het opbouwen, en jij bent mijn rechtmatige erfgenaam. Het is je ontnomen. Het wordt tijd om het terug te nemen. Ze zullen weten wie je bent, jongen. Ze zullen je naam weten.'

'Het werk zal gedaan worden,' zei Josiah. 'Reken daar maar op.'

'Dat weet ik wel. Ik ben nu sterker dan ooit, jongen, dankzij jou. Sterker dan ik in lange tijd ben geweest, althans. En het enige wat ik nodig had was dat jij naar me luisterde, en me mijn kracht hielp terugkrijgen. En dat gebeurt nu, jongen. O ja, dat gebeurt nu.'

'Ik had met het hotel moeten beginnen,' zei Josiah.

'Nee. Daar gaan we straks wel naartoe, maar we moeten bij Shaw beginnen. Dat begrijp je toch wel, hè? Hij is degene die me heeft teruggebracht, dacht toen dat hij me kon controleren, macht over me had. Met water, nota bene. Met water. Het wordt tijd dat hij ziet wie er heeft gewonnen. In dit dal is niemand zo sterk als ik, en dat zal hij weten. Hij is degene die het de anderen zal vertellen.'

Er lag weer een tak op de weg; deze was zo groot dat die flinke schade kon aanrichten. Josiah zag hem op het allerlaatste moment in zijn ooghoek en gaf een ruk aan het stuur. De truck slipte zijwaarts, takken schampten erlangs, bogen de buitenspiegel terug en butsten deuken en krassen in de lak, maar hij bleef overeind. Tegen de tijd dat Josiah hem weer in het gareel had, was Campbell weg. Hij ademde diep in, ademde uit en zag een wolk koude mist voor zijn mond. Daar moest hij om glimlachen. Campbell was niet weg. Sterker nog, hij was er al een hele poos, hield Josiah nu voortdurend gezelschap.

Plotseling was hij blij dat zijn huis was verwoest en dat hij er toevallig was langsgereden. Verdomme, hij wás er niet toevallig langsgereden, Campbell had hem daarheen geleid, en het was duidelijk wat hij daarmee bedoelde: er was nu niets meer van Josiah Bradford over. Niet van de oude Josiah, degene die de mensen kenden. Wat er van hem over was, behoorde nu aan Campbell toe, en zo hoorde het ook te zijn. De Josiah die ze in dit dal kenden, zou aan het einde van de dag compleet verdwenen zijn, net zo snel als de wolk die zijn huis met de grond gelijk had gemaakt, en met hetzelfde spoor in zijn kielzog.

De R.L. Drake startte zonder aarzeling op. De elektriciteit in het huis deed het nog, dus ze had de noodgenerator niet nodig, en Anne had het bureau nog niet gevonden of ze zat met de microfoon aan haar lippen. De meeste golflengtes die ze gebruikte waren weerspotterfrequenties, maar zoals iedere goede radioamateur had ze ook de plaatselijke noodzenders ingeprogrammeerd. Tegenwoordig waren sommige soorten communicatie gecodeerd, maar je kon nog steeds een noodoproep doen. Ze legde haar situatie zo kalm als ze kon aan de operator uit. Haar zenuwen gierden door haar keel en haar lichaam voelde bibberig aan, maar ze wist het allemaal onder controle te houden en sprak langzaam en duidelijk. Hier had ze haar hele leven op getraind, een echt noodgeval. Ze had altijd geweten dat ze zich in zo'n situatie in bedwang kon houden, en terwijl ze zich inbeeldde dat dit om een tornado ging, en niet om een ontvoering, lieten haar voorbereidingen haar nu niet in de steek.

De operator was een vrouw die eerst gekweld had geklonken, ongetwijfeld omdat ze aan de lopende band stormtelefoontjes kreeg, en daarna verbijsterd.

'Mevrouw, ik moet uw situatie in beeld krijgen: bent u nu alleen in het huis?'

Anne had dat in het begin al duidelijk gemaakt. Ze haalde diep adem, dwong zichzelf geduld te hebben, ook al dreigde ze in paniek te raken.

'Dat klopt.'

'Maar u bent vanochtend een paar uur gegijzeld door een man met een geweer...'

'Niet zomaar een man. Hij heet Josiah Bradford. Hij woont hier in de buurt. Werkt geloof ik in het West Baden-hotel.'

'Ja, en volgens u heeft hij nu nóg een vrouw in zijn macht en uw huis met haar en het wapen verlaten, klopt dat?'

Anne voelde een golf frustratie door zich heen gaan, wilde met haar vuisten op het bureau slaan en schreeuwen: natuurlijk heeft hij het wapen nog steeds, en wil je nou alsjeblieft ophouden me te vragen alles te herhalen en er iets aan gaan dóén! Maar in zo'n soort situatie was onverstoorbaarheid alles en de vrouw die nu bij Josiah was, had Annes hulp nodig.

'Dat klopt allemaal,' zei ze zorgvuldig. 'De vrouw die bij hem is heet Claire Shaw. Ze komt uit Chicago. Haar man is hier om een film te maken en op de een of andere manier heeft hij het pad van Josiah gekruist. En volgens mij is tijd cruciaal. Hij heeft een geweer en als ik hem mag geloven, rijdt hij in een truck vol dynamiet rond. U moet die truck zien te vinden.'

'Er is al een dienstmededeling over die truck uitgegaan. Sinds gisteren. Een rechercheur van de staatspolitie heeft erom verzocht. Ik ga nu contact met hem opnemen.'

'Oké,' zei Anne, die zich afvroeg wat Josiah al had uitgespookt waardoor hij die aandacht had getrokken. 'Hij zit nu in de truck, en zij ook. Hij neemt haar ergens mee naartoe. Ik weet dat dat ergens in de buurt van zijn huis moet zijn.'

'Oké,' zei de operator, 'maar nu moeten we iemand zien te vinden die u uit die kelder kan halen. De zaken zijn uit de hand gelopen... Orleans is door een tornado getroffen, een andere heeft nog geen vijf minuten later in Paoli huisgehouden, en al mijn units zijn onderweg om assistentie te verlenen. Ik zal iemand terugroepen en naar u toe sturen.'

'Nee, dat hoeft niet. Alstublieft niet. Met mij komt het wel goed. Maar stuur een van hen eropuit om die truck te vinden.'

'Natuurlijk, dat heeft prioriteit. Maar bedenk wel dat er min of meer chaos heerst. Grote delen van de snelwegen zijn afgesloten en er is overal enorme stormschade. Er is een brand...'

'Ik weet dat het daar een chaos is,' zei Anne. 'Maar ik verzeker u dat voordat dit voorbij is, hij ervoor kan zorgen dat de storm de vriendelijkheid zelve lijkt.'

De wind werd weer frisser toen Josiah in de buurt van de kolk kwam, en hier lagen zo veel bomen op de weg dat hij er nauwelijks langs kon. Als hij ook maar een beetje zuinig op zijn truck was geweest, zou hij de auto hebben stilgezet, maar op dit moment betekende de Ranger net zo veel voor hem als de puinhoop die ooit zijn huis was geweest, dus ploegde hij verder, reed over boomtakken en hekpalen, en over een om een boomstronk gewikkeld stuk prikkeldraad. Alles lag bezaaid over de weg, achtergelaten door een wólk, godbetert. Hij kon het amper geloven.

Verderop stond de oude witte kapel nog steeds overeind en hij leek slechts een beetje beschadigd; de storm moest er zuidelijk langs zijn gegaan. Hij zag de knipperlichten van een reddingswagen over de velden rijden, zo te zien van de vrijwillige brandweer, maar ze stonden op de oprit van een van de boerderijen en schonken geen aandacht aan hem. Het grindpad dat naar de kolk liep was leeg, hij sloeg af, reed door het struikgewas en zag aan het eind van het pad twee auto's geparkeerd staan. Danny's Olds en een zwarte Porsche Cayenne die op zijn kop lag. Het dak was ingedeukt en overal lag glas. Vier platte banden wezen naar de lucht. Josiah schoot in de lach toen hij de truck stilzette en Danny uit de bosjes achter de auto's tevoorschijn zag komen. Alle kleur was uit zijn rossige, sproetige gezicht verdwenen, zijn rode haar droop van de nattigheid.

'Zag je dat?' zei hij, terwijl hij naar Josiah toe liep. 'Zag je dat? O, shit, ik heb nog nooit zoiets gezien. Verdomme nog aan toe, ik kon me niet eens vóórstellen ooit zoiets mee te maken.'

Josiah knikte naar de op z'n kop liggende Porsche. 'Ik neem aan dat je je over de banden geen zorgen had hoeven maken.'

Danny staarde hem uitdrukkingsloos aan.

'Hoe ben jij de dans ontsprongen?' vroeg Josiah.

'Ik ben weggereden, zo ben ik de dans ontsprongen. Ik stond hier te wachten, zoals jij had gezegd, en toen hoorde ik het lawaai. Ik verzeker je dat het inderdaad als een trein klinkt, zoals je de mensen altijd hoort vertellen. Ik hoorde die herrie en zag dat de lucht inktzwart werd, en ik zei: als de sodemieter maken dat je wegkomt. Dus ik ben weggereden en was nog niet op de weg of ik zag hem. Een grote ouwe trechterwolk, eerst helemaal wit, maar later werd die zwart. En ik gaf plankgas in deze ouwe kar zoals ik nog nooit van m'n leven heb gedaan. Ik was bij de kerk toen de tornado me inhaalde, en ik ben achter het gebouw gaan staan en gaan bidden. Echt waar, ik zat te bidden en als een klein kind te huilen, en ik geloof dat de kerk me heeft gered want dat ding trok op nog geen honderd meter afstand langs me heen, maar ik was veilig en...'

'Waar zijn zíj?' vroeg Josiah.

'Huh?'

'Degenen voor wie ik hier ben, verdomme! Waar zijn ze?'

Danny knipperde met zijn ogen, veegde toen over zijn gezicht waardoor er een streep vuil achterbleef.

'Dat weet ik niet. Ze waren in de bossen. Precies hier, waar het doorheen is geblazen, Josiah. Voor zover ik weet zijn ze nu ergens dáár.' Hij zwaaide met zijn arm naar het oosten, in de richting waar de storm naartoe was gedreven.

'Denk je dat ze dood zijn?' zei Josiah, en hij voelde dat zich een kille, ziedende woede in zijn buik nestelde. Als die storm het maar uit z'n hoofd had gelaten om ze mee te nemen. Hij was hier voor een afrekening, niet om lijken op te halen.

'Ik heb geen idee, Josiah. Ik wil hier alleen maar weg. Ik ben er klaar mee, ja? Ik...'

'Klep dicht,' zei Josiah. 'Ik heb een klus af te maken en niets of niemand is kláár totdat die klus helemaal afgerond is. Je begrijpt niet hoe belangrijk deze taak is, Danny, je begrijpt niet hoe zwaar die weegt. Niets is al klaar.'

'Josiah…'

'Noem me niet meer zo.'

'Wát?'

'Je noemt me vanaf nu Campbell. Begrepen? Je noemt me Campbell.'

'Volgens mij ben je gestoord,' zei Danny.

Hij staarde Josiah recht in het gezicht en hij meende wat hij zei.

'Ik weet niet meer wat je verdomme denkt. Je lijkt jezelf niet eens meer, en nu noem je jezelf Campbell… Het lijkt wel of je bezeten bent.'

'Wat ik ben,' zei Josiah, 'is gefocust.'

Hij wendde zich van Danny af, liep naar de truck, reikte in de cabine en haalde het geweer tevoorschijn. Toen ging hij naast de laadbak staan, trok het zeil los en liet Eric Shaws vrouw zien.

'Josiah! Wat in… o, gódverdomme. Ben je gek geworden? Je raakt echt de weg…'

'Ik vraag je nog één keer je mond te houden,' zei Josiah en Danny had nu pas in de gaten dat het geweer in Josiahs hand op hem was gericht.

'Ga je me neerschieten? Míj?'

'Ben ik niet van plan. Maar ik ben hier gekomen om een karwei af te maken, en niemand zal me daarbij in de weg lopen. En jij nog het minst van allemaal.'

Danny's kaak zakte open. Hij zei geen woord. De wind wakkerde weer aan, een volgende stormronde stond alweer klaar om het pas vertrokken noodweer na te jagen.

'We gaan die twee vinden,' zei Josiah, 'of ze nu in die bossen of met een gebroken nek ergens in een verdomde boom zitten. We zullen ze vinden.'

'Wie is zij?' vroeg Danny terwijl hij naar de vrouw in de laadbak van de truck keek.

'Shaws vrouw. Vertel me nou maar waar ze naartoe zijn gegaan.'

Danny wees met een vinger naar de door de wind verscheurde bossen. 'Naar de kolk. De laatste keer dat ik ze zag, liepen ze naar de kolk omlaag.'

'Dat is mooi,' zei Josiah. 'Dan maken wij die wandeling ook. Vind je het erg om onze vriendin hier uit de truck te helpen? Ik heb haar graag aan mijn zijde.'

Danny aarzelde slechts een moment, maar toen hij in beweging kwam, leek het er eerder op dat hij dat deed omdat er tussen hem en de vrouw een soort oogcontact was geweest dan dat hij Josiahs bevel slaafs opvolgde. Hij boog zich over de rand van de laadbak en probeerde haar op te hijsen, maar deed dat voorzichtig, en het lukte niet.

'Schiet op en trek haar eruit!' blafte Josiah. 'Ze is geen kasplantje, jongen.'

Danny negeerde hem, liep naar de achterkant van de truck, klom in de laadbak en hielp haar overeind. Tegelijk schoof hij het andere zeil opzij, keek omlaag om te zien wat eronder lag en verstarde met zijn armen uitgestoken naar de vrouw.

'Is dat… dynamiet?'

'Inderdaad,' zei Josiah. 'En ik hoef deze trekker maar over te halen om de achterkant van die truck naar Martin County te blazen. Schiet je nou op?'

Danny kreeg haar overeind en daarna uit de truck, sneed op aanwijzingen van Josiah met zijn zakmes de tape van haar enkels los en daarna liepen ze het pad op. De handen van de vrouw waren nog altijd vastgebonden en ze wankelde op haar benen, en hij sloeg een arm om haar heen om haar te helpen haar evenwicht te bewaren. Ze waren nu een eind tussen de bomen, de auto's waren uit het zicht en ze staken bekend terrein over, een pad dat Josiah als zijn broekzak kende. Overal lagen omgevallen bomen, sommige waren in tweeën geknakt, andere bij de wortels losgerukt of ze leunden als een krankzinnige tegen elkaar, maar op de een of andere manier hadden er veel overeind en voor het grootste deel intact weten te blijven. Zelfs nu nog zwaaiden ze heen en weer in de frisser wordende wind. Onwillekeurig keek Josiah er bewonderend naar. Op een normale dag zagen die verdomde dingen er niet zo soepel uit, leken ze zo stijf als de planken die ze produceerden, maar kijk ze nu eens rondzwiepen. Sommige braken, andere bogen alleen maar. Allemaal afhankelijk van de boom en de storm. Sommige braken en andere bogen alleen maar…

Hij had zich verloren in de bomen en zag niet wat Danny en de vrouw zagen. Begreep niet wat er gebeurde tot de vrouw midden op het pad op haar knieën viel, en toen hij zich omdraaide om haar overeind te trekken, zag hij dat Danny naar voren wees. Hij keek weer het pad af.

Eric Shaw kwam eraan.

57

Claire.

Eric zag haar vóór al het andere, concentreerde zich zo op haar dat hij een ogenblik niet in staat was de rest van het plaatje te zien. Het eerste wat hem opviel was de tape: een helder glanzende zilveren x over haar gezicht. Toen ze zich op het pad op haar knieën liet vallen, viel de rest van de stukjes in zijn hersens op zijn plek en begreep hij het: Danny Hastings naast haar, Josiah Bradford achter hen met een geweer in zijn hand. Op dat eerste moment, in die eerste oogopslag, waren ze onbeduidende rekwisieten in het decor rondom zijn vrouw geweest. Nu stapten ze naar voren, voegden zich bij de cast en werden ze zo belangrijk als maar zijn kon. Vooral dat geweer.

Hij had Kellen nog geen vijf minuten geleden bij de kolk achtergelaten en was de klim heuvelopwaarts begonnen met de gedachte dat er binnen slechts een paar minuten hulp voorhanden was. Zijn handen trilden en zijn hoofd bonsde, maar hij had zichzelf verteld dat hij aan Kellen moest denken, want Kellen had het soort hulp nodig dat er wél was, normale, menselijke hulp, anders dan de hulp die Eric nodig had. Dus was hij de door de storm verwoeste helling opgeklommen, vast van plan om redding voor Kellen te vinden, en nu stond hij naar zijn vastgebonden en geknevelde vrouw te kijken.

Even verroerde niemand zich. Ze stonden daar allemaal zwijgend als aan de grond genageld, keken naar elkaar. Toen rende Eric naar voren, het gezicht van Josiah Bradford spleet zich in een grijns, hij hief zijn geweer op en legde de loop tegen Claires kruin.

Eric bleef staan.

'Wat doe je?' riep hij. 'Wat wíl je?'

'Alleen wat me toekomt,' zei Josiah. Zijn stem klonk in de verste verte niet meer zoals twee dagen geleden. Zo te horen had die een dieper timbre gekregen, was hij krachtiger geworden. Het was de stem van een ouderwetse wedergeboorteprediker, klaar om de menigten op te zwepen.

'Haal dat geweer van…'

'Jij komt hier. Langzaam lopen, maar kom dichterbij. Ik wil niet schreeuwen.'

Nee, dacht Eric, volgens mij moeten we wél schreeuwen. Want Kellen is daar en als we niet schreeuwen hoort hij ons niet. Ik weet niet wat hij met een gebroken enkel kan doen, maar het is tenminste iets. Ik ben weggegaan om hulp voor hem te halen. Nu heb ik die nodig.

Hij liep naar ze toe.

Verwoesting. Dat woord klonk overal over de kortegolfzenders, verslagen uit de hele omgeving kwamen in Annes kelder binnen terwijl ze op de politie wachtte. De tornado die over hen heen was geraasd terwijl Josiah Bradford nog in haar huis was, had even ten westen van Orangeville toegeslagen en was noordoostelijk naar Orleans verder getrokken. Huizen waren vernield, auto's gekanteld, elektriciteitspalen uit de grond gerukt. Daarna waren er minstens twee branden uitgebroken. Autoweg 37 was tussen Orleans en Mitchell gesloten, waardoor veel gebieden onbereikbaar waren voor reddingsploegen.

Binnen een paar minuten na de eerste tornado was er een tweede gearriveerd, iets verder naar het zuidoosten. Die had een groep caravans platgewalst en was toen weer naar akkerland teruggegaan, onderweg op zijn pad een zendmast meesleurend. Volgens de eerste schattingen was één tornado minstens negen kilometer op de grond gebleven.

Hier in de kelder kon ze de lucht niet zien, maar de spotters in het westen sloegen alarm dat het nog niet achter de rug was. De tornadostorm verschoof en was zich aan het hergroeperen, zo waarschuwden ze, mogelijk om een andere trechterwolk uit te spuwen.

Tornado-uitbarstingen bestreken over het algemeen een grotere regio, soms waren er wel veertig, vijftig of zelfs honderd tornado's verspreid over een enorm gebied, tot over de staatsgrenzen heen. Zo'n clusteruitbarsting als deze, zo veel tornado's in één county, was zeldzaam maar wel vaker voorgekomen. Ze wist nog dat ze een vergelijkbare gebeurtenis in Houston bestudeerde, in het begin van de jaren negentig, toen in een tijdsbestek van zo'n twee uur zes tornado's uit vier verschillende stormen in één county toesloegen. Op een bepaald moment waren drie daarvan op hetzelfde moment op de grond. Dat soort dingen kon gebeuren. Je kon nooit voorspellen hoe een werkelijk razende storm zich gedroeg. Het enige waar je op kon hopen was dat je de waarschuwingen op tijd zag.

Dat was haar rol: de waarschuwingen zien en hopen dat mensen die ter harte namen. Ze had de radiofrequenties met veiligheidsteams van zowel het French Lick- als het West Baden-hotel, en na haar eerste gesprek met het politiebureau nam ze onmiddellijk contact met hen op, legde de dreiging uit en opperde dat ze een paar bewakers bij de ingangen van het terrein moesten posteren. Ze wist niet of ze haar geloofden, maar ze had gedaan wat ze kon. Ze had ze gewaarschuwd.

Een kwartier na haar eerste gesprek met het politiebureau van Orange County nam de operator weer contact met Anne op om te melden dat een zekere inspecteur Roger Brewer van de staatspolitie uit Indiana bij Josiah Bradfords huis was aangekomen.

En dat het verdwenen was.

Feitelijk leek het, zo zei de operator, alsof de tornado ongeveer boven op Josiahs huis was geland voor hij zijn pad naar Orleans had gevolgd.

'Geen spoor van de truck?' vroeg Anne.

Geen spoor van de truck. De staatspolitie had contact gezocht met de FBI voor assistentie, nu elke beschikbare unit eropuit was vanwege de storm; de ontvoering vroeg om gerichte aandacht die de plaatselijke politie er niet aan kon geven. Maar het dichtstbijzijnde FBI-contact zat in Bloomington, wat in de beste omstandigheden al drie kwartier rijden was, en dit waren bepaald niet de beste omstandigheden. Dus er zat slechts één inspecteur op de zaak.

Eén.

De operator, die afstandelijk en kalm met Anne praatte, wat uiteraard bij de baan hoorde maar ook buitengewoon frustrerend was voor iemand die duidelijk wilde maken hoe urgent de zaak was, zei dat de inspecteur 'er vaart achter zette'. Toen zei ze tegen Anne dat er te veel andere noodgevallen waren om hier nog langer mee door te gaan.

'Hij was op weg naar zijn land,' zei Anne. 'Een bosrijk perceel in de buurt van zijn huis. Blijf zoeken. En onthoud dat hij zei dat zijn truck vol zat met…'

'Dat zal ik onthouden. Ik heb onze agenten daarvan op de hoogte gesteld. Ze begrijpen het gevaar.'

Nee, dacht Anne, dat doen ze niet. Ik weet niet eens of iemand dat wel kan begrijpen.

Ze kon niet zeggen wat volgens haar de waarheid was: dat de storm en Josiah met elkaar verbonden waren, dat er vandaag iets kwaads naar de stad was gekomen, en dat het niet snel zou weggaan.

'Wat wil je?' herhaalde Eric Shaw, terwijl hij over het pad naar Josiah liep. 'Dit heeft niets met ons te maken. Niet met haar, niet met mij.'

'Ik denk dat je je daarin vergist,' zei Josiah. 'Het heeft veel met jou te maken.'

'Hoe dan?' vroeg Shaw.

'Jij hebt mijn naam aan een ander gegeven,' zei Josiah. 'Degene die me mijn huis heeft afgepakt, die mijn bloed heeft vergoten en me uit mijn huis heeft verdreven, en jij vereert hem met mijn naam. Je ziet niet eens dat jij me naar huis terúg hebt gebracht, stomme klootzak die je bent. Jij hebt me thuisgebracht, en er is het een en ander af te rekenen.'

De woorden kwamen zonder enige aarzeling over zijn lippen, en hoewel het niet zijn eigen woorden waren, geloofde hij ze wel.

'Je hebt me thuisgebracht en daarna gedacht dat je macht over me had,' zei hij. 'Dat je me met water kon tegenhouden. Een dwaas idee, Shaw. In dit dal is niemand zo sterk als ik.'

Shaw hield zijn hoofd schuin en knipperde met zijn ogen naar Josiah. 'Hij zit in jou,' zei hij. 'Waar of niet?'

Josiah gaf geen antwoord.

'Wat bedoel je?' zei Danny en het maakte Josiah niets uit dat er een intense belangstelling in zijn stem lag.

'Campbell,' zei Shaw tegen Josiah. 'Je klinkt nu net als hij.'

Boven hen was de lucht inmiddels bijna zwart geworden, de wind huilde hoewel de regen helemaal was opgehouden. De volgende stormgolf diende zich aan.

'Hoe weet je hoe zijn stem klinkt?' vroeg Danny.

'Geloof me, dat weet ik. Ik heb nu al een paar dagen naar hem geluisterd. Hem gezien en gehoord.' Hij draaide zich weer naar Josiah. 'Je ziet er niet uit zoals hij, maar je hebt zijn stem. Hij zit nu in je.'

'Altijd zo geweest,' zei Josiah. 'Heb je niet gehoord wat ik zei? We zijn bloedverwanten, onnozele klootzak die je bent. Jaren doen er niet toe… we zijn met elkaar verbonden, altijd al geweest.'

Josiah deed een stap naar voren en haalde uit met zijn geweer, raakte Shaw met de loop op de slaap en sloeg hem in het natte gras. Danny stiet een grom uit, deed een stap naar voren en Josiah draaide zich om en staarde hem aan.

'Wat doe je?'

'Niets. Ik ben niet…'

'Je kwam weer naar me toe, en ik schiet jou net zo gemakkelijk neer als een van hen.'

'Verdomme, Josiah, wat hij net zei is de waarheid.'

'Sinds hij een voet in mijn dal zette, is er nog geen waar woord uit zijn mond gekomen.'

'Gelul. Campbell heeft je verdomde hersens geïnfecteerd, precies zoals hij zegt.'

Shaw nam weer het woord, zijn stem klonk dik van de pijn. 'Laat Claire tenminste vrij. Laat haar gaan en welk probleem je ook met mij hebt, daar komen we wel uit. Maar zij heeft hier geen rol in.'

Josiah staarde op hem neer en zag uit een wond vlak bij zijn haarlijn bloed sijpelen dat langs de zijkant van zijn gezicht op het gras drupte. In de schaduwen leek het bloed zwart, maar toen bliksemde het weer en op dat moment stak het felle rood van het bloed sterk tegen het witte gezicht van Shaw af.

'Denk nou eens even na,' zei Shaw, en het leek alsof hij zijn tong nauwelijks bewoog. 'Denk na over wat je wilt en wat je daadwerkelijk kunt krijgen. Wil je geld? Oké, je krijgt je geld. Maar hoe denk je hier verder nog uit te kunnen komen? Waarom heb je haar zo vastgebonden? Wat heb je daaraan?'

'Ik zal krijgen,' zei Josiah, 'wat me toekomt.'

'Wat komt je dan toe?'

'Dit dal,' zei hij.

'Ik weet niet wat je daarmee bedoelt. En ik weet niet hoe het je helpt als je mijn vrouw pijn doet.'

'Dat is een kwestie van macht,' zei Josiah. 'Ik verwacht niet dat een man met jouw afgestompte geest begrijpt wat dat betekent. Ik was ooit heer en meester over dit dal, had het in de palm van mijn hand. Dat zal weer zo zijn.'

Er drupte nog steeds bloed van de zijkant van Shaws hoofd. Josiah moest hem flink geraakt hebben, zijn linkerarm trilde nu alsof hij Parkinson had.

'Laat hem niet meer vóór jou praten!' schreeuwde Shaw. 'Denk nou even ná, denk na over wat er écht gebeurt. De politie zit achter je aan. Als je hier blijft, word je gearresteerd. Maar ik kan voor geld zorgen en dan kun je vertrekken…'

'Houd verdomme je kop,' zei Josiah. 'Als ik van jou een suggestie verlang, laat ik je dat wel met mijn geweer weten.'

Maar Shaws woorden waren wel aangekomen, ze kropen door zijn hoofd en vertroebelden het doel dat hij najaagde. Wat wilde hij? Waarom was hij hier? Hij wendde zich van de anderen af, naar de westelijke bossen, en liet de wind hard in zijn gezicht blazen. Hij voelde de storm, proefde zijn woede. Heel even wilde hij alleen zijn met die wind. Een heel lang ogenblik maar.

Shaw stormde op hem af toen hij zijn ogen dichtdeed. Josiah had niet op het geweer gelet; dat hing losjes aan zijn zij, leunde tegen zijn dij en Shaw had het bijna te pakken. Wist zelfs zijn hand erop te leggen, klauwde naar de kolf en griste het bijna uit Josiahs greep.

Bijna.

Josiah rukte het van hem los en hamerde er met zijn linkervuist op los, raakte Shaw vierkant op het voorhoofd. Maar die volhardde, hield een arm om Josiahs middel en bewerkte hem met zijn andere vuist. Josiah wankelde naar achteren, wist met zijn vrije hand Shaws riem vast te grijpen en rukte eraan. Toen had hij ruimte om het geweer op te heffen terwijl Shaw een tweede keer naar hem uithaalde. Josiah draaide het geweer om zodat de kolf naar omlaag wees en sloeg ermee naar Shaws gezicht, miste dat en raakte zijn schouder. Er klonk een knappend geluid, een kreet van pijn en Shaw viel achterover in het gras en de modder. Josiah hief het geweer opnieuw op, tilde het deze keer hoog in de lucht en terwijl de vrouw een verstikte kreet door de tape over haar mond slaakte, flitste er een herinnering door hem heen, zag hij zichzelf weer in de greppel met die detective terwijl hij met dat stuk lavasteen zwaaide. Deze keer zwakte hij de klap af. Liet de kolf van het geweer met een kracht neerkomen die hem verwondde, maar niet doodde. Hij raakte Shaw boven op het hoofd, die neerviel en bleef liggen. Hij was nog steeds bij bewustzijn, tastte in de modder rond alsof hij wilde opstaan, maar vormde op dit moment geen bedreiging. Josiah wilde hem opnieuw slaan, met volle kracht, maar hield zich in, dacht aan de man die hij de vorige keer te vroeg had gedood.

Die fout wilde hij nu niet maken. De doden konden zich je niet herinneren en Josiah wilde dat deze klootzak zich hem zou herinneren. Dat was Campbells opdracht. Shaw wilde toch zo graag verhalen over de familie vertellen? Wilde Bradfords naam toch exploiteren? Dan mocht hij dít verhaal vertellen.

Josiah liet zich op een knie naast Shaw vallen, voelde door zijn zakken. Geen wapen, maar wel een telefoon. Twee telefoons zelfs: een leek al vernield door het water. Josiah legde beide op de grond en sloeg ze met de onderkant van het geweer tot moes terwijl Shaw kreunend en kronkelend aan zijn voeten lag. Josiah knielde opnieuw, pakte zijn oor vast, trok zijn hoofd naar voren en keek in de wegdraaiende ogen.

'Heb je ooit dynamiet horen exploderen? Van dichtbij, in levenden lijve?'

Shaw bewoog zijn lippen maar er kwamen geen woorden. Zijn oogleden fladderden en schoten weer open toen Josiah aan zijn oor draaide.

'Stel je voor dat er een hele kist de lucht in gaat, met zestig liter benzine om het een handje te helpen. Heb je enig idee hoe dat klinkt? Ik hoop van wel, want je zult er niet bij zijn om het mee te maken. Je zult het geluid zelf niet horen, maar er wel veel over te horen krijgen. Misschien hoor je het zelfs in je dromen. Ik kan me voorstellen dat dat gebeurt. Wanneer ze haar botten uit het vuur halen, zul je je niets anders meer kunnen voorstellen dan hoe het was. Je zult je dat nog lang voorstellen, vermoed ik. Geniet er maar van.'

Hij sloeg Shaws hoofd weer naar achteren en richtte zich op, liep naar de vrouw, vlocht zijn hand in haar lange donkere haar en sleurde haar overeind. Danny maakte opnieuw een afkeurend geluid en Josiah richtte de geweerloop op hem.

'Naar het pad, Dannyboy. We gaan weer naar het pad. Maar jij loopt nu voorop. Ik heb zo'n idee dat ik er niet langer op kan vertrouwen dat je aan mijn kant staat.'

'Verdomme, Josiah, laat haar hier. Laat haar bij hem. Er is geen reden om hiermee door te gaan. We stappen in mijn auto en rijden de stad uit. Waar je ook maar naartoe wilt man, we kunnen je erheen brengen.'

'Daarin vergis je je nou,' zei Josiah. 'Jij denkt dat ik ergens anders heen wil. Maar dat is niet het geval. Ik ben nog maar net thuis.'

Hij bewoog zijn vinger aan de trekker, stak zijn kin uit in de richting van het pad en spoot een fluim tabakssap die kant op.

'Lopen. We hebben nog een klus te klaren.'

58

Er kwam geen bericht over Josiah Bradford of over zijn pick-uptruck. Anne zat alleen in de koude kelder die rook naar in de val zittend vocht en stof, en scande de kortegolfzenders. Ze deed haar best de moed erin te houden, probeerde niet te denken aan het geluid van zijn vlakke hand tegen het gezicht van de arme vrouw.

Ze hoorde niets wat haar hoop in vervulling deed gaan.

Er kwamen meer dan genoeg berichten binnen – sterker nog, ze kon zich geen dag herinneren dat het zo druk was – maar die hadden allemaal met de storm te maken. Orleans was zwaar getroffen. In het noorden, in Mitchell, waren door zware windstoten bomen omgevallen en ramen uit gebouwen geblazen, en uit het kleine verkeersdrempelstadje Leipsic kwamen berichten over een brand die was uitgebroken nadat een elektriciteitskabel op een kapschuur terecht was gekomen. De tweede tornado, in Paoli, had een groep caravans uiteengeblazen, waarvan in sommige waarschijnlijk mensen zaten.

Urgente problemen, zonder meer, maar Anne was nu niet gespitst op berichten over schadegevallen in het noorden en oosten, maar over wolken in het zuiden en westen. Die gingen gepaard met heftige bliksemflitsen die tijdens de eerste storm van die dag hadden ontbroken – veertien kilometer verderop was een school getroffen – en het gebied waar de storm huishield, werd geteisterd door hagelstenen zo groot als een cent. Twee spotters die Anne kende en vertrouwde, gaven waarnemingen door van een beverstaartwolk, een slepende wolkenformatie die wees op een draaiende onweersstorm.

Maar nog alarmerender waren de berichten van spotters net buiten de nieuwe storm. In de contreien eromheen waren de stormen die zich hadden samengepakt aan het oplossen. Daar mocht de beginneling wellicht blij mee zijn, maar dat was helemaal geen goed teken, want het wees erop dat de energie van die perifere stormen door het grote front werd geabsorbeerd. Dat dat ermee werd gevoed.

De storm bewoog zich nu snel naar het noordoosten. Weer terug naar Annes dal.

Ze nam opnieuw contact op met de operator, werd kortaf geïnformeerd dat inspecteur Brewer nog altijd geen spoor van de truck had gezien.

'Zeg tegen hem dat hij nogmaals door dat gebied moet rijden. Hij is daar ergens.'

De operator zei dat ze hem zou vragen nog een poging te doen.

De wereld wilde maar niet stil blijven staan. Eric knipperde met zijn ogen, tuurde en probeerde zich te concentreren, maar hij bleef maar verschuiven, de bomen, aarde en lucht golfden om hem heen. De donkere bossen lichtten regelmatig door de bliksemflitsen op en het onweer kraakte zo erg dat de grond leek te beven, maar regen kwam er niet.

Hij streek met zijn tong langs zijn lippen en proefde bloed, probeerde rechtop te gaan zitten en voelde een stekende pijn in zijn sleutelbeen. Hij tastte naar zijn hoofdwond, maar met zijn bibberende handen kon hij die niet vinden, zijn vingers ratelden over zijn gezicht als een blinde man die voelde of hij iemand kon herkennen.

Hij was alleen.

Dat betekende dat Claire weg was.

Hij stiet een grom uit en werkte zichzelf op handen op knieën, kroop daarna naar een boom en trok zich daaraan overeind. De wereld kantelde opnieuw, maar hij hield zich stevig aan de boom vast.

Waar had hij haar mee naartoe genomen? Ze waren nog maar net weg, ze konden niet ver zijn. En hij moest erachteraan. Moest snel achter ze aan, want Josiah had een geweer en hij had iets gezegd over...

Dynamiet. Met zestig liter benzine om het een handje te helpen...

Die woorden had hij toch gehoord? Was het echt zo? Had Josiah Bradford dynamiet achter in zijn truck?

Wanneer ze haar botten uit het vuur halen...

Er was daar niemand die kon helpen. Kellen was nog bij de kolk, zijn auto waarschijnlijk verwoest en Claire was bij die man die zichzelf niet meer was. Hij was nu vergiftigd door Campbell, daar was Eric zeker van, hij had het aan zijn stem gehoord en in zijn ogen gezien.

Hij moest ze zien in te halen.

Hij moest ze snél zien in te halen.

Eindelijk had Josiah een doel, begreep hij het en wist hij hoe hij te werk moest gaan. Hij voelde zich als een man die lang in het duister had rondgetast en zich ten slotte realiseerde dat hij al die tijd een lucifersdoosje in zijn zak had gehad.

De omweg naar deze plek, die hem ver van het hotel en zijn uiteindelijke doel had gebracht, was raadselachtig, maar noodzakelijk om redenen die hij niet helemaal had kunnen bevatten. Nu, nadat hij Shaw had gezien, begreep hij die heel goed; Shaw en Campbell waren met elkaar verbonden, maakten deel uit van elkaar, maar anders dan Josiah en Campbell. Shaw had de geest van Campbell naar deze plek teruggebracht en dat had hij op een of andere manier begrepen. Hij begreep wat dat betekende. Campbell wilde dat Shaw gespaard bleef om het verhaal rond te vertellen; niemand anders was in staat om de ware eer toe te kennen aan degene die die toekwam. Eric Shaw was daar een uitzondering op. Waar het Campbell Bradfords erfgoed betrof, was Eric Shaw cruciaal.

Ze bewogen zich snel langs het pad, Josiah sleurde de vrouw mee en hield het geweer naar voren gericht, op Danny. Die was jarenlang zijn trouwste vriend geweest, maar Josiah had hem in de ogen gekeken en het bedrog gezien dat zich daar schuilhield, en hij wist heel goed dat Danny Hastings niet langer een bondgenoot was.

Dat gaf niet. Josiah stond op deze dag en in deze strijd niet alleen. Campbell was bij hem en een vuriger bondgenoot dan hij kende het dal niet. Ze zouden deze klus samen klaren, alle tegenstand kon naar de hel lopen.

Ze kwamen boven aan het pad en baanden zich een weg door de velden naar zijn truck. Nu er geen bomen meer stonden, kon hij over het akkerland naar de weg kijken en zag dat de zwaailichten die daar op zijn heenweg waren geweest, weg waren. Zeker weggeroepen naar een andere crisis. Hij bedacht dat waar ze ook naartoe gingen, het verdomme de verkeerde kant op was.

De truck stond nog waar hij hem had achtergelaten, onder de deuken en krassen, maar hij deed het nog steeds. Hij had nu alleen nog een laatste rit nodig, een handvol kilometers.

'Hier scheiden onze wegen,' zei hij tegen Danny toen ze langs de ondersteboven liggende Porsche kwamen. 'Je hoort de rest van het verhaal gauw genoeg, vermoed ik.'

'Wat bedoel je?'

'Ik heb de tijd, noch de wens om dat op te helderen.' Hij duwde de vrouw naar de achterkant van zijn truck, maar voor het eerst stribbelde ze tegen, kronkelde in zijn greep. Haar handen waren nog steeds vastgebonden, maar haar benen niet en ze schopte tegen zijn knie. Hij gaf haar een harde klap, verdraaide haar arm en gooide haar tegen de zijkant van de truck. Nu ze zich zo plotseling verzette, bedacht hij dat de laadbak van de truck niet de juiste plek voor haar was. In plaats daarvan moest ze bij hem in de cabine zitten, om haar dicht bij zich te houden.

Hij vond de rol duct tape in de laadbak van de truck en hield haar vast terwijl hij er wat van om haar onderbenen wikkelde. Toen sleurde hij haar naar de passagierskant, sloeg geen acht op Danny en rukte de deur open. Ze worstelde nog steeds, ging zo erg tekeer dat ze met haar achterhoofd tegen zijn gezicht sloeg en hij bloed in zijn mond proefde. Hij greep haar bij de nek en duwde haar naar voren, schopte met zijn knie tegen haar achterste en werkte haar naar binnen. Hij had net de deur dichtgeslagen toen Danny zei: 'Genoeg, Josiah.'

Josiah draaide zich om, keek naar hem en zag het mes in zijn hand.

Het was een knipmes, het lemmet was niet langer dan tien centimeter, zo eentje met een stalen knopje zodat je het snel met je duim kon openklikken en net kon doen of je stoer was. Josiah zag het en barstte in lachen uit.

'Ga je me neersteken?'

'Ik ga doen wat ik moet doen. Jij mag beslissen wat dat is.'

Josiah lachte opnieuw, hief het geweer op en krulde zijn vinger om de trekker.

'Mes tegen geweer,' zei hij. 'Als dat niet je hele pathetische leventje beschrijft, dan weet ik het niet meer, Dannyboy.'

'Wat je ook in je schild voert, je zult het zonder haar moeten doen.'

'O ja?'

'Ja.'

'Danny, als ik deze trekker overhaal, maak ik een eind aan je leven. Waarom begrijp je dat nou niet? Die bitch heeft geen donder met je te maken.'

'Het is niet goed en ik kan het niet toestaan.'

'Nou, ben jij even een nobele klootzak.'

'Wat haar man daarstraks zei, was de waarheid,' zei Danny. 'Jij bent dit niet meer. Ik begrijp niet wat er aan de hand is, maar je bent jezelf niet, Josiah. In de verste verte niet.'

'Wat heb ik je ook alweer gezegd als je me bij die naam noemt?'

'Dat bedoel ik nou, Campbells geest zit in je hoofd, precies zoals hij zei. Je praat de hele tijd verdomd raar, praat over Campbell alsof hij naast je zit. De man is dood, Josiah, en ik weet niet wat je in godsnaam bezielt, maar die man is dood.'

'En dat is nou precies de fout die al veel te lang is gemaakt,' zei Josiah. 'Er is geen greintje dood aan Campbell.'

Danny was een beetje dichterbij geschuifeld. Ze stonden nu nog maar zo'n anderhalve meter van elkaar af. Josiah genoot van dit gesprekje, Danny's poging om de held uit te hangen amuseerde hem, maar hij had geen tijd te verliezen.

'Blijf daar en ga opzij,' zei hij. 'Dit juffie en ik moeten verder.'

'Ze gaat niet met je mee.'

'Danny...'

'Dit zeg ik tegen je als vriend, Josiah, de beste vriend die je ooit in je leven hebt gehad, dat je verdomme je verstand hebt verloren.'

'Dat kan wel zijn,' zei Josiah, 'maar ik zal jóú iets vertellen: ik rijd niet in m'n eentje de brand in. Dat kreng gaat met me mee.'

'Waar heb je het over?'

'We gaan. Schiet op, pak je eigen auto.'

Danny zweeg lange tijd, toen keek hij naar de vrouw in de truck, duwde zijn dikke roze tong uit zijn mond en bevochtigde zijn lippen.

'Als iemand die rit met je moet maken, dan hoor ik dat te zijn.'

'Wil je haar plaats innemen?'

Danny knikte.

'En ík ben hier de krankzinnige? Je hebt niets met haar, jongen.'

'En jij hebt ook niets met haar.'

Josiah wankelde weer even, zijn gedachten verschoven, zoals ze dat al de hele dag hadden gedaan, en daar werd hij kwaad van. Hij had hier geen tijd voor, wist precies wat hij moest doen en was onderweg ernaartoe totdat Danny's dikke, sproetige reet hem met zijn gelul ophield.

'Stap in je auto,' zei hij nogmaals, deze keer resoluut.

'Dat is goed,' zei Danny, 'maar zij gaat met me mee.'

Hij hield Josiahs blik even vast, alsof hij wilde kijken of hij blufte, daarna bevochtigde hij nogmaals zijn lippen en deed een stap in de richting van de vrouw, en Josiah haalde de trekker over.

Het was lang geleden dat hij het geweer had afgevuurd en hij was de enorme terugslag vergeten die daarmee gepaard ging. Zijn armen schokten en zijn borst stuiptrekte, en Danny Hastings was verdomme bijna in tweeën geschoten.

Eric Shaws vrouw stiet van achter de tape een laag, smartelijk gejammer uit, duwde zich op de vloer van de truck, drukte zich tegen het dashboard alsof ze verwachtte dat hij een volgend schot door het raampje zou afvuren. Josiah negeerde haar volkomen, staarde naar wat hij had aangericht. Danny had zo dichtbij gestaan dat de ravage catastrofaal was. Er zat bloed op de truck, op Josiahs shirt en op zijn gezicht, heet en nat als tranen op zijn huid.

Hij veegde met een mouw van zijn shirt over zijn gezicht en staarde naar het lijk.

De beste vriend die je ooit in je leven hebt gehad...

Binnen in hem trilde iets, zwakte het besluit af waar hij onderweg op het pad zo vol van was geraakt. Hij moest hard slikken, knarste met zijn tanden toen Danny's bloed door het gras stroomde en plasjes vormde om Josiahs voeten.

Dit was niet de bedoeling geweest. Danny had zijn hand overspeeld, ja, maar hij had niet willen schieten. Niet op hem. Op iedereen, maar niet op hem.

'Klootzak die je bent,' zei Josiah en hij liet zich op een knie vallen, staarde naar Danny's linkerzij, waar zijn romp bijna van zijn benen loskwam. Het was anders geweest als hij een pistool had gehad; dan had hij een kogel in zijn been of zo kunnen schieten en hem zonder hem te doden van zich af kunnen schudden. Met een geweer had je die optie niet, als je dat van dichtbij afvuurde, was het niet alleen dodelijk, maar ook vernietigend.

Hij stak zijn hand uit en raakte het gras bij zijn voeten aan, doopte zijn vingertoppen in Danny's bloed.

'Dat is jouw bloed niet,' fluisterde Campbells stem hem toe. 'En jouw zorg niet.'

Maar nu had hij er moeite mee zich te concentreren, moeite om te luisteren. De warme, vochtige aanraking van het bloed van zijn oude vriend hield hem vast alsof zijn voeten in lavasteen gestold waren. Hij kon zich niet bewegen.

'Hij is geen bloedverwant van je, jongen, en je hebt werk te doen.'

Campbells stem, die bijna de hele dag zo resoluut en krachtig was geweest dat die soms Josiahs eigen stem werd, leek plotseling zachter. Hij was moeilijk te verstaan, het was moeilijk om ook maar iets anders te horen dan de weergalmende brul van het geweer.

Josiah wist niet meer wanneer hij Danny voor het eerst had ontmoet. Zo lang kenden ze elkaar al. Waren zomaar vanaf het begin door hun klotewereld gelopen, ze waren eerder familie dan vrienden. En die stomme klootzak was altijd met hem meegelopen. Zelfs hierdoorheen. Shit, hij was in dat houthakkerskamp naar hem toe gereden, had hem lang nadat hij wist dat Josiah een man had vermoord spullen gebracht. Hij had op Josiahs bevel Eric Shaw gevolgd, had in die verdomde tornado op hem gewacht.

En nu had hij aangeboden om de plaats van de vrouw in de truck in te nemen.

Wie zou dat verdomme ooit doen? En waarom?

'Verdomd, jongen, haal je handen uit zijn bloed en doe een stap naar achteren! Je moest luisteren. Dat was alles. Het enige wat je hoeft te doen is luisteren, en nu doe je dat niet.'

Maar hij wilde niet luisteren. Campbell zou tegen hem zeggen dat hij weg moest gaan, dat hij deze plek moest verlaten, en het voelde niet goed om Danny achter te laten op de plek waar hij was neergestort. Nee, hij kon hem niet alleen laten…

De vrouw haalde hem weer bij de les. Hij had haar polsen achter haar rug vastgebonden, maar haar vingers waren vrij, en op de een of andere manier had ze de deurkruk te pakken gekregen. Hij hoorde de klik van de ontgrendeling, en terwijl zijn gedachten van Danny Hastings weg schoten, draaide hij zich met een ruk om en zag haar voet door de cabine schieten toen ze achterover uit de truck viel.

Hij stond snel op, rende om de laadbak van de truck heen en zag haar in het stof liggen. Ze kon nergens heen, lag als een vis op het droge te spartelen, maar hij vond het al heel wat dat ze het probeerde. Josiah greep haar bij de achterkant van haar broek en sleurde haar overeind. Toen liet hij het geweer vallen om haar met beide handen weer naar binnen te duwen. Hij had de deur nog niet dicht of hij hoorde een vreemde, verre kreet.

Hij sloeg de deur dicht, griste met beide handen zijn geweer weg, draaide zich om en keek naar de bossen om zich heen. Hij hoorde de kreet nogmaals, deze keer verstond hij de woorden: niet doen. Eric Shaw was boven aan het pad gekomen, stond vlak aan de overkant van het veld. Josiahs vinger ging naar de trekker en even overwoog hij in Shaws richting te vuren. Maar dat deed hij niet.

'Je zult het zien!' bulderde Josiah. 'Je zult het zien en je zult luisteren! En je kunt geen moer doen om dit tegen te houden!'

Hij liep naar de bestuurderskant, rukte de deur open, stapte in en zette het geweer met de loop omlaag tussen zijn benen. De motor kwam brullend tot leven terwijl Shaw als een dronkenman over het veld wankelde. Josiah gooide de wagen in de versnelling en reed weg. In de achteruitkijkspiegel zag hij dat de man begon te schreeuwen.

Aan het eind van het grindpad sloeg hij links af en gaf plankgas; de versleten banden gierden over het natte wegdek. Hij reed naar het zuiden, bedacht dat hij dezelfde weg naar de stad terug moest nemen als waarover hij was gekomen. Hij zou daardoor weer langs de puinhoop komen die er van zijn huis was overgebleven, maar hij was vastbesloten daar zonder aarzelen of zelfs een vluchtige blik langs te racen.

Dat was althans gedurende de eerste anderhalve kilometer de bedoeling, tot het huis in zicht kwam en hij zag dat er een auto op de oprit stond. Een politiewagen. Josiah aarzelde, maar raakte het rempedaal niet aan. Ze namen de schade op, waren niet op zoek naar hem.

Dat idee hield stand tot de patrouillewagen naar voren reed, de weg blokkeerde en zijn zwaailichten aandeed.

59

Eric deed zijn best zich te haasten, maar zijn knieën zwabberden onder hem. Hij viel twee keer en wist weer overeind te komen, het duizelde hem, maar hij hield vol. Midden op het veld werd zijn hoofd helder en kon hij steviger op zijn benen staan. Vlak boven zijn schouder brandde het verschrikkelijk en hij voelde een natte, pulserende hitte op zijn schedel waar het maar bleef bloeden, wonden die Josiah hem met de kolf van zijn geweer had toegebracht. De pijn in zijn schedel was op drift geraakt tussen de hoofdpijn die zich de hele ochtend al had opgebouwd, en de klap van het geweer.

Hij was op honderd meter van Josiah Bradfords truck toen de banden slipten en hij over het grindpad naar de weg reed, met Claire erin. Eric bleef staan en schreeuwde dat hij moest stoppen, maar de truck flitste tussen de bomen door en was even uit het zicht. Daarna dook hij weer op, toen Josiah met piepende banden linksaf de weg op reed en naar het zuiden stoof. Eric stond in het veld en schreeuwde tot de truck weg was.

Hij werd door een plotselinge, dwingende windvlaag opzij geduwd en daardoor kwam hij weer in beweging. De luchttemperatuur leek vier graden te zijn gedaald en op het veld was het nu net zo donker als het tussen de bomen was geweest.

Verderop zag hij dat er twee auto's stonden: een witte sedan en een verwrongen, zwart wrak dat ooit Kellens Porsche was geweest. Die lag nu op z'n kop, vernield, maar de witte auto stond overeind en leek nog intact. Hij rende erheen, was er nog zo'n tien meter vandaan toen zijn oog op de rode vlek op de motorkap viel en hij naar het gras eronder keek. Zijn benen begaven het toen hij het zag. Hij struikelde en viel, kwam op handen en knieën in de modder terecht.

Er lag een lichaam voor de witte auto. Een samengeraapte, bloederige massa.

Hij stond op en liep naar voren, niet in staat adem te halen, de wereld om hem heen leek stil te staan en te zwijgen, ondanks de razende wind. Er lag zo veel bloed. Zo veel...

Het was Josiahs partner. Edgar Hastings' kleinzoon. Hij was in de linkerkant van zijn romp neergeschoten, er was een reusachtig, gerafeld schot door hem heen gegaan. Het leek helemaal niet op een geweerschot. Eerder alsof iemand er met een bijl op in had gehakt. Nu hij zo dichtbij was dat hij hem kon herkennen, strompelde Eric bij het lijk vandaan alsof dat elk moment kon opstaan en hem iets zou aandoen.

Claire niet. Het is Claire niet. En je hebt maar één schot gehoord... Je zag dat hij haar in de truck zette, en ze leefde. Dat moest wel, want er was maar één schot geweest...

Er was toch maar één schot geweest? Daar was hij zeker van en nu wist hij zeker wat dat schot had aangericht. Maar Claire was niet hier, wat betekende dat ze bij Josiah Bradford in de truck zat, een man die zojuist zijn eigen vriend had vermoord.

Dynamiet. Met zestig liter benzine om het een handje te helpen. Wanneer ze haar botten uit het vuur halen…

'Nee,' zei hij hardop. 'Verdomme, nee.'

Hij liep om het lijk heen naar de witte auto, rukte de deur open en keek naar binnen. Geen sleutel in het contactslot. Wie had hem hierheen gereden? Josiah was met de truck gegaan, dus waarschijnlijk had de dode man, Danny, in deze auto gereden.

Geen tijd te verliezen. Hij moest snel zijn, gewoon zonder erbij na te denken doen.

Hij liep weer naar het lijk en knielde ernaast, voelde gal in zijn keel omhoogkomen, kneep zijn ogen stijf dicht en stak een trillende hand naar de met bloed doorweekte broek uit. Hij zocht naar de zak, schreeuwde het bijna uit toen zijn vingers warm, vochtig bloed aanraakten, en duwde zijn hand naar binnen.

Daar waren de sleutels.

Veertig minuten nadat die dag de eerste tornado in de buurt van Orangeville de aarde raakte, kwam de derde in Martin County aan de grond waar de Lost River in de oostelijke arm van de White River uitkwam. De trechterwolk scheurde langs de rivieroever en blies daarna naar het noordoosten, sneed een rechte lijn door de kronkelige loop van de Lost River, alsof hij van plan was die helemaal stroomopwaarts te volgen. Toen de storm op de holtes van het Hoosier National Forest stuitte, kwamen twee natuurwonderen met elkaar in botsing en verloor hij zijn kracht op het oneffen, bosachtige terrein. Het was, zei een spotter, alsof het bos hem had verzwolgen.

Anne had zich op de stormberichten geconcentreerd, had van deze derde tornado gehoord, wist zeker dat hij niet de laatste zou zijn en dat het dal nu midden in een clusteruitbarsting zat, toen de operator van Orange County haar onderbrak.

'Mevrouw? Mevrouw McKinney? Inspecteur Brewer denkt dat hij de truck heeft gevonden.'

'Echt waar?'

'Een witte Ford Ranger? Klopt dat? Een kleine pick-uptruck?'

'Ja.'

'Nou, hij reed naar Josiah Bradfords huis en maakte daar een u-bocht. De agent zit nu achter hem aan. Hij heeft zijn zwaailichten en sirene aan, maar de bestuurder reageert niet.'

'Dat is 'm,' zei Anne opgewonden. 'Dat is 'm. Zeg hem voorzichtig te zijn. Er zit dynamiet in die truck!'

'Daar is hij van op de hoogte.'

'Zit er nog iemand in de truck?'

'Dat weet hij niet.'

'Ze moet bij hem zijn. Ze zit er vast in.'

'Ik begrijp het. Ik heb gezegd dat hij voorzichtig moest zijn.'

'Ik weet niet of dat sterk genoeg is uitgedrukt,' zei Anne. 'Het wordt een hele toer om die truck tegen te houden zonder…'

Haar woorden stierven weg. Ze wilde de mogelijkheid niet uitspreken.

'Ik begrijp het,' zei de operator.

Josiah kwam maar nauwelijks door de u-bocht heen. De rechterwielen slipten over het wegdek in het gras, maar de fourwheeldrive trok hem los en hij reed weer, weg van de smeris.

Misschien wilde deze kerel Josiah alleen maar tot staan brengen om te vragen wat hij van het huis wist. Misschien wilde hij hem waarschuwen voor de storm…

Maar toen kwam de sirene achter hem aan en verdwenen die gedachten. De smeris achtervolgde hem, was daar onmiddellijk toe overgegaan, en dat betekende dat hij door Josiahs truck in actie was gekomen en niet een-voudigweg door zijn gedrag.

Hij moest nu snel nadenken, verdomme, want zijn kleine Ranger zou die Crown Vic niet voor kunnen blijven. Als die stomme klootzak op hem begon te schieten of een botsing probeerde te forceren, zou hem een ge-weldige verrassing staan te wachten wanneer de truck mijlenver de lucht in zou worden geblazen. Het enige probleem daarmee was dat Josiah voor zijn lading een ander doel in gedachten had, en dat zou hem gaan lukken ook. Het was zijn laatste taak en hij mocht niet falen.

Maar dit zou enige tijd gaan kosten, tijd die hij niet had zo lang deze verdomde smeris achter hem aan zat. Hij liet zijn hand op de kolf van het geweer vallen en overwoog zijn opties. Uit een bewegende truck kon hij met het geweer niet doelgericht schieten en hij wist niet zeker of hij dan niet ook het dynamiet zou opblazen. Voor zover hij wist, moest je dat spul met een elektrische ontsteking tot ontploffing brengen, maar hij bedacht dat een brand de rest wel zou doen. Je kon geen dynamiet in de fik steken en ervan uitgaan dat dat rustig zou uitbranden. Met geweervuur zou het misschien ook lukken, maar Josiah was nu nog niet zover om zijn truck de lucht in te laten vliegen. Daarvoor had hij nog een paar kilometer te gaan.

Hij had tijd nodig. Meer had hij niet nodig, een beetje tijd.

Hij meerderde vaart tot honderd kilometer per uur, en nu merkte hij dat de smeris via de luidspreker van de patrouillewagen met hem probeerde te praten. De idioot zette bij zijn poging niet eens zijn sirene uit, en ook al had hij dat wel gedaan, dan zou de wind de woorden hebben weggeblazen. Die waaide nu als een razende, de hemel was gitzwart geworden, hier en daar zetten bliksemflitsen de wereld in een merkwaardig groene gloed.

De patrouillewagen hield de vaart erin, maar deed geen poging het gat te dichten, wat hem verbaasde. Waarschijnlijk praatte de smeris nu in de radio, legde hij de situatie uit en vroeg hij wat hij moest doen. Hoeveel wist hij? De kans bestond dat na de moord op de detective er een signalement van de truck was verspreid, maar er was ook een kans – hoe klein ook – dat die verdomde oude vrouw vanuit haar kelder op de een of andere manier hulp had weten in te schakelen. En als dat zo was, dan wist die kerel dat Josiah een gijzelaar had.

'Zie je nou wel,' fluisterde Campbell, en Josiah ving in de spiegel opnieuw een glimp van zijn gezicht op, overschaduwd, maar met gloedvolle ogen. 'Voor haar houdt hij er wel mee op. Hij moet wel.'

Ja, dat zou hij doen. Beschermen en dienen, dat was het motto, dat was de eed, en die stomme klootzak zou aan die belofte gehoorgeven, toch? Hij zou proberen om dat dode kreng te beschermen en te dienen wanneer Josiah haar op de weg zou gooien.

Terwijl hij met zijn linkerhand stuurde, pakte hij het geweer en legde dat dwars op zijn schoot, met de loop op Claire Shaws doodsbange gezicht gericht. Hij grijnsde toen hij voor haar langs naar de deurkruk reikte.

'Je zou ergens vandaag toch al doodgaan,' zei hij. 'Jammer dat het nu al moet.'

De operator van Orange County had Anne rechtstreeks met de politieagent doorverbonden die Josiah Bradfords truck in het oog had gekregen, een staatssmeris die Roger Brewer heette. Hij wilde dat ze bevestigde dat het om het juiste voertuig ging en wilde de situatie zoals ze die schetste zo goed mogelijk begrijpen, zo zei hij.

Ze luisterde terwijl hij de truck beschreef en zei 'Ja, ja, dat is 'm' en daarna waarschuwde ze hem voor het dynamiet, zoals ze dat met de operator had gedaan. Ze had nog geen tien woorden uitgesproken of hij onderbrak haar en zei: 'Verdomme, er gebeurt iets.' Na een halve seconde stilte zei hij nogmaals: 'Verdómme!' Toen hoorde Anne gierende banden die naar grip zochten, gevolgd door een gesmoord geluid van een klap en het verbrijzelen van metaal en glas.

'Wat is er gebeurd? Wat is er gebeurd?'

'Hij heeft iets op de weg gegooid,' zei de agent. 'Geef dit door, we hebben meer auto's nodig. Hij heeft zojuist… volgens mij heeft hij zojuist een lichaam op de weg gegooid.'

60

De auto van de dode man startte bij de derde poging, kwam kreunend tot leven door de vonk van een bijna lege accu. Eric zette hem in z'n achteruit en er schoot hem plotseling een idiote gedachte te binnen: het is de auto uit *Fargo*. Een witte Cutlass Ciera. Die film heb je met Claire gezien en voorspeld dat die voor een reeks Oscars zou worden genomineerd…

Hij was achteruit om het lijk heen gereden, er met een wijde boog omheen gegaan en had niet omlaag gekeken. De plas bloed op de witte motorkap rimpelde door het trillen van de motor.

Aan weerskanten van het grindpad stonden bomen en pas toen hij op de weg was, had hij vrij uitzicht op de lucht. De zwarte wolken leken vanuit het midden alle kanten op te drijven en een lichte cirkel te isoleren. De wind die nog zo intens had gewaaid toen hij door het veld rende, was nu compleet gaan liggen en verderop zagen de akkers er merkwaardig vredig uit.

Het kan niet nog een keer gebeuren, dacht hij, terwijl hij zag hoe de wolken uiteen weken. Twee op dezelfde plek, dat kan niet.

Hij zwenkte de weg op, sloeg links af in de richting die Josiah Bradford met zijn truck had genomen en gaf plankgas. Als er werkelijk nog een tornado aan zat te komen, dan was het maar goed dat Kellen nog steeds bij de kolk was. De kolk had hem al eerder gered.

Hij voerde de snelheid op tot vijfenzeventig kilometer per uur en morrelde aan de ruitenwisserknop, wilde af van de donkerrode plek opgedroogd bloed op het glas, toen een ander voertuig op de weg opdook. Hij haalde zijn voet niet meteen van het gaspedaal, maar toen kwam de wagen zo dichtbij dat hij hem duidelijk kon zien: een witte Ford Ranger met deuken in de motorkap en een stuk prikkeldraad dat verstrikt zat in de grill en onder de wagen werd meegesleurd.

Josiah.

Hij kwam terug.

Houd hem tegen, dacht hij, je moet hem tegenhouden. Maar de Ranger reed als een razende, minstens honderdtien en Claire zat erin. Als Eric met de auto over de weg zwenkte om de truck de pas af te snijden en de klap met de zijkant zou opvangen, zouden ze waarschijnlijk allemaal verongelukken. Om nog maar te zwijgen van een mogelijke ontploffing.

Hij zat als verlamd omdat hij niet wist wat hij moest doen. Hij minderde vaart tot dertig kilometer per uur, daarna tot vijftien, hield de handen stevig aan het stuur, terwijl honderd mogelijke manoeuvres door zijn hoofd schoten, die hij allemaal als te riskant overboord gooide. De truck was in beweging en de enige manier om een zich voortbewegend object tegen te houden was met een inslag. Eenvoudige natuurkundewetten die vandaag eenvoudige rampwetten zouden worden.

En dus bleef hij daar hulpeloos, onmachtig, zitten toen de Ranger langs hem brulde. Eric staarde in de cabine, probeerde een glimp van Claire op te vangen, maar toen de truck langs hem schoot, slaakte hij door wat hij zag een zachte kreet van angst en trapte op het rempedaal, waardoor de Oldsmobile midden op de weg tot stilstand kwam.

Campbell Bradford reed de truck. Niet Josiah maar Cámpbell zat over het stuur gebogen, in zijn donkerbruine pak en met bolhoed op, en in de kwart seconde waarin Eric zijn blik had ontmoet, was zijn mond vertrokken tot een grimas.

Josiah zag de Oldsmobile de weg op rijden en was zo verbijsterd, even zo vol hoop, dat hij bijna op de rem trapte. Dánny? Maar toen snapte hij het, begreep wat er gebeurd moest zijn, en greep het stuur stevig vast en trapte het gaspedaal dieper in.

'Hij gaat ons niet tegenhouden, jongen,' fluisterde Campbell. 'We gaan naar huis en die klootzak is niet sterk genoeg om ons tegen te houden. Hij heeft er de wilskracht niet voor.'

Inderdaad, die had hij niet. Josiah bleef snelheid houden, hield het stuur kaarsrecht, klemde zijn kiezen op elkaar en was klaar voor een botsing, maar Shaw bleef op zijn eigen rijbaan en liet de Ranger langs hem heen razen. Hij probéérde niet eens iets te doen, bleef alleen maar achter het stuur van Danny's Olds zitten toekijken hoe Josiah voorbijreed.

'Zei 't je toch, jongen. Zei 't je toch. Hij heeft er de wilskracht niet voor, net als de rest. Denk je dat die politieman ons nu kan tegenhouden? Dacht 't niet. Ze zijn niet sterk genoeg. In dit dal is niemand sterk genoeg.'

Dat waren ze zeker niet. Josiah vloog nu, de weg lag voor hem open, de wereld gaf zich aan hem over, zoals hij altijd had geweten dat hij dat ook zou doen.

De eerste achtervolgingswagen was hij kwijtgeraakt doordat hij de vrouw op de weg had gedumpt, en de voertuigen die zich bij de jacht zouden willen aansluiten, zou hij omzeilen. Hij was naar het westen gereden en had achterafweggetjes genomen, je kon op je vingers natellen dat er in de buurt van Orleans meer politie was, en als hij naar ze toe reed, zou hij het ze alleen maar gemakkelijker maken. Door bij ze vandaan te rijden, zouden ze achter hem aan moeten komen.

Hij was nu weer op de weg naar de kolk, Wesley Chapel was een witte vlek onder de zwarte hemel in de verte. Langs de kapel, dan weer een bocht naar links en zo snel mogelijk steeds meer naar het westen. Meer hoefde hij niet te doen.

De bliksem flitste weer en om hem heen glansden de velden met een donker, weelderig groen dat je alleen maar tijdens een storm zag. Hij kon niet geloven hoe groen alles eruitzag. Boven hem leek zich iets in de donkere wolken te openen. De storm hield het misschien voor gezien. Ja, zelfs de wind was gaan liggen. Alles om hem heen was rustig. Die verwachte ziedende storm zou dus toch uitblijven.

Maar er gebeurde wel iets in de lucht. Eerst was er alleen maar een vage beroering, toen een werveling van licht, daarna knipperde hij met zijn ogen en keek op. Links van hem zag hij dat er in de heldere cirkel die zich in het midden van de wolken had gevormd iets vreemds gaande was. Iets kwam… naar beneden. Ja, uit het midden van de donkere, kolkende ring viel een spierwitte wolk omlaag.

Een dun wit koord daalde bijna helemaal naar het veld vóór hem af, en bleef toen hangen. Aarzelde. De bovenkant zwiepte een beetje rond en de onderkant bewoog mee, en Josiah wist zeker dat het ding zich zou terug-trekken toen het zich plotseling razendsnel liet vallen en er een straal brui-ne aarde de lucht in schoot. De ramen van de truck trilden nu en de bomen langs de weg bogen mee met de krachtige wind die weer aanwakkerde. Alleen bogen ze de verkeerde kant op, besefte hij, ze bogen zich naar de wolk toe in plaats van ervan af.

Even liet hij het gas los. Hij was nu naast Wesley Chapel, waar Danny had geparkeerd en de tornado langs had zien gaan, en nu staarde Josiah naar de volgende. Hij had meer dan genoeg over zulke stormen gehoord – in het zuiden van Indiana waren ze niet ongewoon – maar had er zelf nooit een gezien. Het ding leek helemaal niet op de trechtervorm waar-over hij altijd had gehoord. Nee, het was gewoon een koord. Een wit koord dat de aarde met de lucht verbond en zich naar voren bewoog. Snel be-woog. Zich naar hem toe bewoog.

Hij keek in de achteruitkijkspiegel en zag Danny's auto over de weg aan komen rijden. Shaw had gekeerd en de achtervolging ingezet. Wat dacht hij verdomme nou helemaal dat híj kon doen?

Maar hij was hem toch aan het inhalen. De tornado was nu niet verder dan een kleine kilometer naar het westen toe, kwam uit de richting waar Josiah naartoe moest. Hij kwam dichterbij, maar niet razendsnel. Leek bij-na ontspannen. Beheerst scheurde hij over het land. Hij zag dat hij op een eenzame boom afkwam, zag dat de boomtop zich ernaar toe boog, en toen hing de wolk erboven en verdween de boom uit het zicht. Een ogenblik la-ter had hij de boom losgetrokken en was alleen de stronk nog over, maar bijna alle takken waren uit zijn top verdwenen. De wolk vrat zich een weg terug over het akkerland.

Hij lijkt wel op een hogedrukreiniger, dacht Josiah, hij ziet er precies zo uit als de straal van een hogedrukreiniger. Een dun wit koord met aan het uiteinde een onzichtbare en ongelooflijke beitel, die dat veld wegblaast alsof het niet meer dan een stoflaagje op een vloerplank is.

Hij keek opnieuw in de achteruitkijkspiegel en zag Danny's auto snel dichterbij komen.

'Je kunt hier niet blijven zitten, jongen. Er is nog werk te doen, hè? Ben je stoer genoeg om dat te doen? Heb je de kracht, de wilskracht?' fluisterde Campbell.

Natuurlijk had hij die. Natuurlijk. Josiah draaide naar links, van de kapel weg, en trapte opnieuw op het gaspedaal van de Ranger. Voor hem uit naderde de tornado de weg. De onderkant van het witte koord was bruin verkleurd en Josiah zag in de buitenste ring ervan puin ronddraaien. In die buitenste ring zaten een paar akelig grote dingen. Overal om hem heen dreunde de lucht als het gebrul van een krachtige locomotief.

Danny had gelijk, dacht hij, dat verdomde ding klinkt precies als een trein.

Hij zag de plek waar de wolk waarschijnlijk de weg zou kruisen en hij wist dat als hij er eerder zou zijn, hij de dans zou ontspringen, en dat Shaw, die nog altijd achter hem reed, waarschijnlijk het loodje zou leggen. Het was het spel van een paar tienerjongens, meer niet, een soort diefje-met-verlos. Destijds speelde niemand anders het spel zo koelbloedig als Josiah, en dat was nu ook niet het geval. Hij schatte in waar de storm en de weg elkaar waarschijnlijk zouden kruisen en trapte met zijn rechterbeen met zijn volle gewicht het gaspedaal in, terwijl hij de overbelaste zes cilinder hoorde kreunen.

'Je haalt het, jongen, succes verzekerd. Die storm houdt iedereen tegen die vanuit het oosten naar je toe probeert te komen, begrijp je dat dan niet? Dan is de weg van jou. Je moet het alleen even zien te redden, alleen de kracht en de wil tonen, houd die handen stevig aan het stuur en druk dat gaspedaal in…'

Hij was er nu pal naast en toen hij nog een laatste blik in de achteruitkijkspiegel waagde, zag hij dat Eric Shaw zich terug liet vallen. Vaart minderde, bang om deze reis te maken.

'Dat wisten we al,' zei Josiah. 'Hij heeft de kracht, noch de wil, zo is het toch, Campbell? De man heeft niet wat wij hebben.'

De truck reed nu honderddertig, nog zestig meter en hij was de storm uit. Het raam aan de bestuurderskant kwam onder het bruine stof te zitten en daarna was de voorruit aan de beurt. Josiah zag geen steek, maar dat maakte niet uit, want hij wist dat het aan de andere kant zou opklaren. Hij joelde van puur plezier en boog zich over het stuur, wist dat hij het had gehaald. Geen andere levende ziel zou deze rit hebben aangedurfd, en hij had het niet alleen aangedurfd, maar het ook gered.

De smaak van pure overwinning was het laatste waar hij zich van bewust was vlak voordat de truck naar links begon te glijden, en hij had tijd voor nog één gedachte, één laatste onuitgesproken vraag: waarom ga ik die kant op? Die kant wil ik helemaal niet op…

Deze tornado had niet de trechtervorm van die eerste, deze zag eruit als een woedende witte zweep en Eric geloofde zijn ogen niet toen de pick-up links afsloeg en er regelrecht op af reed.

'Wat doe je?' zei Eric. 'Wat doe je, gestoorde klootzak?'

De Ranger accelereerde, stoof op de storm af, die nu bijna op de weg was. Eric vloog langs het stopbord en zwenkte ook naar links, schoot even naar voren, zag toen wat er zou gebeuren en haalde zijn voet van het gaspedaal, terwijl hij zei: 'Laat het niet gebeuren, nee, laat het niet…'

De wolk stak het veld over, kwam bij de weg en slokte Josiah Bradfords truck op. Even was er niets anders dan de wolk, en Eric had nog tijd om de hoop te koesteren dat ze dit konden overleven toen de truck explodeerde.

De klap werd door het gebrul van de storm overstemd, maar Eric hoorde hem toch, en voelde hem. De hele auto schudde en het wegdek trilde onder zijn wielen, een oranje vlam barstte in het midden van de wolk uit. De wind nam de hitte mee en zoog die omhoog, de vlam klom naar het midden van het witte koord in de lucht, alsof er een lont uit de hemel bungelde. Toen was de wolk voorbij, de vlam binnenin verdween, en Eric kon de truck weer zien.

Die lag ondersteboven aan de zijkant van de weg, minstens twaalf meter verder dan waar hij op de langgerekte wolk was gestuit. De daksteunen waren bezweken en hij rustte plat op de grond, de witte lak bladderde af en eronder was het verkoolde metaal te zien. Vlammen knetterden over het chassis en likten uit de cabine.

Eric kon niet schreeuwen. Hij staarde naar het brandende wrak en wilde wel schreeuwen, maar kon het niet. Zijn kaken verstrakten en hij ademde bijna tegen de zin van zijn lichaam in, maar hij zweeg. Hij was zich er nauwelijks van bewust dat zijn auto werd meegesleurd tot hij de rechterwielen van de weg af voelde slippen en zich realiseerde dat de storm hem ernaartoe had gezogen. Maar hij was te ver weg, de greep werd losser en liet de auto half op de weg achter.

Hij morrelde aan het portier, maakte het open, stapte uit en rende naar de truck. Het was nu licht gaan regenen, een buitje dat totaal geen vat op de vlammen kreeg. Hij liep tot op een kleine vijf meter door totdat hij door de hitte werd teruggedreven, en nu hoorde hij zichzelf snikken terwijl hij naar het smeulende metaal keek.

Dit kon niemand hebben overleefd.

Hij bleef daar lange tijd staan met zijn handen als een schild tegen de hitte voor zijn gezicht. De vlammen brulden en kraakten, en doofden toen uit, van de cabine leek er niets meer over te zijn. Hij deed een paar stappen dichterbij en zag een smal stukje wit te midden van al die zwarte blakeringen, wist dat het bot was, en hij viel op zijn knieën om in het gras over te geven.

Hij stond daar op handen en knieën toen hij de stem hoorde. Niet de kreet van Claire die hij had gevreesd, maar een fluistering die hem nu vertrouwd voorkwam.

'Jij hebt me thuisgebracht. Het heeft een hele tijd geduurd. Ik ben te veel jaren weggeweest. Maar jij hebt me thuisgebracht.'

Hij kwam met een ruk overeind, staarde naar de smeulende truck en zag daarbinnen niets, alleen maar een en al as en hitte en dunne zwarte rook. Hij sloeg zijn ogen op en zag Campbell Bradford vlak achter de truck staan, zo dichtbij dat hij hem kon aanraken, maar ongedeerd door de vlammen.

'Denk je dat dat me kan doden? Je begrijpt geen snars van me, van wat ik ben. Hier ben ik sterk, sterker dan je kunt geloven, sterker dan waar jij tegen kunt opboksen. Ik ga niet dood. Niet zoals je vrouw.'

Eric wankelde achteruit, de weg op. Campbell glimlachte, boog zijn hoofd, kroop toen door de brandende cabine naar de andere kant, achter hem aan. Eric draaide zich om en zette het op een lopen.

Naast de Oldsmobile stond nu een wagen geparkeerd. Een zwaargebouwde kerel met een Indianapolis Colts baseballpet stapte uit een grote Chevy truck.

'Kerel, gaat het? Shit, heeft die tornado hem te pakken gekregen? Man, er is niets meer van over. Heb je gezien wat er is gebeurd? Zit er iemand in?'

Eric strompelde langs hem heen, opende het portier van Danny Hastings' Oldsmobile en ging op de bestuurdersstoel zitten. De man liep achter hem aan en achter hem kuierde Campbell Bradford over de weg.

'Hé, kerel... je moet op hulp wachten. Ik heb de brandweer gebeld. Je kunt niet rijden, man, niet na zoiets als dit.'

Eric sloeg de deur dicht, zette de auto in z'n achteruit en reed naar achteren, voelde hem schokken toen de rechterzijwielen weer op het wegoppervlak stuiterden. Hij bleef achteruitrijden toen de zware man dichterbij kwam en Campbell Bradford midden over de weg naar hem toe liep. De vreemdeling praatte op slechts een meter afstand van hem, maar nu kon Eric zijn stem niet horen. Hij kon alleen die van Campbell horen.

'Zij is dood en ik ben er nog. Voor altijd. Dacht dat je me onder controle kon houden, me tegen kon houden, me kon verslaan? Zij is dood en ik ben er nog.'

Eric reed het hele stuk naar de kruising bij Wesley Chapel achteruit. De oude witte kerk stond er nog altijd, onwetend van de twee tornado's die er vandaag aan weerskanten langs waren gekronkeld. Hij draaide aan het stuur en de voorkant van de auto zwenkte tot die naar het zuiden wees. Hij keek in de achteruitkijkspiegel terwijl hij gas gaf en zag dat Campbell vlak achter hem was, achter hem aan slenterde maar hem op de een of andere manier bijhield. Eric wendde zijn ogen af, gaf plankgas en scheurde over de weg. Voor hem uit zag hij politiezwaailichten, misschien een kleine kilometer verderop. Hij negeerde ze en sloeg weer links af het grindpad op, reed helemaal tot aan het einde en parkeerde de auto naast het dode lichaam van de eigenaar. Hij stapte uit, bukte zich en legde de sleutels in de hand van de dode man. Deze keer deinsde hij niet terug voor de aanraking, de aanblik of de wond.

'Je hebt vandaag her en der nogal wat lijken achtergelaten, hè?' zei Campbell. Hij was nu niet meer dan anderhalve meter achter Eric. 'Hoeveel mensen zijn er vandaag gestorven? Ik kan de tel amper bijhouden. Hier ligt er een, Josiah, je vrouw...'

Tussen de bomen, aan de kant van de weg achter hem, flakkerden nu zwaailichten, een politiewagen schoot langs en reed door naar het wrak van de Ford Ranger. Eric keek hem na en door de lichten schoot een verblindende pijn in zijn schedel, een enkele uitbarsting, alsof alle hoofdpijnen van de afgelopen dagen tot één ultieme martelgang samenkwamen.

Hij hapte naar adem en liet zich in het natte, bebloede gras vallen.

'Zo veel dode mensen,' zei Campbell. 'Zo veel. Maar weet je wat? Jij bent er nog, en ik ook. Ik ook.'

Eric keek naar hem op, keek in dat afgrijselijke, overschaduwde gezicht onder die bolhoed, en dacht: hij heeft gelijk. Hun bloed kleeft aan mijn handen, in elk geval dat van Claire. Ze kwam naar me toe om me te helpen, om me te redden en ik heb haar in de steek gelaten. Ben de storm in gegaan op zoek naar die bron en heb haar in de steek gelaten.

Dat was nu allemaal weg, alles wat hij ooit nodig had gehad, alles waarvan hij ooit had gehouden was weg omdat hij te zelfzuchtig, te stom was om te weten wat hij nodig had of hoe hij moest liefhebben.

Alleen Campbell was nog over.

Het trillen van zijn handspieren had zich naar zijn onderarmen verspreid en zijn linkerooglid trilde voortdurend. Zijn schedel deed zo'n pijn alsof iemand er nog eens luchtdruk in pompte; toen hij weer rechtop stond, had hij moeite om in een rechte lijn naar het voetpad te lopen, terwijl Campbell hem met een vreemde, fluisterende lach volgde.

Naar de hel ermee, hij ging z'n gang maar. Het enige wat ertoe deed was verdwenen; wat er overbleef, deed er niet toe.

Eric liep door naar de kolk.

61

Eric sloeg bij de eerste tweesprong links af, liet het pad dat hem naar Kellen zou voeren links liggen en liep in plaats daarvan langs de bovenkant van de richel. Algauw verliet hij het pad helemaal en klom tussen de bomen omlaag, regelrecht naar de afgrond, en keek naar beneden.

De kolk wervelde nog steeds. Het water stond nu hoger dan eerst, steeg nog altijd langs de klifwanden omhoog. Hij hoorde een kolkend geluid en zag dat het water aan de lage kant de top van de heuvel had bereikt en het droge kanaal in stroomde. Hij zag Kellen niet, maar dat was goed. Hij was waarschijnlijk verder weg geklommen, naar een veilige plek.

De heel donkere wolken waren verder naar het noordoosten weggedreven, en de lucht was nu wintergrijs terwijl er een lichte regen uit viel. Eric baande zich een weg langs de rotsrand, hield zich aan de bomen in evenwicht terwijl hij zich naar het uiteinde van de kolk bewoog, waar de klifwanden het hoogst waren.

Hij cirkelde achterlangs en nu kon hij Kellen zien. Hij was niet ver van de plek waar Eric hem had achtergelaten, misschien anderhalve meter hoger. Maar het water was nog niet bij hem in de buurt. Hij lag op zijn rug met zijn handen op zijn ogen gedrukt en zag Eric niet.

Vanaf het punt waar Eric stond, boven op de klifrand boven de kolk, waren er achter hem alleen maar bomen en akkerland, en vóór hem niets anders dan de open lucht en een verdomd lange val. Hij hield zich vast aan de stronk van een dunne boom die op de een of andere manier de verwoesting had overleefd die zo veel van zijn grotere, sterkere soortgenoten had opgeeist, en staarde in het kolkende water omlaag. Zo'n bizarre kleur… dit water hoorde ergens diep in Zuid-Amerika thuis, dat hoorde niet uit een verdwijngat in Indiana op te rijzen.

'Je hebt het opgegeven,' zei Campbell. 'Je bent niet sterk genoeg om verder te gaan. Zelfs niet sterk genoeg om mij onder ogen te komen. Ik kan je kracht geven. Ik kan alles zuiveren wat je bent kwijtgeraakt en het vervangen door de kracht die jij niet hebt. Het enige wat je hoeft te doen is luisteren.'

Iemand riep zijn naam, het geluid was boven Campbells fluisterende beloften uit te horen. Eric hoorde dat en realiseerde zich dat Kellen hem moest hebben gezien, en dat was niet best, want hij wilde niet opgehouden of afgeleid worden. Wilde zeer zeker niet tegengehouden worden. Hij stond zichzelf niet toe naar Kellen te kijken; in plaats daarvan richtte hij zich op die maalstroom van blauwgroen water en de spookachtige witte takken die er uit alle hoeken uit omhoogstaken.

Laatste woorden. Daar vroeg dit moment om, en ze zouden ertoe moeten doen; het was het einde van het laatste bedrijf, en dan telden de laatste woorden. Die waren het enige wat je aan het publiek meegaf. En hij had er geen.

'Ik kan je pijn in kracht omzetten, je verlies in macht. Wil je dat dan niet? Het enige wat van jou wordt gevraagd is dat je in staat bent instructies op te volgen.'

Hij hoorde zijn naam nogmaals, deze keer luider, en hij stapte naar voren zodat hij over de rand langs de rotswand omlaag kon kijken. Tijdens die beweging stootte hij tegen een losse steen die over de rand viel. Die boog terug tegen het klif, raakte de rotswand, brak in stukken en tuimelde in het water. Goed onthouden, hij moest ervoor zorgen dat hij zich zo ver afduwde dat hij in een vrije val terechtkwam.

Laatste woorden. Verzin iets, makker.

'Sorry,' zei hij zo zacht dat niemand dat met een mogelijkheid had kunnen horen, en toen stapte hij naar de rand toe, spreidde zijn armen, boog een keer door de knieën, sloot zijn ogen en zette af. Zette hárd af, maakte een mooie, krachtige sprong waardoor hij over het klif de lucht in schoot, en toen viel hij naar het water daaronder. Hij draaide tijdens zijn val, de wereld draaide om hem heen en hij zag Campbell Bradford op het klif staan. Onder de bolhoed zag zijn gezicht er bijna verdrietig uit.

In zijn val hoorde hij zijn naam één keer roepen, en deze keer, tuimelend door de lucht, wist hij bijna zeker dat het Claires stem was. Wat mooi, dacht hij, dat hij haar stem nog een laatste keer kon horen. Ze wachtte op hem.

Het laatste wat hij voelde was een koude schok.

Anne was bijna in tranen nadat de operator de verbinding tussen haar en Roger Brewer van de staatspolitie uit Indiana verbrak.

Een lichaam op de weg. Hij had een lichaam op de weg gegooid.

Het was niet eerlijk, het klopte niet. Anne had geprobeerd te helpen, had zo haar best gedaan om die rol te vervullen dat ze bijna had geloofd dat het was gelukt. En ze waren er dichtbij geweest. Ze waren er zo dichtbij geweest...

Na een volle vijf minuten nam de operator weer contact op om Anne te vertellen dat Brewer de gijzelaarster had, die gewond was, maar leefde. Ze had klaarblijkelijk een gebroken arm of sleutelbeen of zoiets. Anne kon de woorden nauwelijks volgen. De vrouw leefde nog. Ze was uit die truck en ze leefde nog. Wat hadden de zaken een verschrikkelijke wending kunnen nemen als ze dood was geweest. Het had absoluut een tragische dag kunnen worden.

'Maar het ziet ernaar uit dat iemand anders wel is omgekomen,' zei de operator. 'Er is hier een hoop verwarring. We sturen er meer agenten heen.'

U hebt het goed gedaan, mevrouw McKinney. Dank u wel.'

'Hoe zit het met Josiah?'

'Inspecteur Brewer moest de achtervolging opgeven toen hij de vrouw op de weg zag, maar volgens ooggetuigen is zijn truck door een tornado verwoest, even ten noorden van de plek. Dat lijkt te kloppen. Nou, mevrouw McKinney, ik moet weer terug naar mijn agenten. Het spijt me.'

'Dat geeft niet,' zei Anne. En dat was ook zo. Ze wilde wanhopig graag op de hoogte gehouden worden, maar de operator kwam om in het werk en ze wist dat ze een poosje moest zwijgen. Zwijgen en geduldig zijn. Uiteindelijk zouden ze haar het nieuws wel vertellen en eraan denken om iemand naar haar toe te sturen om haar uit de kelder te halen. Dat had allemaal geen haast. Ze had gedaan wat ze kon.

Ze keek naar de oude amateurzender en voelde tranen in haar ogen prikken. Wat wilde ze graag dat Harold had meegemaakt welke rol die zender vandaag had gespeeld. Welke rol zíj vandaag had gespeeld.

Het enige wat haar speet was dat ze de stormen niet had gezien. Ze had zo lang gewacht om een tornado te zien. Ze was bang voor tornado's, o ja, maar altijd vol ontzag. Geboeid door wat ze waren en wat ze konden aanrichten. Ze had er zo veel over gelezen, ze zo zorgvuldig bestudeerd en toch had ze er nog nooit een gezien. Nu waren er in nog geen uur tijd vier door het dal heen geraasd en het enige wat ze ervan had gezien was die eerste slepende muurwolk.

Maar het gaf niet. Er waren vandaag mensen gered. Josiah Bradford was klaarblijkelijk dood en dat was op zichzelf tragisch, want ze wist dat er deze dag iets niet goed zat in het hoofd van die jongen. Maar hij was in zijn eentje gestorven, zonder onschuldige mensen met zich mee te nemen, zonder haar geliefde hotel aan te vallen waarmee hij had gedreigd. Dat hotel was een pracht die duisternis en verdriet had overleefd en ze was vastbesloten geweest er alles aan te doen om het te beschermen.

Een stormspotter, dat was ze. Altijd waakzaam, vastberaden om de waarschuwingssignalen te zien en ze op tijd door te geven om de mensen in dit dal te helpen. Nou, dat had ze vandaag absoluut gedaan. Het was niet het soort storm dat ze voor ogen had gehad, maar ze had de kans gehad om te helpen, zoals ze altijd had geweten dat ze zou doen. Zo veel jaren had ze de lucht in de gaten gehouden en gewacht met de stille zekerheid dat ze nodig zou zijn.

Vandaag was ze dat geweest.

Dat voelde goed.

Er kwamen nog steeds berichten uit de omgeving binnen, maar het leek erop dat de tornado, die even ten westen van Wesley Chapel had toegeslagen, de laatste van de clusteruitbarsting was. Daarmee kwam ze op een totaal van vier, geen onthutsend aantal voor zo'n storm, maar ook niet niks. Het zou nog lang duren voor de schade was opgeruimd. Op Josiah na had ze geen berichten gehoord dat er meer doden waren gevallen, en dat was mooi. Gebouwen kon je herstellen. Een leven niet.

Misschien had ze een beetje aan het bureau zitten doezelen. Ze moest even weggeweest zijn. Ze werd wakker van het geluid, een zoem die luider leek te worden en dichterbij kwam.

Ze draaide zich om in haar stoel en keek naar de kleine ramen omhoog die boven in de westelijke muur zaten, en was geschokt toen ze tot de ontdekking kwam dat ze erdoorheen kon kijken. Vroeger waren ze altijd onbruikbaar geweest, ze filterden slechts een sprankje zonlicht door; ze waren niet meer dan vijfentwintig centimeter breed, bevonden zich vlak onder het plafond en waren van dik accuglas gemaakt. Op de een of andere manier kon ze vanuit deze hoek perfect naar het westen kijken. Ze zag de glooiende akkers op de heuvelruggen, en aan de horizon een strook donkere wolken.

Het zoemen groeide aan tot een gebrul, en iets wits daalde uit de donkere wolken neer. Anne realiseerde zich tot haar opperste verbazing dat ze naar een tornado zat te kijken.

Eerst de belangrijke dingen: de radio. Doe je werk, Annabelle. Doe je werk.

Ze zond een bericht uit, kort en bondig; gaf haar coördinaten door en zei dat een trechterwolk de grond had bereikt en dat die zich naar het noordoosten bewoog. Een paar spotters antwoordden, vroegen of ze in veiligheid was en drongen erop aan dat ze zo ver mogelijk bij de buitenmuren vandaan bleef. Ze bedankte ze, deed de radio uit en stond uit haar stoel op.

De wolk leek bijna niet verplaatst te zijn terwijl ze haar bericht verzond. Nu ze zich er nogmaals naartoe draaide, bewoog hij zich weer, alsof hij op haar had gewacht.

Nadat ze was opgestaan bedacht ze dat ze naar de ramen wilde lopen om te kijken of ze er een nauwkeuriger blik op kon werpen. De muren van het huis trilden en toen ze langs de voet van de trap liep, zag ze een streep licht over haar voet schijnen. Ze keek op en zag dat de deur open was. Door het schudden van het huis was het obstakel dat Josiah Bradford daar had verankerd duidelijk los getrild.

Natuurlijk was ze in de kelder het veiligst, maar plotseling leek dat er niet meer toe te doen. Ze wilde deze storm zíén. Ze had er zo lang op gewacht om er een mee te maken en nadat ze eindelijk de rol had kunnen spelen waarvan ze wist die haar van oudsher toebehoorde, paste het bij een dag als deze dat ze die kans zou krijgen. Het voelde bijna als een geschenk, alsof deze alleen voor haar was bedoeld.

In het begin nam ze de treden langzaam, hield zich met een hand aan de leuning vast, maar halverwege besefte ze hoe stevig en sterk haar tred was. Haar benen hadden in jaren niet zo aangevoeld. Ze liet haar hand van de leuning vallen.

In de woonkamer boven draaide ze zich om en keek uit het grote raam naar het uitzicht. De wolk was nu dichterbij en ze kon zijn bewegingen, de fascinerende wervelende lagen, duidelijk zien. Alles in het lagere gedeelte was spierwit, het soort wit dat pijn deed aan je ogen, als zonlicht op een besneeuwd veld.

Ze had het idee dat het gemakkelijker was om hem buiten te bekijken, het merkwaardige gevoel dat ze met de komst van de storm iets te vieren had, en daar wilde ze op proosten. Haar geheugen liet haar zeker in de steek; hoewel ze zich niet herinnerde dat ze in jaren drank in huis had gehad, stond er een fles gin op het buffet. Tanqueray, haar favoriet. Er stond een glas met ijs naast, en op de rand zat al een schijfje limoen.

Ze schonk de gin en tonic in het glas en wist op de een of andere manier zeker dat er geen haast bij was, dat de storm op haar zou wachten. Ze kneep de limoen in het drankje uit en bracht het naar haar lippen, nam een paar teugjes.

Verrukkelijk. Je was nooit te oud om zoiets te proeven.

Ze zette het glas neer, likte langs haar lippen en liep naar de voordeur. Ze voelde nog geen steekje pijn in haar knieën of heupen, en haar rug voelde sterk en soepel aan, klaar om zwaar te tillen. Sterker nog, ze voelde hoe soepel ze liep, kreeg die ouderwetse tred uit haar jonge jaren weer te pakken, waardoor hoofden haar kant op hadden gedraaid. Ze was niet vergeten hoe ze zich moest bewegen.

Ze had nog een paar pumps naast de deur staan, prachtige, zwarte hoge hakjes die ze in geen jaren had gezien. Wat die hier nou deden, wist ze niet, maar nu ze vanmiddag zo stevig op haar benen stond, droeg ze die liever dan die malle witte tennisschoenen.

Uit gingen de tennisschoenen en aan gingen de hakjes, daarna de deur uit en de veranda op. De trap af en de tuin in, daarna linksaf en langs het huis naar het lege veld erachter. Overal waren de wolken donker, maar de trechter bleef wit. Vreemd, want inmiddels had er puin in moeten zitten, heel veel puin, hij had de viezigheid geabsorbeerd moeten hebben waardoor hij felgrijs werd zoals je dat altijd op de foto's zag.

Hij brulde zoals ze had verwacht; het geluid van een trein. Maar het was geen angstaanjagend geluid. Eerder vertrouwd. Nam haar mee terug naar andere plekken. Nee maar, het klonk net als die oude Monon, de trein uit haar jeugd.

Ze liep naar de rand van de tuin en wachtte af, kon de glimlach niet van haar gezicht weren en de tranen die over haar wangen liepen evenmin. Raar om hier zo te staan huilen terwijl ze ernaar keek, maar de wolk was ook zo mooi. Er zat magie in en zij mocht dat meemaken.

Wat kon je je nog meer wensen?

62

Campbell stond met een lantaarn in zijn hand met Shadrach Hunter aan zijn zijde terwijl de regen om hen heen neerstortte. De jongen was in een ondiepe greppel onder hen aan het werk, haalde kapotte stukken kalksteen weg.

'Kijk eens aan!' riep Campbell. 'Daar is hij, Shadrach. De bron, precies zoals ik had beloofd.'

Het lantaarnlicht wierp een witte gloed op de ondiepe, zacht borrelende bron, die tevoorschijn kwam nadat de jongen de stenen had weggehaald. Toen Campbell de lantaarn er recht boven hield, leek de poel het licht te absorberen en te verbergen.

'Jongen, geef hem een fles.'

De jongen haalde een groene glazen fles uit zijn jaszak. Hij haalde de kruk eraf en hield hem ondersteboven, zodat Shadrach kon zien dat hij leeg was, daarna knielde hij en doopte de fles in de bron. Toen die vol was, richtte hij zich op en gaf hem aan Shadrach, die er een slok van nam.

'Zeg jij het maar,' zei Campbell.

'Smaakt naar honing,' zei Shadrach Hunter. Zijn donkere stem klonk ongemakkelijk. 'Als suikerwater.'

'Ik weet 't. Dit deed de oom van de jongen in die drank, en daar kan geen andere drank aan tippen. Dat weet je, Shadrach. Dat weet je.'

'Ja,' zei Shadrach en hij gaf de fles aan de jongen terug.

Campbell grinnikte, gaf de jongen met zijn vrije hand een duw en zei: 'Dek 'm weer af.'

De jongen ging de greppel weer in en legde de stenen terug. Toen dat klaar was, was het water niet meer te zien en nauwelijks meer te horen.

'Nou, wat dacht je ervan,' zei Campbell, terwijl hij de lantaarn van de ene naar de andere hand verplaatste. Die siste toen de regen tegen het glas spetterde. 'Je zei dat je me geen cent wilde geven tenzij je de plek zag, tenzij je wist dat hij echt bestond. Je hebt 'm nu gezien, nietwaar? Hij bestaat echt.'

'Inderdaad, ja.'

Campbell boog zijn hoofd iets naar achteren, zijn gezicht verdween in de schaduwen. 'Nou dan. Dit was mijn aandeel in de deal. Nu jouw aandeel nog.'

Shadrach verschoof iets, haalde een hand uit zijn jaszak en streek ermee over zijn gezicht om wat van de nattigheid weg te vegen.

'Laten we onder het lopen onderhandelen,' zei hij. 'Ik wil die regen uit.'

Hij liep bij de bron vandaan zonder Campbell een kans te geven daar tegen in te gaan. Vanaf de bron liep er een heuvel omhoog, die liep hij op waarna Campbell en de jongen achter hem aankwamen. Ze gingen het bos in.

'Wat is je plan?' vroeg Shadrach.

'Mijn plan? Dat weet je toch! Daar ligt een fortuin, een fortuin dat uit de rotsen stroomt. Die oude man maakte nooit meer dan een stuk of twaalf kruiken per keer. Hij was een stomkop. Het ontbrak hem aan de ambitie om in te zien wat hij eraan kon overhouden, dat er een fortuin op hem lag te wachten. Nou, de jongen weet ook hoe je de drank moet maken.'

'Dus je bent van plan om… uit te breiden.' Shadrach had zijn gezicht van Campbell afgewend en liep met kordate tred door het bos.

'Uitbreiden?' Campbell staarde Shadrach aan alsof hij Grieks had gesproken. 'Verdomme, dat is veel te zacht uitgedrukt. Ik ga meer geld maken dan waar iemand in dit dal ooit van heeft gedroomd. Ik heb connecties in Chicago; Capone en de hele rambam. Het netwerk zit daar. Het enige wat wij hoeven doen is voor de voorraad zorgen.'

'En je wilt mij als investeerder.'

'Meer hoef je niet te zijn. Aan het eind van het jaar is je aandeel vertienvoudigd. Geloof dat maar.'

'Waarom ik?' Ze waren nu boven aan de heuvel gekomen en liepen over een beboste richel. Campbell liep aan de linkerkant, het dichtst bij de rand.

'Verdomme, man, verder zit iedereen aan de grond! Ben je daar nog niet achter? Jij bent de laatst overgebleven man in het dal die dollars achter zijn naam heeft staan.'

Shadrach Hunter glimlachte. 'Wil je mijn dollars zien?'

'Ik zou er graag gebruik van maken, ja.'

Hunter bleef staan. Hij reikte in zijn jas en haalde er een zilveren geldclip uit. Hij trok de biljetten eruit en telde ze. Veertien biljetten… allemaal van één dollar.

'Alsjeblieft,' zei hij terwijl hij het geld in de clip terugdeed en die aan Campbell aanbood. 'Dat is mijn voorraad, Bradford.'

Campbell keek hem ongelovig aan. 'Wat is er in godesnaam met jou aan de hand? Ik heb altijd gehoord dat je voor een zwarte stiekem slim was. Meedogenloos. Denk je dat ik een grapje sta te maken? We kunnen een fortuin verdienen!'

'Ik geloof je,' zei Shadrach Hunter. 'Maar ik heb geen geld. Dit is alles wat ik heb… veertien dollar.'

'Gelul.'

Hunter haalde zijn schouders op en stopte de geldclip weer in zijn zak. 'Niets is zo lullig als de waarheid, Bradford.'

'Iedereen weet dat je al jaren geld afroomt. Je hebt het gewoon ergens weggestopt. Een verdomde vrek, dat ben je.'

'Nee, dat is wat die roddelende oude dwazen in het dal van me bewéren. De waarheid ligt anders.'

'Ik geloof je niet.'

'Hoeft ook niet, maar door me niet te willen geloven krijg jij je zakken niet vol met de dollars die ik eenvoudigweg niet heb.'

Het was een poosje stil. Toen zei Campbell: 'Dat had je me dagen geleden ook kunnen vertellen, klootzak.'

'Als ik dat had gedaan, had ik die bron niet gezien, wel? Ik wilde weten of het waar was wat je zei. Nou, moet je horen, we kunnen hieraan gaan werken. Een manier vinden om hier wat van te maken. Ik heb die drank geproefd, en ik geloof wat je zegt... dat het een goudmijntje is. Ik heb alleen niet de cash die je nodig hebt. Maar ik zal met je samenwerken om te kijken of...'

'Nu weet je waar hij is,' zei Campbell. Hij praatte nu zachter en met donkere stem. Hij had zijn gezicht naar Hunter toegewend en zijn rug was nu naar de rand van het ravijn toegekeerd, er niet meer dan een paar stappen vandaan. 'Je hebt me voor gek gezet, hebt me ertoe aangezet je te laten zien waar hij is.'

'Ja, en nu ik weet dat hij echt bestaat, kunnen we proberen uit te vissen hoe we...'

Campbell moest de lantaarn weer verplaatsen om zijn pistool te pakken. Hij had de lantaarn in zijn rechterhand vastgehouden en wilde duidelijk niet graag met zijn linker schieten, want hij pakte de lantaarn over voor hij het wapen trok. Daardoor had Shadrach Hunter genoeg tijd om het te zien aankomen en schoot feitelijk als eerste.

Hij schoot door zijn jaszak heen en het pistool bleef met de neerwaartse loop haken. De eerste kogel trof Campbell recht in de knie waardoor hij viel, en de tweede ging door zijn linkerzij. Campbell had toen eindelijk zijn pistool vrij en vuurde terug vanaf de grond, één schot dat Shadrach Hunter in het voorhoofd trof.

Hunter was dood tegen de tijd dat hij op de grond lag. Campbell maakte de fout door te willen opstaan. Hij richtte zich op maar zijn gewonde rechterbeen schoof onder hem weg. Hij brulde van de pijn en viel achterover, kwam op de grond terecht en rolde om. Het pistool tuimelde uit zijn hand, Campbell gleed over de rand van de richel en een tijdlang was het geritsel van bladeren te horen en daarna en een kreet van pijn.

'Verdomme, jongen, help me!'

De jongen liep naar Shadrach Hunter toe en staarde naar hem omlaag. Toen bukte hij zich, pakte Campbells wapen op en liep naar de rand van de richel.

'Jongen! Kom hier en help me!'

De jongen greep met een hand een dunne zaailing vast en boog zich over de kam voorover. Campbell was de heuvel afgegleden tot aan de rand van een brede waterpoel, waar hij tot aan zijn borst in het water hing. Met een hand hield hij stevig een uitstekende wortel vast en probeerde zich grommend uit de poel op te hijsen. Dat lukte niet. Hij gleed weer in het water terug en alleen het feit dat hij de wortel vasthad, voorkwam dat hij kopje-onder ging. Door zijn inspanningen was hij alleen maar dieper in de poel gezakt.

'Je krijgt één kans om hier te komen en me te helpen, jongen. Als je nog één seconde wacht, moeten ze nog wekenlang de stukken van je oprapen. Heb je me gehoord?'

De jongen zei niets. Hij ging boven op de richel zitten en keek zwijgend toe. Het regende nog altijd hard en het water in de poel steeg en wervelde rond. Campbell kon de wortel niet langer vasthouden toen het water hem probeerde los te trekken, maar hij wist zich al plonzend weer vast te grijpen en vocht voor zijn leven.

'Kom hier, jongen. Kom met je waardeloze reet hierheen tenzij je net zo wilt eindigen als je oom.'

Campbells stem werd zwakker. Zijn gezicht was spierwit. De jongen bleef zwijgen.

'Je begrijpt niet waarin je verstrikt raakt,' zei Campbell. 'Dat zou je nu toch moeten weten. Je bent lang genoeg in m'n buurt geweest om daar een idee van te hebben. Denk je dat ik de eerste de beste man ben? Denk je dat soms? Ik heb een macht die jij niet eens kunt bevatten, jongen. Dit dal is aan me gegeven. Denk je dat je veilig voor me bent als ik hier verdrink? Je bent een smerig stuk vreten. Voor mij kun je je niet verstoppen.'

De jongen trok de lantaarn dichter naar zich toe. Hij hield het pistool in beide handen vast.

Campbell jankte van woede en probeerde zich nogmaals uit het water te trekken. Deze keer scheurde de wortel, brak bijna helemaal af en Campbell ging even kopje-onder voordat hij zichzelf zover omhoog kon trekken dat zijn gezicht boven water bleef.

'Je gaat me niet laten verdrinken,' schreeuwde hij. 'Je laat me toch zeker niet dóódgaan!'

De jongen gaf geen antwoord.

'Uiteindelijk krijg ik je te pakken,' zei Campbell met zo'n zachte stem dat die boven de regen uit nauwelijks te horen was. 'Je zult mijn woede voelen, jongen, iedereen in dit hele verdomde dal zal die voelen. Denk je dat je veilig bent als ik dood ben? Jongen, dit beloof ik je: niemand is veilig voor me tenzij ze mijn naam dragen en van mijn vlees en bloed zijn. Begrijp je dat? Alleen mijn familie zal gespaard worden, klootzakkie dat je bent. En jij bent geen familie. Ik kom achter je aan. Dat zweer ik. Ik kom achter jou aan en achter iedereen die geen bloedverwant is en niet mijn naam draagt.'

De bungelende wortel brak af. Campbell stiet een rauwe kreet uit van verbazing en pijn, glipte toen naar achteren en was aan het water overgeleverd. Toen hij weer aan de oppervlakte kwam, lag hij ondersteboven en bewoog niet meer. De jongen zat naar hem te staren. Na een tijdje pakte hij een paar stokjes en gooide die naar het lichaam. Er gebeurde niets.

Hij ging staan en zocht voorzichtig zijn weg van de richel naar de rand van de poel. Daar zette hij de lantaarn neer, deed zijn jas en schoenen uit, rolde zijn broek tot zijn knieën op, haalde de groene fles uit zijn zak en waadde met de fles in de hand het water in.

Campbell dreef nog altijd met zijn hoofd omlaag, stootte tegen de rotsen die de poel omringden. De jongen kwam bij hem en draaide hem om, waardoor het witte gezicht zichtbaar werd. De ogen stonden nog open.

Hij keek even naar het gezicht van de dode man, daarna verplaatste hij het lijk en vond de wond in Campbells linkerzij. Hij drukte de fles tegen de wond en keek toe hoe het bloed eruit lekte en zich bij het bronwater voegde dat al in de fles zat. Hij kneep er net zo lang bloed uit tot de fles vol was met het mengsel, nam hem weg en deed de stop erop.

Nadat de fles weer in zijn zak zat, greep de jongen Campbell bij de schouders en sleurde hem door het water. Hij waadde tot aan zijn middel in het water langs de zuidkant van de rotswand en bewoog zich voorzichtig voort. Hier was het lantaarnlicht gedempt. Hij bleef staan op een punt waar het water tussen de rotsen gorgelde, uit de poel glipte en weer onder de grond verdween. Hij probeerde Campbell in het donkere gat te duwen, maar de schouders van de dode man bleven steken. De jongen draaide hem langzaam om, roteerde hem in het water en probeerde het met de voeten eerst. Deze keer ging hij er gemakkelijker doorheen, tot aan zijn middel. Daarop legde de jongen zijn handen op beide schouders en duwde hard terwijl hij gromde van inspanning. De jongen hield even op, maar toen het water verder steeg en tegen de rotswand klotste, duwde hij het lijk uit het zicht onder de grond.

Hij waadde naar de oever terug, waar hij zijn schoenen en jas aantrok. Hij controleerde de fles en stopte hem voorzichtig in zijn zak terug. Daarna pakte hij de lantaarn en het pistool, klom de heuvel weer op en keerde naar Shadrach Hunters lijk terug, knielde neer, pakte de geldclip met de veertien dollar en stopte die in zijn zak.

Hij richtte zich weer op, met de lantaarn in de ene en het pistool in de andere hand, en liep de donkere bossen in. Een trein floot schril door de heuvels. Hij liep in de richting van het geluid.

De gloed van de lantaarn nam af en werd steeds vager tot hij in het donker nog amper zichtbaar was, en daarna was er niets dan duisternis en het geluid van ruisend water. Daarop nam het licht van de lantaarn weer toe en werd feller, alsof de jongen ergens in het bos stil was blijven staan en had besloten terug te keren. Het licht nam steeds meer toe tot de donkere bossen helemaal wegsmolten en er niets anders was dan dat glanzende, flakkerende licht en...

De lucht.

Grijze lucht.

En een stem.

Claires stem.

Epiloog

Dit is wat hij zich herinnert. De lantaarn die door de donkere bossen terugkeert, de warme lichtflakkering, de grijze lucht, Claires stem.

Hem werd verteld dat hij zich niets had moeten herinneren. Dat hij een kwartier onder water had gelegen voordat ze hem eruit haalden.

In het ziekenhuis leerde hij nieuwe termen: apneu, wat een tijdelijke ademstilstand betekent; cyanotisch, wat betekent dat je een blauwachtige kleur krijgt; EMD, ofwel elektromechanische dissociatie, wat betekent dat een elektrocardiogram wel hartactiviteit registreert maar dat er geen pols is. Met andere woorden, het hart leeft nog, maar is niet in staat om zijn werk af te maken.

Die termen kreeg hij opgeplakt toen hij eenmaal in de ambulance lag.

Kellen was als eerste in het water. Hij zag Eric springen, zag waar hij neerkwam, waar hij het water doorkliefde, precies tussen twee omgevallen bomen die hem hadden kunnen doorboren. Kellen markeerde de plek, maar met een op twee plaatsen gebroken enkel kon hij niet snel genoeg bij het water komen en was het lichaam verdwenen.

Eén ding verbeeldde Eric zich absoluut níét: Claires stem op het moment dat hij sprong. Ze kwam op dat moment het pad af met inspecteur Roger Brewer in haar kielzog. Ze had de inspecteur gedwongen met haar mee te gaan naar de plek waar ze hem voor het laatst had gezien, languit op het pad, en toen hij daar niet meer was, was ze hem gaan roepen. Kellen hoorde het geschreeuw. Kellen schreeuwde terug.

Brewer ging het water in terwijl Claire, met een schouder uit de kom en een gebroken sleutelbeen die ze had overgehouden aan de val op het wegdek nadat Josiah Bradford haar uit de truck had geduwd, op de oever naar

389

elke rimpeling op het water en elke schaduw die erop viel stond te schreeuwen, met het idee dat ze allemaal Eric konden zijn.

Zoals ze het nu allemaal vertellen, dreef Eric gewoon uit de diepten naar boven. Kwam midden in de kolkende poel aan de oppervlakte, met zijn gezicht omlaag. Alsof de Lost River hem had opgeslokt en hem daarna besloot terug te geven.

Brewer en Kellen haalden hem eruit. De inspecteur begon te reanimeren, liet het daarna aan Claire over en was op weg gegaan naar zijn radio toen het hem niet lukte. Claire kon slechts een paar natte, piepende kuchjes uit hem krijgen.

Maar het lukte ze niet hem weer zelfstandig te laten ademen of een pols terug te krijgen.

In de ambulance registreerde het elektrocardiogram een bradycardie: een abnormaal lage hartslag. Zevenendertig slagen per minuut. En ze voelden nog altijd geen pols. Het elektrische systeem van het hart functioneerde, maar het mechanische pompsysteem niet. De ambulancebroeders legden hem aan de beademing om hem te helpen ademen en dienden hem epinefrine toe. Even later was Erics hartslag terug tot honderd slagen per minuut en klopte de halsslagader weer.

Hij werd met een gemiddelde snelheid van honderddertig kilometer per uur naar Bloomington Hospital gereden en daar werd hij aan een ander beademingsapparaat gelegd. Bovendien werden maatregelen genomen om zijn kerntemperatuur op peil te krijgen. Claire was tijdens de rit bij hem en verwachtte dat hij bij aankomst doodverklaard zou worden, dat de hartslag door de epinefrine alleen op gang was gekomen om haar te kwellen.

Maar zo was het niet. Binnen een uur na zijn aankomst functioneerde zijn hart normaal en drie uur later werd geoordeeld dat zijn longen zonder hulp konden ademen.

Ze hielden hem nog vierentwintig uur in het ziekenhuis. Ter observatie, zeiden ze, en er waren andere zaken te doen: zijn schedel hechten, Claires sleutelbeen zetten, haar een mitella aanmeten, Kellens verwoeste enkel behandelen.

Hij weet niets meer van de rit met de ambulance, of veel van de eerste uren in het ziekenhuis. Op sommige momenten is zijn hoofd weer helder, en algauw is de politie bij hem, moeten er verklaringen worden afgenomen. Claire en Kellen hadden die van hen al afgelegd, en ze is nu in de kamer bij hem. Hij kan zijn ogen niet van haar afhouden. Hij kijkt naar haar en ziet de pick-uptruck weer, dat smeulende, verwrongen staal en de flits van het witte bot tussen de as.

Ik dacht dat je dood was, zegt hij tegen haar.

Ik ook, zegt ze.

Volgens haar hoopte Josiah dat ze het niet zou overleven toen hij haar uit de truck duwde. Hij had het geweer op zijn schoot, maar schoot er niet mee, misschien omdat hij het niet kon en het voertuig onder controle moest houden, misschien omdat hij bang was dat het dynamiet in de laadbak van zijn truck af zou gaan. Wat de reden ook was, hij besloot haar de weg op te duwen, en Brewer was tegen een hek aangereden om haar te ontwijken.

Wat dacht je toen je in het water sprong? vraagt ze aan hem. Hoe kon je jezelf daartoe brengen?

Je was weg, antwoordt hij. Daar lijkt ze geen genoegen mee te nemen; voor hem blijft het meer dan genoeg. Ze was weg en Campbell bleef. Nu is zij hier en is Campbell weg.

Hij kan het nauwelijks geloven. Hij kan er nauwelijks op vertrouwen.

Pas laat die avond horen ze het nieuws van Anne McKinney. Wanneer inspecteur Brewer het ze op zachte, effen toon vertelt, huilt Claire en Eric leunt met zijn hoofd naar achteren en sluit zijn ogen.

Klaarblijkelijk is het snel en pijnloos gegaan, zegt Brewer. Dat is al iets. Ze was oud en de spanning is haar gewoon te veel geworden. Niet verbazingwekkend dat ze een hartaanval kreeg; wel verbazingwekkend dat het op dat moment gebeurde, toen alles eigenlijk al opgelost was.

Ze heeft me gered, zegt Claire. Ze heeft ons gered.

Ja, mevrouw.

Heeft niemand haar dan uit die kelder gehaald? Ze moest doodsbang zijn geweest. Ze moest zo bang zijn geweest.

Brewer weet daar niets van. Zegt dat Anne via de radio contact had met de operator en dat ze zelfverzekerd klonk. Vlak voor het einde was het alleen een beetje vreemd geweest.

Vreemd?

Ze gaf door dat ze een tornado zag, legt Brewer uit. Dat was het laatste wat ze zei. Kennelijk dacht ze dat er een vlakbij buiten was. Maar ze zat natuurlijk nog in de kelder, ze kon helemaal niets zien.

Dus ze is van angst doodgegaan, zegt Claire.

Brewer spreidt zijn handen en zegt dat hij daar geen antwoord op heeft. Het enige wat hij weet is dat ze zeiden dat het klonk alsof ze prima in orde was toen ze het bericht doorgaf. Heel beheerst. Zelfs ontspannen. Ze zat nog in de stoel voor de radio toen de politie bij haar kwam.

Eric, die dit alles met gesloten ogen aanhoort, is verdrietig, maar gelooft dat Claire zich onnodig zorgen maakt. Anne was klaar voor de storm, of die nou echt was of ingebeeld. Ze zou er niet eens bang voor zijn geweest. Ze was er klaar voor geweest.

Nadat die avond de dood van Josiah Bradford was bevestigd, legde Lucas Bradford een officiële verklaring bij de politie af, waarin hij uitlegde waarom hij Gavin Murray in de arm had genomen. Kennelijk had zijn vader, de onlangs overleden Campbell Bradford, vlak voor zijn overlijden een merkwaardige brief geschreven. In die brief beweerde hij verantwoordelijk te zijn voor de dood van een man met dezelfde naam in 1929. Hij heeft hem niet vermoord, schreef hij, dat niet, maar deed ook niets om hem te helpen. Hij liet de man verdrinken en had het gevoel dat dat het beste was. Hij redde niet alleen zichzelf, maar ook anderen. De man, zo schreef hij, was kwaadaardig.

Hij gaf toe dat hij zijn fortuin had opgebouwd van de veertien dollar die hij uit de geldclip van een dode man had weggenomen, alles wat hij had toen hij op een Monon-goederentrein sprong en naar Chicago reisde. Hoewel hij zich niet schuldig voelde over het feit dat hij Campbell had laten verdrinken, voelde hij dat des te meer jegens de weduwe en de weesjongen die hij had achtergelaten, die zowel in armoede leefden als te lijden hadden onder de erfenis van Campbell. Maar hij was bang. Zo veel jaren was hij voor zo veel dingen bang.

Bij de brief zat een herzien testament: Campbell had bepaald dat de helft van zijn aanzienlijke rijdom moest worden verdeeld tussen de directe nakomelingen van de man die hij had laten verdrinken. Hij wist alleen dat er een zoon was. De anderen zouden moeten worden opgespoord. Het was belangrijk, schreef hij, dat hij voor de familie zorgde. Dat was heel belangrijk.

Josiah Bradford, de enige directe nakomeling van de Campbell Bradford die in de Lost River was verdronken, was vijftien uur dood voordat dit werd onthuld.

De brief repte met geen woord van een vreemde groene glazen fles, of van de reden waarom hij Campbells naam had aangenomen.

Eric laat iedereen in het ongewisse. Hij vertelt ze niet over Campbells laatste dreigement, dat iedereen die zijn naam niet droeg, noch een bloedverwant was, zijn toorn over zich heen zou krijgen.

Claire dringt er bij hem op aan dat hij de dokters vertelt over zijn verslaving aan het mineraalwater en het verwoestende effect dat het wellicht op zijn lichaam heeft. Hij zegt tegen haar dat dat niet nodig is. Het is klaar, zegt hij. Het is voorbij.

Ze vraagt hoe hij dat weet en dat is moeilijk te beantwoorden.

Vertrouw me nou maar, zegt hij. Ik weet het zeker.

En dat is ook zo. Want het water heeft hem teruggegeven. Zijn hart was ermee opgehouden, hij ademde niet meer. Dat was allebei weer begonnen. Hij was opnieuw begonnen. De oude kwellingen zouden niet meer terugkeren.

Hij is al twee weken in Chicago terug voordat hij Claire kan overhalen met hem terug te gaan naar het dal. Hij heeft daar een doel, legt hij uit, en voor het eerst begrijpt hij het. Er moet een verhaal verteld worden – zo veel verhalen, eigenlijk – en hij kan daar deel van uitmaken. Maar het wordt een documentaire, een historisch portret van deze plek in een andere tijd. Het zal de grote bioscopen niet halen, maar het is een belangrijk verhaal, en hij gelooft dat de film een bescheiden succes kan weten te behalen.

Ze vraagt hem of hij het script zal schrijven en hij zegt van niet. Dat is zijn rol niet. Hij is een beeldjongen, legt hij uit hij kan dingen zien die in het verhaal meegenomen moeten worden, maar hij kan niet het geheel vertellen. Hij vraagt zich af of haar vader belangstelling heeft om het te schrijven. Zijn naam zou kunnen helpen om een paar belangen veilig te stellen. Ze denkt van wel.

Kellen ontmoet hen in het hotel, zijn voet zit in het gips en hij loopt op krukken. Hij zegt dat hij een groene, glazen fles heeft die hij aan Eric moet teruggeven, maar dat hij die in Bloomington heeft laten staan. Hij vond niet dat hij naar deze plek moest worden teruggebracht. Eric is het daarmee eens.

Ze eten een feestelijk diner in de elegante eetzaal van het prachtige, oude hotel, en Eric vertelt over de documentaire en vraagt Kellen of hij wil overwegen eraan mee te doen. Kellen is enthousiast, maar heeft duidelijk iets anders op zijn lever. Hij heeft het er niet over totdat Claire naar het toilet is gegaan en ze met z'n tweeën zijn. Dan heeft hij het over de bron, die uit de visioenen, en vraagt Eric of hij gelooft of die er werkelijk is.

Ja, zegt Eric tegen hem. Ik weet dat die er is.

Kellen vraagt of hij ernaar gaat zoeken.

Dat doet hij niet.

Denk je dat Campbell is verdwenen? vraagt Kellen.

Eric denkt even na en haalt dan een citaat van Anne McKinney aan: dat je nooit weet wat zich achter de wind schuilhoudt.

Claire en Eric brengen daar de nacht door en bedrijven in dezelfde kamer de liefde, en dan slaapt ze en ligt hij wakker in het donker te staren en op stemmen te wachten. Die zijn er niet. Onder hem is het vredig in het hotel. Buiten begint een milde bries te waaien.

Opmerkingen van de auteur

Het idee voor dit verhaal vindt zijn oorsprong geheel en al in de plek zelf. De steden French Lick en West Baden bestaan echt, evenals het verbazingwekkende West Baden Springs-hotel en de nog verbazingwekkender Lost River. Ik ben niet ver ten noorden van die plekken opgegroeid, heb het West Baden-hotel als kind gezien en het was weinig meer dan een ruïne. Dat moment en die herinnering zijn blijven hangen, en door de jaren heen kwam ik steeds meer te weten over de plek en zijn opmerkelijke geschiedenis. In 2007, toen ik zag dat de restauratie van het West Baden Springs-hotel bijna voltooid was, voelde ik de verhalenverteller in me in beweging komen en zijn toppunt naderen. Dit boek is daarvan het resultaat, en omdat de plekken en hun geschiedenis belangrijk voor me zijn, heb ik geprobeerd om die zo accuraat mogelijk weer te geven. Toch is het een verzonnen verhaal en ik heb me een aantal vrijheden veroorloofd en ongetwijfeld een paar fouten gemaakt.

Twee dierbare vrienden – Laura Lane en Bob Hammel – hebben me bij mijn onderzoek geholpen en me tot deze onderneming aangespoord, en een paar mensen die ik nooit heb ontmoet, verdienen die waardering ook. Geen ander heeft de geschiedenis van het gebied beter chronologisch in kaart gebracht dan Chris Bundy, en zijn boeken waren schitterende bronnen. Bob Armstrong, wijlen Dee Slater en de leden van de Lost River Conservation Association, die al vele jaren lang toegewijde beschermers en pleitbezorgers zijn van een ondergewaardeerd natuurwonder, hebben een aantal jaren geleden mijn belangstelling voor de rivier geprikkeld toen ik als krantenverslaggever werkte. En Bill en Gayle Cook, die de hotels hebben gered van de bijna-ondergang, wil ik uit het diepst van mijn hart uit naam van de mensen in Indiana bedanken.

Dankwoord

Het is enorm plezierig om met de mensen van Little in Brown te werken. Mijn diepste dankbaarheid gaat uit naar Michael Pietsch, redacteur en uitgever zonder weerga, voor zijn inspanningen en bovenal zijn vertrouwen. Mijn dank gaat uit naar David Young, Geoff Shandler, Tracy Williams, Nancy Weise, Heather Rizzo, Heather Fain, Vanessa Kehren, Eve Rabinovits, Sabrina Callahan, Pamela Marshall en de vele andere cruciale spelers binnen het Hachette-team.

Mijn agent en vriend David Hale Smith heeft geduldig geluisterd naar mijn wilde relaas over een idee voor een roman over spookachtig mineraalwater en vervolgens, verbijsterend bedaard, toegekeken hoe dat in een vijfhonderd pagina's tellend manuscript uitmondde. Wat moet ik zeggen, DHS? Oeps. Een belangrijk dankwoord geldt de buitengewone violist Joshua Belle. De vertolking van deze eveneens in Bloomington geboren muzikant van het spooklied 'Short Trip Home' (geschreven, moet ik toegeven, door een ander product van de Indiana University, de vermaarde bassist en componist Edgar Meyer) heeft me naar een onverwachte maar voldoening schenkende plek gedreven. Maar het was een melodie die een verhaal nodig had, dacht ik, en daar is een groot deel van dit boek uit voortgekomen.

Ik vrees dat ik de neiging heb zwaar te leunen op de inbreng en het advies van schrijvers die ik al lang bewonder, en zonder uitzondering staan ze dat op een of andere manier toe. Het is geweldig om me op een vakgebied te bewegen waar door verbazingwekkende mensen verbazingwekkend werk wordt geproduceerd; daarom zijn geen mensen fantastischer dan Michael Connelly, Dennis Lehane, Laura Lippman en George Pelecanos. Bedankt allemaal, voor zo veel.